JN256157

第3版

非居住者・外国法人

源泉徴収の実務Q&A

税理士
門野久雄 著

清文社

第3版の発刊にあたって

前回、第2版を2016年5月に発刊してから8年の時が過ぎました。

この間における国際課税のベースは、グローバルに展開する企業の投資活動を後押しするという、いわば企業と投資受入国とがウィンウィンの関係を築けるような制度への改正・導入を図るスタンスから、グローバル化の進展に伴って発生する課税上の問題や弊害を防止するために必要とされる共通の措置を講じるという、いわば課税権の実質的な侵害に当たるような行為を許さないスタンスが加味されつつあるように見えます。

それは、我が国が2017年6月に署名し、2019年1月に発効した多国間条約である「BEPS（Base Erosion and Profit Shifting=税源浸食と利益移転）防止措置実施条約」が、公表されている2023年11月20日現在では、39か国・地域に適用されていて、その内容は主として、課税上存在しない団体を通じた所得に対する租税条約適用に関する規定や、双方居住者に該当する団体の居住地国の決定に関する規定などですが、その規定が我が国の選択により既存の租税条約に導入して適用されていることから、上記の変化が伝わってきます。

ただし、その一方でアメリカやブラジルを始めとする南米諸国などは、この条約そのもの に加わっていないという一面もあります。

また、日本国内における就労人口の低下などによる人手不足が業種を問わず喧伝されていて、そのため人的分野における多様化・国際化のさらなる選択・拡大を事業者は迫られている状況となっています。

それとともに、全世界的な技術革新の奔流は止まるところを知らず、最近のAIの開発・導入などに見るように国際的な知的・技術的交流はますます増大・深化していくものと思われます。

このように、あらゆる分野における国際化の進展に対処する多くの企業にあっては、多様な取引相手先の状況に応じて適切に対応することが必要となりますし、特に源泉徴収制度は、対価の支払者に源泉徴収義務が課されていることから、実務に当たる方には、その支払時における慎重かつ的確な判断が求められることとなります。

そのような源泉徴収事務の一助を担えるべく、前版をベースとしつつ身近に起きる事例を追録するとともに、引き続き多くの様式例を収録しました。

本書には不十分な箇所があると思いますが、源泉徴収事務の実務に携わる読者の皆様方にいささかでも役に立つことがあればと願っています。

本書の改訂にあたりまして、清文社編集部の皆様に一方ならないご支援をいただきました。ここに厚く御礼申し上げます。

2024年5月

税理士　門野　久雄

はしがき

ここ10年間で、国際課税の分野、殊に租税条約に関して刮目すべき変化がいくつか起きています。そのひとつは、租税条約の果たす役割の変化です。

租税条約は単に国際的な二重課税の防止のみならず、国際的な投資や人的交流を租税面から促進する役割をより明確に担うようになりました。そのことは、日米新条約や、その後に続く日英・日仏などの新条約の改正内容に如実に反映されています。

租税条約におけるもうひとつの変化は、情報交換に関する締結の拡充です。タックス・ヘイブンの代名詞のように称されているバミューダやバハマ、ケイマン諸島とも、それに関する協定を締結し、発効しています。

まさにグローバル経済の大波は、国家主権のシンボルともいえる課税権についてもガラパゴス化を許さない時代の到来さえ予感させますが、各条約の内容をよく吟味する必要性は時代を超えて変わらないテーマです。

加えて、最近における超円高の定着や、新興国の経済的台頭、さらに各国における競争的な法人税率の引下げなど外資導入政策の深化等に呼応した企業の海外進出の加速度的な昂進は、あまねく規模を問わず及んでいて、それに伴い、日本企業は否応なく国際課税への適切な対応を求められています。

また、日本の対外的な特許収支（特許や著作権の活用収支）の黒字額が2011年は過去最大となり、米国に次いで世界2位との報道がありました。この黒字は2003年以降は一貫して続いているようですが、ただし、特許等の支払額そのものは、過去10年以上にわたり1兆円を大きく超えるベースが続いているとのことです。

このように、国際的な政治・行政・経済面においてさまざまな潮流の変遷がありますが、その中にあっても、クロスボーダー取引における課税処理の的確性に対する要請は、現状においていささかも色褪せておらず、むしろ、その重要性は高まっているものと確信するものです。

そのような意味から、非居住者又は外国法人に支払う所得の源泉徴収事務に関して、できるだけ実務に即したわかりやすく、租税条約の活用などをサポートできる実用

書を目指すこととし、

① 回答にあたっては、国内法のみで足りるものを除き、各問とも租税条約の定めと関連づけて解説すること

② 日米など最新の租税条約について必要な設問を用意して、その内容が明確になるように解説すること

③ 租税条約の解説にあたっては、その設問を基にして応用が可能となるように、規定の背景や理由を記述するとともに、設問と同様な又は異なる規定を置く条約例を盛り込むこと

に留意して執筆を進め、今般、本書を上梓しました。

実務に当たる読者諸兄諸姉にいささかでも役に立つことがあれば、筆者にとって望外の喜びです。

なお、本書は清文社編集部一同から一方ならぬ励ましと支援をいただき、漸く日の目を見ることができました。ここに厚く御礼申し上げます。

2012年8月

税 理 士 門野 久雄

第1章 非居住者·外国法人の所得に対する課税のあらまし

第2章 租税条約のあらまし

第3章 国内源泉所得の所得ごとの取扱い

付　録

租税条約（源泉徴収関係）一覧（2024（令和6）年5月1日現在）

凡　例

所法……………………所得税法
所令……………………所得税法施行令
所規……………………所得税法施行規則
所基通…………………所得税基本通達
法法……………………法人税法
法令……………………法人税法施行令
法基通…………………法人税基本通達
消基通…………………消費税法基本通達
措法……………………租税特別措置法
措令……………………租税特別措置法施行令
措規……………………租税特別措置法施行規則
措通……………………租税特別措置法関係通達
復興財確法……………東日本大震災からの復興のための施策を実行するために必要な財源の確保に関する特別措置法
実特法…………………租税条約等の実施に伴う所得税法、法人税法及び地方税法の特例等に関する法律
実特令…………………租税条約等の実施に伴う所得税法、法人税法及び地方税法の特例等に関する法律施行令
実特法省令……………租税条約等の実施に伴う所得税法、法人税法及び地方税法の特例等に関する法律の施行に関する省令
条約認定省令…………租税条約等の実施に伴う所得税法、法人税法及び地方税法の特例等に関する法律に基づく租税条約に基づく認定に関する省令
所得相互免除法………外国居住者等の所得に対する相互主義による所得税等の非課税等に関する法律
所得相互免除令………外国居住者等の所得に対する相互主義による所得税等の非課税等に関する法律施行令
国外調書法……………内国税の適正な課税の確保を図るための国外送金等に係る調書の提出等に関する法律
国外調書令……………内国税の適正な課税の確保を図るための国外送金等に係る調書の提出等に関する法律施行令
地法……………………地方税法
財形促進法……………勤労者財産形成促進法
著法……………………著作権法
入管法…………………出入国管理及び難民認定法

1　条文番号は、例えば、「所法２①三」と略して、「所得税法第２条第１項第３号」を表記しています。
2　税率及び税額については、原則として、復興特別所得税に係る税率及び同税額を含んで表記しています。
3　本書の内容は、令和６年５月１日現在施行の法令によっています。

「お断り」

1　所得税額及び源泉所得税額には、文中特に断りがない限り、「復興特別所得税」額を含んでおり、それらの税率についても同様です。

2　本書における租税条約に関する記述には、原則として租税に関する情報交換を主たる内容とする協定及び租税に関する相互行政支援に関する条約は、その対象としていません。また、BEPS防止措置実施条約についても、同様です。

第1章

非居住者・外国法人の所得に対する課税のあらまし

001 非居住者・外国法人の所得に対する課税制度

Q 非居住者や外国法人であっても我が国の所得税の納税義務があるそうですが、非居住者等に対する課税制度の概要について教えてください。

A 非居住者又は外国法人（以下「非居住者等」といいます）は原則として国内源泉所得に限定して納税義務を負うこととされており、その所得に対する課税制度は、居住者又は内国法人とは異なる取扱いとなっています。

解説

1 非居住者等に対する課税制度の概要

所得税法における非居住者等に対する課税制度の概要は、以下のとおりです。

① 課税制度と国際的二重課税の問題

非居住者等に対する課税制度は、通常、国際取引に対する課税として行われますが、国内取引と同様に課税する場合には、英領ケイマン諸島など全く租税を課さないタックス・パラダイスともよばれるタックス・ヘイブン（Tax Haven=租税回避地）にある相手先との取引を除き、どうしても国際的な二重課税が発生するという問題が生じます。

これは各国の租税制度が、その国の歴史的、文化的、政治的あるいは経済的な諸要因の下にそれぞれ独自に発達し、確立されてきたという背景があります。

国境を越えて行われる国際取引について各国がその課税権を等しく行使する場合には、どうしても居住地国による全世界所得課税と、所得源泉地国による国内源泉所得課税が競合し重複する結果となり、国際的二重課税が生じることとなります。

このような場合には国際取引上の障害となることから、二重課税を排除して適正な課税を図ることが実務上最も必要な国際課税の原則であるといわれています。

このような考え方から、通常、自国の居住者又は内国法人に対して課税する場合と、それ以外の者（原則として非居住者等）に課税する場合とに区分して課税対象や課税範囲等を異なる内容として課税権を行使するとともに、二重課税が発生した場合には、これを排除する別段の規定が設けられています。

② 我が国における課税制度の仕組み

[1] 納税義務者の区分に応じた課税所得の限定

納税義務者について、国内法である所得税法又は法人税法では、個人は「居住者」と「非居住者」に、法人は「内国法人」と「外国法人」に区分して課税の範囲等を規定しています。

これらのもののうち非居住者等については、その課税の範囲を居住者及び内国法人に比べて狭く規定していて、課税対象とする所得をその発生源泉地が国内にあるもの、すなわち「国内源泉所得」に限定しています。この課税方式は、「源泉地国課税」と称されています。

また、一定の国内源泉所得については、所得者の人格（法人又は個人）を問わず源泉徴収の対象とされていて、その支払者に源泉徴収義務が課されています。

したがって、どのような取引であれ対価の支払をすべき者となる場合には、まずその支払をすべき先が非居住者等に当たるかどうかを確認し、該当するのであれば、その対価が源泉徴収をすべき国内源泉所得に当たるかどうかを検討・判断する必要があります。

なお、原則として2016（平成28）年4月1日以降は、非居住者等に対する課税原則が、従来とられていた居住者や内国法人と同様にその全所得を総合合算して課税するという、いわゆる「総合主義」に基づく仕組みから、国内にある恒久的施設（「PE」と略称します）に帰属する事業所得のみを課税できることとするOECDモデル条約に沿った「帰属主義」に基づく仕組みとすることに見直されて、国内源泉所得の内容についても、帰属主義に沿った規定となっています（その内容については第1章問13～15参照）が、源泉徴収の対象・範囲等については、従来どおりに変更なく続いています。

[2] 租税条約優先の原則

国内法とは別に、我が国では二重課税を回避することを主目的として多くの国・地域と租税条約が締結されています。

国内法に対する租税条約の位置付けをみますと、日本国憲法第98条第2項で「日本国が締結した条約及び確立された国際法規は、これを誠実に遵守すること」と規定しています。また、所得税法第162条及び法人税法第139条では、国内源泉所得につき租税条約の適用を受ける者については、国内法の規定と異なる定めがある限りにおいて、その条約に定めるところによることとされています。

このことから、我が国と二重課税防止のための租税条約が締結されていて、その条約における条文では国内法に規定する内容と相違するような取扱いが定められている場合は、租税条約に基づく取扱いが国内法に優先して適用されることとなります。

したがって、取引先が非居住者等に該当する場合は、その取引先の居住地・所在地国と我が国との間に租税条約が締結されているかどうかを確認し、締結されているのであれば、国内法の規定と異なる定めがないかどうか、条文の内容を検討し確認する必要があります。

[3] 国内法上の二重課税の排除措置

我が国と相手国等との間で生じた二重課税を排除する措置としては、所得税法又は法人税法で、国外源泉所得について課された租税のうち、一定のものを我が国の租税から控除する「外国税額控除制度」（このほかに、「外国子会社からの受取配当益金不算入制度」）が設けられています。

2 納税義務者の区分とその定義及び所得税の課税所得の範囲

所得税法では納税義務者を以下の表のとおりに区分し、それぞれの課税所得の範囲を以下のとおりに定めています。

納税義務者の区分及びその定義

<table>
<tr><th colspan="3">納税義務者の区分</th><th>定　　　義</th></tr>
<tr><td rowspan="3">個人</td><td rowspan="2">居住者</td><td>非永住者以外の居住者</td><td>国内に住所を有し、又は現在まで引き続いて1年以上居所を有する個人（「居住者」といいます）のうち、非永住者以外の者</td></tr>
<tr><td>非永住者</td><td>居住者のうち、日本の国籍を有しておらず、かつ、過去10年以内において国内に住所又は居所を有していた期間の合計が5年以下である個人</td></tr>
<tr><td colspan="2">非居住者</td><td>居住者以外の個人（国内に住所も1年以上の居所も有しない者）</td></tr>
<tr><td rowspan="3">法人</td><td colspan="2">内国法人</td><td>国内に本店又は主たる事務所を有する法人</td></tr>
<tr><td colspan="2">外国法人</td><td>内国法人以外の法人（国内に本店も主たる事務所も有しない法人）</td></tr>
<tr><td colspan="2">人格のない社団等</td><td>法人でない社団又は財団で代表者又は管理人の定めがあるもの</td></tr>
</table>

所得税の課税所得の範囲

納税義務者の区分	課　税　対　象　所　得	課税方法
非永住者以外の居住者	国の内外で生じたすべての所得	申告納税又は源泉徴収
非永住者	国内源泉所得（非永住者期間外の期間に取得した国外にある一定の有価証券の譲渡所得を除きます）及び国外源泉所得で国内において支払われ、又は国外から送金された所得 ＊　所得税の源泉徴収については、非永住者も一般の居住者と同様の取扱いとなります。	申告納税又は源泉徴収
非居住者	国内源泉所得 ＊　国内にPEを有しない者等は、非課税とされるものがあります。	申告納税又は源泉徴収
内国法人	国内において支払われる利子等、配当等、定期積金の給付補填金、一定の利息・利益・差益、匿名組合契約等に基づく利益の分配及び一定の賞金	源泉徴収
外国法人	国内源泉所得のうち特定のもの	源泉徴収
人格のない社団等	内国法人又は外国法人に同じ	源泉徴収

注1　国内源泉所得の内容については、第1章問13・14を参照してください。

2　非居住者等については、国内に恒久的施設（PE）及びそのPEに帰属する所得を有する場合には、居住者と同様に（一定の所得は源泉徴収のうえ）申告納税方式を原則としています。

　その他の場合には、原則として源泉徴収のみで課税関係が完結する源泉分離課税方式が基本とされています（所法164）。

3　人格のない社団等は、所得税の課税に関し、法人とみなされますので、内国法人又は外国法人のいずれかに含まれます。

参考　所法2《定義》、同4《人格のない社団等に対するこの法律の適用》、同5《納税義務者》、同7《課税所得の範囲》、法法4③《納税義務者》、同141《外国法人に係る各事業年度の所得に対する法人税の課税標準》

002　非居住者等の課税対象所得の種類と課税関係

Q　非居住者等は、どのような種類の所得がある場合にどのような方法で課税されるのか、その概要を教えてください。

A　非居住者等が国内源泉所得を有する場合は、国内における恒久的施設（PE）の有無やその態様に応じて、課税されるかどうか、又はその課税方式が異なる取扱いとなっています。

解説

非居住者等が、税法上、その稼得する所得の生ずるもと（源泉）が国内にあるとされているもの、すなわち国内の源泉から生ずる所得（国内源泉所得）とされるものを有する場合には、非居住者はその国内源泉所得について、外国法人はその国内源泉所得のうち特定のものについて、それぞれ一義的に納税義務を負います。その具体的な課税対象所得及び課税方式は、国内に支店など事業上の拠点、すなわち恒久的施設（PE）を有するか否か、及び国内源泉所得がPEに帰せられるか否かによって異なっていて、総合課税の対象となる場合と、源泉分離課税の対象となる場合に分けられます。

その事業上の拠点PEは所得税法及び法人税法上、①支店・工場等である場合、②1年を超えて建設作業等を行う場合、③自己のために反復して契約を締結する代理人を置いている場合に分かれていて、そのPEに帰せられるべき所得（PE帰属所得）であるか、又はそれ以外の所得であるかを区分して、その区分ごとに課税所得等が次ページ以下の表のように異なっています。

なお、これらの表に記載された内容は、あくまでも国内法における課税関係の概要を示していますので、租税条約にはこれと異なる定めがある場合があることに留意してください。

表1　【非居住者に対する課税関係の概要】（網かけ部分は申告対象所得）

<table>
<tr><th colspan="2" rowspan="3">非居住者の区分
所得の種類</th><th rowspan="3">源泉徴収</th><th colspan="3">恒久的施設（PE）の有無</th></tr>
<tr><th colspan="2">PEを有する者</th><th rowspan="2">PEを有しない者</th></tr>
<tr><th>PEに帰属する所得</th><th>PEに帰属しない所得</th></tr>
<tr><td colspan="2">①事業所得（恒久的施設帰属所得）</td><td>無</td><td rowspan="4">【総合課税】</td><td></td><td></td></tr>
<tr><td colspan="2">②国内にある資産の運用・保有（※1）
（下記⑧～⑯に該当するものを除く）</td><td>無</td><td colspan="2" rowspan="3">【総合課税】</td></tr>
<tr><td rowspan="2">③国内にある資産の譲渡（右のものに限る）（※2）</td><td>・国内にある不動産の譲渡</td><td>無</td></tr>
<tr><td>・国内にある不動産の上に存する権利等の譲渡
・国内にある山林の伐採又は譲渡
・買集めした内国法人株式の譲渡
・事業譲渡類似株式の譲渡
・不動産関連法人株式等の譲渡
・国内ゴルフ場の所有・経営に係る株式等の譲渡　等</td><td>無</td></tr>
<tr><td colspan="2">④組合契約事業利益の配分（※3）</td><td>20.42%</td><td rowspan="13">【源泉徴収のうえ総合課税】</td><td></td><td></td></tr>
<tr><td colspan="2">⑤土地等の譲渡対価（※4）</td><td>10.21%</td><td colspan="2" rowspan="3">【源泉徴収のうえ総合課税】</td></tr>
<tr><td colspan="2">⑥人的役務の提供事業の対価（※5）</td><td>20.42%</td></tr>
<tr><td colspan="2">⑦不動産の賃貸料等</td><td>20.42%</td></tr>
<tr><td colspan="2">⑧利子等（※6）</td><td>15.315%</td><td colspan="2" rowspan="9">【源泉徴収のみ】</td></tr>
<tr><td colspan="2">⑨配当等（※7）</td><td>20.42%</td></tr>
<tr><td colspan="2">⑩貸付金の利子</td><td>20.42%</td></tr>
<tr><td colspan="2">⑪使用料等</td><td>20.42%</td></tr>
<tr><td colspan="2">⑫給与等の人的役務提供に対する報酬、公的年金等、退職手当等</td><td>20.42%</td></tr>
<tr><td colspan="2">⑬事業の広告宣伝のための賞金</td><td>20.42%</td></tr>
<tr><td colspan="2">⑭生命保険契約に基づく年金等</td><td>20.42%</td></tr>
<tr><td colspan="2">⑮定期積金の給付補塡金等</td><td>15.315%</td></tr>
<tr><td colspan="2">⑯匿名組合契約等に基づく利益の分配</td><td>20.42%</td></tr>
<tr><td colspan="2">⑰その他の国内源泉所得（※8）</td><td>無</td><td>【総合課税】</td><td colspan="2">【総合課税】</td></tr>
</table>

この表の各所得について留意事項を簡記すると、以下のとおりです。

(※1) ①　「国内にある資産の運用·保有」による所得には、非居住者が得る履行期間が6か月未満の短期売掛金等に係る利子は該当しないこととされています（PEを通じて行う事業につき得た上記の利子はPE帰属所得に該当します）。

②　資産の運用·保有所得のうち、懸賞金付預貯金等の懸賞金等については、15.315%（復興特別所得税を含みます。以下、税率は同内容です）の税率で源泉分離課税が適用されます（措法41の9）。

③　資産の運用·保有所得のうち、割引債（特定短期公社債等一定のものを除きます）の償還差益については、18.378（一定のものは16.336）%の税率で源泉分離課税が適用されます（措法41の12）。

(※2) ①　資産の譲渡所得のうち、国内にPEを有する者が行う株式等の譲渡による所得については、15.315%の税率で申告分離課税が適用されます（措法37の10）。

②　資産の譲渡所得のうち、国内にPEを有しない者が行う株式等の譲渡による所得については、15.315%の税率で申告分離課税が適用されます（措法37の12）。

(※3) ①　「組合契約事業利益の配分」については、民法組合契約等に基づいて「PEを通じて行う事業から生ずる」利益の配分が対象とされています。

②　投資組合契約を締結している外国組合員で、その投資組合契約に基づいて行う事業につき国内にPEを有する者のうち一定の要件を満たすものについては、特例適用申告書を提出することにより国内にPEを有しないものとみなされます（措法41の21）。

(※4)　土地等の譲渡対価については、源泉徴収の上、その所得に対して長期譲渡該当分は15.315%、短期譲渡該当分は30.63%の税率による申告分離課税が適用されます（措法31、32）。

(※5)　人的役務の提供事業の対価のうち、特定の免税芸能法人等が得る対価については、15.315%の税率が適用されます（措法41の22）。

(※6) ①「利子等」のうち、外国法人の発行する債券については、その外国法人の「PEを通じて行う事業に係るもの」が対象とされています。

②　利子等のうち、国内にPEを有する者が得るもの及び定期積金の給付補塡金等については、15.315%の税率で源泉分離課税が適用されます（措法3、41の10）。

(※7) ①　配当等で国内にPEを有する者が得るもののうち、私募公社債等運用投資信託等の収益の分配に係る配当等については、15.315%の税率による源泉分離課税が適用されます（措法8の2）。

②　配当等のうち、上場株式等に係るもの（当該配当等の支払に係る基準日において当該配当を支払う内国法人の発行済株式又は出資の総数又は総額の3%以上に相当する数又は金額の株式又は出資を有する個人がその内国法人から支払を受けるものを除きます）、公募証券投資信託（公社債投資信託及び特定株式投資信託を除きます）の収益の分配に係るもの、及び特定投資法人の投資口の配当等については、15.315%の税率が適用されます（措法9の3、平20改正法附則33）。

③　配当等のうち、国内にPEを有する者が得るもの（源泉分離課税が適用されるものを除きます）については、確定申告による総合課税又は申告分離課税（2009（平成21）年分以後）を受ける必要のない配当所得の確定申告不要制度の適用が認められます（措法8の5）。

(※8) ①　法人課税信託の受託者は、その信託財産に帰せられる所得について、その信託された営業所の別（国内又は国外）に応じ、内国法人又は外国法人として所得税が課税されます（所法5、6の2、6の3、7）。

表2　【外国法人に対する課税関係の概要】（網かけ部分は法人税の課税対象）

<table>
<tr><td colspan="2" rowspan="3">外国法人の区分
所得の種類</td><td rowspan="3">源泉徴収</td><td colspan="3">恒久的施設（PE）の有無</td></tr>
<tr><td colspan="2">PEを有する外国法人</td><td rowspan="2">PEを有しない外国法人</td></tr>
<tr><td>PEに帰属する所得</td><td>PEに帰属しない所得</td></tr>
<tr><td colspan="2">①事業所得（恒久的施設帰属所得）（※1）</td><td>無</td><td rowspan="15">PEに帰せられるべき所得
【法人税】</td><td></td><td></td></tr>
<tr><td colspan="2">②国内にある資産の運用・保有（※2、3）
（下記⑦～⑭に該当するものを除く）</td><td>無</td><td colspan="2" rowspan="6">【法人税】</td></tr>
<tr><td rowspan="2">③国内にある資産の譲渡（右のものに限る）（※4）</td><td rowspan="2">・国内にある不動産の譲渡
・国内にある不動産の上に存する権利等の譲渡
・国内にある山林の伐採又は譲渡
・買集めした内国法人株式の譲渡
・事業譲渡類似株式の譲渡
・不動産関連法人株式等の譲渡
・国内ゴルフ場の所有・経営に係る株式等の譲渡　等</td><td>無
（※2）</td></tr>
<tr><td>無</td></tr>
<tr><td colspan="2">④人的役務の提供事業の対価</td><td>20.42%</td></tr>
<tr><td colspan="2">⑤国内不動産の賃貸料等</td><td>20.42%</td></tr>
<tr><td colspan="2">⑥その他の国内源泉所得</td><td>無</td></tr>
<tr><td colspan="2">⑦利子等（※5）</td><td>15.315%</td><td colspan="2" rowspan="8">【源泉徴収のみ】</td></tr>
<tr><td colspan="2">⑧配当等（※6）</td><td>20.42%</td></tr>
<tr><td colspan="2">⑨貸付金の利子</td><td>20.42%</td></tr>
<tr><td colspan="2">⑩使用料等</td><td>20.42%</td></tr>
<tr><td colspan="2">⑪事業の広告宣伝のための賞金</td><td>20.42%</td></tr>
<tr><td colspan="2">⑫生命保険契約に基づく年金等</td><td>20.42%</td></tr>
<tr><td colspan="2">⑬定期積金の給付補塡金等</td><td>15.315%</td></tr>
<tr><td colspan="2">⑭匿名組合契約等に基づく利益の分配</td><td>20.42%</td></tr>
</table>

この表の各所得について留意事項を簡記すると、以下のとおりです。

（※1）　事業所得のうち、組合契約事業から生ずる利益の配分については、税率20.42％で所得税の源泉徴収が行われます。

（※2）　外国法人が得る履行期間が6か月未満の短期売掛債権等に係る利子は、国内にある資産の運用・保有による所得に該当しないこととされています（PEを通じて行う事業につき得た上記の利子は、PE帰属所得に該当します）。

（※3）　資産の運用・保有による所得のうち、割引債（特定短期公社債等一定のものを除きます）の償還差益については、税率18.378（一定のものは16.336）％で所得税の源泉徴収が行われます（措法41の12）。

また、一定の割引債の償還金に係る差益金額については、税率15.315％で所得税の源泉徴収が行われます（措法41の12の2）。

（※4）　資産の譲渡による所得のうち、国内にある土地若しくは土地の上に存する権利又は建物及びその附属設備若しくは構築物の譲渡による対価（所令281の3に規定するものを除きます）については、税率10.21％で所得税の源泉徴収が行われます。

（※5）　この表の⑦から⑭の国内源泉所得の区分は、所得税法上の区分です（法人税法にはこれらの区分は規定されていません）。

（※6）　上場株式等に係る配当等、公募証券投資信託（公社債投資信託及び特定株式投資信託を除きます）の収益の分配に係る配当等及び特定投資法人の投資口の配当等については、税率15.315％の所得税の源泉徴収が行われます（措法9の3ほか）。

参考　所法2八の四《定義》、同161《国内源泉所得》、同164《非居住者に対する課税の方法》、同212《源泉徴収義務》、所令280②《国内にある資産の運用又は保有により生ずる所得》、同281《国内にある資産の譲渡により生ずる所得》、同281の2《恒久的施設を通じて行う組合事業から生ずる利益》、所基通164－1《非居住者に対する課税関係の概要》、法法138《国内源泉所得》、同141《外国法人に係る各事業年度の所得に対する法人税の課税標準》、法令177②《国内にある資産の運用又は保有により生ずる所得》、同178《国内にある資産の譲渡により生ずる所得》、法基通20－2－5《国内にある資産》ほか

003　国際課税の原則「帰属主義」とは

Q　国際課税の原則が従来とられていた総合主義から帰属主義に変更されたと聞きましたが、帰属主義とはどのようなことを意味しているのでしょうか。

A　国内法における外国法人に対する課税について、原則として2016（平成28）年4月以後の開始事業年度からは、その課税原則である「総合主義」を改めて、我が国が締結しているすべての租税条約で採用している「帰属主義」に一元化されていて、なかでも、OECDモデル条約新7条に規定する帰属主義の算定方式と同旨とする「恒久的施設（PE）帰属所得」規定が設けられ、国内源泉所得の一つに当たるものとされています。また非居住者課税についても同様の取扱いとされていて、2017（平成29）年分以後の所得税から適用されています。

ただし、非居住者等に対する課税原則の変更があっても、源泉徴収の対象そのものについては変更されていません。

解説

国内法における我が国に進出している非居住者等の国内事業に対する課税原則は、従前においては日本における属地的応益関係を考慮して居住者や内国法人と同様にその全所得を総合合算して課税するという、いわゆる「総合主義」の考え方が採用されているといわれていました。

その一方、我が国が締結している租税条約では、条約ごとにその規定内容の濃淡はあっても、恒久的施設（PE）に帰属する事業所得についてのみ国内事業所得として課税できるという「帰属主義」の考え方がほぼ例外なく採用されていて、その結果、すべての条約締結国とは帰属主義で課税され、それ以外の条約非締結国とは総合主義で課税されることとなるという、課税の二元化が指摘されていました。

また、OECDにおいては、2010（平成22）年にPEに帰属すべき事業所得（利得）に関する新たな算定方式を導入していて、その事業所得とは、「そのPEが分離・独立した企業であるとしたならばその果たした機能や使用した資産、及び引受けたリスクを考慮して取得したものとみられる利得」がそれに当たるものとされました（モデル条約新7条）。

具体的には、本店等とPEとの内部取引を認識して、独立企業間価格により行われたものとして算定する方式を採用しています。

このことにより、国際的な二重課税又は二重非課税の排除が実現可能となるものといわれています。

以上の経緯から、平成26年度の税制改正により、従来規定していた国内事業所得に代えて、OECDモデル条約と同旨のPE帰属所得が新たに国内源泉所得に加えられました。

その所得とは、PEが本店等から分離・独立した企業であるものとした場合に得られる所得であって、本店等とPEとの内部取引については独立企業間価格による取引が行われたものと擬制して内部取引損益を認識することとされました。また、外国法人についてはPEに必要な擬制資本を配賦して、内部利子を含む負債利子の総額のうち、その配賦された資本に対応する部分については損金算入が制限されることとなっています。

なお、非居住者等の課税の対象となる国内源泉所得の範囲は、改正前はPEの有無及びその態様に応じて区分されていましたが、改正後はPEの有無及びそれに帰せられるものであるかどうかにより区分され、外国法人については法人税の課税標準をPE帰属所得に係る所得と、それ以外の国内源泉所得に係る所得の2区分とし、これらの所得を通算せず、それぞれ別個に税額計算して納税額を算定することとされています。

注　改正後の課税関係の概要は第1章問2参照。

以上の改正により、二元化されていた課税原則が現行においては国際的に調和のとれたものとなっているとともに、我が国への進出形態が子会社形態であれ支店形態であれ、その形態いかんを問わず課税上の差異が解消されているといわれています。

参考　所法161《国内源泉所得》、同164《非居住者に対する課税の方法》、法法138《国内源泉所得》、同141《外国法人に係る各事業年度の所得に対する法人税の課税標準》

004 恒久的施設（PE）帰属所得とは

Q 非居住者等の国内源泉所得とされる恒久的施設（PE）帰属所得とはどのような所得のことをいうのでしょうか。

A 非住居者等が恒久的施設（PE）を通じて事業を行う場合の課税原則とされる「帰属主義」の考え方に基づいて、我が国における進出形態いかんにかかわらず、そのPEを独立事業と擬制したときにおいて、内部取引も含めて計算したそのPEに帰せられるべき所得のことをいいます。

解説

1 PE帰属所得の基となるPE

PE帰属所得は平成26年度税制改正により新しく導入された国内源泉所得ですが、その背景や経緯については前問（問3）に記載のとおりです。

PE帰属所得は我が国にPEを有し、そのPEを通じて事業を行う場合に生ずる所得ですが、そのPEとは、「事業を行う一定の場所等」のことをいいます。PEには、次の3形態があります。

① 支店、工場等の事業を行う一定の場所（支店PE）
② 1年超の長期建設工事等を行う一定の場所（建設PE）
③ 自己のために契約を締結する権限のある者等に相当するもの（代理人PE）

2 PE帰属所得の対象範囲

PE帰属所得とは、所得税法及び法人税法において、いずれも「非住居者等が我が国におけるPEを通じて事業を行う場合に、そのPEがその非住居者等から独立して事業を行う事業者であるとしたならば、そのPEが果たす機能、PEにおいて使用する資産、そのPEと非住居者等の事業場や本店等との間の内部取引その他の状況を勘案して、そのPEに帰せられるべき所得」と定義づけられています。

このことは、そのPEだけを切り取って国外にある事業場や本店等とは別個の独立した存在、いわばPEそのものが一つの事業体あるいは法人であると擬制した上で、内部取引も独立企業間価格に引き直したうえで所得計算の対象範囲に取り込んで、PEの果たしている事業上の機能や保有する資産から得られるものをすべて含めてPEに帰すべき所得として計算することとなります。

なお、以上のPE帰属所得の計算においては、OECDモデル条約の新7条の算定アプローチ（Authorised OECD Approach=AOA）に基づいた所得計算のステップを踏んで計算することが必要とされています。

この改正前後の課税内容の概要は、次のページにあるイメージ図のとおりです。

参考　所法2①八の四《定義》、同161①一《国内源泉所得》、法法2十二の十九《定義》、同138①《国内源泉所得》

（参考）外国法人の国内支店に対する改正前後の課税内容のイメージ図

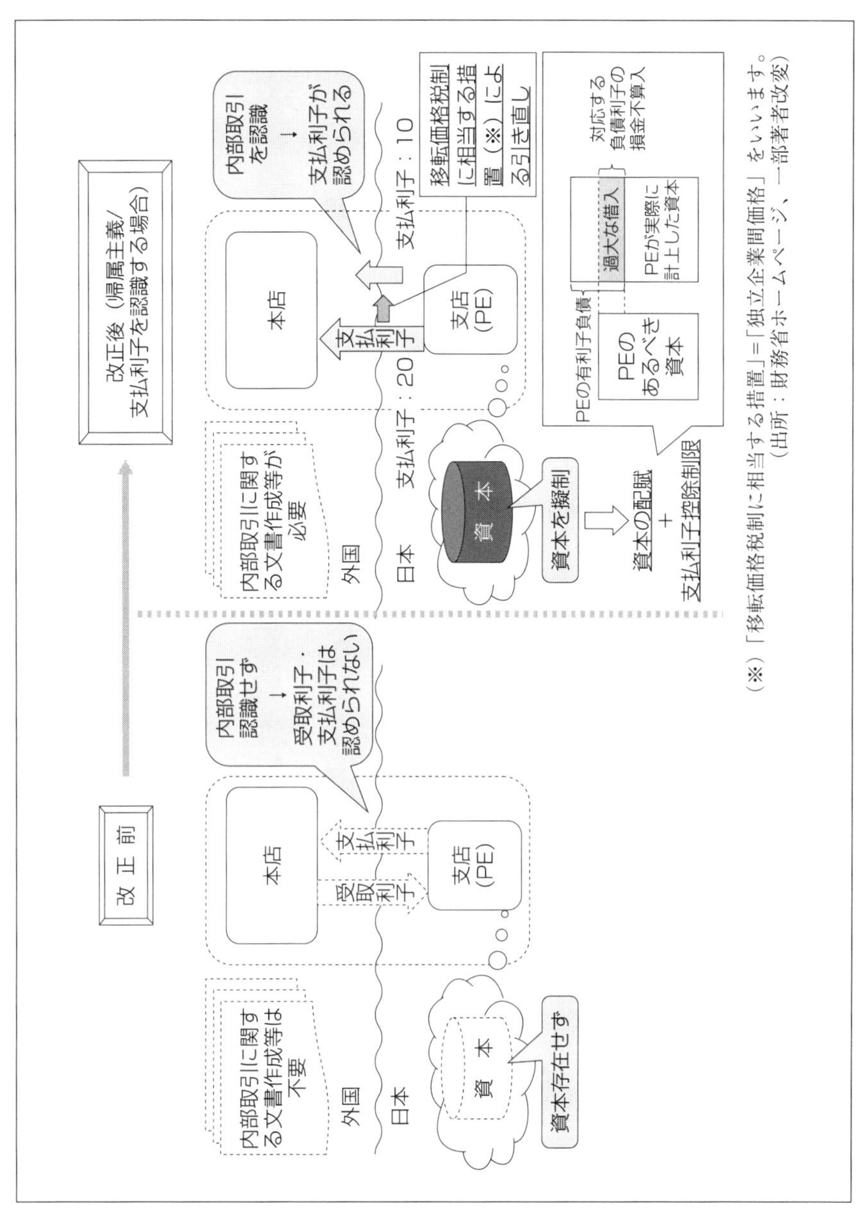

005　非居住者とは

Q　非居住者とは、どのような人をいうのでしょうか。

A　非居住者とは、日本国内に住所又は1年以上の居所を有していない個人をいいます。

解説

所得税法では、居住者についてその要件を具体的に定義し、非居住者とは「居住者以外の個人」であると定めています。

この居住者とは、「日本国内に住所を有し、又は現在まで引き続いて1年以上居所を有する個人」とされていますから、非居住者は次のいずれかに該当する個人になります。

① 日本国内に住所も居所も有していない個人

② 日本国内に住所を有していないが、国内に居所を有していて、その引き続き有している期間が1年に満たない個人

したがって、外見的には「非居住者すなわち外国人」であると思われることもありがちですが、必ずしも外国人であれば非居住者となるのではなく、税法上は外国人であっても、日本国内に住所を有しているか、又は1年以上の居所を有していれば、居住者になります。

その一方、日本人であっても、例えば海外で居住するために住所を外国に移した人や、海外の支店等に1年以上の期間にわたって勤務するために出国した人は、税法上は非居住者になります。

ただし、例外的な取扱いがあり、国家公務員及び地方公務員（日本の国籍を有しない人や国外に永住すると認められる人を除きます）は、実際には国内に住所を有しなくなった期間についても、国内に住所を有するものとみなされます。

また、国籍に関しては、以上の判定を行う上では原則として影響されないこととされています。

注　原則として居住性基準により非居住者であるかどうかが区分されますので、国籍は問われませんが、このほかに居住性の推定規定があり、そこでは国籍も考慮に入れる場合があります（第1章問8参照）。

なお、実務上は住所や居所の判断が難しい場合があることから税法は推定規定を定めています。推定規定を適用して非居住者（又は居住者）を判定する場合の概要は、以下のとおりとなります。

❶ 非居住者が入国した場合

具体例：①海外支店からの転勤　②海外居住外国人の雇用

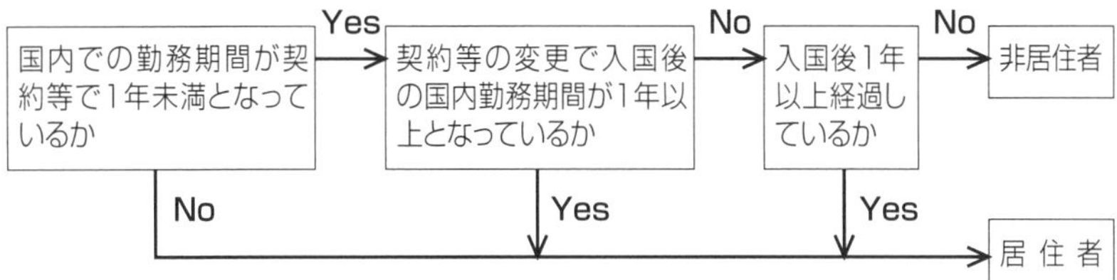

❷ 居住者が出国した場合

具体例：①海外支店への転勤　②海外への留学

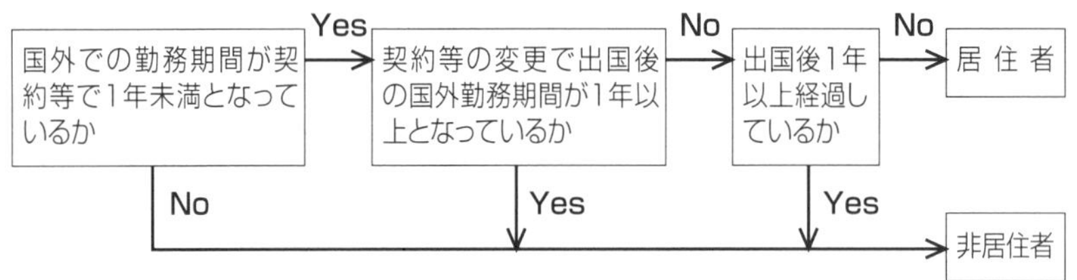

❸ 例外的な取扱い

公務員……………………………………原則として居住者

船舶等の乗組員…………………………親族の居住国又は勤務外における通常の滞在国の居住者

アメリカ合衆国軍隊の構成員等………非居住者

租税条約による双方居住者に該当……租税条約の規定により居住者又は非居住者であるかを決定

参考　所法2①五《非居住者》、同3《居住者及び非居住者の区分》、所令13《国内に住所を有するものとみなされる公務員から除かれる者》、同14《国内に住所を有するものと推定する場合》、同15《国内に住所を有しない者と推定する場合》

006 外国法人とは

Q 外国法人とはどのような法人をいうのでしょうか。

A 外国法人とは、日本国内に本店も主たる事務所も有しない法人であって、外国の法令に準拠して設立された会社と同種又は類似の法人その他の団体をいいます。

解説

1 国内法の定め

外国法人とは、所得税法及び法人税法上は「内国法人以外の法人をいう」ことと定義されていて、日本国内に本店又は主たる事務所を有する法人を内国法人と定めていることから、「日本国内に本店又は主たる事務所のいずれも有しない法人」が外国法人であるといえます。

ただし、ここでいう「法人」の定義については税法上の明文規定はありませんので、民法や会社法の定義を借用することとなります。

民法では、外国法人の成立について、外国、外国の行政区画（州など）や外国会社を認許するとともに、その法人格を承認しているほか、法律又は条約の規定により認許された外国法人も成立を認めることとしており、日本の設立準拠法で設立された法人以外の法人を外国法人といいます。

また会社法では、株式会社や合同会社などとして成立した会社には法人格を付与していて、会社は権利能力を認められた組織体として法律上の権利義務の主体となり得ますが、外国会社については、外国の法令に準拠して設立された法人その他の外国の団体であって、会社と同種のもの又は会社に類似するものをいうことと定義づけており、設立準拠法を基準としています。

以上のことから、外国法人とは、日本国内に本店又は主たる事務所のいずれも有しない法人であって、外国の法令に準拠して設立された会社と同種又は類似した法人その他の団体を指すものといえます。

注　会社法では、会社の本店所在地において設立の登記をすることによって会社は成立します（会社法49）が、その成立の日は実務上、「設立登記申請を行った日」となります。

2　各種事業体の法人格

外国法人については、リミテッド・ライアビリティ・カンパニー（Limited Liability Company=LLC）やリミテッド・ライアビリティ・パートナーシップ（Limited Liability Partnership=LLP）とか、ジェネラル・パートナーシップ（GPS）、リミテッド・パートナーシップ（LPS）などの事業体の名を目にします。これらのうち、LLCは法人課税のみでなく、その出資者（メンバー）を納税主体とするパス・スルー課税を受けることも選択できますが、その選択いかんにかかわらず原則として、LLCは外国法人として取り扱われます。

その一方、LLPは、我が国においても英国のLLPをモデルにして2005（平成17）年に「有限責任事業組合契約に関する法律」が制定され、その組成が可能となっていますが、組合契約であることから法人格はなく、同じように外国のLLPも外国法人に該当しません。

LPSについては、米国LPSの外国法人としての該当性が争われた裁判において、最高裁は次のような判断基準を示しています（平成27年7月17日判決）。

(1)　その組織体に係る設立根拠法令の規定の文言や法制の仕組みから、その組織体がその外国の法令において日本法上の法人に相当する法的地位を付与されていること、又は付与されていないことが疑義のない程度に明白であるか否か

(2)　その組織体が権利義務の帰属主体であると認められるか否か。具体的には、その組織体の設立根拠法令の規定の内容や趣旨等から、その組織体が自ら法律行為の当事者となることができ、かつその法律効果がその組織体に帰属すると認められるか否か

この判決を受けて、国税庁は2017（平成29）年2月に米国LPSの税務上の取扱いについて、最高裁判決では、州LPS法等に照らして権利・義務の帰属主体であり、

外国法人に該当することで決着したが、米国LPSが法人所得課税を選択していない場合には、そのLPSの所得については外国法人としてのものではなくパートナー個人に帰属するものとする旨の英文文書を公表しています。つまり、相手国における税務上の取扱いに準拠して日本における法人か否か決定される取扱いとなっています。

ただし、米国法人の所得として取り扱われるものには特典が与えられないこととなっていることから、この取扱いにより日米租税条約上の特典の適用が可能となるという納税者にとっては有利な取扱いが示されています。

参考 所法2①七《定義》、法法2四《定義》、民法35①《外国法人》、会社法2二《定義》、同3《法人格》

007　住所と居所の相違点

Q　居住者又は非居住者を判定する際の基準となる住所又は居所とは、どのように判断すればよいのでしょうか。

A　住所又は居所については、客観的事実によって、そこが生活の本拠となっているかどうかにより判断されると考えられます。

解説

所得税法では、居住者とは、国内に住所を有する個人、又は現在まで引き続いて1年以上の居所を有する個人をいうものと定義され、また、非居住者については、居住者以外の個人をいうものと定義されています。

ここでいう「住所」又は「居所」のどちらかに当たるかを判定する場合、その判断基準は次のように考えられます。

1　住所

住所とは、民法上、各人の生活の本拠をいいますが、生活の本拠であるかどうかは、その人に関する客観的事実によって判断することになると考えられます。所得税法上は住所についての定義規定が置かれていないため、税法上も一般法である民法上の住所の概念が取り入れられているもの（借用概念）と解されます。

もっとも、民法上、生活の本拠がどこにあるかを判定する場合には、本人の定住の意思を基準とする「意思主義」の考え方と、客観的事実によって決定されるとする「客観主義」の考え方とがあるとされています。これらのうち意思主義については、本人の意思によって住所の有無が恣意的に決定又は変更されるようなケースも想定され、ひいては課税所得の範囲が意図的に左右されることとなるおそれもあり、租税負担の公平の見地からは、意思主義が妥当な判断基準であるということは困難です。

また、定住の意思は本人以外の者には判断できない場合が一般的なことから、通常は客観主義が採用されています。

注　判例においても「住所とは、……生活の本拠、すなわち、その者の生活に最も関係の深い一般的生活、全生活の中心を指すものであり、一定の場所がある者の住所であるか否かは、客観的に生活の本拠たる実体を具備しているか否かにより決すべきもの」（最高裁平成23年2月18日判決）とされています。

したがって、住所とは、その人に関する客観的事実を総合的にみて、その人の生活がそこを中心として営まれている場所ということとなります。

この場合の客観的事実とは、裁判例からみて、その人の居住地や勤務地・事業所所在地、保有資産の所在地、生計を一にする配偶者や親族などとの同居状況等が判断要素として考えられます。

また通常の場合、住所は住民登録のある場所と一致しますが、両方が一致しないことも現実にはあり得ます。その場合は、上記の判断基準により判定することとなります。

2　居所

居所とは、その人の生活の本拠ではないものの、その人が一定の期間、継続して居住する場所ということとなります。

したがって、住所と居所との区分は、あくまでも客観的にみた場合にその場所がその人の生活の中心になっているかどうかにより判別して、決定されるといえます。

3　参考（来日外国人の在留カードによる判定）

日本に入国した外国人の届け出による「外国人登録制度」は2012（平成24）年7月に廃止されて、現在は90日以上の中長期間に在留する外国人には「在留カード」が交付されています。在留カードには氏名等の個人情報のほか在留資格や在留期限、居住地などが記載されており、その内容から国内に住所を有することとなるかを判定する上で一つの有力な情報であるといえますが、それらの情報も含めて、あくまでも生活の本拠が国内にあるかどうかにより判断することとなると考えられます。

参考　所法2①三・五《定義》、所基通2－1《住所の意義》、民法22《住所》、同23《居所》

008 住所の判定方法

Q 居住者又は非居住者を判定する際の住所については、何か具体的なルールがあるのでしょうか。

A 国内に住所を有するかどうかについては、所得税法上、1年基準による推定規定を含めてその具体的な取扱いが定められています。

解説

日本人が国内に家族を残したまま海外の支店等で勤務する場合や、逆に外国人が外国に家族を置いて単身で日本の支店等に勤務する場合においては、その人の住所すなわち生活の本拠が日本国内にあるのか外国にあるのかについて、どうしても判断し難いことが生じます。このため国内に住所を有するかどうかについて、所得税法においては次により判定することとされています。

1 国内に住所を有するものと推定する場合

外国の居住者が入国した場合で、その人が次のいずれかの事実に該当するときは、その人は国内に住所を有するものと推定されます。

① その人が国内において、継続して1年以上居住することを通常必要とする職業を有すること

② その人が日本の国籍を有し、かつ、その人が国内において生計を一にする配偶者その他の親族を有することや、その他国内におけるその人の職業及び資産の有無等の状況に照らし、その人が国内において継続して1年以上居住するものと推測するに足りる事実があること

2　国内に住所を有しないものと推定する場合

日本の居住者が出国した場合で、その人が次のいずれかの事実に該当するときは、その人の住所は国内にないものと推定されます。

① その人が国外において、継続して1年以上居住することを通常必要とする職業を有すること

② その人が外国の国籍を有し、又は外国の法令によりその外国に永住する許可を受けており、かつ、その人が国内において生計を一にする配偶者その他の親族を有しないことや、その他国内におけるその人の職業及び資産の有無等の状況に照らし、その人が再び国内に帰り、主として国内に居住するものと推測するに足りる事実がないこと

3　学術、技芸を習得する人の住所の判定

学術、技芸の習得のため国内又は国外に居住することとなった人の住所の判定については、その習得のために居住する期間においてその居住する地に職業を有するものとして、上記1又は2の推定規定を適用して判定することとなります。

これは、学術、技芸の習得のための留学生であっても、その地において継続して長期間居住することとなるときは、そこに生活の本拠があるとみることが実態に即していると考えられるからです。

4　在留期間の定めがない場合の取扱い

個人が国内又は国外において勤務することとなった場合、多くの場合、辞令や契約などによりその地における在留期間が定められているものと思われますが、仮にあらかじめ在留期間が定められていない場合でも、一般的には、使用者から事情の変更が生じたために帰国を命じられるようなことがない限り、相当の期間にわたって継続してその地に居住することが予定されているものと考えられます。

このため、国内又は国外において事業を営み、若しくは雇用された職業に従事するため国内又は国外に居住することとなった人は、その地における在留期間が契約等によりあらかじめ1年未満であることが明らかな場合を除き、その地において継続して1年以上居住することを通常必要とする職業を有するものとして取り扱われることとされています。

したがって、例えば、海外の支店等に勤務するため出国する人で国外における在留期間が辞令などで特に定められていないような場合には、出国の日の翌日からその人は国内に住所を有しないものと推定されますので、非居住者として取り扱われます。

5　船舶、航空機の乗組員の住所の判定

外国航路の船舶の乗組員の場合は、通常、航海中はその船内で起居して、その生活の相当期間を公海上又は外国において過ごすこととなると思われます。この乗組員にとってその船舶で営まれる生活は、あくまでも勤務の必要上生ずるもので、船舶そのものは勤務場所に過ぎないと解されます。

このため、その人の生活の本拠は、その人の配偶者やその他の生計を一にする親族の居住している地又はその人が勤務外において通常滞在する地にあるものとされています。

したがって、この生活の本拠を国内に有している人は居住者とされ、国外に有している人は非居住者とされます。

なお、航空機の乗組員についても同様に取り扱われます。

参考　所令14《国内に住所を有する者と推定する場合》、同15《国内に住所を有しない者と推定する場合》、所基通3－1《船舶、航空機の乗組員の住所の判定》、同3－2《学術、技芸を習得する者の住所の判定》、同3－3《国内に居住することとなった者等の住所の推定》

009 派遣先ごとに短期滞在となる長期海外駐在員の住所判定

Q 当社の社員を海外の取引先からの要請を受けてタイなど東南アジア諸国の4か国にそれぞれ3～4か月程度ずつ派遣することとなりました。当社員は1年以上継続して海外に滞在することとなるため配偶者同伴で出国する予定ですが、この社員は出国後は非居住者に当たるのでしょうか。

A その社員本人の生活の本拠がいずれにあるかによって住所を判定することとなりますが、国外に1年以上滞在することとなる等の事実から非居住者に該当するものと考えられます。

解説

個人が国内に住所を有しないものと推定する規定（所令15①一）は、その条文における「継続して1年以上居住する…」との規定ぶりから判断するに、あくまでも国外の一定の場所に居住せず国外各地を数か月ごとに転々とするようなご質問の場合には当てはまらないものと認められます。

したがって、法の定める原則的な取扱いに戻り、その人に関する客観的な事実に基づいて、その人の生活の本拠が国内又は国外のいずれにあるかによって判定するものと思われます。

ご質問の場合は、①継続して国外に1年以上滞在すること、②その間に配偶者も帯同していること、からみて生活の本拠は国内にはなく国外にあるものと認められますので、出国の日の翌日から非居住者に該当するものと考えられます。

注　この場合、日本においては国内勤務を行わない限り課税されません。また、滞在地国においても、その滞在期間が数か月程度と短いことから、通常、いずれの国でも非居住者扱いとなると認められ、その場合は、給与所得者について租税条約が定める「短期滞在者免税」の要件とされている派遣元国（日本）における居住者に該当しないことから、同免税の適用はなく、滞在地国では非居住者としてその国の税法に基づき課税されることとなります。

参考　所法2《定義》、同7①三《課税所得の範囲》、所令15①一《国内に住所を有しない者と推定する場合》

010　国内外を移動して居住する法人代表者の住所判定

Q　私は日本人で日本法人の代表者ですが、当社の海外現地法人を統括する海外子会社の拠点となっているシンガポールに住居を賃借していて、各海外子会社を自ら指揮監督するために地理的な利便性から、ここ3年間の滞在期間は平均して年間の半分近くになります。残りの半分以上は、親会社のある日本のほか、海外子会社のあるアメリカやタイ、ベトナム、インドネシア4か国に出張・滞在しています。日本法人の経営は副社長の弟に専ら任せていて、重要な意思決定の相談を受ける程度ということもあり、日本の滞在日数は年間3割位で、その他アメリカは1割位で、東南アジア3か国には合計して2割程度の滞在日数となっています。日本滞在の際は、妻や子供達の住む自宅に滞在して、アメリカではコンドミニアムに住んでいます。

なお、自宅をはじめ個人資産の多くは日本国内にありますが、シンガポールにも数年間は生活できるくらいの預貯金を有しています。

この場合、私は非居住者に当たるものと考えてよいでしょうか。

日本を含む各地における活動内容や滞在日数などから判断して、非居住者に当たるものと考えられます。

解説

事業活動のグローバル化の進展により、日本だけでなく海外を拠点として一定期間居住して現地において指揮監督するなどして経営活動を行うことが行われているとのことですが、その場合の住所の判定、すなわち客観的な生活の本拠はどこになるかが判断すべき問題となります。

その判定の根拠としては、過去の判例で判示されているように、「その者の生活に最も関係の深い一般的生活、全生活の中心を指すものであり、一定の場所がある者の住所であるか否かは、客観的に生活の本拠たる実体を具備しているか否かにより決すべきもの」とされていて、具体的には「滞在日数、住居、職業、生計を一にする配偶者その他の親族の居所、資産の所在等を総合的に考慮して判断する」ことが理に適っていると思われます。

ご質問の場合は、年間の半数近くをシンガポールに滞在して、そこを起点にアメリカやタイなど東南アジア各国への出張・滞在を繰り返しており、これらの滞在日数を合計すると年間の半分以上を海外各国で費やしている事実から、その職業活動はシンガポールを本拠として海外各国で行われていると評価でき、日本における活動内容や滞在日数、預貯金の有高などを考慮すると、生活の本拠はシンガポールにあると認められます。

よってご質問の場合は、非居住者に該当することと取扱うことが相応しいものと考えられます。

参考　所法2①三・五《定義》、所基通2－1《住所の意義》、民法22《住所》

011　海外勤務期間が1年未満に短縮され帰国した場合の取扱い

Q　当初3年間の予定で海外支店勤務となった社員に対し、出国後に支払った給与、賞与については、国内勤務に対応する部分の金額がないことから課税していませんでしたが、この社員は本社の事情により急遽10か月目に本社勤務となり帰国しました。

この結果、海外勤務期間が1年未満となりましたので、出国後に支払っていた給与等については、当初の取扱いを変更して、居住者に該当するものとして課税する必要があるのでしょうか。

A　当初の取扱いを変更して課税する必要はありません。

解説

ご質問のように当初の海外勤務期間が辞令などによりあらかじめ1年以上とされている場合には、第1章問8で説明したとおり、国内に住所を有しないものと推定されますので、出国の日の翌日から非居住者として取り扱われます。

したがって、その後の状況変化等によって、海外勤務期間が短縮されて結果として1年未満で帰国したとしても、出国時には海外勤務期間が3年の予定となっているため、当初の推定どおりその海外勤務期間中は非居住者として取り扱い、帰国後は帰国した日の翌日から居住者として取り扱うこととなりますので、出国時にさかのぼって課税の取扱いを変更する必要はありません。

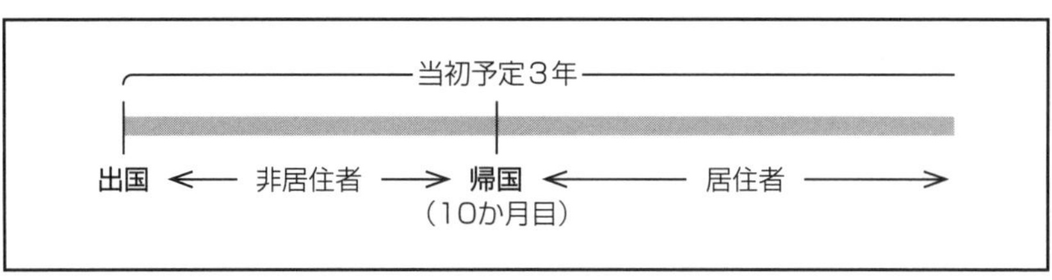

なお同様に、1年以上国内勤務予定で入国した外国人が予定を変更して1年未満で出国した場合も、その外国人は当初の推定どおり国内勤務期間中は居住者として取り扱われます。

注　海外勤務期間の定めがなくて出国した場合において、出国後1年未満の間に帰国したときも本問と同様の取扱いとなります（所基通3－3）。

参考　所法2①三《定義》、所令15①一《国内に住所を有しない者と推定する場合》、所基通2－4《居住期間の計算の起算日》

012 海外勤務期間が1年以上に延長された場合の取扱い

Q 当初10か月間の予定で当社の海外駐在事務所に赴任した社員について、6か月目に業務上の要請からさらに海外勤務期間を1年程度延長することとなりました。

この社員に支払った給与等については、給与支払事務を国内にある本社で行っていることから居住者扱いで課税していましたが、海外勤務期間が結果的に1年以上となりますので、出国後の給与等の課税取扱いは、さかのぼって非居住者扱いに変更してよろしいでしょうか。

A さかのぼって課税の取扱いを変更する必要はありませんが、海外勤務期間が1年以上となることが明らかとなった日の翌日以後に支払うべき給与等については、非居住者に対するものとしてその取扱いを変更する必要があります。

解説

居住者が海外勤務を行うこととなり、その勤務期間が辞令などによりあらかじめ1年未満であることが明らかな場合には、国内に住所を有しない者とは推定されませんので、海外勤務期間中も引き続き居住者として取り扱われることとされています（第1章問5、8参照）。

しかしながら、ご質問のように、海外勤務期間が出国後に延長され、そのため海外勤務期間が1年以上となる場合には、国外において継続して1年以上居住することを通常必要とする職業を有するものと推定されますので、その勤務期間が1年以上となることが明らかとなった日の翌日以後は、非居住者として取り扱うこととなります。

したがって、ご質問の場合は出国時にさかのぼって課税の取扱いを変更する必要はありませんが、非居住者として取り扱われる日以後に支払うこととされている給与については、課税の取扱いを変更する必要があります。

本問の場合は、給与支払事務を国内で行っていることから、引き続き源泉徴収事務が必要となります。

なお変更後は、国内勤務に基因して支払を受ける給与等がない限り課税されません。

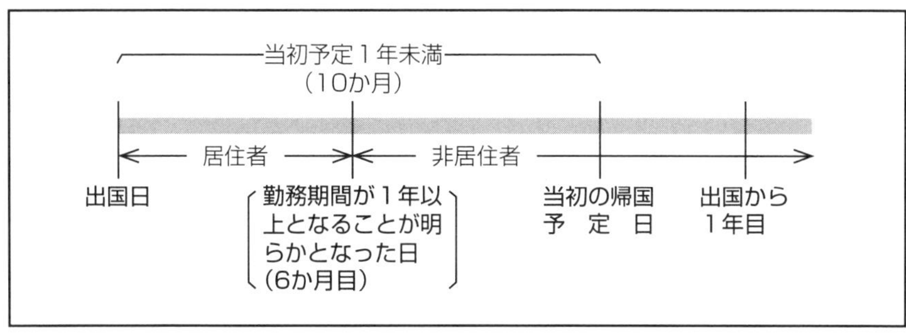

また同様に、1年未満の国内勤務予定で入国した外国人の勤務期間が1年以上となることが明らかとなった日の翌日以後は、その外国人は居住者として取り扱われます。

なお、その年の中途で居住者から非居住者に該当することとなる人に支給する給与等のうち、居住者期間中に支給期の到来したものについては年末調整の対象となりますので、年末調整を行う必要があります（第3章問129参照）。

参考　所法2①三《定義》、所令15①一《国内に住所を有しない者と推定する場合》、所基通2－4《居住期間の計算の起算日》

013 国内源泉所得とは（所得税法）

Q 非居住者等の所得について所得税法で課税対象となるのは、国内源泉所得に当たるものだけだそうですが、この国内源泉所得とはどのようなものをいうのでしょうか。

A 「国内源泉所得」とは、原則としてその所得の発生源泉地が国内にあるものをいい、所得税法では17種類のものに限定しています。

このうち、従来、規定されていた国内事業所得に代わり、恒久的施設帰属所得（PE帰属所得）が平成26年度税制改正により加えられました。

解説

所得税法で規定する国内源泉所得は、次のとおりです。

❶ 恒久的施設（PE）帰属所得（1号所得）

非居住者がPEを通じて事業を行う場合において、当該PEが非居住者から独立して事業を行う事業者であるとしたならば、当該PEが果たす機能、当該PEにおいて使用する資産、当該PEと当該非居住者の事業場等との間の内部取引その他の状況を勘案して、当該PEに帰せられるべき所得（当該PEの譲渡により生ずる所得を含む）

❷ 国内にある資産の運用･保有による所得（2号所得）

次の❽～⓰に該当するものを除き、次に掲げる資産を含みます。

① 日本国国債、地方債、内国法人の社債等

② 居住者に対するその者の業務に係るもの以外の貸付債権

③ 国内営業所を通じて契約した生命保険契約に基づく保険金等の権利

❸ 国内にある資産の譲渡による所得で次に掲げるもの（3号所得）

① 国内にある不動産の譲渡

② 国内にある不動産の上に存する権利等の譲渡

③ 国内にある山林の伐採又は譲渡

④　内国法人株式を買集めした一定の譲渡、又は内国法人の特殊関係株主等として行う株式譲渡

⑤　不動産関連株式等の譲渡

⑥　国内ゴルフ場の所有・経営に係る株式等の譲渡

⑦　国内ゴルフ場の施設利用権の譲渡

⑧　国内滞在中の国内資産の譲渡

❹ 組合契約事業利益の配分（4号所得）

国内において組合契約に基づいて行うPEを通じて行う事業から生ずる利益について、その組合契約に基づいて配分を受けるもの

❺ 土地等の譲渡対価（5号所得）

国内にある土地若しくは土地の上に存する権利又は建物及びその附属設備若しくは構築物の譲渡による対価（個人に対してその居住の用に供するため1億円以下の土地等又は建物等を譲渡した場合の対価を除きます）

❻ 人的役務の提供事業の対価（6号所得）

国内において行う人的役務の提供事業の対価のうち、次の者が受ける役務提供の対価

①　映画・演劇の俳優、音楽家、その他の芸能人、職業運動家

②　弁護士、公認会計士、建築士、その他の自由職業者

③　科学技術、経営管理、その他の分野に関する専門的知識又は特別な技能を有する者

❼ 不動産の賃貸料等（7号所得）

国内にある不動産、不動産の上に存する権利若しくは採石法の規定による採石権の貸付け、鉱業法の規定による租鉱権の設定又は居住者若しくは内国法人に対する船舶若しくは航空機の貸付けによる対価

❽ 利子等（8号所得）

利子等のうち、次のもの

①　公社債のうち日本国の国債若しくは地方債又は内国法人の発行する債券の利子

② 外国法人の発行する債券の利子のうち国内においてPEを通じて行う事業に帰せられるもの

③ 国内の営業所等に預け入れられた預貯金の利子

④ 国内の営業所等に信託された合同運用信託、公社債投資信託又は公募公社債等運用投資信託の収益の分配

❾ 配当等（9号所得）

内国法人から受ける剰余金の配当等、国内の営業所等に信託されたもので公社債投資信託及び公募公社債等運用投資信託以外の投資信託の収益の分配又は特定受益証券発行信託の収益の分配等

❿ 貸付金の利子（10号所得）

国内において業務を行う者に対する貸付金で、その業務に係るものの利子

⓫ 使用料等（11号所得）

国内において業務を行う者から受ける次の使用料又は対価で、その業務に係るもの

① 工業所有権等の使用料又はその譲渡による対価

② 著作権等の使用料又はその譲渡による対価

③ 機械、装置及び車両等の使用料

⓬ 給与等の人的役務提供に対する報酬等（12号所得）

次の給与、報酬又は年金等

① 俸給、給料、賃金、歳費、賞与又はこれらの性質を有する給与その他人的役務の提供に対する報酬のうち、国内における勤務等に基因するもの

② 公的年金等

③ 退職手当等のうち受給者が居住者であった期間に行った勤務その他の人的役務の提供に基因するもの

⓭ 事業の広告宣伝のための賞金（13号所得）

国内において行う事業の広告宣伝のための賞金、その他の経済的利益

⓮ 生命保険契約に基づく年金等（14号所得）

国内にある営業所等を通じて締結した生命保険契約、損害保険契約等に基づいて受ける年金等で、公的年金等以外のもの

⑮ 定期積金の給付補塡金等（15号所得）

国内にある営業所が受け入れた定期積金又は銀行法2条4項の契約に基づく給付補塡金あるいは国内にある営業所を通じて締結された契約に係る抵当証券の利息、又は金投資（貯蓄）口座の利益、外貨建預金の為替差益、国内にある営業所若しくは国内において契約の締結の代理をする者を通じて締結された一時払養老（損害）保険等の差益

⑯ 匿名組合契約等に基づく利益の分配（16号所得）

国内において事業を行う者に対する出資のうち、匿名組合契約等に基づく出資により受ける利益の分配

⑰ その他その源泉が国内にある所得（17号所得）

次の所得が含まれます。

① 国内業務又は国内資産に関して受ける保険金、補償金、損害賠償金

② 国内資産の法人からの贈与

③ 国内において発見された埋蔵物又は拾得された遺失物

④ 国内において行う懸賞募集に基づく懸賞金等

⑤ その他国内における行為による一時所得、又は供与を受ける経済的利益

参考 所法161《国内源泉所得》、所令281の3《国内にある土地等の譲渡による対価》、同282《人的役務の提供を主たる内容とする事業の範囲》、同285《国内に源泉がある給与、報酬又は年金の範囲》、同286《事業の広告宣伝のための賞金》

014 国内源泉所得とは（法人税法）

Q 外国法人の国内源泉所得について、法人税法上どのようなものがあるのか教えてください。

A 法人税法上、外国法人の課税標準たる国内源泉所得に2016（平成28）年4月1日以後は、従来の国内事業所得に代えて恒久的施設（PE）帰属所得が新たに加わることとなるとともに、PE帰属所得以外の国内源泉所得のうち利子・配当等一定のものについては、PEに帰属しない限り所得税の源泉徴収で課税関係を完結させることとして、国内源泉所得から削除されています。

解説

1 外国法人の国内源泉所得

(1) 外国法人の国内源泉所得について現行においては、帰属主義の考え方に基づき、法人税法上、次の6種類の所得に区分して定められています。

① 恒久的施設（PE）帰属所得

② 国内にある資産の運用・保有による所得

③ 国内にある資産の譲渡による所得

④ 国内において行う人的役務の提供事業の対価

⑤ 国内にある不動産の賃貸料等

⑥ その他その源泉が国内にある所得

(2) 以上により、《1》所得の人的帰属に着目して内国法人と同様の課税範囲とされるPE帰属所得（上記(1)①）と、《2》所得の地理的帰属に着目した課税範囲とされるその他の国内源泉所得（上記(1)②～⑥）に区分して、別々の課税標準とすることとされています。

また、従来は国内源泉所得とされていた上記(1)以外の利子等や配当等など一定のものについては、課税原則を帰属主義に統一するために、PEに帰属するものでない限り国内源泉所得に該当しないこととされています。

この場合は、所得税の源泉徴収を受けてそれのみで課税関係が完結する（法人税の課税対象とならない）こととなります。

注　外国法人に対する課税関係の概要は、第1章問2参照。

なお、資産の譲渡による所得のうち、次の資産の譲渡によるものについては、それがPE帰属所得とならない場合は国内源泉所得に該当しないこととされています。

① 日本国の法令に基づく免許等により設定された権利
② 有価証券又は権利で取引所金融商品市場において譲渡されるもの等
③ 振替社債等、合名会社・合資会社・合同会社の社員の持分
④ 国内金融機関が受け入れた預貯金に関する権利等
⑤ 国内業務を行う者に対する貸付金に係る債権
⑥ 国内営業所等を通じて契約した保険契約に基づく年金受給の権利
⑦ 抵当証券に係る利息に係る債権
⑧ 匿名組合契約に係る利益の分配を受ける権利
⑨ 国内事業に係る営業権
⑩ 譲渡契約等に基づく引渡し直前に国内にある資産

2 参考（従来の国内源泉所得）

法人税法上、外国法人は国内源泉所得について法人税の納税義務があることとされていて、その具体的な課税対象となる国内源泉所得は、2016（平成28）年3月31日まで（従来）は11種類の区分の中から国内におけるPEの有無などその外国法人の態様に応じて定められていました。

注　国内源泉所得11種類には、税法の規定に従い、事業の所得、資産の運用・保有又は譲渡による所得、及びその他の国内源泉所得を1種類としてカウントしています。

その具体的な範囲は、前問（問13）に掲げられている国内源泉所得のうち、⑫給

与等の人的役務提供に対する報酬等（**12号所得**）を除き、所得税法の定めと同様の規定とされていました。

また従来は、国内で事業活動を行う外国法人の属地的応益関係を考慮して、内国法人と同様に総合主義の仕組みのもとで国内源泉所得に該当するすべての所得が課税所得とされていました。

注　所得税上、国内源泉所得とされる「組合契約事業利益の配分」は、法人税法上は国内における「事業の所得」として、また「土地等の譲渡対価」は「資産の譲渡による所得」として、それぞれ国内源泉所得に該当します。

参考　法法4③《納税義務者》、同138《国内源泉所得》、同141《外国法人に係る各事業年度の所得に対する法人税の課税標準》

015 国内源泉所得のうち、源泉徴収の対象となるもの

Q 非居住者等に対する支払のうち、源泉徴収の対象となるのは、どのようなものがあるのでしょうか。

A 非居住者等が国内源泉所得を有する場合には所得税が課されますが、そのうち事業の所得などを除く一定の国内源泉所得については、原則として源泉徴収の対象となります。

解説

非居住者等が有する国内源泉所得のうち、所得税法又は租税特別措置法（措法）の規定により、源泉徴収の対象となるものは次の表のとおりです。

区　　分	内　　容
(1) 組合契約事業利益の配分	国内において次の組合契約に基づいて恒久的施設（PE）を通じて行う事業から生ずる利益（その事業から生ずる収入から、その収入に係る費用（次の(2)から(13)までの国内源泉所得について徴収された源泉所得税を含みます）を控除したもの）について、その組合契約に基づいて配分を受けるもの ① 民法上の組合契約 ② 投資事業有限責任組合契約 ③ 有限責任事業組合契約 ④ 外国における契約で、上記①～③に類する契約
(2) 土地等の譲渡対価	国内にある土地、土地の上に存する権利、建物、建物附属設備、構築物の譲渡の対価（その土地等又は建物等を自己又はその親族の居住の用に供するために譲り受けた個人から支払われるもので、1億円以下の譲渡対価を除きます）
(3) 人的役務の提供事業の対価	国内において行う人的役務の提供を主たる内容とする事業で、次のものに係る対価 ① 映画・演劇の俳優、音楽家その他の芸能人、職業運動家の役務の提供を主たる内容とする事業 ② 弁護士、公認会計士、建築士その他の自由職業者の役務の提供を主たる内容とする事業 ③ 科学技術、経営管理その他の分野に関する専門的知識又は特別の技能を有する者の当該知識又は技能を活用して行う役務の提供を主たる内容とする事業（建設作業等の指揮監督を内容とする事業等を除きます） 注 免税芸能法人等が支払を受ける芸能人等の役務提供報酬については、下記(17)を参照してください。

区　　分	内　　容
⑷　不動産の賃貸料等	国内にある不動産、不動産の上に存する権利若しくは採石権の貸付け、租鉱権の設定又は居住者・内国法人に対する船舶若しくは航空機の貸付けによる対価
⑸　利子等	①　公社債のうち日本国の国債若しくは地方債又は内国法人の発行する債券の利子 ②　外国法人の発行する債券の利子のうちPEを通じて行う事業に帰せられるもの ③　国内にある営業所等に預け入れられた預貯金の利子 ④　国内にある営業所等に信託された合同運用信託、公社債投資信託又は公募公社債等運用投資信託の収益の分配
⑹　配当等	①　内国法人から受ける剰余金の配当、利益の配当、剰余金の分配、金銭の分配又は基金利息 ②　国内にある営業所等に信託された公社債投資信託及び公募公社債等運用投資信託以外の投資信託の収益の分配、特定受益証券発行信託の収益の分配
⑺　貸付金の利子	国内において業務を行う者に対する貸付金で、その業務に係るものの利子（短期の貸付金の利子等を除きます）
⑻　使用料等	国内において業務を行う者から受ける次の使用料又は対価で、その業務に係るもの ①　工業所有権その他の技術に関する権利、特別の技術による生産方式若しくはこれらに準ずるものの使用料又はその譲渡による対価 ②　著作権（出版権及び著作隣接権その他これに準ずるものを含みます）の使用料又はその譲渡による対価 ③　機械、装置、車両、運搬具、器具、備品等の使用料
⑼　給与等の人的役務提供に対する報酬等 （個人を対象とする所得であるため、外国法人は対象外です）	①　俸給、給料、賃金、歳費、賞与又はこれらの性質を有する給与その他人的役務の提供に対する報酬のうち、国内において行う勤務その他の人的役務の提供（内国法人の役員として国外において行う勤務等を含みます）に基因するもの ②　所得税法第35条（雑所得）第3項に規定する公的年金等 ③　退職手当等のうち、居住者であった期間に行った勤務その他の人的役務の提供（内国法人の役員として非居住者であった期間に行った勤務等を含みます）に基因するもの 注　免税芸能法人等から支払を受ける芸能人等の役務提供報酬については、下記⒄を参照してください。
⑽　事業の広告宣伝のための賞金	国内において行われる事業の広告宣伝のために賞として支払われる金品その他の経済的な利益（金品との選択ができない旅行等を除きます）
⑾　生命保険契約等に基づく年金等	国内にある営業所又は国内において契約の締結の代理をする者を通じて締結した生命保険契約、損害保険契約等に基づいて受ける年金等で上記⑼の②（公的年金等）以外のもの
⑿　定期積金の給付補塡金等	国内にある営業所等が受け入れたもので、次の給付補塡金等 ①　定期積金の給付補塡金 ②　銀行法第2条第4項の契約に基づく給付補塡金 ③　抵当証券の利息 ④　金その他の貴金属（これに類する物品を含みます）の売戻条件付売買の利益、金投資口座の差益等

区　　分	内　　　　容
	⑤　外貨投資口座等の為替差益 ⑥　一時払養老保険、一時払損害保険等の差益
⒀　匿名組合契約等に基づく利益の分配	国内において事業を行う者に対する出資のうち、匿名組合契約等に基づく出資により受ける利益の分配
⒁　上場株式等譲渡による所得	源泉徴収の選択をした特定口座を通じて行った特定口座内保管上場株式等の譲渡による所得等（国内にPEを有する非居住者に限ります）
⒂　懸賞金付預貯金等の懸賞金等	国内において預入等をした懸賞金付預貯金等の懸賞金等
⒃　割引債の償還差益	①　割引の方法により発行される公債・内国法人発行の社債・外国法人の国内発行債券（割引債）の償還差益（償還期間1年以下の短期公社債で一定のものを除きます） ②　外国法人が2008（平成20）年5月1日以後に国外で発行する割引債の償還差益のうち、国内事業に帰せられる部分
⒄　免税芸能法人等が支払を受ける芸能人等の役務提供事業の対価等	①　租税条約によって免税とされる「免税芸能法人等」が支払を受ける国内において行った芸能人、職業運動家の役務提供を主たる内容とする事業の対価（いったん源泉徴収された後に、その法人等に帰属する部分について還付されます） ②　非居住者等が免税芸能法人等から支払を受ける次の給与、報酬又は対価（①の対価のうちから支払われるものに限ります） イ　免税芸能法人等の事業のために役務の提供をした芸能人等である非居住者（実際に芸能活動等を行った個人）が支払を受ける報酬等 ロ　免税芸能法人等の事業のために芸能人等の役務の提供事業を行った非居住者等（芸能企業等が複数介在している場合の他の芸能企業等）が支払を受ける対価 注　免税芸能法人等とは、国内において、映画若しくは演劇の俳優、音楽家その他の芸能人又は職業運動家の役務の提供を主たる内容とする事業を行う非居住者等のうち、次のいずれかに該当する者をいいます。 1　国内に居所や事務所、事業所等を有しないこと 2　その支払を受ける芸能人等の役務提供の対価が、国内に有するPEに帰せられないこと

注　これらの源泉徴収の対象となる国内源泉所得の範囲は、租税条約の定めるところにより修正される場合があります。

参考　所法161《国内源泉所得》、同174《内国法人に係る所得税の課税標準》、同212《源泉徴収義務》、所令281の2《恒久的施設を通じて行う組合事業から生ずる利益》～288《匿名組合契約に準ずる契約の範囲》、措法37の11の4《特定口座内保管上場株式等の譲渡による所得等に対する源泉徴収等の特例》、同41の9《懸賞金付預貯金等の懸賞金等の分離課税等》、同41の12③《償還差益等に係る分離課税等》、同41の22《免税芸能法人等が支払う芸能人等の役務提供報酬等に係る源泉徴収の特例》

016 国内源泉所得のうち、源泉徴収を要しないもの

Q 非居住者等に対する支払のうち、源泉徴収を要しないこととされている国内源泉所得とは、どのようなものをいうのでしょうか。

A 非居住者等に対して支払われる国内源泉所得で、原則として源泉徴収の対象となるもののうち、源泉徴収義務を課すのに適切と認められないものなど一定のものについては、源泉徴収を要しないこととされています。

解説

国内法の規定により、非居住者等に支払われる国内源泉所得で、原則として源泉徴収の対象となるもの（前問（問15）参照）のうち、例えば不特定多数の者から支払われるものなど、源泉徴収義務を課すことが適切であると認められないものは、その対象外とされています。

源泉徴収を要しないこととされているものは、次の表のとおりです。

なお、非居住者等が有する国内源泉所得のうち、事業所得（恒久的施設（PE）帰属所得）、国内資産の運用・保有による所得、国内資産の譲渡所得、及びその他その源泉が国内にある所得については、その所得特性から源泉徴収の対象とされていません。

所得税法の規定によるもの	1　映画や演劇の俳優、音楽家その他の芸能人又は職業運動家の人的役務の提供事業又はその提供に係る対価又は報酬で、不特定多数の者から支払われるもの
	2　非居住者等が有する土地、土地の上に存する権利又は家屋の貸付けの対価で、その土地家屋等を自己又はその親族の居住の用に供するために借り受けた個人から支払われるもの
	3　国内に支店等の恒久的施設を有しない非居住者で分離課税の対象とされる者に対して支払われる給与又は報酬のうち、その者が所得税法第172条《給与等につき源泉徴収を受けない場合の申告納税等》の規定により、その支払の時までに既に納付した所得税の額の計算の基礎とされたもの
	4　非課税外国法人や外国の大公使等の人的非課税とされている者に対して支払われるもの
その他	5　これらのほかに、所得税法では源泉徴収を要する国内源泉所得に該当していても、次の非居住者等に対する特定の支払 ①　納税地の所轄税務署長から「源泉徴収免除証明書」の交付を受けている非居住者等 ②　租税特別措置法により所定の要件を満たす利子などの支払を受ける非居住者等 ③　租税条約の免税規定に基づき所要の手続を行っている非居住者等

注　その詳細は第1章問28、29、30参照。

参考　所法161《国内源泉所得》、同180《恒久的施設を有する外国法人の受ける国内源泉所得に係る課税の特例》、同214《源泉徴収を要しない非居住者の国内源泉所得》、所令303の2《外国法人に係る所得税の課税標準から除かれる国内源泉所得》、同328《源泉徴収を要しない国内源泉所得》

017 恒久的施設（PE）とは

Q 非居住者等の国内源泉所得に対する所得税や法人税の課税の取扱いは、国内に恒久的施設を有するかどうかにより異なるそうですが、この恒久的施設とは、どのようなものをいうのでしょうか。

A 非居住者等が国内に有する「恒久的施設」（PE）は、英文ではPermanent Establishmentと表現され、通常、PEといわれています。国内法ではその態様に応じて支店PE、建設PE、代理人PEの3分野に区分されています。

解説

PEに該当することとなるその具体的な範囲は、国内法上次の表にあるように定められています。

ただし、我が国が締結した租税条約において、国内法上のPEと異なる定めがある場合には、その条約の適用を受ける非居住者等については、その条約上PEと定められた国内にあるものを国内法上のPEとすることとされています。

(1) 支店PE	国内にある支店、工場など事業を行う一定の場所をいいます。 この1号PEに該当する場所としては、次のものがあります。 ① 事業の管理を行う場所、支店、事務所、工場、作業場 ② 鉱山、石油又は天然ガスの杭井、採石場その他の天然資源を採取する場所 ③ その他事業を行う一定の場所で、上記①又は②の場所に準ずるもの（例えば、事業活動の拠点となっているホテルの一室、展示即売場、貸ビル、植林地、農園、真珠・かきの養殖場、倉庫など） なお、次のような活動を行うことが非居住者等の事業の遂行にとって準備的又は補助的な性格のものである場合のその場所は除かれます（下記(2)にも適用されます）。 イ 非居住者等に属する物品や商品又はそれらの在庫の保管、展示又は引渡しのためにのみ使用又は保有することを行う施設又は場所 ロ 非居住者等が上記イの物品等を行う他の者による加工のためにのみ保有することだけを行う場所 ハ 非居住者等がその事業のために物品や商品を購入したり、情報を収集することのみを目的として保有する上記①～③の場所 ニ 非居住者等の事業のために上記イ～ハの活動以外の活動を行うことのみを目的として保有する上記①～③の場所 ホ 上記イ～ニの活動及びその活動以外の活動を組み合わせた活動を行うことのみを目的として保有する上記①～③の場所
(2) 建設PE	国内における建設、据付けの工事又はその作業の指揮監督に係る役務の提供（建設工事等）で、1年を超えて行う場所（長期建設工事現場等）をいいます。 なお、長期建設工事現場等に該当するかどうかは、その期間を1年以内とすることを主たる目的として契約を分割して締結したなどの場合は、分割後の他の契約の期間を加算した期間（重複する期間があれば除きます）により判定することとされています。 また、上記(1)のハ～ホに掲げる場所を長期建設工事現場等にみなして適用されます。
(3) 代理人PE	国内に置く代理人等で非居住者等に代わって、その事業に関し、反復して次のイ～ハの契約を締結する権限を有し、又は契約締結のために反復して主要な役割を果たすなどの一定の者（契約締結代理人等）をいいます。 イ 非居住者等の名において締結される契約 ロ 非居住者等が所有し、又は使用の権利を有する財産について、所有権を移転し、又は使用の権利を与えるための契約 ハ 非居住者等による役務提供のための契約 なお、非居住者等の代理人等がその事業に係る業務を非居住者等に対して独立して行い、かつ通常の方法により行う場合には、契約締結代理人等に含まれないこととされています。 ただし、その代理人等が、専ら又は主として一又は二以上の自己と特殊関係（一方の者が他方の法人の発行株式又は出資総額の50%超を直接・間接に保有する等の一定の関係）にある者に代わって行動する場合は該当しないこととされ、代理人等に含まれます。 また、非居住者等に代わって国内において行う行動が、その非居住者等の事業の遂行にとって一定の準備的又は補助的な性格のもののみである場合におけるその活動を行う者は含まれません。

上記の表の取扱いのほか、表の(1)〜(3)までに共通した次の取扱いが規定されています。

事業を行う一定の場所を使用し、又は保有する非居住者等がその事業を行う一定の場所以外の場所（=他の場所）においても事業上の活動を行う場合で、これらの場所において行う事業上の細分化活動が一体的な業務の一部として補完的な機能を果たすときにおいては，他の場所がその非居住者等のPEに該当することとなります。

【参考】

以上に記載した内容にあるように、国内法上のPEに関する規定は、平成30年度に改正されましたが、従前と同様に物理的な面よりもその機能的な面に着目して定義づけられていますので、例えば、ホテルなどの一室を借りて商業上の契約締結のための活動を行ったり、あるいはそこで商行為を行った場合でも事業活動上の拠点に当たるものとみてPEとして扱われます。その一方、改正されたものとして特筆すべきことは、次のとおりです。

(1)　支店PEについては、単なる製品の保管庫や商品の貯蔵庫とか、広告宣伝、市場調査活動などの事業遂行上、準備的又は補助的な機能に止まる活動を行うためにのみ使用する場所などで事業の本質的部分を構成しないものに限り、PEとして扱われないこととされています。

(2)　建設PEについては、工事契約期間を分割した場合でPE認定の回避を主たる目的とするものは、分割した期間を合計してPEの判定を行うこととされています。

(3)　代理人PEについては、外国法人等と販売委託契約を締結した受託者が単に受託者名で販売活動することによるPE認定の回避を防ぐ意味から、外国法人等とその事業に関する契約を反復して締結したり、一定の契約のために主要な役割を反復して果たす者が、PEに追加されています。

参考　所法2①八の四《定義》、同164《非居住者に対する課税の方法》、所令1の2《恒久的施設の範囲》、法法2十二の十九《定義》、法令4の4《恒久的施設の範囲》

018 租税条約におけるPE

Q 租税条約におけるPEの取扱いは国内法と異なる内容となっているのでしょうか。

A 租税条約においてはその締結相手国ごとにPEの範囲が個別具体的に定められていて、国内法とは異なる定めとなっている条約例もあります。

解説

1 モデル条約におけるPE

租税条約のモデルとされているOECDモデル条約では、PEについて概ね次のように規定されています。

(1) 事業を行う一定の場所であって企業がその事業の全部又は一部を行っている場所で、特に次のものを含みます。

① 事業の管理の場所

② 支店、事務所、工場、作業場

③ 鉱山、石油又は天然ガスの坑井、採石場その他天然資源を採取する場所

(2) 12か月を超える期間存続する建設工事現場又は建設・据付けの工事

(3) その業務を行う仲立人、問屋その他の独立の地位を有する代理人以外の者で企業に代わって行動する者が、その企業の名において契約締結する権限を有して、反復して行使する場合で、その活動が下記(4)に該当する活動のみでない場合におけるその企業のために行うすべての活動

(4) 上記(1)(2)について、次のものは含まれません。

① 企業に属する物品・商品を保管・展示・引渡しのためにのみ施設を使用すること

② 企業に属する物品・商品在庫を保管・展示・引渡し又は他の企業による加工

のためにのみ保有すること

③　企業のために物品・商品を購入し、又は情報収集する、若しくは準備的・補助的な性格の活動を行うことのみのために事業を行う一定の場所を保有すること

④　上記①～③にある活動を組み合わせた活動を行うことのみのために、かつその活動の全体が準備的又は補助的な性格のものである場合において、事業を行う一定の場所を保有すること

(5)　一方の締結国の法人が、他方の締結国の法人又は事業を行う法人を支配し、又はこれらに支配されているという事実のみがある場合の双方の法人ともPEとはされません。

2　モデル条約と異なる定め

我が国が締結している租税条約のうち、PEについて上記のOECDモデル条約と異なる定めを置くものは、概ね次のとおりです。

項　目	条約締結国
在庫保有代理人をPEとするもの	アイルランド、インド、インドネシア、スリランカ、タイ、トルコ、パキスタン、フィリピン、ブラジル、ベトナム、マレーシア
注文取得代理人をPEとするもの	インド、タイ、中国、フィリピン
3か月超～9か月超の建設工事をPEとするもの	インド、インドネシア、エジプト、オマーン、カタール、韓国、クウェート、サウジアラビア、シンガポール、スリランカ、タイ、中国、トルコ、バングラデシュ、パキスタン、フィリピン、ブラジル、ブルガリア、ブルネイ、ベトナム、マレーシア、メキシコ
建設工事監督をPEとするもの	インド、インドネシア、オーストラリア、オマーン、韓国、サウジアラビア、シンガポール、タイ、中国、トルコ、ノルウェー、パキスタン、フィリピン、ベトナム、ベルギー、マレーシア、南アフリカ、メキシコ
一定のコンサルタントの役務提供をPEとするもの	インドネシア、カタール、サウジアラビア、タイ、中国、トルコ、フィリピン、ベトナム
天然資源の探査・開発活動をPEとするもの	オーストラリア、カザフスタン、ニュージーランド
芸能人活動をPEとするもの	アイルランド、フィジー、ブラジル

参考　OECDモデル条約5《恒久的施設》

019 非居住者の確定申告要件

Q 非居住者が確定申告をしなければならない場合について、教えてください。

A 非居住者は、その有するPEに帰属する所得か否か、又は所得の態様区分に応じ、それぞれ総合課税の対象となる国内源泉所得がある場合には、原則として所得税の確定申告をしなければなりません。

なお、総合課税の所得について源泉徴収された税額がある場合には、確定申告の際にその税額を所得税額から控除することができます。

解説

非居住者が稼得した総合課税の対象とされて確定申告を要することとなる国内源泉所得は、PEに帰属の有無や所得の態様ごとに次の表のとおりに区分されています。

非居住者の区分	総合課税の対象となる所得
1　国内にPEを有してPEに帰属する所得を有する者	PEに帰属するPE帰属所得を含むすべての国内源泉所得 次の国内源泉所得は源泉徴収の対象となります。 ①　組合契約事業利益の配分 ②　土地等の譲渡対価 ③　人的役務の提供事業の対価 ④　不動産の賃貸料等 ⑤　利子等 ⑥　配当等 ⑦　貸付金の利子 ⑧　使用料等 ⑨　給与等の人的役務提供に対する報酬、公的年金等、退職手当等 ⑩　事業の広告宣伝のための賞金 ⑪　生命保険契約、損害保険契約等に基づく年金等 ⑫　定期積金の給付補塡金等 ⑬　匿名組合契約等に基づく利益の分配

2　上記の非居住者以外の非居住者（国内にPEを有するが、PEに帰属しない所得を有する者、又はPEを有しない者）	次に掲げる国内源泉所得 (1)　国内にある資産の運用又は保有による所得（上記1記載の⑤～⑬に掲げるものを除きます） (2)　国内にある資産の譲渡により生ずる所得で次に掲げるもの ①　国内にある不動産の譲渡による所得 ②　国内にある不動産の上に存する権利、鉱業法の規定による鉱業権又は採石法の規定による採石権の譲渡による所得 ③　国内にある山林の伐採又は譲渡による所得 ④　内国法人の発行する株式その他内国法人の出資者の持分の譲渡による所得で株式等の買集めによるものや、特殊関係株主等である非居住者が行うものなど一定のもの ⑤　不動産関連法人の株式等の譲渡による所得 ⑥　次に掲げる株式若しくは出資又は権利の譲渡による所得 イ　国内にあるゴルフ場の所有又は経営に係る法人の株式又は出資を所有することが、そのゴルフ場を一般の利用者に比して有利な条件で継続的に利用する権利を有する者となるための要件とされている場合におけるその株式又は出資 ロ　国内にあるゴルフ場その他の施設の利用に関する権利 ⑦　①～⑥に掲げるもののほか、非居住者が国内滞在期間中に行う国内にある資産の譲渡による所得 (3)　国内にある土地、土地の上に存する権利、建物・建物附属設備又は構築物の譲渡による対価 (4)　人的役務の提供事業の対価 (5)　不動産の賃貸料等 (6)　次に掲げるその他の国内源泉所得 イ　国内において行う業務又は国内にある資産に関し受ける保険金、補償金又は損害賠償金（これらに類するものを含みます）に係る所得 ロ　国内にある資産について法人からの贈与により取得する所得 ハ　国内において発見された埋蔵物又は国内において拾得された遺失物に係る所得 ニ　国内において行う懸賞募集に基づいて懸賞として受ける金品その他の経済的な利益（旅行その他の役務の提供を内容とするもので、金品との選択ができないとされているものを除きます）に係る所得 ホ　ロ～ニに掲げるもののほか、国内においてした行為に伴い取得する一時所得 ヘ　イ～ホに掲げるもののほか、国内において行う業務又は国内にある資産に関し供与を受ける経済的な利益に係る所得

注1　上記2に該当する者は、(1)～(6)以外の国内源泉所得については源泉徴収のみで課税関係が終了する源泉分離課税の対象とされています。

2　非居住者等が人的役務提供事業の対価について源泉徴収を受けた場合において、その対価のうちから非居住者に支払われるその人的役務提供の報酬については、その支払の際に源泉徴収があったものとみなされます（所法215）。

　したがって、人的役務提供の報酬の支払を受ける非居住者で、その所得が国内のPEに帰属する所得に該当しない非居住者については、原則として確定申告を要しなくなります。

3　非居住者の確定申告の提出先は、順次、次の所在地等を所轄する税務署です（所法15、所令54）。

①　日本国内にホテルなど居所を有しているときは、そのホテルなどの所在地

② 居所を有していなくとも国内にPE（事業所等）を有している場合は、その事業所等の所在地
③ 国内に住所等を有していた者が出国した場合で、親族等が引き続きその者に代わって居住しているときは、その居住地
④ 不動産貸付等の主たる資産の所在地
⑤ 出国直前の納税地
⑥ その者が選択した場所か、決めかねる場合は麹町税務署管轄区域内の場所

参考 所法2①八の四《定義》、同7《課税所得の範囲》、164《非居住者に対する課税の方法》、所令1の2《恒久的施設の範囲》、同280《国内にある資産の運用又は保有により生ずる所得》、同281《国内にある資産の譲渡により生ずる所得》

020　外国法人の課税される範囲

Q　外国法人は、どのような場合に、どのような所得について法人税の課税対象となるのでしょうか。

A　外国法人は、その有するPEに帰属する所得か否か、又は所得の態様区分に応じ、それぞれ課税対象となる国内源泉所得がある場合には法人税が課されますので、法人税の確定申告をしなければなりません。

なおこの場合において、源泉徴収された税額がある場合には、確定申告の際にその税額を法人税額から控除することができます。

解説

1　法人税の課税対象とされる国内源泉所得

外国法人が法人税を課税されることとなる国内源泉所得は、PEに帰属の有無や所得の態様ごとに次の表のとおりに区分されています。

なお、外国法人が人格のない社団等である場合には、収益事業から生じた所得以外の所得については、法人税は課されません。

1　国内にPEを有してPEに帰属する所得を有する外国法人	PEに帰属すべきすべての国内源泉所得 なお、法人税法上の国内源泉所得は次のとおりです。 (1)　PE帰属所得 (2)　国内にある資産の運用・保有による所得 (3)　国内にある資産の譲渡による所得で次に掲げるもの ①　国内にある不動産の譲渡による所得 ②　国内にある不動産の上に存する権利、鉱業法の規定による鉱業権又は採石法の規定による採石権の譲渡による所得 ③　国内にある山林の伐採又は譲渡による所得 ④　内国法人の発行する株式その他内国法人の出資者の持分の譲渡による所得で株式等の買集めによるものや、特殊関係株主等

	である外国法人が行うものなど一定のもの ⑤　不動産関連法人の株式等の譲渡による所得 ⑥　次に掲げる株式若しくは出資又は権利の譲渡による所得 イ　国内にあるゴルフ場の所有又は経営に係る法人の株式又は出資を所有することが、そのゴルフ場を一般の利用者に比して有利な条件で継続的に利用する権利を有する者となるための要件とされている場合におけるその株式又は出資 ロ　国内にあるゴルフ場その他の施設の利用に関する権利 (4)　人的役務の提供事業の対価 (5)　国内不動産の賃貸料等 (6)　その他の国内源泉所得 イ　国内において行う業務又は国内にある資産に関し受ける保険金、補償金又は損害賠償金（これらに類するものを含みます）に係る所得 ロ　国内にある資産の贈与を受けたことによる所得 ハ　国内において発見された埋蔵物又は国内において拾得された遺失物に係る所得 ニ　国内において行う懸賞募集に基づいて懸賞として受ける金品その他の経済的な利益に係る所得 ホ　イ～ニに掲げるもののほか、国内において行う業務又は国内にある資産に関し供与を受ける経済的な利益に係る所得
2　上記1の外国法人以外の外国法人	次の(1)から(2)に掲げる国内源泉所得 (1)　国内にある資産の運用又は保有による所得 (2)　国内にある資産の譲渡による所得（内容は上記1(3)と同じです） (3)　人的役務の提供事業の対価 (4)　国内不動産の賃貸料等 (5)　その他の国内源泉所得（内容は上記1(6)と同じです）

注　外国法人の法人税の納税地は次のとおりです（法法17、法令16）。

① 国内にPEを有する外国法人は、事業所等の所在地
② その他の外国法人で不動産貸付等の対価を受けるものは、その主たる資産の所在地
③ ①又は②の該当法人が該当しなくなったときは、その直前の納税地
④ 外国法人が選択した場所か、決めかねる場合は麹町税務署管轄区域内の場所

2　所得税の源泉徴収が課される国内源泉所得

法人税法では国内源泉所得とされていませんが、所得税法では外国法人の国内

源泉所得とされていて、源泉所得税が課される対価があります。

次の対価が国内源泉所得として源泉徴収の対象となります。

(1)　利子等

(2)　配当等

(3)　貸付金の利子

(4)　使用料等

(5)　事業の広告宣伝のための賞金

(6)　生命保険契約に基づく年金等

(7)　定期積金の給付補塡金等

(8)　匿名組合契約に基づく収益の分配

参考　法法4《納税義務者》、同138《国内源泉所得》、同141《外国法人に係る各事業年度の所得に対する法人税の課税標準》、法令177《国内にある資産の運用又は保有により生ずる所得》、同178《国内にある資産の譲渡により生ずる所得》、同180《国内に源泉がある所得》、所法161《国内源泉所得》

021 源泉徴収義務者の範囲

Q 非居住者等に対して支払を行うにあたり、どのような場合に源泉徴収義務者となるのか、教えてください。

A 非居住者等に対して国内において源泉徴収の対象とされる国内源泉所得の支払をする者は、原則としてその支払の際、所得税を源泉徴収して納付する義務があり、源泉徴収義務者となります。

解説

国内源泉所得に当たるものを非居住者等に対して国内において支払う者は、所得税法上、源泉徴収を要しないこととされるケース、例えば芸能人等に対する役務提供の対価を不特定多数の支払者の一員として支払うような場合等を除いて、原則として源泉徴収義務者となります。

そのことから、源泉徴収を要することとされる国内源泉所得のなかでも一回の取引金額が多額となると認められる土地等の譲渡対価の支払者となるような場合は、例え事業を行わない一般人であっても源泉徴収義務者に当たらないかどうか、確認が必要です。

注　源泉徴収の対象とされる国内源泉所得の具体的な内容は第1章問15、源泉徴収を要しないものの内容は同章問16を参照してください。

非居住者等に対する源泉徴収の対象とされる国内源泉所得の支払については、上記の国内払のほか、その支払が国外において行われる場合であっても、その支払者が国内に住所若しくは居所を有し、又は国内に事務所、事業所その他これらに準ずるものを有するときは、国内において支払われたものとみなすこととされていますので、その支払者は国内払と同様に源泉徴収を行う必要があります。

したがって、例えば内国法人がその役員を海外拠点に派遣して、その拠点において非居住者となった役員に対してその役員報酬の全部又は一部を直接支払うような場合でも、役員報酬は役員自身がどこで勤務しても内国法人の経営に従事していることには代わりがないことから国内源泉所得に当たるものと認められ、よってその支払は内国法人の行う国内源泉所得の支払（国外払）に該当して、内国法人が源泉徴収義務者となり、源泉徴収を行うことが必要となります。ただし、租税条約の定めにより所定の手続をとれば源泉徴収が不要となることがありますので、確認を要します。

注　スリランカとの租税条約では、法人の役員としての役務提供の報酬について、その役務提供地国課税とされています。

その一方、多くの租税条約では、利子や使用料などの投資所得について、その対価の支払と応益的な関係があると考えられることから債務者主義を採用していて、その支払者の居住地国に所得源泉があることとされています。我が国の居住者等の支払がこれに該当する場合は、国内法の定めにかかわらず、条約の定めが優先適用されて、その支払者は源泉徴収義務者となります。

なお、ここでいう支払には、現実に金銭を交付する行為のほか、貸借の元本に繰り入れ又は預金口座に振り替えたり、あるいは相殺決済（ネッティング）によるなど、その支払の債務が消滅する一切の行為が含まれます。

また、支払者とは、その支払うべき債務を負っている者を指し、通常は納税者としてその債務を税務申告に反映（経費等に計上）すべき者がそれに該当して、源泉徴収義務者となります。

このほか、組合契約事業から生ずる利益の配分については、組合契約を締結している組合員である非居住者等が、その組合契約に定める計算期間その他これに類する期間（これらの期間が1年を超える場合は、これらの期間をその開始の日以後1年ごとに区分した各期間（最後に1年未満の期間を生じたときは、その1年未満の期間）をいい、以下「計算期間」といいます）において生じた利益について、金銭その他の資産の交付を受ける場合には、その配分をする者はその利益の支払をする者とみなされる（源泉徴収義務者となる）ことから、その者はその金銭等の交付をした日（その計算期間の末日の翌日から2か月を経過する日までにその利益に係る金銭等の交付がされない場合には、同日）においてその支払があったものとみなして、源泉徴収をする必要があります。

注　ここでいう「組合員」には、組合契約を締結していた組合員並びに外国における組合契約に類する契約を締結している者及び締結していた者を含みます（所令328の2）。

参考 所法161《国内源泉所得》、同162《租税条約に異なる定めがある場合の国内源泉所得》、同212《源泉徴収義務》、所令328の2《組合員に類する者の範囲》、所基通181～223－共1《支払の意義》

022 源泉徴収の対象となる所得の支払地

Q 当法人はロシア法人に著作権の使用料を支払うこととなり、支払方法は当社の交渉担当者が直接現地に出張して現地で支払うこととしています。この場合の支払は国外払に該当するのでしょうか。

A 金銭の交付そのものが国外で行われたとしても、その支払事務は国内で執り行われたものと認められることから、国内払に該当することとなると思われます。

解説

源泉徴収の対象となる国内源泉所得を非居住者等に支払う場合にその支払者が国内に事務所、事業所等を有するときは、その支払が国内払あるいは国外払を問わず所得税の源泉徴収を要することとされています。

ただし、国外払の場合はその源泉所得税の納付期限が支払の日の翌月末日とされていて、国内払の場合の翌月10日までの納付期限と異なっています。

そのために、納付期限を判断する上では支払地はどこであるかがポイントとなりますが、この場合の「支払」とは、支払債務が消滅する一切の行為が含まれることとされていることから、単に金銭を交付する行為のみでなく、支払方法や支払手段について双方が合意するための諸々の手続など支払債務の弁済に関する一連の事務行為全般を含む広い概念を指すものと解されます。

ご質問の場合は出張者が国外において金銭の交付を行うとしても、その支払を行うための一連の事務手続は国内で行っているものと認められ、その場合は国内払に該当するものと思われます。

したがって、ご質問の著作権使用料の支払は国内払に当たるものとしてその源泉所得税は支払の日の翌月10日までに納付する必要があります。

参考　所法212①②《源泉徴収義務》、所基通181～223－共1《支払の意義》

023 非居住者等所得の源泉徴収税率

Q 非居住者等に支払う対価に対する源泉徴収税率は支払金額の何パーセントですか。

A 非居住者等の国内源泉所得に対する源泉徴収税率は所得の種類ごとに異なりますが、原則としてその支払金額の10～20%の一定の税率とされています。

なお、2037（令和19）年12月31日までの支払については、その税額に2.1%の税率を乗じた復興特別所得税も併せて源泉徴収する必要があります。

解説

所得税法において、非居住者等に支払われる国内源泉所得の種類ごとの源泉徴収税率等は、原則として次ページの表に掲げるとおりです（所得税の税率に復興特別所得税の税率を合計した税率で表示してあります）。

なお、年金や賞金のように、支払金額から所定の控除額を差し引いた後の金額に税率を乗じることとされているものもあります。

また、支払を受ける非居住者等の居住地国と我が国との間に租税条約が締結されている場合には、該当する所得について所定の手続をとることによりその条約で定められている税率（「限度税率」といいます）に軽減されることがあります。

参考 所法213《徴収税額》、実特法3の2《配当等又は譲渡収益に対する源泉徴収に係る所得税の税率の特例等》、復興財確法13《個人に係る復興特別所得税の税率》、同27《法人に係る復興特別所得税の税率》、同28《源泉徴収義務等》

<table>
<tr><th colspan="2">国内源泉所得の種類</th><th>税率</th><th>控除額</th></tr>
<tr><td colspan="2">組合契約事業利益の配分</td><td>20.42%</td><td rowspan="7">――</td></tr>
<tr><td colspan="2">土地等の譲渡対価</td><td>10.21%</td></tr>
<tr><td colspan="2">人的役務の提供事業の対価</td><td rowspan="2">20.42%</td></tr>
<tr><td colspan="2">不動産の賃貸料等</td></tr>
<tr><td colspan="2">利子等</td><td>15.315%</td></tr>
<tr><td colspan="2">配当等</td><td>20.42%</td></tr>
<tr><td></td><td>私募公社債等運用投資信託等の収益の分配</td><td>15.315%</td></tr>
<tr><td colspan="2">貸付金の利子</td><td rowspan="6">20.42%</td><td rowspan="3">――</td></tr>
<tr><td colspan="2">使用料等</td></tr>
<tr><td colspan="2">給与等の人的役務提供に対する報酬、退職手当等</td></tr>
<tr><td colspan="2">公的年金等（注3）</td><td>5万円 × 支払を受けるべき年金の額に係る月数</td></tr>
<tr><td colspan="2">事業の広告宣伝のための賞金（注4）</td><td>50万円</td></tr>
<tr><td colspan="2">生命保険契約に基づく年金等</td><td>払い込まれた保険料又は掛金のうち、支払われる年金の額に対応する部分の金額</td></tr>
<tr><td colspan="2">定期積金の給付補塡金等</td><td>15.315%</td><td rowspan="2">――</td></tr>
<tr><td colspan="2">匿名組合契約等に基づく利益の分配</td><td>20.42%</td></tr>
</table>

注1　上記のほか、措置法の規定による源泉徴収税率の特例があります（第1章問2参照）。

2　国内源泉所得の金額の中に消費税及び地方消費税（以下「消費税」といいます）相当額が含まれる場合には、その税額を含めた金額が源泉徴収の対象金額となります。ただし、国内源泉所得の支払を受ける者からの請求書等において国内源泉所得の金額と消費税相当額とが明確に区分されている場合には、その国内源泉所得の金額のみを源泉徴収の対象金額として差し支えありません（平元直法6－1、平26課法9－1）。

3　公的年金等のうち、年齢が65歳以上の人が受ける年金については、「95,000円×支払を受けるべき年金の額に係る月数」となります（措法41の15の3③）。

4　事業の広告宣伝のための賞金について金銭以外のもので支払われる場合には、そのものをその支払の日に譲渡すると仮定した場合にその対価として通常受けるべき価額に相当する金額（時価）で評価することとされています（所令329）。

024 復興特別所得税の源泉徴収の特例

Q 東日本大震災の復興施策財源を確保するために所得税に加えて復興特別所得税が課されていますが、非居住者等に対する支払で源泉徴収を要するものについては、同じような取扱いとなるのでしょうか。

A 2037（令和19）年12月31日までの特定期間に非居住者等に支払うべき国内源泉所得に該当するものについては、原則として、その課される所得税の額に2.1%を乗じた部分が復興特別所得税として所得税とは別途に課されますが、租税条約の適用による限度税率が国内法で定める税率以下である場合は復興特別所得税は課されません。

解説

2011（平成23）年12月2日公布の「東日本大震災からの復興のための施策を実施するために必要な財源の確保に関する特別措置法」（復興財確法）によりますと、非居住者等が支払を受ける国内源泉所得に該当するもので、2013（平成25）年1月1日から2037（令和19）年12月31日までの間（特定期間）に生ずるものは、原則として所得税法などの規定に基づく所得税（基準所得税）に2.1%の税率を乗じて計算した金額を復興特別所得税として源泉徴収しなければならないこととされています。

つまり、この場合に適用する基準所得税の税率は、非居住者等の国内源泉所得に対する所得税の税率を指し、この税率により計算した所得税の額に2.1%の税率を乗じて加算することとされていて、所得税と復興特別所得税を併せて源泉徴収する必要があります（前問（問23）参照）が、租税条約の適用がある場合には、復興特別所得税の源泉徴収義務について特例が設けられています。

その特例とは、租税条約において相手国居住者等に対する課税の税率を一定の税率又は割合を超えないものとする場合のその税率など（限度税率）が、国内法の規定に基づく税率以下であるもの又は免税となるものについては、復興特別所得税の源泉徴収を要しないこととされています。

ただし、租税条約で定める限度税率が国内法の定める所得税の源泉徴収税率を超えている場合には、その特例は適用できないこととなりますので、復興特別所得税の源泉徴収を要することとなります。

その典型的なケースとしては、ブラジルとの租税条約における商標権の使用料についての限度税率が25%とされていることです。

使用料の対価に対する国内法における所得税の源泉徴収税率が原則として20%であるのに対して、租税条約で定める限度税率は通常の場合、20%以下とされていることから、租税条約の適用を受ける場合は上記の特例により復興特別所得税の源泉徴収は不要となります。

しかしながら、ブラジル居住者に支払う商標権の使用料については、所得税の源泉徴収税率20%を超えていることから特例の対象外となり、復興特別所得税の源泉徴収義務が生じることとなりますので注意が必要です。

注　ブラジル居住者に支払う商標権の使用料に対する源泉徴収税率は、所得税法の原則的な税率20%に復興特別所得税率0.42%を加算した20.42%となります。

参考　所法161《国内源泉所得》、実特法3の2《配当等又は譲渡収益に対する源泉徴収に係る所得税の税率の特例等》、復興財確法10《基準所得税額》、同13《個人に係る復興特別所得税の税率》、同17《課税標準及び税額の申告》、同26《法人に係る復興特別所得税の課税標準》、同27《法人に係る復興特別所得税の税率》、同28《源泉徴収義務等》、同33④《復興特別所得税に係る所得税法の適用の特例等》、日伯租税条約11⑵(a)《使用料》

025　外貨表示支払額の邦貨換算

Q　非居住者等に国内源泉所得を外貨で支払う場合、源泉徴収税額はどのように計算すべきでしょうか。

A　非居住者等に支払うべき国内源泉所得の金額が、ドル、ユーロなどの外貨で表示されている場合における税額の計算は、まず、その外貨表示の支払額の決済を邦貨又は外貨のいずれで行うかの別、又は外貨で行う場合の支払期日の定め方の別に応じて、定められた方法で邦貨に換算し、その邦貨換算額に税率を乗じて税額を求めることとなります。

解説

外貨表示の支払額の決済通貨に応じた換算方法は、以下のとおりです。

<table>
<tr><td>1</td><td colspan="2">外貨表示の金額を邦貨で支払う場合</td><td>その支払に関する契約などにおいて定められている換算方法等に従って支払うこととなる邦貨の金額</td></tr>
<tr><td rowspan="2">2</td><td rowspan="2">外貨表示の金額を外貨で支払う場合</td><td>(1)　その支払に関する契約などにおいて、支払期日が一定の日、又はその時期が月、週等の期間をもって定められているとき</td><td>次に掲げる日におけるその外貨に係る電信買相場により邦貨に換算した金額
①　その支払うべき一定の日
②　その支払うべき時期が月、週等の期間をもって定められている場合は、その期間の末日
③　その支払うべき日前に支払が行われた場合は、その支払が行われた日
ただし、その支払が著しく遅延して行われていない限り、現に支払った日における電信買相場により邦貨に換算した金額によっても差し支えありません。</td></tr>
<tr><td>(2)　その支払に関する契約などにおいて、その支払期日が定められていないとき</td><td>現実に支払った日における電信買相場により邦貨に換算した金額</td></tr>
</table>

なお、上記の電信買相場（=TTB）は、その支払をする者の主要取引金融機関、又はその支払をする者がその外貨に係る対顧客直物電信買相場を公表している場合

には、その支払をする者におけるその支払うべき日又は支払った日のその外貨に係る対顧客直物電信買相場によるものとします。

注　このように電信買相場による邦貨換算を行った方が、結果として邦貨換算額ベースでは、納付すべき源泉所得税額が少なくなるという効果が生じます。

これらのほか、外貨表示額に相当する対外支払手段をその支払うべき日以後において外貨の売買業務を行う者から邦貨により購入して支払うときは、その支払が著しく遅延して行われない限り、簡便法としてその購入に際して適用された外国為替相場（電信売相場=TTS）によって換算した金額を、その国内源泉所得の金額として差し支えないものとされています。

参考　所基通213－1《外貨で表示されている額の邦貨換算》、同213－2《換算の基礎となる電信買相場》、同213－3《邦貨換算の特例》、措通41の22－5《外貨で表示されている額の邦貨換算》

026 支払者が源泉所得税を負担する場合の税額計算

Q 非居住者等に源泉徴収の対象となる国内源泉所得を支払う際に、その所得税を支払者が負担することとして差し引かない場合の税額の計算方法を教えてください。

A 非居住者等に対する支払金額に所得税相当額を加算（グロスアップ計算）したうえで、税額を計算することとなります。

解説

非居住者等の所得に対する源泉所得税の税額を計算する基となる課税標準は、通常、非居住者等に対する実際の支払金額となりますが、その支払金額が税引手取額で定められている場合には、その税引手取額を税込みの金額に逆算して、その逆算した金額を源泉徴収の対象となるもの（課税標準）、すなわち支払総額とします。

つまり、この場合の支払総額は、「税引手取額」を「税引手取額を含めた全支払額に対する税引手取額割合（1−税率）」で除したもの（=その割合の逆数を乗じたもの）として算出され、実際の支払金額に支払者負担の所得税相当額が加算（グロスアップ計算）されたものとなります。

したがって、源泉徴収税額の計算は、その計算した支払総額に税率を乗じて得られた金額がそれに当たることとなります。

注　課税標準額及び税額に1円未満の端数があるときは、その端数を切り捨てます。

なお、その具体的な計算例を示すと、次ページのとおりとなります。

【具体的な計算例】

税引手取額（支払金額）が100万円、税率20.42%（復興特別所得税込み）の場合

(1) $1{,}000{,}000\text{円}\times\dfrac{1\ (100\%)}{1-0.2042\ (100\%-20.42\%)}=1{,}256{,}597\text{円}$（源泉徴収の対象となる支払総額）

(2) 1,256,597円×20.42%=256,597円（源泉徴収税額）

(3) 1,256,597円−256,597円=1,000,000円（税引手取額）

参考　所法213《徴収税額》、所基通181～223共－4《源泉徴収の対象となるものの支払額が税引手取額で定められている場合の税額の計算》

027 非居住者等所得に対する源泉所得税の納付期限

Q 非居住者等に支払う対価から所得税を源泉徴収した場合の納付期限について教えてください。

A 非居住者等所得について源泉徴収した所得税の納付期限については、その支払が国内払又は国外払であるかどうかに応じて異なることとなります。

解説

非居住者等に対する支払態様ごとの具体的な納付期限は次のように定められています。

支払区分	納付期限
国内払の場合	支払の日の属する月の翌月10日
国内払とみなされた国外払の場合	支払の日の属する月の翌月末日

非居住者等に対して源泉徴収の対象となる国内源泉所得を国内において支払う場合だけでなく、国外において支払う場合であっても、その支払者が国内に住所又は居所を有する場合や、国内に事務所又は事業所等を有する場合は、その支払は国内で行われたものとみなされ、国内払と同様にその支払の際に所得税を源泉徴収しなければなりません。

注　支払の意義等については、第1章問21、22参照。

また、源泉徴収の対象となる所得の支払が行われたのは国内又は国外のどちらであるのかの判定基準については、所得税法等では特に明示されていませんが、支払そのものの意義を踏まえると、その所得の支払事務を取り扱う事務所、事業所等が国内又は国外のどちらにあるかによって判定することになると思われます。

この場合の「支払事務を取り扱う事務所等」とは、例えば非居住者に支払われる次に掲げる所得については、原則としてそれぞれ次に掲げる事務所等をいうものと考えられます。

所得	事務所等
①　預貯金の利子	その預貯金の受入れ･払出しを行う金融機関その他預貯金の受入れを行う者の事務所等
②　合同運用信託等の収益の分配等	その信託等を引き受けた信託会社の営業所等
③　給与等又は退職手当等	その給与等又は退職手当等の支給金額、徴収税額の計算に関する人事考課上及び税務上の資料を作成･管理し、その計算に責任を有する事務所等
④　報酬、料金、契約金又は賞金	その報酬等を現に支払う者の事務所等

参考　所法212《源泉徴収義務》

028 源泉徴収の免除証明書制度

Q 非居住者等が国内にPEを有していれば、国内源泉所得の支払を受けるときでも源泉徴収を免除される制度があるそうですが、それはどのような制度なのでしょうか。

A 国内にPEを有する非居住者等がそのPEに帰せられる国内源泉所得の支払を受けるものについて所定の要件を満たす場合には、申請により納税地の税務署長から「源泉徴収の免除証明書」の交付を受け、それを国内源泉所得の支払者に提示すれば、その証明書が効力を有している期間内に支払を受ける一定のものについては、源泉徴収の免除が受けられます。

解説

1 免除証明書制度とは

非居住者等のうち、国内にPEを有してそのPEに帰属する所得を有する者が支払を受ける国内源泉所得については、事業の所得などを除き、原則として所得税を源泉徴収されるだけでなく、すべての国内源泉所得を総合して、所得税又は法人税が課されることとなっています。

したがって、例えば、国内における不動産の賃貸料や貸付金の利子などの特定の所得については、その支払を受ける際に所得税を源泉徴収されることによって、居住者又は内国法人とは異なる取扱いを受けますが、この源泉徴収された所得税は、原則として所得税又は法人税の確定申告の際に税額控除を行い精算することとなります。

しかしながら、国内にPEを有して事業活動を行っている非居住者等は、事業活動を行う上では居住者又は内国法人と何ら変わることなく同様の状況にあるといえます。そのようなことから、非居住者等が所定の要件を満たす場合には、非居住者等の申請により納税地の所轄税務署長から源泉徴収の免除証明書の交付を受けられることとされています。それを国内源泉所得の支払者に提示すれば、その証明書が効力を有している期間内に支払を受ける一定のものについては、源泉徴収の免除を受けられ、居住者又は内国法人と同様の取扱いを受けることができることと定められています。

もっとも、この証明書の交付を受けられなかったため源泉徴収されたとしても、その所得税は、所得税又は法人税の確定申告の際に税額控除して精算することができます。

2　源泉徴収の免除を受けるための要件

この源泉徴収の免除を受けるための証明書を「外国法人又は非居住者に対する源泉徴収の免除証明書」といい、国内に支店や営業所などのPEを有する非居住者等は、次の表に掲げる要件を備えていれば、納税地の所轄税務署長に対して申請することにより、この証明書の交付を受けることができます。

外国法人の場合	①　法人税法に規定されている「外国普通法人となった旨の届出書」等を提出していること ②　会社法又は民法の規定により、登記をすべき外国法人にあってはその登記をしていること ③　源泉徴収の免除を受けようとする国内源泉所得が、法人税を課税される所得のうちに含まれるものであること ④　偽りその他不正の行為により、所得税又は法人税を免れたことがないこと ⑤　国内源泉所得の支払者に証明書を提示する場合において、その支払者の氏名又は名称、住所又は事業所等の所在地、提示年月日を帳簿に記録することが確実であると見込まれること
非居住者の場合	①　開業等の届出書を提出していること ②　納税地に現住しない非居住者については、納税管理人の届出をしていること ③　前年分の所得税に係る確定申告書を提出していること ④　源泉徴収の免除を受けようとする国内源泉所得が、総合課税に係る所得税を課税される所得のうちに含まれるものであること ⑤　偽りその他不正の行為により、所得税を免れたことがないこと ⑥　国内源泉所得の支払者に証明書を提示する場合において、その支払者の氏名又は名称、住所又は事業所等の所在地、提示年月日を帳簿に記録することが確実であると見込まれること

3　源泉徴収の免除の対象となる所得の範囲

所得税法の規定による源泉徴収の免除の対象となる所得の範囲は、次の表のとおりとされています。

外国法人	①　組合契約事業から生ずる利益の配分で、その事業に係るPE以外のPEに帰せられるもの ②　土地等の譲渡対価のうち、所得税法第13条第1項ただし書に規定する信託で国内にある営業所に信託されたものの信託財産に帰せられるもの ③　人的役務の提供事業の対価 ④　不動産の賃貸料等 ⑤　貸付金の利子 ⑥　使用料等 ⑦　事業の広告宣伝のための賞金 ⑧　生命保険契約に基づく年金等
非居住者	①　組合契約事業から生ずる利益の配分で、その事業に係るPE以外のPEに帰せられるもの ②　人的役務の提供事業の対価 ③　不動産の賃貸料等 ④　貸付金の利子 ⑤　使用料等（所得税法第204条第1項第一号の報酬・料金等（著作権、工業所有権、その他技術に関する権利などの料金等をいいます）の所得に該当するものを除きます） ⑥　人的役務提供の報酬等のうち、芸能人等の役務の提供に対する報酬・料金等 ⑦　生命保険契約に基づく年金等（支払額が25万円以上のものを除きます）

注1　これらの所得について源泉徴収を免除する理由は、一定の要件に該当する非居住者等について、居住者又は内国法人並みの扱いをしようとするものですので、居住者又は内国法人に対する支払について源泉徴収が適用される利子等、配当等及び給付補塡金等などについては源泉徴収は免除されません。

2　源泉徴収の免除証明書交付（追加）申請書や源泉徴収の免除証明書の交付を受けている非居住者等がその名称、所在地等を変更したり、証明書の交付要件に該当しなくなった場合の届出書の様式は、後掲の様式例1～3参照。

参考　所法180《恒久的施設を有する外国法人の受ける国内源泉所得に係る課税の特例》、同214《源泉徴収を要しない非居住者の国内源泉所得》、所令304《外国法人が課税の特例の適用を受けるための要件》、同305《外国法人が課税の特例の適用を受けるための手続等》、同330《非居住者が源泉徴収の免除を受けるための要件》、同331《非居住者が源泉徴収の免除を受けるための手続等》、同332《源泉徴収を免除されない非住居者の国内源泉所得》

(様式例1)

外国法人又は非居住者に対する源泉徴収の免除証明書交付（追加）申請書

			※整理番号	
税務署受付印 令和　年　月　日	法人税又は所得税の納税地にある事務所等の	所在地	〒	
		（フリガナ） 名称又は氏名		
		法人番号	※個人の方は個人番号の記載は不要です。	
		（フリガナ） 代表者その他の責任者の氏名		
税務署長殿	（フリガナ） 納税管理人の氏名			

①□所得税法第180条第1項
□所得税法第214条第1項
□租税特別措置法施行令第3条の3第2項 に規定する証明書［　　］部 の交付を申請します。　（追加申請書の場合　当初の申請書の提出年月日　平成・令和　年　月　日）

②国外にある本店若しくは主たる事務所の所在地又は住所	③非居住者で国内に居所がある場合のその居所

④法人税法に定める外国普通法人となった届出書若しくは収益事業開始届出書又は所得税法に定める開業届出書を提出した年月日	昭・平・令　年　月　日
⑤会社法第933条第1項、旧商法第479条第1項、旧有限会社法第76条又は民法第37条第1項に規定する登記をした年月日	昭・平・令　年　月　日
⑥支払を受ける所得が法人税又は総合課税に係る所得税を課される所得に含まれる事情の概要	
⑦当社（私）は {□　所得税法施行令第304条第5号に掲げる記録を確実に行います。 □　所得税法施行令第330条第6号に掲げる記録を確実に行います。	
⑧外国法人の恒久的施設を通じて行う事業の内容が法人税法第149条又は第150条の規定による届出書の内容と異なっている場合は、その現在の事業の概要	

⑨証明書を提示しようとする所得のうち主たるものの支払者及びその支払を受ける事務所等	所得の支払者の 氏名・名称	住所・所在地	支払を受ける 所得の種類	見込期間	所得の支払を受ける事務所等の名称及び所在地

⑩租税特別措置法第8条に規定する外国銀行等が同法の適用を受ける場合には、その利子又は収益の分配の主たる支払者の名称及び事務所等	利子等の支払者の 名称	所在地	支払を受ける見込期間	所得の支払を受ける事務所等の名称及び所在地

⑪証明書の交付を受けようとする外国法人が所得税法第180条第1項に規定する外国法人に該当する場合又は非居住者が同法第214条第1項に規定する非居住者に該当する場合に、この証明書によりこれらの項の適用を受けようとする国内源泉所得がその法人（者）のこれらの項に規定する対象国内源泉所得に該当する事情	

税理士署名	

※税務署処理欄			署長	副署長	統括官	担当者	整理簿	処理内容		交付・不交付
	起案	・　・						交付事績	交付部数	部
	決裁	・　・							有効期限	・　・
						番号	通知書		証明書番号	～
									交付通知 年月日	・　・

（規格A4）

03.06改正

（様式例2）

源泉徴収の免除証明書の交付を受けている外国法人又は非居住者の名称、所在地等の変更届出書

※整理番号	

税務署受付印

令和　年　月　日

税務署長殿

法人税又は所得税の納税地にある事務所等の	所在地	〒 電話　－　－
	（フリガナ） 名称	
	法人番号	※個人の方は個人番号の記載は不要です。
	（フリガナ） 代表者その他の責任者の氏	
国外にある本店又は主たる事務所等の	所在地	〒 電話　－　－
	（フリガナ） 名称	
	（フリガナ） 代表者氏名	

①　令和　年　月　日付で、次に記載のとおり、名称、所在地等を変更しましたので届け出ます。
　なお、平成・令和　年　月　日付で交付を受けた証明書　部　第　号を添付します。

② 届出内容	変更内容		変更前	変更後
	国外にある本店又は主たる事務所等の	所在地	〒 電話　－　－	〒 電話　－　－
		（フリガ 名称		
	法人税等の納税地にある事務所等の	所在地	〒 電話　－　－	〒 電話　－　－
		（フリガ 名称		
		代表者その他の責任者氏名		

税理士署名	

※税務署処理欄			署長	副署長	統括官	担当者	整理簿			
	起案	・　・						返還事績	返還年月日	・　・
									返還部数	部
	決裁	・　・							有効期限	・　・
									証明書番号	～
							番号	再交付事績	交付部数	部
									有効期限	・　・
									証明書番号	～
									交付年月日	・　・

（規格A4）

03.06 改正

(様式例3)

源泉徴収の免除証明書の交付を受けている外国法人又は非居住者が証明書の交付要件に該当しなくなったことの届出書

税務署受付印

※整理番号	

令和　年　月　日 税務署長殿	法人税又は所得税の納税地にある事務所等の	所在地	〒　－ 電話　－　－
		(フリガナ)	
		名称	
		法人番号	※個人の方は個人番号の記載は不要です。
		(フリガナ) 代表者その他の責任者の氏名	
	(フリガナ) 納税管理人の氏名		

①
所得税法施行令第　　条 に規定する要件に該当しなくなったので、次のとおり届け出ます。
なお、平成　　年　月　日付で交付を受けた証明書　　部　　第　　号を添付します。

② 証明書の交付を受ける要件等に該当しなくなったことの事情の詳細	

③
免除証明書を提示した国内源泉所得の支払者の氏名又は名称及びその住所、事務所、事業所その他その国内源泉所得の支払の場所を適宜の様式により、添付してください。

税理士署名	

※税務署処理欄	起案	・　・	署長	副署長	統括官	担当者	整理簿	返還事績等	返還年月日	・　・
	決裁	・　・							返還部数	部
									証明書番号	～
	(摘要)					番号	公示		有効期限	・　・
									失効年月日	・　・
									公示年月日	・　・

(規格A4)

03.06改正

029 非居住者等所得についてのその他の特例

Q 非居住者等の国内源泉所得について、租税条約や源泉徴収の免除証明書による免税以外にも課税されないケースや、その他の特例があるそうですが、それについて教えてください。

A 非居住者等の国内源泉所得等について、租税条約や源泉徴収の免除証明書による免税以外で課税されないケースとしては、人的非課税制度や措置法による所得税が非課税とされる特例があり、このほかに免税芸能法人等に対する源泉徴収の特例があります。

解説

非居住者等に対する人的非課税制度や措置法による課税の特例（所得税が非課税）については次の**1**及び**2**のとおりです。

このほか措置法により、免税芸能法人等が支払を受ける対価について源泉徴収を受ける所得税については、所定の手続をとればその税率が軽減され、また、その源泉所得税は「租税条約の実施に伴う所得税法、法人税法及び地方税法の特例等に関する法律」（実特法）によって、所定の手続をとることにより還付される特例があります（**3**）。

1 人的非課税

① 国際機関等

次のような国際機関や政府・地方公共団体等の政府関係機関の職員の給与や報酬等については、原則として国際協定や租税条約により課税されないこととされています。

国際復興開発銀行（IBRD、一般には「世界銀行」（WB）とも呼称）、国際通貨基金（IMF）、欧州復興開発銀行（EBRD）、国際金融公社（IFC）、国際開発協会（IDA、「第二世界銀行」とも呼称）、米州開発銀行（IDB）、アフリカ開発銀行（AfDB）、アジア開発銀行（ADB）など

なお政府関係機関の職員については、所得税法や租税条約の多くでその行う勤務が利得を得る（収益を目的とする）ためのものに当たらない勤務であることをその要件としています。

② 外国の大使、公使等

国内に居住する外国の大使、公使及び外交官である大公使館員並びにこれらの配偶者の所得については、課税しないこととされています。

したがって、これらの人が支払を受けるものについては、給与に限らず、すべての所得について課税されません。

そのほか財務大臣が告示した国際機関や外国政府、その地方公共団体の職員の一定の給与等についても非課税とする規定があります。

2　措置法による課税の特例

非居住者等が支払を受ける次に掲げる利子などについては、措置法により所得税が課税されないこととされていますが、これらの課税の特例の適用を受けるためには、[4] に掲げる特例を除き、非課税適用申告書や更新申告書を提出するなど一定の要件を満たすことが必要です。

なお、外国法人のPEに帰属するものはPE帰属所得として法人税の課税対象とされますが、PEに帰属しないものは国内源泉所得に該当せず法人税の課税対象とされないことから、特例の対象から除かれることとなります。

また、非居住者がPEを有してPE帰属所得に該当するものは、特例の対象から除かれます。

［1］振替国債等の利子･償還差益の非課税

非居住者等が支払を受ける振替国債及び2008（平成20）年1月1日以後に支払を受けるべき振替地方債の利子については、その者の所有していた期間で、かつ振替記載等を受けていた期間に対応する金額、並びに2010（平成22）年4月1日以後に取得する振替国債等の償還差益（振替国債等の償還により受ける金額が、その振替国債等の取得価額を超える場合の差益）

［2］振替社債等の利子･償還差益の非課税

非居住者等が支払を受ける特定振替社債等（振替社債等のうち、その利子又は剰余金の配当の額が振替社債等の発行者等の利益の額等に連動するものを除いたものをいいます）の利子等については、その者の所有していた期間で、かつ振替記載等を受けていた期間に対応する金額、及び償還差益（特定振替社債等の償還により受ける金額が、その特定振替社債等の取得価額を超える場合の差益で、発行者と特殊の関係のある者が支払を受けるものを除いたもの）

［3］民間国外債の利子･償還差益の非課税

内国法人及び外国法人が1998（平成10）年4月1日（外国法人が発行するものについては、2008（平成20）年5月1日）以後に発行した民間国外債で、その利子の額が民間国外債の発行者等の利益の額等に連動するものを除きますが、外国法人が発行した債券については、その外国法人が有するPEを通じて国内において行う事業に帰せられるもので、非居住者等に対して支払う利子、及び償還差益（民間国外債の償還により受ける金額が、その民間国外債の発行価額を超える場合の差益で、発行者と特殊の関係のある者が支払を受けるものを除いたもの）

［4］特別国際金融取引勘定において経理された預金等の利子の非課税

外国為替及び外国貿易法第21条第3項に規定する金融機関が、1998（平成10）年4月1日以後に、同項に規定する非居住者であることの一定の証明がされた外国法人から受け入れた預金又は借入金で、特別国際金融取引勘定（オフショア勘定）において経理したものについて、その外国法人が支払を受ける利子

［5］特定振替割引債の償還金に係る差益金額の非課税非居住者等が支払を受ける特定振替割引債の償還金に係る差益金額で非課税適用申告書の提出など一定の要件を満たしたもの（発行者と特殊の関係のある者が支払を受けるものを除いたもの）

［6］外国金融機関等の店頭デリバティブ取引の証拠金に係る利子の非課税

イ　外国金融機関等（一定の銀行業・金融商品取引業・保険業を営む外国法人）が国内金融機関等との間で2027（令和9）年3月31日までに行う店頭デリバティブ取引に係る証拠金について、国内金融機関等から支払を受ける利子

ロ　(a)上記イに同じ期間内に外国金融機関等（上記イに同じ）が行う店頭デリバティブ（暗号資産デリバティブ取引を除きます。以下同じ）取引に基づく相手方の債務を商品取引清算機関が負担した場合に、その機関に対して預託する一定の証拠金、又は(b)国内金融機関等が上記イに同じ期間内に行う店頭デリバティブ取引に基づく相手方の債務を外国金融商品取引清算機関が負担した場合に、その国内金融機関等に対して預託する一定の証拠金について、(a)における外国金融機関等が支払を受ける利子、又は(b)における外国金融商品取引清算機関が支払を受ける利子

［7］外国金融機関等の債券現先取引等に係る利子の非課税

イ　外国金融機関等（一定の銀行業・金融商品取引業・保険業を営む外国法人、一定の金融商品債務引受業を行う外国法人、外国の中央銀行又は国際機関）が、所定の要件を満たす債券の買戻又は売戻条件付売買取引、又は所定の有価証券に係る現金又は有価証券を担保とする有価証券の貸付け又は借入れを行う取引について、特定金融機関等（一括清算法の対象者である国内金融機関等、金融商品取引清算機関又は日本銀行）から支払を受ける一定の利子

ロ　外国金融機関等（上記イに同じ）以外の租税条約締結相手国等の一定の外国法人が振替国債等に係る取引期間3月以内等の一定の要件を満たす債券の買戻又は売戻条件付売買取引で2017（平成29）年4月1日から2026（令和8）年3月31日までの間において開始したものについて、特定金融機関等（上記イに同じ）から支払を受ける一定の利子

3　措置法・実特法による源泉徴収の特例

国内において、映画又は演劇の俳優、音楽家、職業運動家などの芸能人等の役

務提供事業を行う非居住者等のうち、

① 国内に居所や事業所等を有していない場合

② 支払を受けるその対価が、国内に有するPEに帰せられない場合

のいずれかの場合において、租税条約の規定により免税とされる者（「免税芸能法人等」といいます）が支払を受けるその対価に対しては、いったん支払者（興業主など）から源泉徴収を受けることとされています。

この場合にその者が「免税芸能法人等に関する届出書」をその支払者の納税地の所轄税務署長に提出すれば源泉徴収税率が原則20.42%から15.315%に軽減されます。

注1 この場合の源泉所得税の納税地は、支払者の所在地がその対価の支払時と芸能法人等の芸能人等への報酬支払時において異なっていても、その対価支払時の所在地とすることにして差し支えないこととされています（措通41の22－4）。
2 免税芸能法人等に関する届出書の様式は、様式例4参照。

なお、その源泉徴収された所得税については、その芸能法人等が芸能人等に支払う役務提供報酬から源泉徴収して納付した後に、租税条約の特典条項の適用対象となる場合は「特典条項に関する付表（様式17）」などの所要の添付書類のほか、報酬に関する契約書（写し）、源泉所得税の納付書控（写し）等を添付して「租税条約に関する芸能人等の役務提供事業の対価に係る源泉徴収税額の還付請求書（様式12）」をその対価の支払者の所轄税務署長に提出することにより、還付を受けることができます。

注 上記の還付請求書の様式は、第2章問12の様式例12参照。

参考 所法9①八、十三（非課税所得）、所令23《職員の給与が非課税とされる国際機関の範囲》、同24《給与が非課税とされる外国政府職員等の要件》、所基通9－11《人的非課税》、同9－12《外国政府等に勤務する者の給与》、措法5の2《振替国債等の利子の課税の特例》、同5の3《振替社債等の利子の課税の特例》、同6《民間国外債等の利子の課税の特例》、同7《特別国際金融取引勘定において経理された預金等の利子の非課税》、同41の13《振替国債の償還差益等の非課税等》、同41の13の3《振替割引債の差益金額等の課税の特例》、同41の22《免税芸能法人等が支払う芸能人等の役務提供報酬等

に係る源泉徴収の特例》、同42《外国金融機関等の店頭デリバティブ取引の証拠金に係る利子の課税の特例》、同42の2《外国金融機関等の債券現先取引に係る利子の課税の特例》、措令26の32《免税芸能法人等が支払う芸能人等の役務提供報酬等に係る源泉徴収の特例》、実特法3《免税芸能法人等の役務提供の対価に係る源泉徴収及び所得税の還付》、実特令2《免税対象の役務提供対価に係る所得税の還付請求手続》、OECDモデル条約19《政府職員》

（様式例4）

税務署受付印

免税芸能法人等に関する届出書
APPLICATION FORM FOR THE NONRESIDENT PROMOTER

この届出書の記載に当たっては、裏面の注意事項を参照して下さい。
See instructions on the reverse side

税務署整理欄 For official use only	
適用；有、無	
番号確認	身元確認

＿＿＿＿＿税務署長
To the District Director, ＿＿＿＿＿Tax Office

1　対価の支払を受ける者に関する事項；
Details of Recipient of Remuneration

氏名又は名称 Full name		
個人番号又は法人番号（有する場合のみ記入） Individual Number or Corporate Number (Limited to case of a holder)		
個人の場合 Individual	住所又は居所 Domicile or residence	（電話番号 Telephone Number）＿＿＿＿
	国籍 Nationality	
法人その他の団体の場合 Corporation or other entity	本店又は主たる事務所の所在地 Place of head office or main office	（電話番号 Telephone Number）＿＿＿＿
	事業が管理・支配されている場所 Place where the business is managed and controlled	
日本国内で芸能人等の役務提供事業を開始した年月日 Date of opening business of rendering personal services exercised by the entertainer or the sportsman in Japan		
納税管理人 The Tax Agent in Japan	氏名 Full name	
	住所又は居所 Domicile or residence	（電話番号 Telephone Number）＿＿＿＿
	納税管理人の届出をした税務署名 Name of the Tax Office where the Tax Agent is registered	税務署 Tax Office

2　対価の支払者に関する事項；
Details of Payer of Remuneration

氏名又は名称 Full name	
住所（居所）又は本店（主たる事務所）の所在地 Domicile(residence)or place of head office(main office)	（電話番号 Telephone Number）＿＿＿＿
個人番号又は法人番号 Individual Number or Corporate Number	

3　その他参考となるべき事項；
Others

（規格A4）

03.06 改正

030 租税条約による源泉徴収の特例

Q 租税条約による所得税の源泉徴収の特例について、教えてください。

A 租税条約による所得税の源泉徴収に関する特例は、各締結先ごとにそれぞれ異なりますが、所定の手続をとることにより、源泉所得税が軽減又は免除される場合があります。

解説

現在のところ、我が国が締結している租税条約に定める特例のうち、源泉徴収に関するものの大要は次のとおりです。

1 利子、配当、使用料に対する課税の軽減又は免除の特例

通常、投資所得と総称される利子、配当、工業所有権等の使用料のうち一定のものについては、租税条約の規定により、源泉所得税が軽減又は免除されることがあります。

2 上記1以外の所得に対する主要な免税の特例

(1)　人的役務提供事業の対価を免税とするもの

人的役務提供事業の対価のうち、この提供事業を行う者が国内にPEを有していない場合や、有していてもそのPEに帰せられない場合には、免税とするものです。

ただし、芸能人等の人的役務提供事業の対価については、租税条約に次のような規定があって、免税とされないものに該当する場合には、免税は適用されません。

①　芸能人等の役務提供事業の所得は、その役務提供地国で課税できるとする規定

② 芸能人等の役務提供事業を行う国にPEを有するものとみなす規定

③ 人的役務を提供する芸能人等がその雇用者たる企業を支配している場合（「ワンマンカンパニー」といいます）の免税の適用除外に関する規定

(2) 船舶、航空機の貸付けの対価を免税（国際運輸業所得の相互免税）とするもの

(3) 工業所有権等の譲渡対価を免税とするもの

(4) 短期滞在者に支払う報酬を免税とするもの

(5) その他の特例として、次の者の人的役務の提供に対する報酬等を免税とするもの

① 自由職業者

② 学生、事業修習者等

③ 教授等

④ 政府職員

3 所得源泉地についての特例

租税条約において、課税対象とする所得の発生源泉地（所得源泉地）に関して国内法と異なる定めを置いている場合には、その租税条約の定めるところに従って、国内源泉所得の範囲を判定することとなります。

したがって、国内法では国内源泉所得とされていても、非居住者等の居住地国等と締結した租税条約の定めいかんによっては、源泉徴収を要しないこととなる場合があります。

注 上記の特例の詳細は、第2章問8参照。

参考 所法162《租税条約に異なる定めがある場合の国内源泉所得》、法法139《租税条約に異なる定めがある場合の国内源泉所得》

031 非居住者等所得の源泉徴収税額の納付と所得税徴収高計算書

Q 非居住者等に国内源泉所得を支払う際に源泉徴収した所得税はどのように納付すればよいのでしょうか。

A 非居住者等に支払の際に源泉徴収した所得税は、「非居住者・外国法人の所得についての所得税徴収高計算書」（納付書と兼用）を使用して、国内源泉所得の支払日の翌月10日（国外払の場合は翌月末日）までに日本銀行歳入代理店となっている金融機関等又は所轄税務署の窓口を通じて、国に納付することとなります。

解説

源泉所得税の納付期限は支払日の翌月10日（国外払の場合は翌月末日）とされていますが、納付する場合に使用する納付書と兼用の「非居住者・外国法人の所得についての所得税徴収高計算書」は、その記載内容について自動的にコンピュータで読み取る様式（OCR用納付書）を使用することとなっています。

したがって、その納付書自体が折れ曲がったり、破損したり、あるいは数字や文字が枠からはみだしたり、きちんと記載されていなかったりしたものや、数字を重ねて訂正したりすると正確に処理できないこととなりますので、注意が必要です。

注　納付書の記載のしかたについては、次ページの様式例5参照。

この納付書（徴収高計算書）には、上記の「非居住者・外国法人の所得」についての様式のほか、次のような所得等に使用する様式のものもあります。

① 割引債の償還差益（発行時源泉徴収）に使用するもの

② 割引債の償還金に係る差益金額（償還時源泉徴収）に使用するもの

③ 源泉徴収を選択した特定口座内保管上場株式等の譲渡による所得等・源泉徴収選択口座に受け入れた上場株式等に係る配当所得等に使用するもの

なお、インターネットにアクセスできるパソコンを持っていて、預貯金口座に納付に必要な残高を有している場合には、所轄税務署への届出など事前の準備を要しますが、国税電子申告・納税システム（e-Tax）を利用して、上記の徴収高計算書を送信後にメッセージボックスの通知内容を確認した上で「今すぐ納付する」を選択すると、預貯金口座から即時（又は納付日を指定すると、その指定した日）に納付が完了する①「ダイレクト納付」を行うことができますし、このほかに②「インターネットバンキング」や、③「モバイルバンキング」、④金融機関における「ATM」利用による納付、⑤「クレジットカード」の使用により納付することができます。

参考　所法220《源泉徴収に係る所得税の納付手続》、国税通則法34《納付の手続》、所規80《計算書の書式》

(様式例5)

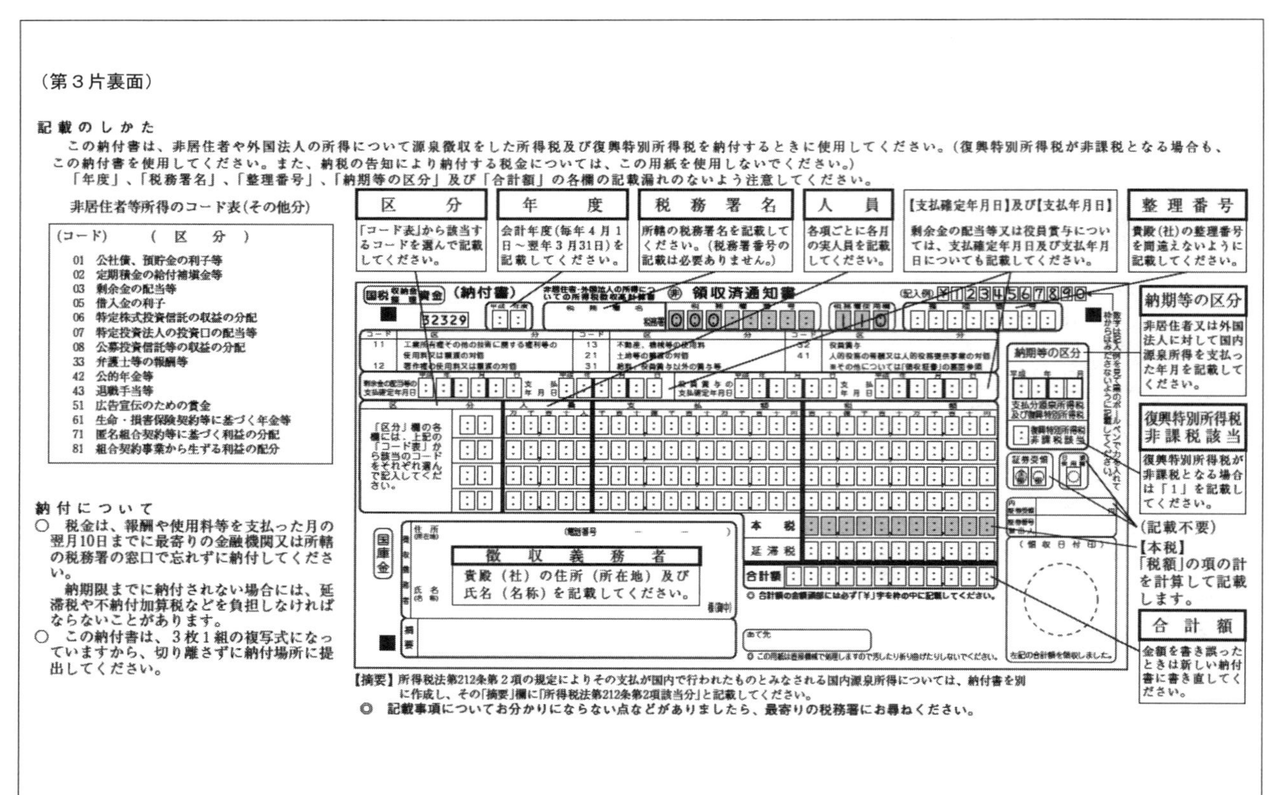

（第３片裏面）

記載のしかた

この納付書は、非居住者や外国法人の所得について源泉徴収をした所得税及び復興特別所得税を納付するときに使用してください。（復興特別所得税が非課税となる場合も、この納付書を使用してください。また、納税の告知により納付する税金については、この用紙を使用しないでください。）

「年度」、「税務署名」、「整理番号」、「納期等の区分」及び「合計額」の各欄の記載漏れのないよう注意してください。

非居住者等所得のコード表(その他分)

(コード)	(区　分)
01	公社債、預貯金の利子等
02	定期積金の給付補塡金等
03	剰余金の配当等
05	借入金の利子
06	特定株式投資信託の収益の分配
07	特定投資法人の投資口の配当等
08	公募投資信託等の収益の分配
33	弁護士等の報酬等
42	公的年金等
43	退職手当等
51	広告宣伝のための賞金
61	生命・損害保険契約等に基づく年金等
71	匿名組合契約等に基づく利益の分配
81	組合契約事業から生ずる利益の配分

納付について

○　税金は、報酬や使用料等を支払った月の翌月10日までに最寄りの金融機関又は所轄の税務署の窓口で忘れずに納付してください。

納期限までに納付されない場合には、延滞税や不納付加算税などを負担しなければならないことがあります。

○　この納付書は、３枚１組の複写式になっていますから、切り離さずに納付場所に提出してください。

区　分
「コード表」から該当するコードを選んで記載してください。

年　度
会計年度(毎年４月１日～翌年３月31日)を記載してください。

税務署名
所轄の税務署名を記載してください。(税務署番号の記載は必要ありません。)

人　員
各項ごとに各月の実人員を記載してください。

【支払確定年月日】及び【支払年月日】
剰余金の配当等又は役員賞与については、支払確定年月日及び支払年月日についても記載してください。

整理番号
貴殿(社)の整理番号を間違えないように記載してください。

納期等の区分
非居住者又は外国法人に対して国内源泉所得を支払った年月を記載してください。

復興特別所得税非課税該当
復興特別所得税が非課税となる場合は「1」を記載してください。

(記載不要)

【本税】
「税額」の項の計を計算して記載します。

合計額
金額を書き誤ったときは新しい納付書に書き直してください。

徴収義務者
貴殿（社）の住所（所在地）及び氏名（名称）を記載してください。

国税 収納金整理資金（納付書）　非居住者・外国法人の所得についての所得税徴収高計算書　領収済通知書

(記入例) ¥1234567890

32329

コード	区　分	コード	区　分	コード	区　分
11	工業所有権その他の技術に関する権利等の使用料又は譲渡の対価	13	不動産、機械等の使用料	32	役員賞与
12	著作権の使用料又は譲渡の対価	21	土地等の譲渡の対価	41	人的役務の報酬又は人的役務提供事業の対価その他については「摘要記載」の裏面参照
		31	給料・役員賞与以外の賞与等		

剰余金の配当等の支払確定年月日　支払年月日　役員賞与の支払確定年月日　支払年月日

区分　人員　支払金額　税額

「区分」欄の各欄には、上記の「コード表」から該当のコードをそれぞれ選んで記入してください。

本税　延滞税　合計額

◎ 合計額の金額頭部には必ず「¥」字を枠の中に記載してください。

納期等の区分　平成　年　月

支払分源泉所得税及び復興特別所得税

復興特別所得税非課税該当

数字は正確に見やすく黒のボールペンで力を入れて枠からはみ出さないように記載してください。

国庫金　住所(所在地)　(電話番号)　氏名(名称)　摘要

あて先

◎ この用紙は直接機械で処理しますので汚したり折り曲げたりしないでください。

(領収日付印)　左記の合計額を領収しました。

【摘要】所得税法第212条第２項の規定によりその支払が国内で行われたものとみなされる国内源泉所得については、納付書を別に作成し、その「摘要」欄に「所得税法第212条第2項該当分」と記載してください。

◎　記載事項についてお分かりにならない点などがありましたら、最寄りの税務署にお尋ねください。

032 支払調書の作成と提出

Q 非居住者等に、源泉徴収の対象となる国内源泉所得を支払った場合は、支払調書を作成して提出しなければならないのでしょうか。

A 非居住者等に対して国内において源泉徴収の対象となる国内源泉所得の支払をする者は、その支払に関する調書（支払調書）を作成して、原則としてその支払の確定した日の属する年の翌年1月末日までに納税地を所轄する税務署長に提出しなければなりません。

解説

提出すべき支払調書のうち、①利子等、②配当等、③生命保険金等、④匿名組合契約等の分配金、⑤償還差益、⑥株式等の譲渡対価などについては、居住者や内国法人に対して支払った場合と同様の取扱いになっていますが、非居住者等に対する支払について特に定められた支払調書には、次のものがあります。

(1) 組合契約に基づく利益の支払調書

(2) 人的役務提供事業の対価の支払調書

(3) 不動産の使用料等の支払調書

(4) 借入金の利子の支払調書

(5) 工業所有権の使用料等の支払調書

(6) 機械等の使用料の支払調書

(7) 給与、報酬、年金及び賞金の支払調書

(8) 不動産の譲受けの対価の支払調書

なお、上記の支払調書のうち、(1)については、同一人に対する一回に支払うべき金額が3万円以下のとき、(2)～(7)については同一人に対するその年中の支払金額が50万円以下のとき、(8)についてはその年中の支払金額が100万円以下のときは、それぞれ提出を要しないこととされています。

また、上記のほか、国内において不動産、不動産の上に存する権利、総トン数20トン以上の船舶若しくは航空機の売買又は貸付けのあっせんに係る手数料の支払をする法人又は不動産業者である個人は、その支払に関する調書を、同様に所轄税務署長に提出しなければならないこととされています。

ただし、これらのその年中における支払金額が15万円以下のときは、提出は不要とされています。

支払調書の提出期日は原則として支払確定日の属する年の翌年1月末日ですが、①配当等の支払調書、②組合契約に基づく利益の支払調書については、その支払の確定した日から1月以内とされています。

注1　金融機関は、上記のほか、その顧客（公共法人等を除きます）がその金融機関の営業所等を通じてする100万円超の金額の国外送金等に係る為替取引を行ったときは、その国外送金等ごとに「国外送金等調書」をその為替取引を行った日として財務省令で定める日の属する月の翌月末日までに、その為替取引に係る金融機関の営業所等又は郵便局等の所在地の所轄税務署長に提出する必要があります（国外調書法4、国外調書令8）。

2　支払調書のうち、「非居住者等に支払われる工業所有権の使用料等の支払調書」の様式については、次ページの様式例6参照

参考　所法225《支払調書及び支払通知書》、所規89《非居住者等の所得の支払調書》、同90《不動産所得等の支払調書》、所規別表第5⒄～㉓、㉗

（様式例6）

令和　　年分　非居住者等に支払われる工業所有権の使用料等の支払調書

支払を受ける者	居所又は所在地				
	氏名又は名称		個人番号又は法人番号		

区分	計算の基礎	契約期間	登録場所	支払金額	源泉徴収税額
				千　円	千　円

納税管理人	住所又は居所		氏名	

（摘要）

支払者	住所(居所)又は所在地		
	氏名又は名称	（電話）	個人番号又は法人番号

整理欄	①	②

○「個人番号又は法人番号」欄に個人番号（12桁）を記載する場合には、右詰で記載します。

337

令和　　年分　非居住者等に支払われる工業所有権の使用料等の支払調書合計表

税務署受付印

処理事項	通信日付印	検収	整理簿登載	身元確認
	※　・　・	※	※	※

令和　年　月　日提出

税務署長 殿

提出者	住所（居所）又は所在地	電話（　－　－　）	整理番号			
			調書の提出区分（新規=1、追加=2 訂正=3、無効=4）	提出媒体	本店一括	有・無
	個人番号又は法人番号(注)	↓個人番号の記載に当たっては、左端を空白にし、ここから記載してください。	作成担当者			
	フリガナ 氏名又は名称		作成税理士署名	税理士番号（　）電話（　－　－　）		
	フリガナ 代表者氏名					

区分		支払総額（支払調書提出省略分を含む。）人員	支払金額	源泉徴収税額	左のうち、支払調書を提出するものの合計 人員	支払金額	源泉徴収税額
工業所有権の使用料又は譲受けの対価	一般分	人	円	円	人	円	円
	軽減分						
	非課税又は免税分						
	Ⓐ計						
著作権の使用料	一般分						
	軽減分						
	非課税又は免税分						
	Ⓑ計						
合計（Ⓐ＋Ⓑ）							

（摘要）

○　提出媒体欄には、コードを記載してください。（電子＝14、FD＝15、MO＝16、CD＝17、DVD＝18、書面＝30、その他＝99）

（注）　平成27年分以前の合計表を作成する場合には、「個人番号又は法人番号」欄に何も記載しないでください。

（用紙　日本産業規格　A４）

○平成28年1月1日以後提出用

第2章

租税条約のあらまし

001 租税条約とは

Q 非居住者等の国内源泉所得の取扱いについては、国内法よりも租税条約が優先適用されるということですが、この租税条約の目的やその効力を説明してください。

A 租税条約は、その正式なタイトルが示すとおり、主として国際的な二重課税の回避又は排除を目的とするとともに、脱税の防止なども図られています。また近年においては、租税面からの投資促進等を図るための改正のほか、帰属主義を課税原則とする改正も行われています。

解説

1 租税条約の目的

各国はその主権に基づき固有の課税権を有しているため、全く租税を課さないタックス・ヘイブンにある相手先との国際取引を除いて、通常の国際取引に対して我が国と相手国・地域（以下、「相手国」又は「国」と称します）との間で二重に課税を行うケースが生じることがあります。国境を越えた国際間の経済関係が極めて緊密でかつ拡大している現状では、国際的な二重課税が生じると、それが個別問題に止まらず、国際商取引全般に波及してその円滑な取引の妨げとなるだけでなく、ひいては国際間における投融資、技術移転、人的交流などの広範な分野において障害を引き起こす一つのインフラになりかねません。

そこで、主として国際的な二重課税の回避又は排除を目的として、各国との間で租税条約が締結されています。

歴史的には、我が国は1954（昭和29）年に米国と最初の租税条約を締結し、その後1963（昭和38）年にOECD（経済協力開発機構）がOECDモデル条約を公表。我が国は1964（昭和39）年のOECD加盟に伴い、OECDモデル条約に準拠してはぼ定型化した租税条約を締結しています。

この租税条約の正式な名称は、通常、「所得（及び譲渡収益）に対する租税（及びある種の他の租税）に関する二重課税の回避（又は除去）及び脱税（並びに脱税及び租税回避）の防止のための日本国（政府）と○○○○○（国名又は政府）との間の条約（又は協定）」となっており、二国間における所得に対する租税について、課税の範囲やその税率の限度等が定められています。

このほか、租税条約には締結国間の課税権の配分、国際的な脱税及び条約の濫用による租税回避の防止、税務当局間の国際協力・情報交換といった目的などがあります。

またその後において、租税条約にはクロス・ボーダーの取引を租税面から後押しして、対内・対外投資や経済交流の促進を図ろうとする経済活性化策の側面があることが指摘されるようになり、このため、2004（平成16）年発効の改正日米租税条約を嚆矢として、主要国との条約において、投資所得と総称される配当、利子、使用料に関する源泉地国課税を大幅に軽減する特典を設ける改正措置が講じられています。

それとともに、実際は第三国の居住者が一方の締結国にペーパーカンパニーを作るなどして、形式的にその国の居住者として租税条約の特典を享受するような条約の濫用（「トリーティ・ショッピング（Treaty Shopping）」といいます）を防止するための明確な規定も設けられています。

このような経過をたどる中で近年においては、統一した国際課税の原則の下で一元的に解釈・運用されるような条文による国際的な二重課税のみならず二重非課税についても効果的な排除を目指すべしとの指摘を受けて、OECDモデル条約では2010（平成22）年に従来の規定を改めて新7条を導入しています。

新7条では、帰属主義を国際課税の原則と位置づけて、他方の締結国内に有するPEを通じて行う事業に帰せられる利得、すなわちPE帰属所得を源泉地国課税ができる事業所得として定義づけています。その具体的な方式として、PEと本店等との内部取引を独立企業間取引価格で算定することを主とする内容のアプローチ（Authorised OECD Approach = AOA）を採用していて、近年における租税条約の締結又は改正の中にもこの考え方が盛り込まれています。

なお、取引先の属する相手国と租税条約が締結されていない場合は、もちろん国内法がそのまま適用されることとなります。

以上のほか、我が国は、租税に関する情報交換を主体としつつ、特定の所得について二重課税の回避を図るための協定（情報交換協定）や、租税に関する相互行政支援に関する条約（税務行政執行共助条約）も締結しています。

また、OECDのBEPSプロジェクトにより租税条約に関連する措置として策定され、我が国も署名し、2019（平成31）年1月に発行したBEPS（税源浸食及び利益移転）防止措置実施条約が、多数国間条約として既存の租税条約に導入されています。その内容は主として、①租税条約の濫用等の防止措置と、②二重課税の排除等に関する措置から構成されていて、その条約の規定の中から我が国が個別に選択した規定が適用されています。

2 租税条約の効力

租税条約は、国内法に優先して適用されますので、その個別の規定が国内法の規定と異なる場合は、条約の定めるところにより、課税が軽減又は免除される場合があります。

また、所得の源泉地に関しても、その定めが国内法と異なる場合は、条約の定めに従い特定の国内源泉所得の範囲を判定することとなります（第2章問8参照）。

なお、国内法は、課税原則を平成26（2014）年度税制改正により従来とられていた我が国固有の総合主義の原則から、OECDモデル条約の規定する帰属主義の原則に基づく仕組みとする改正が行われまして、国内法と租税条約の原則は一致したと考えられますが、その実際的な改正といえるのは、OECDモデル条約新7条と同様の規定を定める租税条約以外の租税条約の適用があるときには、PE帰属所得の計算についてはその租税条約に一致させる（PEと本店等の間の一定の内部取引を認識しない）こととされていて、その範囲内で国内法と租税条約の一元化が図られていることです。

参考　所法162《租税条約に異なる定めがある場合の国内源泉所得》、法法139《租税条約に異なる定めがある場合の国内源泉所得》、実特法3の2《配当等又は譲渡収益に対する源泉徴収に係る所得税の税率の特例等》

002　租税条約の締結・発効状況

Q　我が国が締結している租税条約の相手国や発効状況を教えてください。

A　2024（令和6）年5月1日現在、我が国が締結し、発効していて、かつ現実に租税に関して適用されている租税条約（協定）で、二重課税の回避等を主たる内容とするものは72条約（79か国に適用）です。

ただし、条約の体裁はとってはいませんが、実質的に条約と同等の効力を有していると認められる民間租税取決めも1本（1地域）あります。

解説

租税条約の適用相手国は、財務省によると後掲の図「我が国の租税条約ネットワーク」にあるとおりです。なお、上記の72条約のうち、

① 旧ソ連との条約は、同条約が継承されていたロシアとは全面的な条文改正となりましたが、旧ソ連構成国であった7か国（図にある国名の頭に○印のある国）には引き続き適用されていること

② 旧チェコスロバキアとの条約は、同国の分離によりチェコとスロバキア2か国に適用されていること

から条約が適用されている国は7か国増えて79か国となっています。

注　上記79か国のうち、フィジーについては、旧日英租税条約が承継・適用されています。

この図にある国のうち、（※）印が付されているもの（11か国）との間の条約（協定）は、租税に関する情報交換及び課税権の配分に関する規定を主体とした内容となっています。

以上の条約のほかに、台湾との間では両国内にある民間の協会間において租税に関する取決めを結んでいて、その内容を実施するための国内法も整備されたことから、実質的に租税条約と同等の効力を有する内容の取決めとされています。

このほか、2024（令和6）年5月1日現在、アルジェリアとの条約は発効済みであるものの租税に関して未だ適用されていませんが、情報交換などに関する規定は発効日から適用されていることから、これらの条約等の本数を合計すると、85条約等が発効していて92か国に適用されています。

また、これらの条約等のほか、租税に関する相互行政支援に関する多数国間条約を締結し、現在63か国に適用されています。

以上の条約等の各国とのネットワークは、この図にあるように86条約等に及んでいて、155か国に適用されています。

なお、2024（令和6）年5月1日現在、条約に署名がされているものの未発効となっている国が3か国あり、いずれも新しい条約となっていて、その国名は次のとおりです。

① アルゼンチン

② ウクライナ

③ ギリシャ

注　以下、本書（付録を除く）においては、上記の情報交換規定を主としている条約（協定）及び相互行政支援に関する条約については、その取扱い等について、取り上げる対象としていません。

我が国の租税条約ネットワーク
財務省：出所に基づく
《85条約等、92　か国・地域適用／2024年5月1日現在》
欧州（33）
アイスランド
アイルランド
イギリス
イタリア
エストニア
オーストリア
オランダ
クロアチア
スイス
スウェーデン
スペイン
スロバキア
スロベニア
セルビア
チェコ
デンマーク
ドイツ
ノルウェー
ハンガリー
フィンランド
フランス
ブルガリア
ベルギー
ポルトガル
ポーランド
ラトビア
リトアニア
ルクセンブルク
ルーマニア
ガーンジー（※）
ジャージー（※）
マン島（※）
リヒテンシュタイン（※）
ロシア・NIS諸国　（12）
アゼルバイジャン
○アルメニア
○ウクライナ
ウズベキスタン
カザフスタン
○キルギス
ジョージア
○タジキスタン
○トルクメニスタン
○ベラルーシ
○モルドバ
ロシア
北米・中南米（15）
アメリカ
ウルグアイ
エクアドル
カナダ
コロンビア
ジャマイカ
チリ
ブラジル
ペルー
メキシコ
ケイマン諸島（※）
英領バージン諸島（※）
パナマ（※）
バハマ（※）
バミューダ（※）
租税条約
情報交換協定
日台民間租税取決め
アフリカ（5）
アルジェリア
エジプト
ザンビア
南アフリカ
モロッコ
中東（7）
アラブ首長国連邦
イスラエル
オマーン
カタール
クウェート
サウジアラビア
トルコ
アジア・大洋州（20）
インド
インドネシア
オーストラリア
韓国
シンガポール
スリランカ
タイ
中国
ニュージーランド
パキスタン
バングラデシュ
フィジー
フィリピン
ブルネイ
ベトナム
香港
マレーシア
サモア（※）
マカオ（※）
台湾
（注１）租税条約、情報交換協定及び租税取決めの数及び国・地域数の内訳は以下のとおり。
・租税条約（二重課税の除去並びに脱税及び租税回避の防止を主たる内容とする条約）：73本、80か国・地域
・情報交換協定（租税に関する情報交換を主たる内容とする条約）：11本、11か国・地域（図中、（※）で表示）
・日台民間租税取決め：１本、１地域
（注２）図示した条約等以外に、多数国間条約の「税務行政執行共助条約」があり、63か国・地域に適用されている。

003 発効予定の条約締結国とその特徴

Q 租税条約を締結してもなかなか発効に至らない条約もあるそうですが、その相手国や条約内容の特徴を教えてください。

A 租税条約を締結（署名）したもので発効に至っていない条約が2024（令和6）年5月1日現在で3か国ありました。その後、同年1月20日には、「アルジェリア」との租税条約が発効しましたが、租税に関する適用は令和7（2025）年1月からとされています。また、2024（令和6）年2月19日には、「ウクライナ」との間で新条約の署名が行われています。なお、その他の国の中には署名後4年以上にわたり未発効の条約もあります。

解説

新たに租税条約を締結し署名済みではあるが、未発効となっているものは、2024（令和6）年5月1日現在においては、次の一覧表のとおりです。

国名	条約署名日	投資所得に対する特典			その他の主な特徴
		配当	利子	使用料	不動産類似株式以外の株式譲渡収益の源泉地国課税
アルゼンチン	2019.6.27	10%/15%	12%	3%/5%/10%	有（10%/15%）
アルジェリア	2023.2.7	5%/10%	7%	10%	無（2024（令和6）年1月20日発効）
ウクライナ	2024.2.19	5%/15%	10%	5%	無
ギリシャ	2023.11.1	5%/10%	10%	5%	無

注　この表の投資所得に対する特典のうち、配当又は利子については、年金基金や政府受取、銀行間取引のものについて免税とする規定がありますが、その記載を省略しています。

一覧表に掲げた未発効国等とは、欧米諸国のなどとの条約の改正を通じて顕著な傾向となっている投資所得、なかでも使用料について免税とする規定は特に置かないで税率の軽減に止まっています。

また、すべての条約を通じて事業利得（所得）については帰属主義に沿った課税規定となっており、本支店間の内部取引の認識や独立企業原則の適用について規定しているものとなっています。

参考　財務省「我が国の租税条約等の一覧」

004 旧ソ連との条約締結国とのその後

Q 租税条約の中には旧ソ連との条約が残存しているようですが、この条約の取扱いを教えてください。

A 旧ソ連との間で締結された租税条約はロシアに引き継がれ、その他の14か国についてはそのまま有効とされることとなりましたが、その後、ロシアとは新たに全面改正した租税条約を結び発効しました。

ただし、旧ソ連との租税条約に影響を及ぼさないことから、旧ソ連を構成していた各国のうち、現在7か国については引き続き効力を有しています。このほかの7か国については新たな条約を締結し、現在発効しています。

解説

旧ソ連は1991（平成3）年12月をもって国家としては解体・消滅していますが、我が国と旧ソ連との間で締結された租税条約は、ロシア連邦が継続性を有する同一の国家として承認されたことから、ロシアに引き継がれて引き続き有効に適用されていましたところ、2018（平成30）年10月10日に旧条約を全面的に改正した新条約が発効しました。ロシアとの租税条約は旧ソ連との条約に影響を及ぼさないこととされています。

旧ソ連を構成していたロシア以外の14か国については、そのうち7か国について、引き続き旧ソ連との条約が適用されています。

このほか、ウズベキスタンやカザフスタンなどの7か国については、現在までにそれぞれ新たな条約を締結し、いずれも発効しています。

ロシアを含む旧ソ連構成国ごとの条約適用状況は次のとおりです。

国　名	条約承継の有無	条約適用確認の告示年月
アルメニア	有	1996（平成8）年5月
ウクライナ		1995（平成7）年3月
キルギス		1993（平成5）年4月
タジキスタン		1994（平成6）年4月
トルクメニスタン		1995（平成7）年1月
ベラルーシ		1996（平成8）年10月
モルドバ		1998（平成10）年6月
ロシア	（継承したが現在は無）	（2018（平成30）年10月新条約発効）
ウズベキスタン		（2020（令和2）年10月　〃　）
アゼルバイジャン		（2023（令和5）年8月　〃　）
ジョージア（旧＝グルジア）		（2021（令和3）年7月　〃　）
エストニア		（2018（平成30）年9月　〃　）
カザフスタン		（2009（平成21）年12月　〃　）
ラトビア		（2017（平成29）年7月　〃　）
リトアニア		（2018（平成30）年8月　〃　）

005 台湾に対する租税条約の適用

Q 日本と国交のない台湾については、租税条約の適用があるのでしょうか。

A 現在、台湾との間には租税条約は締結されていませんが、租税条約に相当する取決めを両国における民間窓口機関どうしで取り結び、その内容を日本国内で実施するための国内法の整備が平成28年度税制改正で実現しました。このことにより租税条約と同等の効力をもつ民間租税取決めが実務上適用されることとなっています。

解説

1 租税条約に相当する枠組み

台湾は、我が国にとって租税条約を締結していない国・地域の中では最大の直接投資相手といわれていますが、台湾との関係に関する我が国の基本的立場が非政府間における実務関係を維持することとされていることから、条約そのものの締結が適わない状況にありました。

そこで次の概念図にあるような、「租税条約に相当する枠組み」が、まずは両国の民間窓口機関（協会）の間で租税に関する取決めを取り結び、その内容を我が国内で実施するための国内法が整備されることにより、構築されました。この日台租税取決めは、2016（平成28）年6月13日に発効しています。

【「租税条約に相当する枠組み」の概念図】

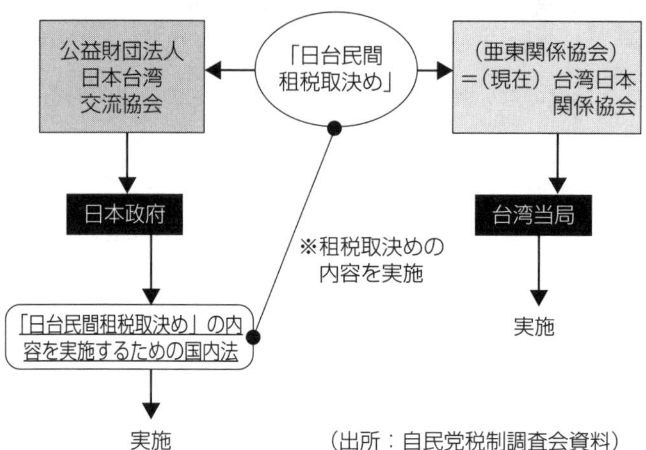

（出所：自民党税制調査会資料）

2　取決めの主な内容

日台民間租税取決めの主な内容は次のとおりです。

区　分	種　類	限度税率等
投資所得	配　当	10%
	利　子	（権限のある機関等）免税
		（その他）10%
	使用料	（設備等を除き）10%
給与所得	短期滞在者	（OECD モデルと同じ要件）免税
芸能人等所得		本人、企業とも役務提供地国課税

参考　所得免除法15《配当等に対する源泉徴収に係る所得税の税率の特例等》

006 フィジー、グアムなどに対する租税条約の適用

Q フィジー、英領バージン諸島、グアムや中国返還後のマカオについては、それぞれイギリス、アメリカ又は中国との間の租税条約が適用されるのでしょうか。

A フィジーについては旧日英租税条約が適用されていますが、フィジー以外の英領バージン諸島、グアム及びマカオについては、それぞれ日英、日米あるいは日中間の租税条約の適用がなく、課税処理は我が国の国内法に基づくこととなります。

解説

1 フィジー

南太平洋に位置するオセアニアの国フィジーとの間では、租税条約は締結されていません。

ただし、日英租税条約の英国における適用地域はグレートブリテン及び北アイルランドと規定されていますが、条約附属書によりフィジーには旧日英租税条約（1963（昭和38）年発効の原条約）の適用が承継されています。

なお、フィジーには利子・配当について、その適用が除外されていますので、それらの所得については我が国の国内法に基づいて課税されます。

2 英領バージン諸島

カリブ海の西インド諸島の東側に位置する英領バージン諸島は、かつては上記**1**のフィジーと同様に原条約が適用されていたイギリスの海外領土（自治領）ですが、2001（平成13）年以降、日英租税条約の適用はありませんので、我が国の国内法に基づい

て課税の要否等が判定されることとなります。

このほか、上記を含めいずれもタックス・ヘイブンと称されていて、英国の海外領土とされているケイマン諸島やバミューダ、あるいは英国王室属領とされているガーンジーやジャージー、マン島などについても同様に日英租税条約の適用はありません。

3 グアム

太平洋のマリアナ諸島に位置する島グアムについては、現在、アメリカ合衆国（アメリカ）の自治的未編入領域（準州）となっていますが、日米租税条約のアメリカにおける適用地域は、アメリカの諸州及びコロンビア特別区となっており、同条約でもグアムは含まない旨が明記されています。

したがって、グアムについては日米租税条約の適用はなく、我が国の国内法に基づいて課税の要否等が判定されることとなります。

なお、この取扱いは、プエルトリコや米領バージン諸島などのアメリカの属地又は準州についても同様となっています。

4 マカオ

マカオは1999（平成11）年12月にポルトガルから中国に返還されましたが、一国二制度が実施されていて、租税に関して異なる制度とされていることから日中租税協定の適用はありません。したがって、我が国の国内法に基づいて課税の要否等を判定することとなります。

5 その他

二重課税の回避等のための条約の締結は行われていない国との間では、①租税に関する情報交換を主たる内容とする条約=「情報交換協定」を結んでいる国が上記**2**の英領バージン諸島などのイギリスの海外領土諸地域や**4**のマカオを含め11か国あります。

このほか、②税務行政執行共助条約のみを締結している国がアルゼンチンやアルバニアなど63か国あります。

参考　日英租税条約3①(a)《定義》、日米租税条約3①(b)《定義》、日中租税協定3①(a)《定義》

007　租税条約による源泉所得税の軽減・免除

Q　租税条約によっては、非居住者等の所得に対する源泉所得税が軽減又は免除されるなどの特例があるそうですが、その特例について教えてください。

A　我が国と非居住者等の居住地国との間で租税条約が締結されている場合には、その条約の定めにより、その非居住者等の国内源泉所得に対する課税が軽減又は免除される場合があります。

この特例を受けようとするときは、所定の添付書類を添付した届出書などをその国内源泉所得の支払者を経由して支払者の所轄税務署に提出する必要があります。

解説

1　源泉徴収税率の軽減

所得税法における非居住者等所得に対する源泉徴収税率は、現行では原則として20.42%とされていますが、我が国が締結しているほとんどの租税条約においては、利子、配当、工業所有権・著作権等の使用料の投資所得に対する源泉徴収税率が5〜15%に軽減されています。

注　非居住者等所得のうち、所得税法又は措置法等の規定により、例えば、土地等又は建物等の譲渡対価については10.21%となっているなど、国内源泉所得に対する一定の税率軽減措置がとられているものがあります（これらの所得ごとの税率については第1章問2、23参照）。

租税条約の中には、税率を所得税法等における税率より高く定めているものもありますが、実特法において、納税者にとって所得税法等の規定が租税条約よりも有利であるときは、所得税法等の規定を優先適用することができることとされていますので、その場合は実務上、所得税法等における税率を適用することとなります（実特法3の2）。

2 所得税免除のため源泉徴収を要しないもの

租税条約には特定の所得について、一定の要件を満たしているときは租税を免除するという定めがあり、それには主として次のような内容となっています。

① 人的役務提供事業の対価のうち、その提供事業を行う者が国内にPEを有していないか、PEを有していてもその対価がPEに帰属しない場合は、免税とするもの（ほとんどの締結国）

ただし、芸能人等の役務提供事業の対価については、租税条約に次のような規定があるときには適用されません。

ⓐ 芸能人等の役務提供事業の所得は、その役務提供地国で課税できるとする規定（アメリカ、イギリス、フランスなど多数）

ⓑ 芸能人等の役務提供事業を行う企業は、その役務提供を行う国にPEを有するものとみなす規定（アイルランド、ブラジル（芸能人のみ）など）

ⓒ 人的役務を提供する芸能人等がその雇用者である企業を実質的に支配しているワンマンカンパニーについては、役務提供地国で課税できるとする規定（イタリア）

② 船舶、航空機の貸付けの対価について、免税（国際運輸業所得の相互免税）とするもの（ほとんどの締結国）

③ 配当について、一定の持株割合を有する親子会社間配当で、所定の要件を満たす場合は、免税とするもの（アメリカ、イギリス、フランスなど）

④ 利子及び貸付金の利子について、租税回避と認められるような利益連動型の利子を除き、原則として免税とするもの（アメリカ、イギリス、フランスなど）

⑤ 工業所有権等の使用料及びその譲渡対価について、免税とするもの（アメリカ、イギリス、フランスなど多数）

⑥ 上記⑤のうち真正な譲渡（譲渡人に一切の権利を残さない譲渡）についてのみ免税するもの（メキシコ）

⑦ 我が国における勤務の対価について、その支払を受ける者の国内滞在期間が短期間であるなど一定の場合は、免税とするもの（ほとんどの締結国）

⑧　弁護士など自由職業者の報酬について、その支払を受ける者が国内に固定的施設を有しない場合には、免税とするもの（ほとんどの締結国）

⑨　芸能人等の所得について、特別の文化交流計画等によるものや、政府・非営利団体援助のものは、免税とするもの（カナダ、韓国、中国など多くの国）

　また、その所得について、年間報酬金額が少額なものは、免税とするもの（アメリカ、韓国）

⑩　ⓐ学生、ⓑ事業修習者等、ⓒ交換教授等、ⓓ政府職員の一定の所得について、免税とするもの（ほとんどの締結国）

参考　実特法3の2《配当等又は譲渡収益に対する源泉徴収に係る所得税の税率の特例等》

008 租税条約による所得源泉地についての特例

Q 租税条約の定め方いかんによっては、国内法で定める国内源泉所得の範囲が変更されるそうですが、どのように変わるのか教えてください。

A 非居住者等の国内源泉所得の範囲について、その適用する租税条約において国内法と異なる定めがある場合の所得の源泉地は、原則としてその租税条約の定めにより判定することとなります。

解説

非居住者等が課税の対象とされる国内源泉所得の範囲については、所得税法及び法人税法に一定のものが規定されています。

ただし、国内源泉所得について租税条約において所得税法等と異なる規定が置かれているときは、租税条約に定められているところに従って国内源泉所得の範囲が修正され、所得源泉地が置き換えられることになります。

これに該当する事例としては、次のようなものがあります。

1 工業所有権等の使用料

工業所有権、著作権等の使用料について、国内法では、国内において業務を行う者から受ける使用料で、その業務に係るものが国内源泉所得に該当することとされています（「使用地主義」といいます）が、租税条約では、使用料は、その債務者の居住地国（法人の場合は本店所在地国）に源泉のある所得（=国内源泉所得）とすることと定めているもの（「債務者主義」といいます）が一般的です。

我が国が締結している租税条約の多くは、使用料については所得者の居住地国において課税することを原則としながら、所得源泉地国（=債務者の居住地国）においても課税できることとされています。

ただし、日米租税条約や日英・日仏租税条約等では、特定のものを除き、源泉地国免税とされています。

注　租税条約で使用地主義を採用しているのはフィジーだけですが、条約に規定がなく国内法による使用地主義となっているのは、源泉地国免税とされている国を除くとアイルランド、スリランカの2か国です。これらの国以外の締結国とは、源泉地国免税となっているアメリカ、イギリス、フランスなどを除き、債務者主義を採用した規定となっています。

2　工業所有権等の譲渡の対価

工業所有権、著作権等の譲渡の対価については、国内法では使用料の範囲に含めていますが、租税条約では大別すると

① 国内法と同様に使用料に含めて源泉地国課税とするもの（シンガポール、タイ、ベトナム、マレーシアなど）

② 真正な譲渡以外の譲渡を使用料に含めて源泉地国課税とするもの（メキシコ）

③ 譲渡の対価を一切使用料に含めず、他の財産（動産）の譲渡の対価と同様に取り扱い、源泉地国課税とするもの（カナダ、中国など）

④ 上記③と同様の取扱いとしながら源泉地国免税とするもの（アメリカ、イギリス、イタリア、インド、ドイツなど）

⑤ 譲渡対価を使用料又は他の財産の譲渡対価に含めないで、その他所得として源泉地国課税とするもの（スウェーデン）

に分かれています。

3　貸付金の利子

貸付金の利子について、国内法では、国内において業務を行う者に対する貸付金でその業務に係るものの利子が国内源泉所得に該当すること（使用地主義）とされていますが、租税条約では、利子はその債務者の居住地国の国内源泉所得とする（債務者主義）と定めているものが一般的です。

注　国内において行う事業から生ずる所得（事業所得）については、平成26年税制改前の国内法では

我が国に源泉のあるすべての所得を総合合算して課税すること（総合主義）とされ、租税条約で定められている帰属主義の定めと異なっていました。

平成26年度税制改正により、国内法においても原則として2016（平成28）年4月1日以後は帰属主義の原則を適用してPE帰属所得が導入されて、原則として租税条約の定めと一致することとされましたが、適用する租税条約においてPEと本店等との間の内部取引から所得が生ずる旨の定めのない場合におけるPE帰属所得の対象には次の内部取引は含まれないこととされていて、国内法と租税条約の一元化が図られています（所法162②、法法139②、所令291の2②、法令183③)。

① 内部利子の支払で一定の金融機関におけるもの以外のもの

② 内部使用料で、ⓐ工業所有権その他技術に関する権利、特別の技術による生産方式又はこれらに準ずるもの、ⓑ著作権、出版権又は著作隣接権その他これに準ずるもの、ⓒ無形固定資産に係るもの

③ 上記②ⓐ～ⓒに係る譲渡又は取得

009　日米租税条約などにおける投資所得の課税軽減（免税）

Q　日米租税条約や日英･日仏租税条約などにおいては、配当、利子、使用料などについて課税が免除されているそうですが、その内容を教えてください。

A　我が国が締結している租税条約のうち、日米租税条約をはじめ日英、日仏など一部の欧米諸国との租税条約においては、所定の要件を満たした配当、利子、使用料などに対する課税が免除されています。

解説

2004（平成16）年3月に発効した改正後日米租税条約では、投資所得と称される配当、利子、使用料等に対して、源泉地国における課税が大幅に減免されました。

その後改正された日英、日仏租税条約などにおいても、ほぼ同様の規定が置かれていて、さらにその後日米租税条約を改正する議定書が発効されていますが、具体的な内容については、例えば免税対象となる利子の範囲や、親子会社間配当免税についての親子会社とする基準が異なるなど、各条約により差異があります。

欧米諸国との租税条約における投資所得免税の主な適用国は次のとおりです。

区　分		国　名
配当	一定の持株割合等を有する親子会社間配当は免税	アメリカ、イギリス、オーストリア、オランダ、スイス、スウェーデン、スペイン、デンマーク、ドイツ、フランス、ベルギー など
利子	原則として免税（利益連動型等利子は除く）	アメリカ、イギリス、スウェーデン、スペイン、デンマーク など
	金融機関等。一定の年金基金が受け取る利子、延払債権利子は免税	オーストラリア、オランダ、スイス、フランス など
使用料は免税		アメリカ、イギリス、オーストリア、スイス、スウェーデン、スペイン、デンマーク、オランダ、フランス、ベルギー など

日米租税条約における投資所得免税

租税条約の中でも代表的なものの一つである日米租税条約におけるその主な内容は次のとおりです。

配当	原則10%課税	（持株割合50%以上で保有期間6か月以上の要件を満たすものは免税）
		（持株割合10%以上の法人を受益者とするものは5%課税）
利子	原則：免税（配当や組合の分配金などの支払金に係る利子については、10%課税）	
使用料	免　税	

① 配当

配当について免税の対象となるのは、親子会社間配当のうち、「配当の支払を受ける者が特定される日」をその末日とする6か月の期間を通じ、配当支払法人の議決権株式の50%以上を直接又は間接（この場合の中間所有者は、日米いずれかの居住者であること）に所有する一定の法人を受益者とするものです。

また、5%課税の対象となるのは、親子会社間配当のうち、「配当の支払を受ける者が特定される日」においてその配当支払法人の議決権株式の10%以上を直接又は間接に所有する法人を受益者とするものです。

② 利子

利子については、原則として免税とされています。

源泉地国で課税されるのは、①債務者等の収入・利得その他の資金の流出入、②債務者等の有する資産の価値変動、③債務者等が支払う配当、組合の分配金などの支払金を基礎として算定される利子等（利益連動型の利子）とされていて、10%課税の対象としています。

③ 使用料等

免税とされる使用料とは、次の対価として受領されるすべての種類の支払金等をいいます。

① 映画フィルム、ラジオ放送用又はテレビジョン放送用のフィルム又はテープを含む文学上、芸術上若しくは学術上の著作物の著作権、特許権、商標権、意匠、模型、図面、秘密方式若しくは秘密工程の使用若しくは使用の権利の対価

② 産業上、商業上若しくは学術上の経験に関する情報の対価

なお、使用料に該当しない工業所有権等の譲渡の対価についても源泉地国免税とされています。

2 税の減免等を受けるための要件

日米租税条約における税の減免等（条約の特典）を受けるためには、日米両国の居住者は特典を定める条約の各条項の要件を満たすとともに、いわゆる「特典制限（limitation on benefits=LOB）条項」に定める一定の条件を満たす必要があります。これは、第三国居住者が形式的に相手国の居住者となって条約の特典を不当に受けること（トリーティ・ショッピング）を防止するために設けられたものです。

その基本的な考え方は次のとおりです。

① 条約相手国の居住者である個人や一定の公開会社、その関連会社等はすべての所得について特典を受けられます（適格者基準）。

② 適格者基準に該当しない相手国の居住者であっても、居住地国において営業又は事業の活動に従事していて、所得がその事業活動等に関連又は付随して取得される場合には、その所得につき特典を受けられます（能動的事業活動基準）。

③ 適格者基準及び能動的事業活動基準に該当しない相手国の居住者であっても、その設立等が条約の特典を享受することを主要な目的とするものでないと権限ある当局に認定された場合には、特典を受けられます（権限ある当局による認定）。

注　認定を受けるための申請書の様式は後掲の（様式例7）参照。

3 税の減免等を受けるための手続

租税条約の適用により源泉所得税の減免を受ける場合には、それぞれの所得ごとの「租税条約に関する届出書」に特典条項に関する事項を記載した書類（「特典条項に関する付表」及び「居住者証明書」などの書類）を添付して、支払を受けるつど、支払日の前日までに源泉徴収義務者（支払者）を経由して支払者の納税地の所轄税務署長に提出することとされています。

注　居住者証明書は、米国における権限ある当局（＝「IRS（米国・内国歳入庁）」）が発行したものであることが必要です。

なお、条約の適用を受ける国内源泉所得の支払日の前日以前3年内（日米租税条約にあるように適格者基準などを満たしている等のため認定適格者に該当する場合は1年内）において、同一の国内源泉所得について上記の届出書を提出している場合は、その提出を省略することができます。

4 日英・日仏租税条約における親子会社間配当の減免税

親子会社間配当の減免税の対象となる要件は、締結国ごとにそれぞれ差異がありますが、その代表的なものとして、日英租税条約及び日仏租税条約における親子会社間配当に対する課税の軽減免税の要件等は次のとおりです。

	日　英		日　仏	
親子会社間配当	配当受領者特定日までの6か月間の期間を通じ、直接・間接の持株割合10%以上の法人	免税	配当受領者特定日までの6か月間の期間を通じ、日本法人支払の場合は議決権のある直接持株割合15%以上又は直接・間接の持株割合25%以上の法人（日本払のもの）	免税
			配当受領者特定日までの6か月間の期間を通じ、日本法人支払の場合は議決権のある直接・間接の持株割合10%以上の法人	5%課税

なお、上記の特典を受けるための手続は、基本的に日米租税条約と同じものとなっています。

参考　実特法3の2《配当等又は譲渡収益に対する源泉徴収に係る所得税の税率の特例等》、同6の2《租税条約に基づく認定》、実特法省令2《相手国居住者等配当等に係る所得税の軽減又は免除を受ける者の届出等》～同9《その他の所得に係る所得税の免除を受ける者の届出》、同9の2《申告納税に係る所得税又は法人税につき特典条項に係る規定の適用を受ける者の届出等》、同9の5《源泉徴収に係る所得税につき特例条項に係る規定の適用を受ける者の届出等》、同9の10《居住者証明書の提出の特例》、条約認定省令1《租税条約の適用に関する条件を定める規定》、日米租税条約10《配当》、同11《利子》、同12《使用料》、同22《特典の制限》、日英租税条約10《配当》、同22《特典の制限》、日仏租税条約10《配当》、同22のA《特典の制限》

(様式例7)

様　式18
FORM

租税条約に基づく認定を受けるための申請書（認定省令第一条第一号関係）

APPLICATION FORM FOR COMPETENT AUTHORITY DETERMINATION (Under the convention as listed in Item 1 of Article 1 of the Ministerial Ordinance for Determination under Convention)

この申請書の記載に当たっては、別紙の注意事項を参照してください。
See separate instructions.

税務署受付印

整理番号

令和　年　月　日 麹町税務署長経由 国税庁長官殿 To the Commissioner, National Tax Agency via the District Director, Kojimachi Tax Office	（フリガナ） 申請者の名称 Full name	
	本店又は主たる事務所の所在地 Place of head office or main office	（電話番号 Telephone Number）
	個人番号又は法人番号 （有する場合のみ記入） Individual Number or Corporate Number (If applicable)	
	事業が管理・支配されている場所 Place where the business is managed and controlled	（電話番号 Telephone Number）
	居住者として課税される国及び納税地（注8） Country where you are taxable as resident and place where you are to pay tax (Note 8)	（納税者番号 Taxpayer Identification Number）

日本において法人税の納税義務がある場合には、その納税地 Place where you file a tax return to pay the corporation tax in Japan, if any	（電話番号 Telephone Number）
認定を受けようとする国内源泉所得の種類及びその概要（注9） Type and Brief description of Japanese source income for which a determination is sought (Note 9) □所得税及び復興特別所得税 Income Tax and Special Income Tax for Reconstruction □法人税 Corporation Tax	_____税法第_____条第____項第_____号に規定する国内源泉所得 Japanese Source Income prescribed in Subparagraph____of Paragraph___of Article___of_____Tax Act （　　　）
適用を受けようとする租税条約に関する事項 Applicable Income Tax Convention □限度税率　Applicable Tax Rate_______% □免　税　Exemption	日本国と_______________との間の租税条約第_____条第_____項 The Income Tax Convention between Japan and ________________, Article ______, paragraph ,_____
その他の必要な記載事項及び添付書類 Other required Information and Attachments	（法令により必要とされるその他の記載事項及び添付書類については、別紙を参照してください。） See instructions for information and attachments required by the relevant law and ordinances.

当社は、日本国と_____________との間の租税条約第_____条第_____項_____に掲げる者のいずれにも該当せず、かつ、この申請書に記載する国内源泉所得について、同条第_____項の規定に基づき当該租税条約の特典を受ける権利を有する者にも該当しませんが、当該国内源泉所得について、同条第_____項に規定する日本国の権限ある当局の認定を受けることによって第_____条第_____項_____の特典を享受するために、租税条約等の実施に伴う所得税法、法人税法及び地方税法の特例等に関する法律第6条の2に基づき申請します。

なお、当社の設立、取得若しくは維持又は業務の遂行は日本国と当該特典を受けることをその主たる目的の一つとするものではありません。

当社は、日本、居住地国及びその他の国の法令に従って適正に納税を行っており、これからも適正な納税を行います。

We submit this application form in accordance with Article 6-2 of the Law concerning Special Measures of the Income Tax Act, Corporation Tax Act and Local Tax Act for the Enforcement of Tax Conventions in order to be granted benefits of the Convention between Japan and by the Competent Authority Determination pursuant to paragraph of Article of the Income Tax Convention, although we are not the resident prescribed in subparagraphs from ______ of paragraph__of Article___of the Convention and further are not entitled to benefits with respect to an item of income in accordance with paragraph___of Article____of the Convention.

We hereby declare that the establishment, acquisition, maintenance of us, or the conduct of our operations, do not have as one of their principal purpose the obtaining of benefits under the convention.

We have been paying taxes properly under the relevant laws of Japan, country of our residence and other countries, and we will continue to pay taxes properly.

○ 代理人に関する事項；この申請書を代理人によって提出する場合には、次の欄に記載してください。
Details of Agent ; If this form is prepared and submitted by the agent, fill out the following Columns.

代理人の資格 Capacity of Agent in Japan	氏名（名称） Full name		納税管理人の届出をした税務署名 Name of the Tax Office where the Tax Agent is registered
□ 納税管理人 Tax Agent □ その他の代理人 Other Agent	住所（居所又は所在地） Domicile (Residence or location)	（電話番号 Telephone Number）	税務署 Tax Office

※ 「納税管理人」とは、日本国の国税に関する申告、申請、請求、届出及び納付等の事項を処理させるため、国税通則法の規定により選任し、かつ、日本国における納税地の所轄税務署長に届出をした代理人をいいます。

※ "Tax Agent" means a person who acts on behalf of a taxpayer, as appointed by the taxpayer and registered at the District Director of Tax Office that has jurisdiction over the taxpayer pursuant to the provisions of Act on General Rules for National Taxes, to take necessary procedures concerning the Japanese national taxes, such as filing a return, applications and claims, payment of taxes and so forth.

様　式18
FORM

(別紙)

【その他の必要な記載事項】(これらの記載事項は、適宜の様式に記載してください。)

[Other required Information] (The following information should be provided in other appropriate forms.)

1　認定を受けることができるとする理由の詳細

Details of the reasons you are to be given determination

(1) 租税条約に規定する特典条項の基準を満たさない理由の詳細

Details of the Reasons You do NOT qualify under the Limitation on Benefits Article of the Convention

(2) 租税条約に規定する特典条項の基準を満たさないにも関わらず、租税条約により認められる特典を受けようとする理由の詳細

Details of the Reasons you apply for Benefits of the Convention, although You do NOT qualify under the Limitation on Benefits Article of Convention

(3) その設立、取得若しくは維持又はその業務の遂行が租税条約の特典を受けることをその主たる目的の一つとするものではないとする理由の詳細

Details of the Reasons the Establishment, Acquisition, Maintenance of the Applicant or the Conduct of its Operations are considered as NOT having the obtaining of benefits under the Convention as one of their principle purposes

2　居住地国における法人税に相当する税の課税状況（直前3事業年度分）

Descriptions of Tax Obligation in Country of Residence for Tax that is equivalent to the Japanese Corporation Tax (for preceding 3 taxable Years)

3　認定を受けようとする国内源泉所得の種類ごとの金額、支払方法、支払期日及び支払の基因となった契約の内容

Amount of each Kind, method of Payment, Date of Payment and Summary of underlying Contract of the Japanese Source Income for which Application for Determination is requested

4　認定を受けようとする国内源泉所得の支払者の氏名及び住所若しくは居所又は名称及び本店若しくは主たる事務所の所在地

Full name and Domicile or Residence; or Name and Place of head Office or main Office of the Payer of the Japanese Source Income for which Determination is requested

5　その他参考となる事項

Other relevant Information

6　日本の税法上、外国法人が納税義務者とされるが、租税条約の規定によりその株主等である者（相手国居住者に限ります。）の所得として取り扱われる部分に対して租税条約の適用を受けることとされている場合の租税条約の適用を受ける割合に関する事項等（注4）；

Details of proportion of income to which the convention is applicable, if the foreign company is taxable as a company under Japanese tax law, and if the convention is applicable to income that is treated as income of the member (limited to a resident of the other contracting country) of the foreign company in accordance with the provisions of the convention (Note 4)

外国法人の株主等で租税条約の適用を受ける者の氏名又は名称 Name of member of the foreign company to whom the Convention is applicable	間接保有 Indirect Ownership	持分の割合 Ratio of Ownership	受益の割合＝ 租税条約の適用を受ける割合 Proportion of benefit = Proportion for Application of Convention
	□	%	%
	□	%	%
	□	%	%
	□	%	%
	□	%	%
合計 Total		%	%

申請書に記載した外国法人が支払を受ける認定を受けようとする株主等所得について、租税条約の相手国の法令に基づきその株主等である者の所得として取り扱われる場合には、その根拠法令及びその効力を生じる日を記載してください。

If the income for determination is treated as income of those who are its members under the law in the other contracting country of the convention, enter the law that provides the legal basis to the above treatment and the date on which it will become effective.

根拠法令　　　　　　　　　　　　効力を生じる日　　年　　月　　日
Applicable law＿＿＿＿＿＿＿＿＿　Effective date＿＿＿＿＿＿＿＿

7　日本の税法上、団体の構成員が納税義務者とされるが、租税条約の規定によりその団体の所得として取り扱われるものに対して租税条約の適用を受けることとされている場合の記載事項等（注5）；

Details if, while the partner of the entity is taxable under Japanese tax law, and the convention is applicable to income that is treated as income of the entity in accordance with the provisions of the convention (Note 5)

申請書に記載した団体が支払を受ける認定を受けようとする相手国団体所得、第三国団体所得又は特定所得について、租税条約の相手国の法令に基づき団体の所得として取り扱われる場合には、その根拠法令及びその効力を生じる日を記載してください。

If the income for determination is treated as income of the entity under the law in the other contracting country of the convention, enter the law that provides the legal basis to the above treatment and the date on which it will become effective.

根拠法令　　　　　　　　　　　　効力を生じる日　　年　　月　　日
Applicable law＿＿＿＿＿＿＿＿＿　Effective date＿＿＿＿＿＿＿＿

（次の事項は、上記1から5の中に必ず記入してください。）

(Following Information must be included in 1 though 5 above.)

① 設立又は組織年月日

Date of Establishment or Organization

② 設立又は組織された場所

Place where Corporation was established or organized

③ 資本金額又は出資金額

Amount of Capital

④ 居住地国における営業又は事業活動の内容

Description of Business in Country of Residence

⑤ 日本国内において営業又は事業活動を行っている場合、その営業又は事業活動の内容

Details of Business in Japan, if any

⑥ 日本国内に恒久的施設を有する場合、その名称及び所在地

Name and Address of Permanent Establishment(s) in Japan, if any

様　式18
FORM

(別紙)

【必要な添付書類】(注10、11)
Required Attachments (Note 10,11)

1　居住地国の権限ある当局が発行した居住者証明書 Residency Certification issued by the Competent Authority of the Country of Residence	□ 添付 Attached
2　認定を受けることができるとする理由の詳細を明らかにする書類 Documents showing the Details of Reasons You are to be given Determination	
(1) 租税条約に規定する特典条項の基準を満たさない理由の詳細に関して参考となる書類 Documents relevant to the Reasons you do NOT qualify under the Limitation on Benefits Article of Convention	□ 添付 Attached
(2) その設立、取得若しくは維持又はその業務の遂行が租税条約の特典を受けることをその主たる目的の一つとするものではないことを明らかにする書類 Documents showing that the Establishment, Acquisition, Maintenance of the Applicant or the Conduct of its Operations are considered as NOT having the obtaining of benefits under the Convention as one of their principle purposes	□ 添付 Attached
(3) その他参考となる書類 Other relevant Documents	□ 添付 Attached
3　居住地国における法人税に相当する税の課税状況を明らかにする書類(直前3事業年度分) Documents showing Tax Obligation in Country of Residence for Tax that is equivalent to Japanese Corporation Tax (for preceding taxable 3 Years)	
(1) 居住地国における法人税に相当する税の税務申告書の写し(直前3事業年度分) Copies of final Tax Returns for Tax that is equivalent to Japanese Corporation Tax (for preceding taxable 3 Years)	□ 添付 Attached
(2) 財務諸表の写し(直前3事業年度分) Copies of financial Statements (for preceding taxable 3 Years)	□ 添付 Attached
4　認定を受けようとする国内源泉所得の種類ごとの金額、支払方法、支払期日及び支払の基因となった契約の内容を明らかにする書類 Documents showing the Amount of each Kind, Method of Payment, Date of Payment and underlying Contract of the Japanese Source Income for which Application for Determination is requested	□ 添付 Attached

010 最近発効した、又は発効予定の租税条約の動向

Q 2018（平成30）年11月以降に発効した新たな租税条約や改正条約について、何か特徴的なことがあればその概要を教えてください。

A 2018（平成30）年以降に発効したオーストリア、デンマーク、ベルギーなどの欧州各国との租税条約の改正が続行されていて、その条約においては、配当や利子などの投資所得に対する課税の免除規定が拡大されていることが大きな流れのひとつとなっています。その一方、新しい租税条約、特にロシアをはじめ旧ソ連構成国の一部の国とも新条約の締結・発効が進展をみていて、これらの新条約では、利子及び使用料について広く免税規定を置いているロシアとそれ以外の国では免税対象とする所得の種類を異にしていて、免税対象のパターンがそれぞれ分かれていますが、傾向としては概ね従来型の投資所得に対する課税の軽減規定が盛り込まれています。

解説

(1) 2018（平成30）年10月発効のオーストリアとの改正租税条約、及び同年12月以降に発効したデンマーク、ベルギーとの改正租税条約においては、いずれも配当、利子、使用料の投資所得について概ね次のように課税の免除規定を拡大しています。

区　分	免税要件
配　当	直接・間接の保有期間6か月間における持株割合10%以上の法人が受益者であるものは免税
利　子	原則として免税（利益連動型等の利子は除く）
使用料	免税

これらの免税規定は、2018（平成30）年10月に署名済みで2021（令和3）年5月

に発効したスペインとの改正租税条約においても、上記の表にある配当の保有期間要件（スペインは12か月以上）を除き、ほぼ同様の規定となっています。

(2) 2018（平成30）年以降に発効した租税条約で、旧ソ連構成国を除く国（5か国）との締結・発効状況は次のとおりです。

国　名	発効年月	投資所得に対する課税の特例
アイスランド	2018（平成30）年10月	（配当）一定の保有割合・保有期間のもの等は免税 （利子）（使用料）利益連動型の利子を除き免税
クロアチア	2019（令和元）年9月	（配当）同上 （利子）（使用料）軽課
エクアドル ジャマイカ アルジェリア	2019（令和元）年12月 2020（令和2）年9月 2024（令和6）年1月	（配当）（利子）（使用料）軽課

(3) 上記以外に、ロシアをはじめとする旧ソ連構成国の4か国と新しい租税条約を締結して発効済みですが、その概要は次のとおりです。

国　名	発効年月	投資所得に対する課税の特例
ロシア	2018（平成30）年10月	（配当）年金基金受取を免税とするほか、議決権の保有形態に応じて軽課 （利子、使用料）利益連動型の利子を除き免税
ウズベキスタン	2020（令和2）年10月	（配当）一定の保有割合・保有期間に応じて軽課 （利子、使用料）一般のものは軽課／著作権は免税
エストニア	2018（平成30）年9月	（配当）一定の保有割合・保有期間のものは免税 （利子、使用料）一般のものは軽課
リトアニア	2018（平成30）年8月	（配当、利子）個人以外の受取は免税 （使用料）免税

参考　日墺租税条約10《配当》など

011 租税条約による特例を受けるために必要な手続

Q 非居住者等所得の支払を受ける者が、租税条約の適用による源泉所得税の軽減又は免除を受けるために必要な手続を教えてください。

A 租税条約に定める源泉徴収税率の軽減又は源泉徴収の免除の特例を受けるためには、源泉徴収の対象となる所得の支払を受ける者が、支払者を経由して、支払の日の前日までに「租税条約に関する届出書」を支払者の納税地の所轄税務署長に提出する必要があります。

解説

租税条約による所得源泉地の特例については、特別な手続をしなくても租税条約が優先して適用されますが、それ以外となる上記の特例については、その手続が法定されています。

この届出書（特典条項の適用がある租税条約の規定により源泉所得税の軽減又は免除を受ける場合には、「特典条項に関する付表」及び「居住者証明書」などの添付書類を含みます）の提出がない場合には、支払者は非居住者等が租税条約を適用するのかどうかが確認できないことから、租税条約の適用がないものとした場合の税率、すなわち国内法の規定による税率により源泉徴収することとなります。

なお、租税条約に関する届出書の様式及び提出期限等は次のとおりです。

1 租税条約に関する届出書の様式

租税条約に関する届出書の様式は、租税条約の相手国を問わずに共通のものが定められており、国内源泉所得の種類等によって、次のとおり区分されています。

① 配当に対する所得税及び復興特別所得税の軽減・免除（様式1）

② 上場株式等の配当等に対する所得税及び復興特別所得税等の軽減・免除

（様式1−2）

③　譲渡収益に対する所得税及び復興特別所得税の軽減・免除（様式1−3）

④　利子に対する所得税及び復興特別所得税の軽減・免除（様式2）

⑤　使用料に対する所得税及び復興特別所得税の軽減・免除（様式3）

⑥　外国預託証券に係る配当に対する所得税及び復興特別所得税の源泉徴収の猶予（様式4）

⑦　外国預託証券に係る配当に対する所得税及び復興特別所得税の軽減・免除（様式5）

⑧　人的役務提供事業の対価に対する所得税及び復興特別所得税の免除（様式6）

⑨　自由職業者・芸能人・運動家・短期滞在者の報酬・給与に対する所得税及び復興特別所得税の免除（様式7）

⑩　国際運輸従事者の給与に対する所得税及び復興特別所得税の免除（様式（7−2）

⑪　教授等・留学生・事業等の修習者・交付金等の受領者の報酬・交付金等に対する所得税及び復興特別所得税の免除（様式8）

⑫　退職年金・保険年金等に対する所得税及び復興特別所得税の免除（様式9）

⑬　所得税法第161条第1項第7号から第11号まで、第13号、第15号又は第16号に掲げる所得に対する所得税及び復興特別所得税の免除（様式10）

注1　「租税条約に関する届出書（使用料に対するもの）」の様式は後掲の様式例8を、同じく「特典条項に関する付表（米国）」の様式は様式例9を参照。

2　日米租税条約においては、両締結国間で異なる課税上の取扱い（アメリカでは事業体の構成員が納税義務者とされる（構成員課税）が、我が国ではその事業体が納税義務者とされる（団体課税）取扱い）を受ける場合でも、アメリカ居住者である事業体の構成員につき、条約の特典が与えられます。この場合の特典の適用には、その外国法人の株主等の名簿又は相手国団体の構成員の名簿（様式は後掲の様式例10参照）、株主等である者の居住者証明書等の添付が必要です。

2　租税条約に関する届出書の提出期限等

例えば使用料の支払を受ける場合の租税条約に関する届出書は、その支払を受ける者が、契約締結日、契約期間、その期間における使用料の金額等を記載のうえ、正副2通を作成してその支払者に提出します。受け取った支払者は、その正本を、原則として最初にその支払をする日の前日までに支払者の納税地の所轄税務署長に提出しなければなりません。この届出書の提出後、その記載事項に異動が生じた場合も同様の手続となります。

ただし、無記名の株式、出資若しくは受益証券に係る配当、又は無記名の債券に係る利子については、その支払を受けるつど、その支払者を経由して届出書を提出しなければならないこととされています。

注　問9の❸のなお書に記載のあるとおり、届出書の提出を省略することができる場合があります（実特法省令9の2、同9の5）。

3　特典条項に関する付表の添付

租税条約の規定の適用に関する条件を定める租税条約の規定（特典制限条項）により、条約に定める所得税の軽減又は免除に関する特典（特典条項）を受ける場合は、原則として届出書の他に特典条項に関する付表（様式17）及び居住者証明書（相手国における居住者であることを証明する書類）の添付が必要とされています。

ただし、次の条件を満たせばその添付を省略できます。

① 届出書の提出の際、居住者証明書の原本を支払者（源泉徴収義務者）に提示すること（この場合の居住者証明書とは、提示の日前1年以内に作成（発行）されたものに限ります）

この場合、源泉徴収義務者は、提示を受けた居住者証明書の写しを作成し、これを国内にある事務所、事業所その他これに準ずるものの所在地において、提示の日から5年間保存する必要があります。

② 源泉徴収義務者から、届出書に「条約届出書の記載内容につき居住者証明書の原本により確認をした旨」の記載を受けて、税務署長に提出すること

なお、この届出書を提出しなかったため、源泉徴収をされる段階では租税条

約に定める軽減又は免除を受けられなかった場合でも、後日、租税条約に関する届出書とともに「租税条約に関する源泉徴収税額の還付請求書」を提出することにより、その軽減又は免除の適用を受けた場合に過納となる税額の還付を受けることができます。

注1　免税芸能法人等が、支払を受ける対価について、いったん源泉徴収を受ける場合には、「免税芸能法人等に関する届出書」をその対価の支払者を経由して支払者の納税地の所轄税務署長に提出することにより、源泉徴収税率を原則20.42%から15.315%に軽減することができます（措法41の22③、措令26の32③、実特法3①）。

2　また、源泉徴収された所得税は、芸能人等に支払う役務提供報酬から源泉徴収して納付した後に芸能人等の役務提供事業に関する還付請求書をその対価の支払者の所轄税務署長に提出することにより、還付を受けることができます（実特法3②③、実特法省令2）。

上記1、2とも第1章問29及び次問（問12）参照。

3　免税芸能法人等は、芸能人等報酬の支払に対する源泉所得税の納付に税務署からの還付金の一部を充てること（充当）ができます（実特法省令1の2③④）。

参考　実特法省令2《相手国居住者等配当等に係る所得税の軽減又は免除を受ける者の届出等》～同9《その他の所得に係る所得税の免除を受ける者の届出》、同9の5《源泉徴収に係る所得税につき特典条項に係る規定の適用を受ける者の届出等》、同9の10《居住者証明書の提出の特例》

(様式例8)

様式 3
FORM

税務署受付印

租税条約に関する届出書
APPLICATION FORM FOR INCOME TAX CONVENTION

（使用料に対する所得税及び復興特別所得税の軽減・免除
Relief from Japanese Income Tax and Special Income Tax for Reconstruction on Royalties）

この届出書の記載に当たっては、別紙の注意事項を参照してください。
See separate instructions.

（税務署整理欄
For official use only）

適用；有、無

番号確認		身元確認	

______税務署長殿
To the District Director, ______Tax Office

1 適用を受ける租税条約に関する事項；
Applicable Income Tax Convention
日本国と______との間の租税条約第___条第___項
The Income Tax Convention between Japan and______, Article___, para.___

□ 限度税率____%
Applicable Tax Rate
□ 免　税（注11）
Exemption (Note 11)

2 使用料の支払を受ける者に関する事項；
Details of Recipient of Royalties

氏名又は名称 Full name		
個人番号又は法人番号（有する場合のみ記入） Individual Number or Corporate Number (Limited to case of a holder)		
個人の場合 Individual	住所又は居所 Domicile or residence	（電話番号 Telephone Number）
	国籍 Nationality	
法人その他の団体の場合 Corporation or other entity	本店又は主たる事務所の所在地 Place of head office or main office	（電話番号 Telephone Number）
	設立又は組織された場所 Place where the Corporation was established or organized	
	事業が管理・支配されている場所 Place where the business is managed and controlled	（電話番号 Telephone Number）
下記「4」の使用料につき居住者として課税される国及び納税地（注8） Country where the recipient is taxable as resident on Royalties mentioned in 4 below and the place where he is to pay tax (Note 8)		（納税者番号 Taxpayer Identification Number）
日本国内の恒久的施設の状況 Permanent establishment in Japan □有(Yes)，□無(No) If "Yes", explain:	名称 Name	
	所在地 Address	（電話番号 Telephone Number）
	事業の内容 Details of Business	

3 使用料の支払者に関する事項；
Details of Payer of Royalties

氏名又は名称 Full name		
住所（居所）又は本店（主たる事務所）の所在地 Domicile (residence) or Place of head office (main office)		（電話番号 Telephone Number）
個人番号又は法人番号（有する場合のみ記入） Individual Number or Corporate Number (Limited to case of a holder)		
日本国内にある事務所等 Office, etc. located in Japan	名称 Name	（事業の内容 Details of Business）
	所在地 Address	（電話番号 Telephone Number）

4 上記「3」の支払者から支払を受ける使用料で「1」の租税条約の規定の適用を受けるものに関する事項（注9）；
Details of Royalties received from the Payer to which the Convention mentioned in 1 above is applicable (Note 9)

使用料の内容 Description of Royalties	契約の締結年月日 Date of Contract	契約期間 Period of Contract	使用料の計算方法 Method of Computation for Royalties	使用料の支払期日 Due Date for Payment	使用料の金額 Amount of Royalties

5 その他参考となるべき事項（注10）；
Others (Note 10)

【裏面に続きます（Continue on the reverse）】

6　日本の税法上、届出書の「2」の外国法人が納税義務者とされるが、租税条約の規定によりその株主等である者（相手国居住者に限ります。）の所得として取り扱われる部分に対して租税条約の適用を受けることとされている場合の租税条約の適用を受ける割合に関する事項等（注4）；
Details of proportion of income to which the convention mentioned in 1 above is applicable, if the foreign company mentioned in 2 above is taxable as a company under Japanese tax law, and the convention is applicable to income that is treated as income of the member (limited to a resident of the other contracting country) of the foreign company in accordance with the provisions of the convention (Note 4)

届出書の「2」の外国法人の株主等で租税条約の適用を受ける者の氏名又は名称 Name of member of the foreign company mentioned in 2 above, to whom the Convention is applicable	間接保有 Indirect Ownership	持分の割合 Ratio of Ownership	受益の割合＝ 租税条約の適用を受ける割合 Proportion of benefit = Proportion for Application of Convention
	□	%	%
	□	%	%
	□	%	%
	□	%	%
	□	%	%
合計 Total		%	%

届出書の「2」の欄に記載した外国法人が支払を受ける「4」の使用料について、「1」の租税条約の相手国の法令に基づきその株主等である者の所得として取り扱われる場合には、その根拠法令及びその効力を生じる日を記載してください。
If royalties mentioned in 4 above that a foreign company mentioned in 2 above receives are treated as income of those who are its members under the law in the other contracting country of the convention mentioned in 1 above, enter the law that provides the legal basis to the above treatment and the date on which it will become effective.

根拠法令
Applicable law＿＿＿＿＿＿＿＿＿＿　効力を生じる日　年　月　日
Effective date＿＿＿＿＿＿＿＿

7　日本の税法上、届出書の「2」の団体の構成員が納税義務者とされるが、租税条約の規定によりその団体の所得として取り扱われるものに対して租税条約の適用を受けることとされている場合の記載事項等（注5）；
Details if, while the partner of the entity mentioned in 2 above is taxable under Japanese tax law, and the convention is applicable to income that is treated as income of the entity in accordance with the provisions of the convention (Note 5)

他の全ての構成員から通知を受けこの届出書を提出する構成員の氏名又は名称＿＿＿＿＿＿＿＿＿＿
Full name of the partner of the entity who has been notified by all other partners and is to submit this form

届出書の「2」に記載した団体が支払を受ける「4」の使用料について、「1」の租税条約の相手国の法令に基づきその団体の所得として取り扱われる場合には、その根拠法令及びその効力を生じる日を記載してください。
If royalties mentioned in 4 above that an entity at mentioned in 2 above receives are treated as income of the entity under the law in the other contracting country of the convention mentioned in 1 above, enter the law that provides the legal basis to the above treatment and the date on which it will become effective.

根拠法令
Applicable law＿＿＿＿＿＿＿＿＿＿　効力を生じる日　年　月　日
Effective date＿＿＿＿＿＿＿＿

○　代理人に関する事項　；　この届出書を代理人によって提出する場合には、次の欄に記載してください。
Details of the Agent　;　If this form is prepared and submitted by the Agent, fill out the following columns.

代理人の資格 Capacity of Agent in Japan	氏名（名称） Full name		納税管理人の届出をした税務署名 Name of the Tax Office where the Tax Agent is registered
□ 納税管理人 ※ Tax Agent □ その他の代理人 Other Agent	住所（居所・所在地） Domicile (Residence or location)	（電話番号 Telephone Number）	税務署 Tax Office

※　「納税管理人」とは、日本国の国税に関する申告、申請、請求、届出、納付等の事項を処理させるため、国税通則法の規定により選任し、かつ、日本国における納税地の所轄税務署長に届出をした代理人をいいます。

※ "Tax Agent" means a person who is appointed by the taxpayer and is registered at the District Director of Tax Office for the place where the taxpayer is to pay his tax, in order to have such agent take necessary procedures concerning the Japanese national taxes, such as filing a return, applications, claims, payment of taxes, etc., under the provisions of Act on General Rules for National Taxes.

○　適用を受ける租税条約が特典条項を有する租税条約である場合；
If the applicable convention has article of limitation on benefits

特典条項に関する付表の添付　□有Yes
"Attachment Form for Limitation on Benefits Article" attached　□添付省略Attachment not required
（特典条項に関する付表を添付して提出した租税条約に関する届出書の提出日　年　月　日）
Date of previous submission of the application for income tax convention with the "Attachment Form for Limitation on Benefits Article"

(様式例9)

様　式　17-米
FORM 17-US

特典条項に関する付表（米）

ATTACHMENT FORM FOR LIMITATION ON BENEFITS ARTICLE (US)

記載に当たっては、別紙の注意事項を参照してください。
See separate instructions.

1　適用を受ける租税条約の特典条項に関する事項；
Limitation on Benefits Article of applicable Income Tax Convention
日本国とアメリカ合衆国との間の租税条約第22条
The Income Tax Convention between Japan and The United States of America, Article 22

2　この付表に記載される者の氏名又は名称；
Full name of Resident this attachment Form

	居住地国の権限ある当局が発行した居住者証明書を添付してください（注5）。 Attach Residency Certification issued by Competent Authority of Country of residence. (Note 5)

3　租税条約の特典条項の要件に関する事項；
AからCの順番に各項目の「□該当」又は「□非該当」の該当する項目に✓印を付してください。いずれかの項目に「該当」する場合には、それ以降の項目に記入する必要はありません。なお、該当する項目については、各項目ごとの要件に関する事項を記入の上、必要な書類を添付してください。（注6）
In order of sections A, B and C, check applicable box "Yes" or "No" in each line. If you check any box of "Yes", in section A to C, you need not fill the lines that follow. Applicable lines must be filled and necessary document must be attached. (Note6)

A

(1)　個人 Individual　　□該当 Yes , □非該当 No

(2)　国、地方政府又は地方公共団体、中央銀行　　□該当 Yes , □非該当 No
Contracting Country, any Political Subdivision or Local Authority, Central Bank

(3)　公開会社（注7）Publicly Traded Company (Note 7)　　□該当 Yes , □非該当 No
（公開会社には、下表のC欄が6％未満である会社を含みません。）（注8）
("Publicly traded Company" does not include a Company for which the Figure in Column C below is less than 6%.)(Note 8)

株式の種類 Kind of Share	公認の有価証券市場の名称 Recognized Stock Exchange	シンボル又は証券コード Ticker Symbol or Security Code	発行済株式の総数の平均 Average Number of Shares outstanding	有価証券市場で取引された株式の数 Number of Shares traded on Recognized Stock Exchange	B/A(%)
			A	B	C　%

(4)　公開会社の関連会社 Subsidiary of Publicly Traded Company　　□該当 Yes , □非該当 No
（発行済株式の総数（＿＿＿＿＿株）の 50%以上が上記(3)の公開会社に該当する5以下の法人により直接又は間接に所有されているものに限ります。）（注9）。
("Subsidiary of Publicly Traded Company" is limited to a company at least 50% of whose shares outstanding (＿＿＿＿＿shares) are owned directly or indirectly by 5 or fewer "Publicly Traded Companies" as defined in (3) above.)(Note 9)
＿＿年＿＿月＿＿日現在の株主の状況 State of Shareholders as of (date)＿＿/＿＿/＿＿

株主の名称 Name of Shareholder(s)	居住地国における納税地 Place where Shareholder is taxable in Country of residence	公認の有価証券市場 Recognized Stock Exchange	シンボル又は証券コード Ticker Symbol or Security Code	間接保有 Indirect Ownership	所有株式数 Number of Shares owned
1				□	
2				□	
3				□	
4				□	
5				□	
合　計 Total（持株割合 Ratio (%) of Shares owned）					（　%）

(5)　公益団体（注10）Public Service Organization (Note 10)　　□該当 Yes , □非該当 No
設立の根拠法令 Law for Establishment＿＿＿＿＿＿＿＿　設立の目的 Purpose of Establishment＿＿＿＿＿＿＿＿

(6)　年金基金（注11）Pension Fund (Note 11)　　□該当 Yes , □非該当 No
（直前の課税年度の終了の日においてその受益者、構成員又は参加者の 50%を超える者が日本又はアメリカ合衆国の居住者である個人であるものに限ります。受益者等の50%超が、両締約国の居住者である事情を記入してください。）
"Pension Fund" is limited to one more than 50% of whose beneficiaries, members, or participants were individual residents of Japan or the United States of America as of the end of the prior taxable year. Provide below details showing that more than 50% of beneficiaries etc. are individual residents of either contracting country.

設立等の根拠法令 Law for Establishment＿＿＿＿＿＿＿＿　非課税の根拠法令 Law for Tax Exemption＿＿＿＿＿＿＿＿

➡ Aのいずれにも該当しない場合は、Bに進んでください。If none of the lines in A applies, proceed to B.

B

次の(a)及び(b)の要件のいずれも満たす個人以外の者 Person other than an Individual, and satisfying both (a) and (b) below　□該当 Yes , □非該当 No

(a) 株式や受益に関する持分(＿＿＿＿＿＿)の 50%以上が、Aの(1)、(2)、(3)、(5)及び(6)に該当する日本又はアメリカ合衆国の居住者により直接又は間接に所有されていること (注 12)
Residents of Japan or the United States of America who fall under (1),(2),(3),(5) or (6) of A own directly or indirectly at least 50% of Shares or other beneficial Interests (＿＿＿＿＿＿) in the Person. (Note 12)

＿＿年＿＿月＿＿日現在の株主等の状況 State of Shareholders, etc. as of (date)＿＿＿/＿＿/＿＿＿

株主等の氏名又は名称 Name of Shareholders	居住地国における納税地 Place where Shareholders is taxable in Country of residence	Aの番号 Number of applicable Line in A	間接所有 Indirect Ownership	株主等の持分 Number of Shares owned
			□	
			□	
			□	
合　計 Total (持分割合 Ratio(%) of Shares owned)				(%)

(b) 総所得のうち、課税所得の計算上控除される支出により、日本又はアメリカ合衆国の居住者に該当しない者 (以下「第三国居住者」といいます。) に対し直接又は間接に支払われる金額が、50%未満であること (注 13)
Less than 50% of the person's gross income is paid or accrued directly or indirectly to persons who are not residents of Japan or the United States of America ("third country residents") in the form of payments that are deductible in computing taxable income in country of residence (Note 13)

第三国居住者に対する支払割合 Ratio of Payment to Third Country Residents　(通貨 Currency:　　　)

	申告 Tax Return	源泉徴収税額 Withholding Tax		
	当該課税年度 Taxable Year	前々々課税年度 Taxable Year three Years prior	前々課税年度 Taxable Year two Years prior	前課税年度 Prior taxable Year
第三国居住者に対する支払 Payment to third Country Residents	A			
総所得 Gross Income	B			
A/B (%)	C %	%	%	%

Bに該当しない場合は、Cに進んでください。If B does not apply, proceed to C.

C

次の(a)から(c)の要件を全て満たす者 Resident satisfying all of the following Conditions from (a) through (c)　□該当 Yes , □非該当 No

居住地国において従事している営業又は事業の活動の概要 (注 14) ; Description of trade or business in residence country (Note 14)

(a) 居住地国において従事している営業又は事業の活動が、自己の勘定のために投資を行い又は管理する活動 (商業銀行、保険会社又は登録を受けた証券会社が行う銀行業、保険業又は証券業の活動を除きます。) ではないこと (注 15) :　□はい Yes , □いいえ No
Trade or business in country of residence is other than that of making or managing investments for the resident's own account (unless these activities are banking, insurance or securities activities carried on by a commercial bank, insurance company or registered securities dealer) (Note 15)　□はい Yes , □いいえ No

(b) 所得が居住地国において従事している営業又は事業の活動に関連又は付随して取得されるものであること (注 16) :
Income is derived in connection with or is incidental to that trade or business in country of residence (Note 16)

(c) (日本国内において営業又は事業の活動から所得を取得する場合) 居住地国において行う営業又は事業の活動が日本国内において行う営業又は事業の活動との関係で実質的なものであること (注 17) :　□はい Yes , □いいえ No
(If you derive income from a trade or business activity in Japan) Trade or business activity carried on in the country of residence is substantial in relation to the trade or business activity carried on in Japan. (Note 17)

日本国内において従事している営業又は事業の活動の概要 ; Description of Trade or Business in Japan.

D 国税庁長官の認定 (注 18) ;
Determination by the NTA Commissioner (Note18)

国税庁長官の認定を受けている場合は、以下にその内容を記載してください。その認定の範囲内で租税条約の特典を受けることができます。なお、上記AからCまでのいずれかに該当する場合には、原則として、国税庁長官の認定は不要です。
If you have been a determination by the NTA Commissioner, describe below the determination. Convention benefits will be granted to the extent of the determination. If any of the above mentioned Lines A through to C are applicable, then in principle, determination by the NTA Commissioner is not necessary.

・認定を受けた日 Date of determination　　年　　月　　日

・認定を受けた所得の種類
Type of income for which determination was given＿＿＿＿＿＿＿＿＿＿

(様式例10)

様 式 16
FORM

外国法人の株主等の名簿　兼　相手国団体の構成員の名簿

LIST OF THE MEMBERS OF FOREIGN COMPANY OR LIST OF THE PARTNERS OF ENTITY

この届出書の記載に当たっては、末尾の注意事項を参照してください。
See instructions at the end.

氏　名　又　は　名　称 Full name		
個人の場合 Individual	住所又は居所 Domicile or residence	(電話番号 Telephone Number)
	国籍 Nationality	
法人その他の団体の場合 Corporation or other entity	本店又は主たる事務所の所在地 Place of head office or main office	(電話番号 Telephone Number)
	設立又は組織された場所 Place where the Corporation was established or organized	
	事業が管理・支配されている場所 Place where the business is managed or controlled	(電話番号 Telephone Number)
居住者として課税される国、納税地（注1） Country where the recipient is taxable as resident and the place where he is to pay tax (Note 1)		(納税者番号 Taxpayer Identification Number)
国内源泉所得の金額又は持分の割合（注2） Amount of Japanese Source Income or Ratio of Interest (Note 2)		
氏　名　又　は　名　称 Full name		
個人の場合 Individual	住所又は居所 Domicile or residence	(電話番号 Telephone Number)
	国籍 Nationality	
法人その他の団体の場合 Corporation or other entity	本店又は主たる事務所の所在地 Place of head office or main office	(電話番号 Telephone Number)
	設立又は組織された場所 Place where the Corporation was established or organized	
	事業が管理・支配されている場所 Place where the business is managed or controlled	(電話番号 Telephone Number)
居住者として課税される国、納税地（注1） Country where the recipient is taxable as resident and the place where he is to pay tax (Note 1)		(納税者番号 Taxpayer Identification Number)
国内源泉所得の金額又は持分の割合（注2） Amount of Japanese Source Income or Ratio of Interest (Note 2)		
氏　名　又　は　名　称 Full name		
個人の場合 Individual	住所又は居所 Domicile or residence	(電話番号 Telephone Number)
	国籍 Nationality	
法人その他の団体の場合 Corporation or other entity	本店又は主たる事務所の所在地 Place of head office or main office	(電話番号 Telephone Number)
	設立又は組織された場所 Place where the Corporation was established or organized	
	事業が管理・支配されている場所 Place where the business is managed or controlled	(電話番号 Telephone Number)
居住者として課税される国、納税地（注1） Country where the recipient is taxable as resident and the place where he is to pay tax (Note 1)		(納税者番号 Taxpayer Identification Number)
国内源泉所得の金額又は持分の割合（注2） Amount of Japanese Source Income or Ratio of Interest (Note 2)		

注意事項

名簿の記載について

1　納税者番号とは、租税の申告、納付その他の手続を行うために用いる番号、記号その他の符号でその手続をすべき者を特定することができるものをいいます。支払を受ける者が納税者番号を有しない場合や支払を受ける者の居住地である国に納税者番号に関する制度が存在しない場合には納税者番号を記載する必要はありません。

2　外国法人の株主等又は相手国団体の構成員ごとの国内源泉所得の金額又は持分の割合を記入してください。

INSTRUCTIONS

Completion of the LIST

1　The Taxpayer Identification Number is a number, code or symbol which is used for filing of return and payment of due amount and other procedures regarding tax, and which identifies a person who must take such procedures. If a system of Taxpayer Identification Number does not exist in the country where the recipient resides, or if the recipient of the payment does not have a Taxpayer Identification Number, it is not necessary to enter the Taxpayer Identification Number.

2　Enter the amount of Japanese source income or the proportion of the interest of each member of foreign company or partner of entity.

氏名又は名称 Full name		
個人の場合 Individual	住所又は居所 Domicile or residence	（電話番号 Telephone Number）
	国籍 Nationality	
法人その他の団体の場合 Corporation or other entity	本店又は主たる事務所の所在地 Place of head office or main office	（電話番号 Telephone Number）
	設立又は組織された場所 Place where the Corporation was established or organized	
	事業が管理・支配されている場所 Place where the business is managed or controlled	（電話番号 Telephone Number）
居住者として課税される国、納税地（注1） Country where the recipient is taxable as resident and the place where he is to pay tax (Note 1)		（納税者番号 Taxpayer Identification Number）
国内源泉所得の金額又は持分の割合（注2） Amount of Japanese Source Income or Ratio of Interest (Note 2)		
氏名又は名称 Full name		
個人の場合 Individual	住所又は居所 Domicile or residence	（電話番号 Telephone Number）
	国籍 Nationality	
法人その他の団体の場合 Corporation or other entity	本店又は主たる事務所の所在地 Place of head office or main office	（電話番号 Telephone Number）
	設立又は組織された場所 Place where the Corporation was established or organized	
	事業が管理・支配されている場所 Place where the business is managed or controlled	（電話番号 Telephone Number）
居住者として課税される国、納税地（注1） Country where the recipient is taxable as resident and the place where he is to pay tax (Note 1)		（納税者番号 Taxpayer Identification Number）
国内源泉所得の金額又は持分の割合（注2） Amount of Japanese Source Income or Ratio of Interest (Note 2)		
氏名又は名称 Full name		
個人の場合 Individual	住所又は居所 Domicile or residence	（電話番号 Telephone Number）
	国籍 Nationality	
法人その他の団体の場合 Corporation or other entity	本店又は主たる事務所の所在地 Place of head office or main office	（電話番号 Telephone Number）
	設立又は組織された場所 Place where the Corporation was established or organized	
	事業が管理・支配されている場所 Place where the business is managed or controlled	（電話番号 Telephone Number）
居住者として課税される国、納税地（注1） Country where the recipient is taxable as resident and the place where he is to pay tax (Note 1)		（納税者番号 Taxpayer Identification Number）
国内源泉所得の金額又は持分の割合（注2） Amount of Japanese Source Income or Ratio of Interest (Note 2)		
氏名又は名称 Full name		
個人の場合 Individual	住所又は居所 Domicile or residence	（電話番号 Telephone Number）
	国籍 Nationality	
法人その他の団体の場合 Corporation or other entity	本店又は主たる事務所の所在地 Place of head office or main office	（電話番号 Telephone Number）
	設立又は組織された場所 Place where the Corporation was established or organized	
	事業が管理・支配されている場所 Place where the business is managed or controlled	（電話番号 Telephone Number）
居住者として課税される国、納税地（注1） Country where the recipient is taxable as resident and the place where he is to pay tax (Note 1)		（納税者番号 Taxpayer Identification Number）
国内源泉所得の金額又は持分の割合（注2） Amount of Japanese Source Income or Ratio of Interest (Note 2)		

012　源泉所得税納付後における租税条約の特例適用と還付請求

Q　内国法人である当社は、非居住者A氏から租税条約を適用する手続がなかったために、国内源泉所得を支払う際に国内法どおりに源泉所得税を徴収して納付しました。その後、A氏から租税条約による税率の軽減を受けたい旨の申入れを受けました。納付した後でも租税条約の特例を適用することは可能でしょうか。

もし、可能であれば、どのような手続をとればよいのでしょうか。

A　非居住者等に対する支払の前日までに租税条約に関する届出書を提出できなかったために租税条約に定める税率の軽減又は源泉徴収の免除を受けられなかった場合でも、その後必要な手続を行えば、特例の適用により納付し過ぎたこととなる税額の還付を受けることができます。

解説

1　還付請求手続

租税条約の規定は原則として国内法に優先して適用されることから、このような取扱いとなりますが、租税条約の規定上においても、例えば日米租税条約第1条第2項にあるように、締結国の国内法によって認められる租税の減免をいかなる態様においても制限するものではない旨を明確にうたっているケースもあります。

ご質問の場合、租税条約を適用して納付し過ぎとなった税額の還付を受けるためには、貴社はA氏から、「租税条約に関する源泉徴収税額の還付請求書」及び必要とされる添付書類を添付した「租税条約に関する届出書」正副2部ずつの提出を受け、還付請求書とともに各正本1部を所轄の税務署長に提出しなければなりません（副本1部ずつは、貴社保管となります）。

なお、税務署長に上記還付請求書等を提出する場合には、次の書類を添付しなければなりません。

① 還付請求書等を代理人が提出する場合

その代理人が還付請求書等を提出する正当な権限を有する者であることを証する、A氏の発行した委任状

② 還付請求書による還付金をその代理人が受領する場合

その代理人が還付金を受領する正当な権限を有する者であることを証する、A氏の発行した委任状

この場合、委任状や証明書が邦文によって作成されたものでない場合には、その邦文訳を添付することになっています。

なお、以上の委任状等には、従来、国税通則法の規定により押印等を要することとされていましたが、令和3年度税制改正により押印等は不要となりました。

2 還付請求書

租税条約に関する源泉徴収税額の還付請求書の様式は、次のとおりです。

① 発行時に源泉徴収の対象となる割引債及び芸能人等の役務提供事業の対価に係るものを除く還付請求書（様式11）

② 租税条約に関する芸能人等の役務提供事業の対価に係る源泉徴収税額の還付請求書（様式12）

③ 租税条約に関する割引債の償還差益に係る源泉徴収税額の還付請求書（発行時に源泉徴収の対象となる割引国債用、様式13）

④ 租税条約に関する割引債の償還差益に係る源泉徴収税額の還付請求書（割引国債以外の発行時に源泉徴収の対象となる割引債用、様式14）

注1 上記①以外の還付請求書で、特典条項の規定の適用を受ける場合には「特典条項に関する付表」（様式17）及びその添付書類の添付が必要とされています。
2 還付請求書のうち、上記①及び②の様式については、後掲の様式例11及び同12参照。

参考 実特法省令1の2《免税対象の役務提供対価に係る所得税の還付請求書の記載事項等》、同2⑧⑨《相手国居住者等配当等に係る所得税の軽減又は免除

を受ける者の届出等》、同3の4《割引債の償還差益に係る所得税の軽減又は免除を受ける者の還付請求等》、同4《自由職業者、芸能人及び短期滞在者等の届出等》

(様式例11)

様 式 11
FORM

租税条約に関する源泉徴収税額の還付請求書

(発行時に源泉徴収の対象となる割引債及び芸能人等の役務提供事業の対価に係るものを除く。)

APPLICATION FORM FOR REFUND OF THE OVERPAID WITHHOLDING TAX OTHER THAN REDEMPTION OF SECURITIES WHICH ARE SUBJECT TO WITHHOLDING TAX AT THE TIME OF ISSUE AND REMUNERATION DERIVED FROM RENDERING PERSONAL SERVICES EXERCISED BY AN ENTERTAINER OR A SPORTSMAN IN ACCORDANCE WITH THE INCOME TAX CONVENTION

この還付請求書の記載に当たっては、裏面の注意事項を参照してください。
See instructions on the reverse side.

税務署受付印

(税務署整理欄 For official use only)

通信日付印	・ ・
確認	
還付金;有、無	
番号確認	身元確認

______税務署長殿
To the District Director, ______Tax Office

1 還付の請求をする者(所得の支払を受ける者)に関する事項;
Details of the Person claiming the Refund (Recipient of Income)

フリガナ Furigana 氏名又は名称(注5) Full name (Note 5)	(納税者番号 Taxpayer Identification Number)
住所(居所)又は本店(主たる事務所)の所在地 Domicile (residence) or Place of head office (main office)	(電話番号 Telephone Number)
個人番号又は法人番号 (有する場合のみ記入) Individual Number or Corporate Number (Limited to case of a holder)	

2 還付請求金額に関する事項;
Details of Refund

(1) 還付を請求する還付金の種類;(該当する下記の条項の□欄に✓印を付してください(注6)。)
Kind of Refund claimed; (Check applicable box below (Note 6).)

租税条約等の実施に伴う所得税法、法人税法及び地方税法の特例等に関する法律の施行に関する省令第15条第1項
Ministerial Ordinance of the Implementation of the Law concerning the Special Measures of the Income Tax Act, the Corporation Tax Act and the Local Tax Act for the Enforcement of Income Tax Conventions, paragraph 1 of Article15 ……………………

- □第1号(Subparagraph 1)
- □第3号(Subparagraph 3)
- □第5号(Subparagraph 5)
- □第7号(Subparagraph 7)

に掲げる還付金
Refund in accordance with the relevant subparagraph

(2) 還付を請求する金額;
Amount of Refund claimed

¥　　　　円

(3) 還付金の受領場所等に関する希望;(該当する下記の□欄に✓印を付し、次の欄にその受領を希望する場所を記入してください。)
Options for receiving your refund; (Check the applicable box below and enter your information in the corresponding fields.)

受取希望場所 Receipt by transfer to:	銀行 Bank	支店 Branch	預金種類及び口座番号又は記号番号 Type of account and account number	口座名義人 Name of account holder
□ 日本国内の預金口座 a Japanese bank account				
□ 日本国外の預金口座(注7) a bank account outside Japan (Note 7)				
	支店住所(国名、都市名) Branch Address (Country, City):		銀行コード (Bank Code)	送金通貨 (Currency)
□ ゆうちょ銀行の貯金口座 an ordinary savings account at the Japan Post Bank		—		
□ 郵便局等の窓口受取りを希望する場合 the Japan Post Bank or the post office (receipt in person)			—	—

3 支払者に関する事項;
Details of Payer

氏名又は名称 Full name	
住所(居所)又は本店(主たる事務所)の所在地 Domicile (residence) or Place of head office (main office)	(電話番号 Telephone Number)
個人番号又は法人番号 (有する場合のみ記入) Individual Number or Corporate Number (Limited to case of a holder)	

4 源泉徴収義務者の証明事項;
Items to be certified by the withholding agent

(1) 所得の種類 Kind of Income	(2) 所得の支払期日 Due Date for Payment	(3) 所得の支払金額 Amount paid	(4) (3)の支払金額から源泉徴収した税額 Withholding Tax on (3)	(5) (4)の税額の納付年月日 Date of Payment of (4)	(6) 租税条約を適用した場合に源泉徴収すべき税額 Tax Amount to be withheld under Tax Convention	(7) 還付を受けるべき金額 Amount to be refunded ((4)−(6))
		円 yen	円 yen		円 yen	円 yen

上記の所得の支払金額につき、上記のとおり所得税及び復興特別所得税を徴収し、納付したことを証明します。
I hereby certify that the tax has been withheld and paid as shown above.

年　月　日　　源泉徴収義務者
Date______________ Certifier of withholding agent ______________

【裏面に続きます (Continue on the reverse)】

○　代理人に関する事項　；　この届出書を代理人によって提出する場合には、次の欄に記載してください。
Details of the Agent ; If this form is prepared and submitted by the Agent, fill out the following columns.

代理人の資格 Capacity of Agent in Japan	氏名（名称） Full name		納税管理人の届出をした税務署名 Name of the Tax Office where the Tax Agent is registered
□ 納税管理人 ※ Tax Agent □ その他の代理人 Other Agent	住所（居所・所在地） Domicile (Residence or location)	(電話番号 Telephone Number)	税務署 Tax Office

※　「納税管理人」については、「租税条約に関する届出書」の裏面の説明を参照してください。

※ "Tax Agent" is explained on the reverse side of the "Application Form for Income Tax Convention".

注意事項

還付請求書の提出について

1　この還付請求書は、還付を請求する税額の源泉徴収をされた所得の支払者（租税特別措置法第９条の３の２第１項に規定する利子等の支払の取扱者を含みます。以下同じです。）ごとに作成してください。

2　この還付請求書は、上記１の所得につき租税条約の規定の適用を受けるための別に定める様式（様式１～様式３、様式６～様式10及び様式19）による「租税条約に関する届出書」（その届出書に付表や書類を添付して提出することとされているときは、それらも含みます。）とともに、それぞれ正副２通を作成して所得の支払者に提出し、所得の支払者は還付請求書の「４」の欄の記載事項について証明をした後、還付請求書及び租税条約に関する届出書の正本をその支払者の所轄税務署長に提出してください。

3　この還付請求書を納税管理人以外の代理人によって提出する場合には、その委任関係を証する委任状をその翻訳文とともに添付してください。

4　この還付請求書による還付金を代理人によって受領することを希望する場合には、還付請求書にその旨を記載してください。この場合、その代理人が納税管理人以外の代理人であるときは、その委任関係を証する委任状をその翻訳文とともに添付してください。

還付請求書の記載について

5　納税者番号とは、租税の申告、納付その他の手続を行うために用いる番号、記号その他の符号でその手続をすべき者を特定することができるものをいいます。支払を受ける者の居住地である国に納税者番号に関する制度が存在しない場合や支払を受ける者が納税者番号を有しない場合には納税者番号を記載する必要はありません。

6　還付請求書の「２(1)」の条項の区分は、次のとおりです。

□第１号……　租税条約の規定の適用を受ける人的役務の対価としての給与その他の報酬を２以上の支払者から支払を受けるため、その報酬につき「租税条約に関する届出書」を提出できなかったこと又は免税の金額基準が設けられている租税条約の規定の適用を受ける株主等対価の支払を受けるため、その対価につき「租税条約に関する届出書」を提供できなかったことに基因して源泉徴収をされた税額について還付の請求をする場合

□第３号……　第１号及び第５号以外の場合で、租税条約の規定の適用を受ける所得につき「租税条約に関する届出書」を提出しなかったことに基因して源泉徴収をされた税額について還付の請求をする場合

□第５号……　特定社会保険料を支払った又は控除される場合において、当該給与又は報酬につき源泉徴収をされた税額について還付の請求をする場合

□第７号……　租税条約の規定が遡及して適用されることとなったため、当該租税条約の効力発生前に支払を受けた所得につき既に源泉徴収をされた税額について還付の請求をする場合

7　受取希望場所を「日本国外の預金口座」とした場合は、銀行コード（SWIFT コード、ABA ナンバー等）を記載し、送金通貨を指定してください。
なお、欧州向けの場合は、口座番号欄に IBAN コードを記載してください。

INSTRUCTIONS

Submission of the FORM

1　This form must be prepared separately for each Payer of Income who withheld the tax to be refunded(including Person in charge of handling payment of Interrest or other payment who prescribed in paragraph 1 of Article 9-3-2 of the Act on Special Measures Concerning Taxation; the same applies below).

2　Submit this form in duplicate to the Payer of Income concerned together with the "Application Form for Income Tax Convention" (Forms 1 to 3, 6 to 10 and 19) prepared in duplicate for the application of Income Tax Convention to Income of 1 above (including attachment forms or documents if such attachment and documents are required). The Payer of the Income must certify the item in 4 on this form and then file the original of each form with the District Director of Tax Office for the place where the Payer resides.

3　An Agent other than the Tax Agent must attach a power of attorney together with its Japanese translation.

4　The applicants who wishes to receive refund through an Agent must state so on this form. If the Agent is an Agent other than a Tax Agent, a power of attorney must be attached together with its Japanese translation.

Completion of the FORM

5　The Taxpayer Identification Number is a number, code or symbol which is used for filing of return and payment of due amount and other procedures regarding tax, and which identifies a person who must take such procedures. If a system of Taxpayer Identification Number does not exist in the country where the recipient resides, or if the recipient of the payment does not have a Taxpayer Identification Number, it is not necessary to enter the Taxpayer Identification Number.

6　The distinction of the provisions of the item 2 (1) on this form is as follows:

□Subpara.1…　For the refund of tax on salary or other remuneration for personal services withheld to the benefits of the Income Tax Convention which was withheld due to the failure to file the "Application Form for Income Tax Convention" because there are more than two Payers of Income. Alternatively, regarding the payment of stockholder value entitled according to the benefits of the Income Tax Convention, which provides an exemption amounts standard, the failure to file the "Application Form for Income Tax Convention" for the value.

□Subpara.3…　For the refund of tax on income entitled to the benefits of the Income Tax Convention which was withheld due to the failure to file the "Application Form for Income Tax Convention" in cases other thanSubpara.1 and Subpara.5.

□Subpara.5…　For the refund of tax which was withheld at the source from wages or remuneration with which designated insurance premiums were paid or from which said premiums are deducted.

□Subpara.7…　For the refund of tax withheld on income paid before the coming into effect of Income Tax Convention when the Convention became applicable retroactively.

7　If you designate a "bank account outside Japan" as the place to receive of your choice, enter the bank code (Swift code, ABA number, etc.) and specify a currency for remittance.
In the case of accounts in Europe, enter IBAN code in the column for the account number.

（様式例12）

様　式　12
FORM

租税条約に関する芸能人等の役務提供事業の対価に係る源泉徴収税額の還付請求書

（税務署整理欄 For official use only）

承認	請求金額	円
	充当金額	円
	還付金額	円
その他		
納付日 ・ ・	充当の申出日 ・ ・	
通信日付印 ・ ・	確　認	

税務署受付印

APPLICATION FORM FOR REFUND OF THE WITHHOLDING TAX ON REMUNERATIOIN DERIVED FROM RENDERING PERSONAL SERVICES EXERCISED BY AN ENTERTAINER OR A SPORTSMAN IN ACCORDANCE WITH THE INCOME TAX CONVENTION

この還付請求書の記載に当たっては、別紙の注意事項を参照してください。
See separate instructions.

＿＿＿＿＿税務署長殿
To the District Director, ＿＿＿＿＿Tax Office

1　適用を受ける租税条約に関する事項；
Applicable Income Tax Convention
日本国と＿＿＿＿＿との間の租税条約第＿＿条第＿＿項
The Income Tax Convention between Japan and＿＿＿＿＿,Article＿＿,para.＿＿

2　還付の請求をする者（対価の支払を受ける者）に関する事項；
Details of the Person claiming the Refund (Recipient of Remuneration)

氏名又は名称 Full name		
個人番号又は法人番号（有する場合のみ記入） Individual Number or Corporate Number (Limited to case of a holder)		
個人の場合 Individual	住所又は居所 Domicile or residence	（電話番号 Telephone Number）
	国籍 Nationality	
法人その他の団体の場合 Corporation or other entity	本店又は主たる事務所の所在地 Place of head office or main office	（電話番号 Telephone Number）
	設立又は組織された場所 Place where the Corporation was established or organized	
	事業が管理・支配されている場所 Place where the business is managed and controlled	（電話番号 Telephone Number）
日本国内で芸能人等の役務提供事業を開始した年月日 Date of opening business of rendering personal services exercised by the entertainer or sportsman in Japan		
下記「5」の対価につき居住者として課税される国及び納税地（注8） Country where the recipient is taxable as resident on Remuneration mentioned in 5 below and the place where he is to pay tax (Note 8)		（納税者番号 Taxpayer Identification Number）
納税管理人 the Tax Agent in Japan	氏名 Full name	
	住所又は居所 Domicile or residence	（電話番号 Telephone Number）
	納税管理人の届出をした税務署名 Name of the Tax Office where the Tax Agent is registered	税務署 Tax Office

3　還付請求金額に関する事項；
Details of the refund
⑴　還付を請求する金額；
Amount of Refund claimed　¥＿＿＿＿円

⑵　還付金の受領場所等に関する希望；（該当する下記の□欄に✓印を付し、次の欄にその受領を希望する場所を記入してください。）
Options for receiving your refund; (Check the applicable box below and enter your information in the corresponding fields.)

受取希望場所 Receipt by transfer to:	銀行 Bank	支店 Branch	預金種類及び口座番号又は記号番号 Type of account and account number	口座名義人 Name of account holder
□ 日本国内の預金口座 a Japanese bank account				
□ 日本国外の預金口座（注12） a bank account outside Japan(Note12)				
	支店住所（国名、都市名）Branch Address (Country ,City):		銀行コード(Bank Code)	送金通貨(Currency)
□ ゆうちょ銀行の貯金口座 an ordinary savings account at the Japan Post Bank		—		
□ 郵便局等の窓口受取りを希望する場合 the Japan Post Bank or the post office (receipt in person)			—	—

【裏面に続きます (Continue on the reverse) 】

4　還付を請求する税額の源泉徴収をした対価の支払者に関する事項；
Details of Payer of Remuneration who withheld the Income Tax to be refunded

氏名又は名称 Full name		
住所（居所）又は本店（主たる事務所）の所在地 Domicile (residence) or Place of head office (main office)		(電話番号 Telephone Number)
日本国内にある事務所等 Office, etc. located in Japan	名称 Name	(事業の内容 Details of Business)
	所在地 Address	(電話番号 Telephone Number)

5　上記「4」の支払者から支払を受ける免税対象の役務提供対価で「1」の租税条約の規定の適用を受けるものに関する事項；
Details of Remuneration received from the Payer of Remuneration to which the Convention mentioned in 1 above is applicable

(1) 提供する役務の概要 Description of Services rendered			(2) 役務提供期間 Period of Services rendered
(3) 対価の支払期日 Due Date for Payment	(4) 対価の支払方法 Method of Payment	(5) 対価の金額 Amount of Remuneration	(6) (5)の対価から源泉徴収された税額 Amount of Withholding Tax on (5)
			円 yen

6　還付の請求をする者から報酬・給与又は対価の支払を受けるものに関する事項；
Details of Recipient of Remuneration or Salary paid by the Person claiming the refunded

氏名又は名称 Full name		
住所（居所）又は本店（主たる事務所）の所在地 Domicile (residence) or place of head office (main office)		(電話番号 Telephone Number)
事業が管理・支配されている場所 Place where the business is managed and controlled		(電話番号 Telephone Number)
日本国内の恒久的施設の状況 Permanent establishment in Japan □有 (Yes)　，□無 (No) If "Yes",explain:	名称 Name	(事業の内容 Details of Business)
	所在地 Address	(電話番号 Telephone Number)

7　上記「6」の所得者に対して支払う報酬・給与又は対価に関する事項；
Details of Remuneration or Salary paid to Recipient mentioned in 6 above by the Person claiming the Refund

(1)提供する役務の概要 Description of Services exercised	(2)役務提供期間 Period of Services exercised	(3)報酬・給与又は対価の支払期日 Due Date for Payment	(4)報酬・給与又は対価の支払方法 Method of Payment	(5)報酬・給与又は対価の金額 Amount of Remuneration, etc.	(6)源泉徴収すべき税額 Amount of the Withholding Tax on (5)	(7)(6)のうち納付した税額 Amount of the Tax paid within (6)
					円 yen	円 yen

(8)　未納付の源泉徴収税額がある場合の納付に関する事項；
Details of Payment of the Unpaid Withholding Tax

納付予定年月日 the date of payment

A　未納付の源泉徴収税額を後日納付する予定のときは、右の納付予定年月日を記入してください。
If you pay the unpaid withholding tax later, fill out the date of payment.

B　未納付の源泉徴収税額にこの還付請求書による還付金を充てたいときは、次の欄に申出者の氏名又は名称を記入してください。
If you want to appropriate the refund for payment of such unpaid withholding tax, fill out the name of the Applicant below.
私は、未納付の源泉徴収税額を納付せず、この還付請求書による還付金をその源泉徴収税額に充てたいと思いますので、申し出ます。
I will appropriate the refund for payment of the unpaid withholding tax, therefore hereby offer that.
申出者(還付の請求をする者又はその納税管理人)の氏名又は名称
The name of the Applicant or his Tax Agent ______________________

8　還付の請求をする者が法人である場合の上記「6」の所得者（個人に限る。）との関係に関する事項；
Details of the Relation between the Corporation or other entity claiming the Refund and the Recipient (Individual) mentioned in 6 above
(1)　上記「6」の所得者による当該法人その他の団体の支配関係がないことに関する参考事項；
Description of Facts that Corporation or other entity is not controlled directly by Recipient mentioned in 6 above

(2)　上記「6」の所得者による当該法人その他の団体の株式の保有割合等；
The Percentage of the shares in such corporation or other entity, etc. owned by the Recipient mentioned in 6 above

当該法人その他の団体が日本国内で取得する所得のうち上記「6」の所得者の役務提供から生ずる割合 Percentage of the income derived by such corporation or other entity from services exercised by the Recipient mentioned in 6 above	当該法人その他の団体の総議決権のうち上記「6」の所得者が所有する割合 Percentage of the voting power of all classes of stock entitled to vote of such corporation or other entity owned by Recipient mentioned in 6 above	当該法人その他の団体の株式の総価額のうち上記「6」の所得者が所有する割合 Percentage of the total value of all classes of stock of such corporation or other entity owned by Recipient mentioned in 6 above	当該その他の団体の資産のうち上記「6」の所得者が権利を有する割合 Percentage of an interest in the assets of such other entity owned by Recipient mentioned in 6 above	当該その他の団体の所得のうち上記「6」の所得者が権利を有する割合 Percentage of a right of the profits of such other entity owned by Recipient mentioned in 6 above
%	%	%	%	%

【次葉に続きます（Continue on the next sheet）】

9　その他参考となるべき事項(注11)；
Others (Note11)

10　日本の税法上、還付請求書の「２」の外国法人が納税義務者とされるが、租税条約の規定によりその株主等である者（相手国居住者に限ります。）の所得として取り扱われる部分に対して租税条約の適用を受けることとされている場合の租税条約の適用を受ける割合に関する事項等(注４)；
Details of proportion of income to which the convention mentioned in 1 above is applicable, if the foreign company mentioned in 2 above is taxable as a company under Japanese tax law, and the convention is applicable to income that is treated as income of the member (limited to a resident of the other contracting country) of the foreign company in accordance with the provisions of the convention (Note 4)

還付請求書の「２」の外国法人の株主等で租税条約の適用を受ける者の氏名又は名称 Name of member of the foreign company mentioned in 2 above, to whom the Convention is applicable	間接保有 Indirect Ownership	持分の割合 Ratio of Ownership	受益の割合＝ 租税条約の適用を受ける割合 Proportion of benefit = Proportion for Application of Convention
	□	%	%
	□	%	%
	□	%	%
	□	%	%
	□	%	%
合計 Total		%	%

還付請求書の「２」の外国法人が支払を受ける「５」の対価について、「１」の租税条約の相手国の法令に基づきその株主等である者の所得として取り扱われる場合には、その根拠法令及びその効力を生じる日を記載してください。
If remuneration mentioned in 4 above that a foreign company mentioned in 2 above receives is treated as income of those who are its members under the law in the other contracting country of the convention mentioned in 1 above, enter the law that provides the legal basis to the above treatment and the date on which it will become effective.

根拠法令
Applicable law＿＿＿＿＿＿＿＿　　効力を生じる日
Effective date　　年　　月　　日

○　適用を受ける租税条約が特典条項を有する租税条約である場合；
If the applicable convention has article of limitation on benefits
特典条項に関する付表の添付"Attachment Form for Limitation on Benefits Article" attached □有Yes

013 外国政府発行の債券の利子に課された外国所得税額の還付

Q 私は居住者で、国外で発行された外国政府の円貨建債券を購入してその利子を受け取る場合に、この利子に対する所得税などが源泉徴収されていますが、それと併せて課されていることとみなされる外国所得税について還付を受ける手続はどのようになっているのでしょうか。

A 2016（平成28）年1月1日以後支払確定分の外国所得税については確定申告を行うことにより、上記の還付を受けることができることとされています。

解説

2015（平成27）年12月31日までに支払を受けるべき外国政府発行の債券の利子などについては、「租税条約に関する源泉徴収税額の還付請求書（利子所得に相手国の租税が賦課されている場合の外国税額の還付）」を提出して還付を受けることができましたが、制度の変更により、その債権の利子に係る源泉所得税の納付があった日から5年以内に還付請求書を提出していない場合には、時効により請求権が消滅することとなります。

2016（平成28）年1月1日以後に支払を受けるべき外国政府発行（又は保証）の債券の利子は、特定公社債の利子とされて、株式や公社債等の譲渡損失との損益通算の対象とされることに伴い、原則として15.315%（その他に住民税5%）の税率による申告分離課税とされました。

このことにより、みなし外国税額の適用国は、現在のところ、「ザンビア、スリランカ、タイ、中国、バングラデシュ、ブラジル」の6か国が該当し、例えばブラジルの場合は税率20%とみなされていることから、外国所得税が我が国の所得税を超える結果となっていますので、確定申告を行い、外国税額控除を受けることにより精算（還付）されることとなります。

参考　所法95《外国税額控除》、措法3《利子所得の分離課税等》、同3の3《国外で発行された公社債等の利子所得の分離課税等》、同8の4《上場株式等に係る配当所得等の課税の特例》、同8の5《確定申告を要しない配当所得等》、同37の11②《上場株式等に係る譲渡所得等の課税の特例》、実特法省令13の2《利子所得に相手国等の租税が課されている場合の外国税額の還付》

014 日本の居住者が相手国に提出する居住者証明書

Q　内国法人である当社は、イギリス法人B社から特許権の使用料の支払を受けることとなりました。租税条約の適用を受けるためB社に照会したところ、現地の税務当局に提出する届出書には、当社が日本の内国法人であることを証明する書類の添付が必要であるといわれました。

どのようにしたら、この証明書を受けることができるのでしょうか。

A　相手国等提出用の「居住者証明書」は、納税地の所轄税務署長に申請して、その交付を受けることができます。

解説

租税条約による所得税の軽減又は免除は、相互に締結相手国等の居住者について適用することとされていて、その適用を受けるためには、アメリカやイギリス、ドイツなど特典条項のある国のほか、カナダ、シンガポールなどその他の国においても、我が国の居住者又は内国法人は相手国の税務当局に対して、「租税条約に関する届出書」を提出する必要があります。その際には、我が国の所轄税務署長が発行した「その届出書を提出する者が相手国（我が国）の居住者又は内国法人であることを証明する書類」（これを、一般に「居住者証明書」とよんでいます）の添付を求められています。

したがって、租税条約の相手国等において所得税の軽減又は免除を受けようとする場合に、我が国の居住者又は内国法人であることの証明書の添付を求められたときは、住所地等の所轄税務署長に対して「居住者証明書交付請求書」（証明書の必要部数+1部）を作成して申請し、証明書の交付を受ける必要があります。

この場合はその申請の際に本人（法人の場合は代表者本人。代理人の場合は代理人本人）であることを確認できる書類（運転免許証、パスポート、又はマイナンバーカード等）の提示が必要となります。

なお、居住者証明書の提出について、証明期間に将来にわたる期間を含む必要があるときは、インドネシアの場合は別途「宣誓書」の作成を求められ、イタリアの場合は、宣誓書のほかに英文による「居住者証明書」の作成も求められています。

注　居住者証明書は、上記の交付請求書と一体の様式で交付されます（様式例13参照）。
　このほか、イタリア当局に提出する「宣誓書」は様式例14を、英文による「居住者証明書」は様式例15を参照ください。

(様式例13)

※租税条約等締結国用様式
This form shall be submitted solely for the purpose of claiming tax treaty benefits

国税庁
National Tax Agency

日本国居住者記載欄
For use by a resident of Japan

居住者証明書交付請求書
APPLICATION FOR CERTIFICATE OF RESIDENCE IN JAPAN

記載に当たっては留意事項・記載要領を参照してください。

＿＿＿＿＿＿＿＿ 税務署長　あて

請求日 Date of request: ＿＿＿＿＿ 年　　月　　日

【代理人記入欄】Information on the agent
※代理人の方のみ記入してください。
住所　Address

氏名　Name

(電話番号 Telephone number　　　　　　)

※代理人の方が請求される場合は代理の権限を有することを証明する書類が必要です。

Information on the applicant:

住所 (納税地) Address	※日本語及び英語で記入してください。
(フリガナ) 氏名 又は 法人名 及び代表者氏名 Name or corporation name and representative name	※日本語及び英語で記入してください。 (電話番号 Telephone number :　　　　　)

租税条約上の特典を得る目的で、下記のとおり居住者証明書の交付を請求します。

For the purpose of obtaining benefits under the Income Tax Convention, I hereby request the issuance of certificate of residence as follows:

記

提出先の国名等 Name of the State to which this certificate is submitted	※日本語及び英語で記入してください。			
対象期間 Period concerned (Optional)				
申述事項 Declaration	以下の事項を申述します。 □ 請求者は租税の適用上日本国の居住者であること □ 当該請求は専ら居住性の証明のためになされること □ 本請求書の情報は真正かつ正確であること □	I hereby declare that: The applicant is the resident of Japan for tax purposes; This application is made only for the purpose of residency certification; and The information in this application is true and correct.		
証明書の請求枚数 Requested number of copies	枚	※本交付請求書は、居住者証明書の必要部数＋1部を提出してください。	整理番号 Reference number (Optional)	

国税庁
National Tax Agency

税務署記載欄
For use by Tax Office

居住者証明書
CERTIFICATE OF RESIDENCE IN JAPAN

当方の知り得る限りにおいて、上記の請求者は、日本国と（相手国）との間の租税条約上、日本国居住者であることをここに証明します。

I, the undersigned acting as District Director of the Tax Office of the National Tax Agency, hereby certify that, to the best of my knowledge, the above applicant is the resident of Japan within the meaning of the Income Tax Convention between Japan and ....

・証明日
Date of certification: ....

・証明番号
Certificate number: ....

・税務署名及び役職名
Name of Tax Office and title: ....

・氏名
Print Name : ....

官印 Official Stamp

(様式例14)

【日伊租税条約用】

宣誓書

DECLARATION

年　　月　　日

住所（納税地）	
氏名又は 法人名及び代表者氏名	

私は、「所得に対する租税に関する二重課税の回避のための日本国とイタリア共和国との間の条約」に基づき、租税条約上の特典を得る目的で、イタリア共和国に対して提出する居住者証明書の交付を請求するに当たり、下記の期間において、日本国の居住者であることを宣誓します。

なお、この期間中に日本国の居住者でなくなった場合、その時点から租税条約上の特典を受けられなくなることは理解していることを申し添えます。

記

対象期間	

(様式例15)

Certificate of Residence

Name of the Claimant: ______________________________

Address of the Claimant: ______________________________

Based on the declaration by the claimant, the tax authorities of Japan hereby certify that the above mentioned claimant is a resident of JAPAN in pursuance of Article 4 of the CONVENTION BETWEEN JAPAN AND THE REPUBLIC OF ITALY FOR THE AVOIDANCE OF DOUBLE TAXATION WITH RESPECT TO TAXES ON INCOME for the tax period from
______________________ to ______________________.

(Certificate of Japanese Tax Office)

Date: ______________________________

Place: ______________________________

Signature: ______________________________

Official Stamp: ______________________________

（和訳）

居住者証明書

請求者氏名又は法人名: ______________________________

請求者住所（納税地）: ______________________________

日本国課税当局は、上記請求者からの宣誓に基づき、当該請求者が________________________________の期間について、所得に対する租税に関する二重課税の回避のための日本国とイタリア共和国との間の条約第 4 条における日本国居住者であることをここに証明します。

（日本の税務署の証明）

証明日: ______________________________

税務署所在地: ______________________________

税務署名及び税務署長名: ______________________________

税務署　証明印: ______________________________

015　源泉所得税の納税証明書の交付を受けるには

Q　内国法人である当社はイタリア法人C社に商標権の使用料を支払う際に、所得税を源泉徴収して納付しましたが、C社から納税証明書がほしいという依頼がありました。

納税証明書の交付を受けるためには、どのような手続が必要でしょうか。

A　非居住者等が、我が国で源泉徴収された所得税について二重課税を回避するためには、その本国において外国税額控除を受けることが必要です。そのために必要となる納税証明書は、源泉徴収義務者（その所得の支払者）を通じて、税務署からその交付を受けることができます。

解説

この納税証明書の交付を受けようとする非居住者等は、源泉徴収義務者である支払者を経由して「源泉徴収に係る所得税及び復興特別所得税の納税証明願」（正副2部）を、その源泉徴収義務者の納税地の所轄税務署長に提出しなければなりません。

この場合、この証明願には、源泉徴収義務者がその源泉所得税を納付した際の「所得税徴収高計算書（納付書）」の写しを添付することとされています。

注　上記の納税証明願の様式は後掲の様式例16参照

(様式例16)

源泉徴収に係る所得税及び復興特別所得税の納税証明願
Application for Certification of Tax Payment
(Withholding Income Tax and Special Income Tax for Reconstruction)

提出年月日＿＿＿＿＿年＿＿月＿＿日
Date of Submission

＿＿＿＿＿税 務 署 長 殿
To the District Director ,＿＿＿＿＿＿＿＿＿Tax Office

所 在 地＿＿＿＿＿＿＿＿＿＿＿＿＿＿＿
Address
電話番号 Telephone Number
名　称＿＿＿＿＿＿＿＿＿＿＿＿＿＿＿
Name

次の理由によって、＿＿＿＿＿＿＿＿＿＿＿＿＿＿＿＿
に係る、源泉徴収に係る所得税及び復興特別所得税について、　　　年　月　日
現在における下記事項について証明願います。
I hereby apply for certification of the matters illustrated in the following table as of ＿＿＿＿＿ concerning Withholding Income Tax and Special Income Tax for Reconstruction on ＿＿＿＿＿＿＿＿＿＿＿ for the reason described below.

理由：二重課税防止
Reason : Avoidance of double taxation

記
Description

区　分 Classification	納付すべき税額 Amount of the Tax Due	納付税額 Amount of Tax Paid	未納税額 Amount of Tax Payable	備　考 Remarks
本　税	円	円	円	
Tax				

支払先住所/所在地＿＿＿＿＿＿＿＿＿＿＿＿＿＿
Address of Recipient
支払先氏名/名称＿＿＿＿＿＿＿＿＿＿＿＿＿＿
Name of Recipient
支払金額＿＿＿＿＿＿＿＿＿＿＿＿＿＿円
Amount of Payment
支払年月日＿＿＿＿＿＿＿年＿＿月＿＿日
Date of Payment

税＿＿率＿＿＿＿＿＿%
Tax Rate　　　　　　%
納付年月日＿＿＿＿＿＿年＿＿月＿＿日
Date of Tax Payment

上記のとおり相違ないことを証明します。
I hereby certify that the above statement is true and correct.

年 月 日＿＿＿＿＿＿＿＿＿＿＿＿
Date
証 明 番 号＿＿＿＿＿＿＿＿＿＿
No. of Certificate

＿＿＿＿＿＿税務署長＿＿＿＿＿＿＿＿
Signature
District Director of＿＿＿＿＿＿＿＿ Tax Office

29・08 改正

(源１４３６)

016 各種届出書・申請書の内容、提出期限

Q 　非居住者等の課税関係における届出書や申請書などには、どのようなものがあるのですか。その内容や提出期限を教えてください。

　また、これらの用紙は、税務署の窓口で受け取る以外に入手方法はありますか。

A 　非居住者等の課税に関して提出すべき主な届出書や申請書などの個別の内容や提出期限は、次の表のとおりです。また、これらの用紙は税務署窓口のほか、web上の国税庁ホームページからも入手することができます。

解説

　国税庁ホームページから入手する場合のアドレスは「https://www.nta.go.jp」ですが、検索サイトで「国税庁」又は「国税庁ホームページ」と入力・クリックすると、ホームページにアクセスできます。ホームページ上部に表示されている横並びのバーの中から「税の情報・手続・用紙▼」欄にカーソルを当てると表示される項目の中で、「申告手続・用紙」欄をクリックします。表示される最初の枠内に囲まれた「申告・申請・届出等、用紙（手続の案内・様式）」とある標題の下部に表示されている「税務手続の案内」をクリックすると、税目や手続ごとに各項目が表示されています。その中で非居住者等の課税関係で必要とされる手続は、「A 所得税関係」の「A2 源泉所得税関係」又は「A3 源泉所得税（租税条約等）関係」、「C 法人税関係」の「C1 法人税」の項目の中に格納されていて、手続対象者や提出時期などのほか、必要書類の様式も掲載されていますので、その中から必要な届出・申請等の名称を検索してクリックすることにより確認することができます。

　なお、次の表にはホームページに掲載の税目を名称欄に掲げてあります。

名称（税目）	内　容	提出期限等
外国普通法人となった旨の届出書 （法人税）	国内にPEを有する外国普通法人となった場合、人的役務の提供事業等の国内源泉所得が発生する事業を開始した場合、国内にある資産の運用・保有・譲渡等による所得や不動産等の貸付けによる対価等の国内源泉所得を有することとなった場合の届出書	外国普通法人に該当することとなった日又は開始した日若しくはその有することとなった日以後2か月以内
外国普通法人でなくなった旨の届出書 （法人税）	外国普通法人が、国内にPEを有しなくなった場合、人的役務の提供事業を国内において行わなくなった場合又は国内にある資産の運用、保有若しくは譲渡等により生ずる対価あるいは不動産等の貸付けにより生ずる対価を有しなくなった場合の届出書	外国普通法人でなくなった後速やかに
納税管理人届出書 （法人税）	法人である納税者が国内に本店又は事務所等を有せず、又は有しないこととなる場合で、納税申告書の提出など国税に関する事項の処理の必要があるときに、納税管理人を選任した場合の届出書	納税管理人を定めた後速やかに
納税管理人解任届出書 （法人税）	納税管理人を解任した場合の届出書	納税管理人を解任した後速やかに
外国法人又は非居住者に対する源泉徴収の免除証明書交付（追加）申請書 （源泉所得税関係）	国内にPEを有する外国法人又は非居住者が、一定の要件に該当するものとして源泉徴収の免除を受けるための証明書の交付を受けようとする場合の申請書	随時
源泉徴収の免除証明書の交付を受けている外国法人又は非居住者が証明書の交付要件に該当しなくなったことの届出書 （源泉所得税関係）	外国法人又は非居住者に対する、源泉徴収の免除証明書の交付を受けている外国法人又は非居住者が、証明書の交付要件に該当しなくなった場合の届出書	該当しなくなった場合に遅滞なく
源泉徴収の免除証明書の交付を受けている外国法人又は非居住者の名称、所在地等の変更届出書 （源泉所得税関係）	源泉徴収の免除証明書の交付を受けている外国法人又は非居住者が、名称・所在地等を変更した場合の届出書	変更した後遅滞なく

名称（税目）	内　容	提出期限等
源泉徴収に係る所得税及び復興特別所得税の納税証明願（源泉所得税関係）	源泉所得税及び復興特別所得税を徴収された非居住者又は外国法人が二重課税を回避する目的をもって居住地国における申告等において外国税額控除を受けるため、その徴収された源泉所得税及び復興特別所得税についての納税証明願	随時
租税条約に関する源泉徴収税額の還付請求書（利子所得に相手国の租税が賦課されている場合の外国税額の還付）（源泉所得税（租税条約等）関係）	外国法人等が発行した債券等の利子等について、その支払の際に課される租税条約の相手国の租税の額（みなし外国税額を含む）がある場合に、その相手国の租税の額について、所得税法等の規定により徴収された所得税及び復興特別所得税の額を限度として還付を受けようとする場合の請求書	特に定めはないが、納付があった日から5年以内
免税芸能法人等に関する届出書（源泉所得税（租税条約等）関係）	租税特別措置法第41条の22第1項に規定する免税芸能法人等が、同条3項の規定（税率の軽減）の適用を受けようとする場合の届出書（第2章問11❸の注参照）	対価の支払を受ける時まで
源泉徴収に係る所得税及び復興特別所得税の納税管理人の届出書（源泉所得税関係）	免税芸能法人等に該当する外国法人等が、自己が国内又は国外において支払った芸能人等の役務提供報酬につき源泉徴収した所得税及び復興特別所得税を納付する場合、又は、自己が支払を受けた芸能人等の役務提供の対価につき源泉徴収された所得税及び復興特別所得税について還付を受けようとする場合において、納税管理人を選任したときの届出書	随時
租税条約に関する届出書（配当に対する所得税及び復興特別所得税の軽減・免除）（様式1）（源泉所得税（租税条約等）関係）	配当に係る我が国の所得税及び復興特別所得税の源泉徴収税額について租税条約の規定に基づく軽減又は免除を受けようとする場合の届出書	最初にその配当の支払を受ける日の前日まで
租税条約に関する特例届出書（上場株式等の配当等に対する所得税及び復興特別所得税の軽減・免除）（様式1－2）（源泉所得税（租税条約等）関係）	租税特別措置法第9条の3の2第1項に規定する上場株式等の配当等（同項に規定する利子等を除く）について租税条約の規定に基づく我が国の所得税及び復興特別所得税の源泉徴収税額の軽減又は免除を受けようとする場合の届出書	随時

名称（税目）	内　容	提出期限等
租税条約に関する届出書（譲渡収益に対する所得税及び復興特別所得税の軽減・免除）（様式1－3）（源泉所得税（租税条約等）関係）	租税特別措置法第37条の11の4第1項の規定による譲渡収益に係る源泉徴収税額について租税条約の規定に基づく軽減又は免除を受けようとする場合の届出	最初に譲渡収益の支払を受ける日の前日まで
租税条約に関する届出書（利子に対する所得税及び復興特別所得税の軽減・免除）（様式2）（源泉所得税（租税条約等）関係）	利子に係る我が国の所得税及び復興特別所得税の源泉徴収税額について租税条約の規定に基づく軽減又は免除を受けようとする場合の届出書	最初にその利子の支払を受ける日の前日まで
租税条約に関する届出書（使用料に対する所得税及び復興特別所得税の軽減・免除）（様式3）（源泉所得税（租税条約等）関係）	工業所有権又は著作権等の使用料に係る我が国の所得税及び復興特別所得税の源泉徴収税額について租税条約の規定に基づく軽減又は免除を受けようとする場合の届出書	最初にその使用料の支払を受ける日の前日まで
租税条約に関する申請書（外国預託証券に係る配当に対する所得税及び復興特別所得税の源泉徴収の猶予）（様式4）（源泉所得税（租税条約等）関係）	外国預託証券の真実の所有者の受ける剰余金の配当について、租税条約又は所得相互免除法の規定に基づき源泉徴収税額の軽減・免除を受けることができるものであるかどうかの調査を要するために、その配当の支払に係る基準日の翌日から起算して8月を経過した日までの間、外国預託証券の受託者又はその代理人が我が国の所得税及び復興特別所得税の源泉徴収の、猶予を受けようとする場合の申請書	配当の支払を受ける日の前日まで
租税条約に関する届出書（外国預託証券に係る配当に対する所得税及び復興特別所得税の軽減・免除）（様式5）（源泉所得税（租税条約等）関係）	外国預託証券に係る剰余金の配当に対する我が国の所得税及び復興特別所得税の源泉徴収について、租税条約は所得相互免除法の基定に基づき猶予の申請を行った外国預託証券の受託者又はその代理人が、その調査の結果、源泉徴収税額の軽減を受けることができるものについてその軽減・免除を受けようとする場合の届出書	その配当に係る事業年度終了の日の翌日から起算して8か月を経過した日まで

名称（税目）	内　容	提出期限等
租税条約に関する届出書（人的役務提供事業の対価に対する所得税及び復興特別所得税の免除） （様式6） （源泉所得税（租税条約等）関係）	人的役務提供事業の対価（その受ける対価が免税芸能法人等に係る源泉徴収税額の還付の特例の適用を受けるものは除く）に係る我が国の所得税及び復興特別所得税の源泉徴収税額について租税条約の規定に基づく免除を受けようとする場合の届出書	その事業開始後最初にその対価の支払を受ける日の前日まで
租税条約に関する届出書（自由職業者・芸能人・運動家・短期滞在者の報酬・給与に対する所得税及び復興特別所得税の免除） （様式7） （源泉所得税（租税条約等）関係）	自由職業者、芸能人、職業運動家又は短期滞在者（国内滞在が年間若しくは継続する12月の期間中183日又はそれより短い一定の期間を超えない者）が支払を受ける所得税法161条1項12号イに掲げる報酬又は給与に係る我が国の所得税及び復興特別所得税の源泉徴収税額について租税条約の規定に基づく免除を受けようとする場合の届出書	入国後、最初にその報酬又は給与の支払を受ける日の前日まで
租税条約に関する届出書（教授等・留学生・事業等の修習者・交付金等の受領者の報酬・交付金等に対する所得税及び復興特別所得税の免除） （様式8） （源泉所得税（租税条約等）関係）	教授等・留学生・事業等の修習者・交付金等の受領者が支払を受ける報酬、交付金等に係る所得税及び復興特別所得税の源泉徴収税額について租税条約の規定に基づく免除を受けようとする場合の届出書	入国後、最初にその報酬、交付金等の支払を受ける日の前日まで
租税条約に関する届出書（退職年金・保険年金等に対する所得税及び復興特別所得税の免除） （様式9） （源泉所得税（租税条約等）関係）	公的年金等若しくは退職手当等又は保険年金に係る我が国の所得税及び復興特別所得税の源泉徴収税額について租税条約の規定に基づく免除を受けようとする場合の届出書	最初にその年金等の支払を受ける日の前日まで
租税条約に関する届出書（所得税法第161条第1項第7号から第11号まで、第13号、第15号又は第16号に掲げる所得に対する所得税及び復興特別所得税の免除） （様式10） （源泉所得税（租税条約等）関係）	所得税法161条1項7号から11号まで、13号、15号又は16号に掲げる所得（租税条約に規定する配当、利子又は使用料に該当するものを除く）について租税条約の規定に基づく免除を受けようとする場合の届出書	最初にその所得の支払を受ける日の前日まで

名称（税目）	内　容	提出期限等
租税条約に関する源泉徴収税額の還付請求書（発行時に源泉徴収の対象となる割引債及び芸能人等の役務提供事業の対価に係るものを除く。）（様式11）（源泉所得税（租税条約等）関係）	支払を受ける所得につき租税条約の規定の適用を受ける者が、「租税条約に関する届出書」を提出することができなかったことなどに基因してその所得につき源泉徴収をされた所得税額及び復興特別所得税のうち、租税条約の規定に基づき軽減又は免除を受けるべき金額について還付を受けようとする場合の請求書（割引債及び芸能人等の役務提供事業の対価に係るものは、別様式あり。また、租税条約に関する届出書も併せて必要）	特に定めはないが、納付があった日から5年以内
租税条約に関する芸能人等の役務提供事業の対価に係る源泉徴収税額の還付請求書（様式12）（源泉所得税（租税条約等）関係）	芸能人等の役務提供の対価に係る我が国の所得税及び復興特別所得税の源泉徴収税額について租税条約の規定に基づく免除を受けようとする場合の請求書（特典条項に関する付表や外国法人の株主等の名簿、報酬に関する契約書、源泉所得税の納付書控などの添付が必要）	特に定めはないが、納付があった日から5年以内
租税条約に関する割引債の償還差益に係る源泉徴収税額の還付請求書（発行時に源泉徴収の対象となる割引国債用）（様式13）（源泉所得税（租税条約等）関係）	租税条約の規定により割引国債の償還差益に対する所得税及び復興特別所得税が軽減又は免除される場合に、その割引国債の発行時に源泉徴収された税額について、その償還金の支払を受ける際に還付を受けようとする場合の請求書（特典条項に関する付表や外国法人の株主等の名簿などの添付が必要）	割引国債の償還を受ける日の前日まで
租税条約に関する割引債の償還差益に係る源泉徴収税額の還付請求書（割引国債以外の発行時に源泉徴収の対象となる割引債用）（様式14）（源泉所得税（租税条約等）関係）	租税条約の規定により割引国債以外の割引債の償還差益に対する所得税及び復興特別所得税が軽減又は免除される場合に、その割引債の発行時に源泉徴収された税額について還付を受けようとする場合の請求書（特典条項に関する付表や外国法人の株主等の名簿などの添付が必要）	割引債の償還を受ける日の前日まで
外国法人の株主等の名簿兼相手国団体の構成員の名簿（様式16）（源泉所得税（租税条約等）関係）	租税条約の特典を受けようとする株主等又は構成員が、租税条約に関する届出に添付することが必要な名簿（株主等である者の「居住者証明書」の添付又は提示が必要）	届出の際に添付
特典条項に関する付表（様式17）（源泉所得税（租税条約等）関係）	租税条約の特典を受けようとする者が、租税条約に関する届出に添付することが必要な付表（「居住者証明書」の添付又は提示が必要）	届出の際に添付

名称（税目）	内　　容	提出期限等
租税条約に基づく認定を受けるための申請書（認定省令第一条第一号関係）（様式18）（源泉所得税（租税条約等）関係）	特典条項の条件を満たさない者が、租税条約の特典を受けるために、国内源泉所得ごとに、その者の設立、取得若しくは維持又はその業務の遂行等がその条約の特典を受けることを主たる目的の一つとするものでないとの国税庁長官の認定を受けようとする場合の申請書 （「居住者証明書」などの添付が次の18－2も含め必要）	随時
租税条約に基づく認定を受けるための申請書（認定省令第一条第二号関係）（様式18－2）（源泉所得税（租税条約等）関係）	第三国PEに帰せられる所得について、租税条約又はBEPS防止措置実施条約の規定によりその特典が与えられないか又は制限される場合において、その特典を受けるために、その者の第三国PEの設立、取得若しくは維持又はその業務の遂行がその特典を受けることを主たる目的の一つとするものでないとの国税庁長官の認定を受けようとする場合の申請書	随時

第3章

国内源泉所得の所得ごとの取扱い

第1節　事業及び資産の所得等

001　事業及び資産の所得等とは

Q　従来、非居住者等の国内源泉所得とされていました事業及び資産の所得等とは、現行ではどのような内容となって、どのように課税されるようになったのか、教えてください。

A　非居住者等の国内源泉所得とされていました従来の事業及び資産の所得等とは、平成26年度税制改正前における国内法では国内における事業や資産の運用などにより生ずる所得をいい、原則として申告により納税することとされていましたが、税制改正により、国内源泉所得とされる国内事業所得に代わり、現行ではPE帰属所得、及び資産の運用・保有により、又は資産の譲渡により生ずる所得とされています。

解説

1　所得の範囲と課税方法

所得税上、非居住者の事業及び資産の運用・保有又は譲渡による所得等については、その範囲が重なる部分があるその他の国内源泉所得を併せると、次の①～③に記載のとおりです。

① 国内において行うPEに帰属する事業から生ずる所得

② 国内にある資産の運用・保有・譲渡により生ずる所得

ただし、上記①及び②の所得とも、国内源泉所得として総合課税の対象となりますが、他の国内源泉所得、すなわちこの章の第2節から第14節に掲げるいずれかの所得にも該当するときは、それらのいずれかの所得に該当するものは、原則として源泉徴収をされた上で総合課税の対象とされます。

①のPE帰属所得については、居住者又は内国法人の場合と同様の課税方法がとられていますが、PEを有せず又は有していてもPEに帰属しない事業所得は課税の対象外となります。

②の資産の運用・保有又は譲渡による所得については、その範囲が特定されていて、またPE帰属所得に該当するものはすべてPE帰属所得に当たるものとされています。

なお①、②の所得とも、②の所得となる割引債の償還差益、及び国内にPEを有する非居住者が源泉徴収を選択をした特定口座を通じて行った特定口座内保管上場株式等の譲渡による所得等を除いて源泉徴収の対象とされていません。

③ その他その源泉が国内にある所得

ⓐ　国内において行う業務又は国内にある資産に関して受ける保険金、補償金又は損害賠償金（これらに類するものを含みます）に係る所得

ⓑ　国内にある資産について法人からの贈与を受けたことによる所得

ⓒ　国内において発見された埋蔵物又は国内において拾得された遺失物に係る所得

ⓓ　国内において行う懸賞募集に基づいて懸賞として受ける金品その他の経済的な利益に係る所得

ただし、旅行その他の役務の提供を内容とするもので、金品との選択ができない経済的な利益は除きます。

ⓔ　上記ⓑ～ⓓに掲げるもののほか、国内において行った行為に伴い取得する一時所得

ⓕ　上記ⓐ～ⓔに掲げるもののほか、国内において行う業務又は国内にある資産に関し供与を受ける経済的な利益に係る所得

上記の所得のうち懸賞金付預貯金等の懸賞金等を除いて、源泉徴収の対象とされていません。

なお法人税法においても、外国法人の国内源泉所得に当たるものとされる上記①～③の所得の範囲及び課税方法については、所得税法とほぼ同様の規定とされています。

2　租税条約における取扱いの概要

租税条約においては、事業所得の範囲を具体的に列挙する定めは稀な例となっています。また帰属主義の課税原則により、PEに帰属する所得がある場合に限り課税されることとされています（租税条約の取扱いについては第3章問3参照）。

また租税条約においては、上記**1**②の資産の運用等による所得のうち割引債の償還差益等以外の資産の運用・保有による所得や、同じく上記③のその他の所得については、居住地国課税（所得源泉地たる国内では免税）とするものと、所得源泉地国課税するもの、あるいは条約中に個別の規定やその他の所得（明示なき所得）に対する取扱規定もないことから国内法により課税とするもの、に分かれています。

注　「明示なき所得」とは、国内法で定める国内源泉所得について、租税条約に別段の定め（個別の規定）がない場合において取り扱われる所得のことをいいます。明示なき所得については、「その他所得条項」を設けて、多くの国ではOECDモデル条約に規定されているように居住地国課税と定めているのが通例ですが、条約の中には、源泉地国課税としている例もあります（各国別の取扱いの概要については巻末付録にある租税条約（源泉徴収関係）一覧参照）。

参考　所法161①一《国内源泉所得》、同164《非居住者に対する課税の方法》、所令280《国内にある資産の運用又は保有により生ずる所得》、同281《国内にある資産の譲渡により生ずる所得》、同289《国内に源泉がある所得》、法法138《国内源泉所得》、法令177《国内にある資産の運用又は保有により生ずる所得》、同178《国内にある資産の譲渡により生ずる所得》、同180《国内に源泉がある所得》

002 国内にある資産の所得

Q 国内にある資産の運用・保有・譲渡により生ずる所得とは、どのようなものをいうのか教えてください。

A 非居住者等の国内源泉所得とされる国内にある資産の運用・保有・譲渡により生ずる所得の範囲は、国内法上、その資産内容ごとに個別に定められていて、その所得に該当するものとは、これらに該当する所得のうち、原則として他の国内源泉所得として掲げられているもの以外の次に掲げる資産に係る所得をいうものとされています。

解説

1 国内にある次に掲げる資産の運用又は保有により生ずる所得

(1) 以下に掲げる資産の運用・保有により生ずる所得のうち、PE帰属所得に該当するものは除かれます。

また、下記(2)に掲げる資産の運用等による所得から除かれている国内源泉所得に該当するもののうち、帰属主義の観点から源泉徴収のみで課税関係を終わらせるために、同じくPE帰属所得に該当するものは除かれています。

① **公社債のうち日本国の国債、地方債、内国法人の発行する債券又は金融商品取引法（「金商法」といいます）第2条第1項第15号《定義》に掲げる約束手形**

注　この債券には、社債等の振替に関する法律等により振替口座簿に記載、記録又は登録がされたため債券の発行されていない公社債が含まれます（法基通20－2－6）。

② **居住者に対する貸付金に係る債権で、その居住者の行う業務に係るもの以外のもの**

③ **国内にある営業所、事務所その他これらに準ずるもの（「営業所等」といいます）、又は国内において契約の締結の代理をする者を通じて締結した生命保険契約、旧**

簡易生命保険契約その他これらに類する契約に基づく保険金の支払、剰余金の分配、又はこれらに準ずるものを受ける権利

これらの資産の運用、保有により生ずる所得に該当するものとして次のものが例示されています。

ⓐ　公社債を国内において貸し付けた場合の貸付料

ⓑ　上記①の債券等の償還差益又は発行差金

ⓒ　上記②の債権の利子

ⓓ　国内にある供託金について受ける利子

ⓔ　個人に国内にある生活用動産を貸し付けた場合の貸付料又は使用料

(2)　資産の運用·保有により生ずる所得から除かれることとされている国内源泉所得

①　債券の利子等（所法161①八）

②　配当等（所法161①九）

③　貸付金の利子等（所法161①十）

④　使用料等（所法161①十一）

⑤　事業の広告宣伝のための賞金（所法161①十三）

⑥　生命保険契約に基づく年金等（所法161①十四）

⑦　給付補塡金等（所法161①十五）

⑧　匿名組合契約等に基づく利益の分配金等（所法161①十六）

2　国内にある次に掲げる資産の譲渡により生ずる所得

① 国内にある不動産

② 国内にある不動産の上に存する権利、鉱業法規定の鉱業権又は採石法規定の採石権

③ 国内にある山林（伐採を含む）

④ 内国法人の発行する株式等（新株予約権などの権利及び一定の出資者の持分を含みます）で、その譲渡による所得が次に掲げる事業譲渡類似株式などに該当するもの

ⓐ　同一銘柄の内国法人の株式等を買い集め、その所有者である地位を利用して、その株式等をその内国法人若しくはその特殊関係者に対し、又はこれらの者若しくはその依頼する者のあっせんにより譲渡することによる所得

ⓑ　内国法人の特殊関係株主等である非居住者が行うその内国法人の株式等（「事業譲渡類似株式等」といいます）の譲渡による所得

事業譲渡類似株式等とされる要件は次のとおりです。

イ　株式等の譲渡以前3年内のいずれかの時において、内国法人の株式等の25%以上を所有していたこと

ロ　株式等を譲渡した年において、その法人の株式等の5%以上を譲渡したこと

なお、これらについては、その内国法人の特殊関係株主等全体で判定されることとなりますが、特殊関係株主等とは、その内国法人の株主等及びその株主等の同族関係者をいいます。

ⓒ　税制適格ストックオプションの権利行使により取得した内国法人の特定株式等の譲渡による所得

⑤ 不動産関連法人の株式（出資及び投資信託及び投資法人に関する法律に規定する投資口を含みます）の譲渡による所得

不動産関連法人とは、その有する資産の価額の総額のうちに国内にある土地等の資産（他の不動産関連法人の株式等を含みます）の価額の合計額の占める割合が50%以上である法人をいい、これには外国法人も含まれます。不動産関連法人株式の譲渡所得のうち、課税対象となるのは、次に掲げる譲渡です。

ⓐ　金融商品取引所に上場されている場合は、不動産関連法人の特殊関係株主等が、自己株式を除く発行済株式等の総数の5%超を有し、その譲渡をした非居住者等が特殊関係株主等であるときのその譲渡

ⓑ　上記ⓐ以外の場合は、不動産関連法人の特殊関係株主等が自己株式を除く発行済株式等の総数の2%超を有し、その譲渡をした非居住者等が特殊関係株主等であるときのその譲渡

なお、これらの所有割合を判断する場合の基準日は、譲渡年の前年の12月31日とされています。

⑥ 国内にあるゴルフ場の所有又は経営に係る法人の株式又は出資を所有することが、そのゴルフ場を一般の利用者に比して有利な条件で継続的に利用する権利を有する者となるための要件とされている場合におけるその株式又は出資

⑦ 国内にあるゴルフ場その他の施設の利用に関する権利

⑧ 上記❷①～⑦に掲げる資産のほか、非居住者が国内に滞在する間に行う譲渡に係る資産

なお、上記⑧にいう「資産」とは、条文の中では具体的な範囲は定められていないことから、その範囲は広く捉える必要があると認められます。

なお、これらの資産が国内にあるかどうかは、概ね次により判定することとされています。

ⓐ　動産……その所在地。ただし、国外又は国内に向けて輸送中のものについては、その目的地

ⓑ　不動産又は不動産の上に存する権利……その不動産の所在地

ⓒ　登録された船舶又は航空機……その登録機関の所在地

ⓓ　鉱業権、租鉱権又は採石権等……その権利に係る鉱区又は採石場の所在地

参考　所法161①二・三《国内源泉所得》、同164①《非居住者に対する課税の方法》、所令280《国内にある資産の運用又は保有により生ずる所得》、同281《国内にある資産の譲渡により生ずる所得》、所基通161－12《国内にある資産》、161－13《振替公社債等の運用又は保有》、161－14《資産の運用又は保有により生ずる所得》、法法138①二・三《国内源泉所得》、法令177《国内にある資産の運用又は保有により生ずる所得》、同178《国内にある資産の譲渡により生ずる所得》、法基通20－2－5《国内にある資産》、同20－2－6《振替公社債等の運用又は保有》、同20－2－7《資産の運用又は保有により生ずる所得》

003　事業、資産所得に対する租税条約の取扱い

Q　事業及び資産の所得に対して租税条約ではどのような取扱いとされているのでしょうか。

A　各国等との租税条約では、事業所得について、例外なく帰属主義の原則に基づきPEに帰せられる部分のみが課税されることとされています。また資産の運用・保有・譲渡による所得については、各租税条約ごとに源泉地国課税又は免税とする取扱いが分かれています。

解説

1　事業所得に対する取扱い

各締結国との租税条約では、OECDモデル条約と同様に「PEを通じて事業を行わない限り、又はPEを通じて事業を行う場合にはPEに帰せられる利得（所得）がない限り課税されない」という帰属主義の原則による定めが例外なくとられています。

これに対して平成26年度税制改正前においては、国内法は事業所得について総合主義をとっていて、PEのある日本国内に所得の源泉（国内源泉所得）があれば、総合合算して課税する方式となっていましたが、改正後は租税条約が採用する帰属主義の原則による定めと同じものとされています。

したがって現行においては、我が国が締結している租税条約において、PEに帰属する所得であれば国外源泉所得を含む全世界所得に課税することとする帰属主義により定めてある課税ルールと、国内法において定めてある課税ルールは、同じ内容の課税ルールに基づいて課税が行われていると解されています。

2 資産の運用・保有・譲渡所得に対する取扱い

(1) 各国との租税条約においては、特定されているもの以外の資産の運用・保有による所得については、その他所得（明示なき所得）条項でその取扱いを定めているのが通例です。その取扱いの概要を大別すると次のとおりとなります。

課税方式	国　名
①　居住地国課税として源泉地国課税を免税とするもの（OECDモデル条約と同様）	アメリカ、イギリス、イタリア、インドネシア、オランダ、韓国、スイス、ドイツ、フィリピン、フランス、ベトナム、香港　など
②　源泉地国課税ができるものとするもの	インド、オーストラリア、カナダ、シンガポール、スウェーデン、タイ、中国、トルコ、ブラジル、マレーシア、メキシコ　など
③　条約中に規定がないため、国内法により課税されるもの	エジプト、スリランカ、ルーマニア　など

(2) 不動産、株式などを除いたその他の資産の譲渡収益については、OECDモデル条約と同じくアメリカ、イギリスなどのように居住地国課税（源泉地国免税）とする国が多いですが、カナダ、タイ、中国などのように源泉地国課税とする国もあります。

注　不動産（土地等）の譲渡については第3章問14を、株式譲渡については次問（問4）をそれぞれ参照してください。

参考　OECDモデル条約13《譲渡収益》、同21《その他の所得》

004　外国株式の譲渡収益

Q

内国法人である当社は、当社100%出資子会社のアメリカ法人A社の全株式を一括して内国法人B社に譲渡する予定です。

A社はアメリカ内において不動産賃貸業を営んでおり、その総資産価値（時価）の50%超は不動産でもって構成されています。

この場合のA社株式の譲渡収益はアメリカにおいて課税されるのでしょうか。また、当社はアメリカ以外にも外国子会社株式を所有していますが、アメリカ以外の国における法人株式の譲渡収益の取扱いも教えてください。

A

米国法人株式の譲渡収益については、日米租税条約などの定めにより米国において申告・納税が必要となります。

アメリカ以外の条約における課税の取扱いは締結国によって様々な課税パターンとなっていて、その課税方式は下記のとおりです。

解説

1　法人税法の取扱い

内国法人の株式譲渡による収益は、国内法上、その株式発行先及び譲渡先を問わず我が国における法人税の申告に反映させる必要がありますが、源泉徴収をされる対象とはなりません。

2　日米租税条約における取扱い

日米租税条約においては、締結国の居住者である法人（米国法人）の株式について、その譲渡による収益は、譲渡収益（キャピタルゲイン）条項により、その法人の資産価値の50%以上がその締結国（米国）内に存在する不動産により直接又は間接に構成される法人の株式の場合には、米国で課税できることとされています。

これは、そのような株式の譲渡収益は実質的にみて不動産そのものの譲渡収益に類似したものであることから、株式の譲渡収益について源泉地国免税とする原則の例外として、不動産譲渡収益の場合の不動産所在地国（源泉地国）課税と同様の取扱いとすることによって、不動産所有（不動産関連）法人の株式形態の譲渡による租税回避策を防止したものといわれています。

したがって、貴社の米国子会社A社株式の譲渡収益は、日米租税条約及び米国国内法により、米国における法人税申告と納税が必要となると思われます。

注　同条約においては、上記の株式のうち一定の上場株式（公認の有価証券市場において取引され、かつ、その所有株式数が株式総数の5%以下の場合）について、上記の対象から除外されています。

3　その他の条約における取扱い

我が国が締結している租税条約における株式の譲渡収益に対する取扱いは、主として次のように大別されます。

なお、この場合の所得源泉地の判別基準は、条約上必ずしも明示されていませんが、通常、その株式発行法人（市場取引の場合はその市場）の所在地国をもって判定されるものと解されます。

① 上記2にあるように、OECDモデル条約と同じく原則は居住地国課税（源泉地国免税）としながら、不動産所有（不動産関連）法人株式の譲渡収益は源泉地国（不動産所在地国）課税とするもの

② 原則は上記①のとおりとしながら、その年度のいずれかの時点で、発行済株式総数のうち株式譲渡者が所有するその特殊関係者所有株式と合算した株式数が25%以上で、かつ、譲渡株式数が5%以上であるもの（事業譲渡類似株式）の譲渡収益は源泉地国課税とするもの

③ 上記①、②にあるような例外を設けず、居住地国課税とするもの

④ 上記③と同じように例外を設けず、源泉地国課税とするもの

⑤ 条約上に個別の規定はないが、その他所得条項により、源泉地国課税とする

もの

上記①～⑤の課税方式のカテゴリーに入る主な締結国は、以下のとおりです。

課税方式	国　　名
①　不動産所有（不動産関連）法人株式の譲渡収益課税	アメリカ、イギリス、オーストラリア、オランダ、韓国、シンガポール、スイス、ドイツ、フィリピン、フランス、ベトナム、香港、メキシコ　など
②　事業譲渡類似株式の譲渡収益課税	オーストラリア、韓国、シンガポール、フランス、ベトナム、メキシコ　など
③　居住地国課税	イタリア、インドネシア、ブラジル、ベルギー　など
④　源泉地国課税	イスラエル、インド、カナダ、タイ、中国、マレーシア　など
⑤　源泉地国課税（その他所得条項）	スウェーデン

参考　法法4《納税義務者》、同22《各事業年度の所得の金額の計算》、OECDモデル条約13《譲渡収益》、日米租税条約13《譲渡収益》

005　非居住者が得る国内上場株式の譲渡益

Q　私は現在3年間の予定で内国法人シンガポール支店に赴任して現地に居住中ですが、これから日本の証券取引所に上場している製造業を営む会社の株式を売却する予定です。

現在の株価水準から計算すると譲渡益が生じる見込みですが、この譲渡益はどのように課税されるのか教えてください。

A　国内にPEを有していない非居住者が支払を受ける株式の譲渡による所得については、その株式が不動産関連法人株式など一定のものの譲渡に該当しない限り、国内法及び租税条約を通じて課税されません。

解説

ご質問の場合は、3年間の予定でシンガポールで勤務するために出国し現地に居住しているとのことですので、国内に住所を有しないものと推定され、非居住者に該当するものと認められます。

所得税法では非居住者の課税対象とされる国内源泉所得のうち、株式の譲渡による所得については、取引所金融商品（有価証券）市場において譲渡されるものなどがその国内源泉所得に該当するものとされています（その個別内容は第3章問2参照）。

しかしながら、国内に事務所等のPEを有していない非居住者が有する内国法人発行の株式の譲渡所得についてのその範囲は、

①　同一銘柄の内国法人の株券等の買集めをし、その所有者である地位を利用して譲渡することによる所得

②　内国法人の特殊関係株主である非居住者が行う事業譲渡類似株式の譲渡による所得

③　税制適格ストックオプションの権利行使により取得した内国法人の特定株式等の譲渡による所得

④　不動産関連法人の株式の譲渡による所得

⑤　国内にあるゴルフ場の所有等に係る法人の株式の譲渡による所得

⑥　非居住者が国内に滞在する間に行う譲渡で証券等が国内にある場合の譲渡による所得

に限定されています。

したがって、ご質問の場合は、これらの所得に該当しないと認められ、その場合の譲渡益については、所得税法上課税されないこととなります。

一方、シンガポールとの租税協定では、その譲渡収益条項において、不動産関連法人株式や事業譲渡類似株式の譲渡を除いて、居住地国でのみ課税されることとしていて、所得源泉地国では免税となります。

したがって、国内法及び租税協定とも、ご質問の株式譲渡益について我が国では課税されない取扱いとなっています。

参考　所法161①二・三《国内源泉所得》、同164《非居住者に対する課税の方法》、所令280《国内にある資産の運用又は保有により生ずる所得》、同281《国内にある資産の譲渡により生ずる所得》、同289《国内に源泉がある所得》、日星租税協定13④《譲渡収益》

006 ゴルフ会員権譲渡益の課税取扱い

Q 内国法人の海外支店に3年以上にわたり勤務中の者ですが、先日、国内にあるゴルフ場の株式所有方式でないゴルフ会員権を売却して譲渡益を得ました。この譲渡益は、国内ではどのように課税されるのでしょうか。なお、私は国内にPEを有していません。

A 非居住者が得るゴルフ会員権の譲渡益は、国内法では原則として総合課税の対象となりますので、所得税の確定申告が必要となります。ただし、租税条約の締結相手国によっては居住地国のみの課税とされていて、我が国における申告が不要な場合があります。

解説

1 所得税法の取扱い

ご質問の場合、3年以上にわたり海外勤務をされているということですので、国内に住所を有しない者として推定され、非居住者に該当することとなります。

国内にPEを有しない非居住者が所有する資産の譲渡による所得について我が国で課税対象となるのは、国内にある不動産の譲渡による所得、その他特定のものの譲渡による所得に限定されています。

この特定のものの譲渡による所得には、

① 国内にあるゴルフ場の所有又は経営に係る法人の株式又は出資を所有することが、そのゴルフ場を一般の利用者に比して有利な条件で継続的に利用する権利を有する者となるための要件とされている場合における、その株式又は出資

② 国内にあるゴルフ場その他の施設の利用に関する権利

の譲渡による所得が含まれています。

したがって、ゴルフ会員権は上記の①又は②のいずれかに該当しても国内源泉所

得となりますが、ご質問の場合、②に該当するものと思われますので、その場合得られた譲渡益は、我が国において課税の対象となります。

なお、非居住者が所有する国内にある資産の譲渡による所得は、源泉徴収の対象とはなりませんが、総合課税の対象となりますので、所得税の確定申告が必要です。

この確定申告における所得計算や税額計算の方法は居住者の場合と同様ですが、所得控除は雑損控除、寄附金控除及び基礎控除だけが控除できることとされていますので、注意が必要です。

この取扱いは、平成26年度税制改正前から同様の取扱いとされています。

注　外国法人の場合も非居住者と同様に、国内源泉所得として法人税の申告が必要となります（法法138①三、法令178①六・七）し、同じく改正前から同様です。

2　租税条約による取扱い

不動産及び株式を除く資産の譲渡について、租税条約においては、締結相手国によって主として次の取扱いに分かれています。

①　OECDモデル条約と同様にこの所得に関する課税取扱いの規定（譲渡収益条項）を置いて、これを居住地国課税として、我が国における源泉地国課税を免税とするもの（アメリカ、イギリス、インド、オーストラリア、韓国、ドイツ、フランスなど）

②　①と同様に譲渡収益条項を置いて、源泉地国課税とする（我が国で課税される）もの（カナダ、タイ、中国、マレーシアなど）

③　この所得に関する個別の規定はないが、明示なき所得の規定（その他所得条項）を置いて、源泉地国課税とするもの（スウェーデンのみ）

したがって、①の源泉地国免税とする締結国の居住者である場合は、我が国では免税とされることから申告の必要はありません。

参考　所法161《国内源泉所得》、同164①二《非居住者に対する課税の方法》、所令281①六・七《国内にある資産の譲渡により生ずる所得》

007 FX取引の課税取扱い

Q　私は中国で事業展開している合弁会社に派遣されて勤務し現地に1年以上居住していますが、転任前から国内で開設していたFX取引口座を通じてFX取引の差金決済を行い、利益を得ています。この利益による所得については、日本での確定申告が必要でしょうか。

A　非居住者が行うFX取引の差金決済により得られた差益に係る所得については、その差益を生じた所得の基因となるもの、すなわちその取引を行うことができることとなる契約上の地位を指しますが、それそのものが資産に該当するものと解されることから、国内源泉所得とされる資産の運用・保有により生ずる所得に当たるものと認められます。よって、その所得については、我が国における所得税の確定申告が必要となります。

解説

1 FX取引とその資産性

FX取引のFXとは「Foreign Exchange」の略称で、外国為替の英文略に由来しているといわれていますが、一般的には「外国為替証拠金取引」のことを指します。外国為替証拠金取引とは、その名称から判断できるように外国為替取引と証拠金取引の2つの取引から成り立ち、端的には、外国為替取引を証拠金取引の仕組みを用いて行うものといえます。まず、外国為替取引そのものは2つの異なる通貨を売買（交換）する取引のことをいいますが、異なる通貨間の交換率（為替レート）が日々刻々と変動することから、この為替レートの変動を利用して利益獲得のために行う為替取引がFX取引の要素であり手段となります。

また、証拠金取引ではFX取引業者などの金融商品取引業者に証拠金と称される資金を預ける取引口座を開設して、通貨の買い又は売りの取引を行い、その後に行う反対売買により為替レート差から生じる損益（差金）を確定し、その差金の受け渡し（差金決済）を証拠金の加減算で行うことにより、そのことが結果として証拠金の残高に反映して、その増減額が主たる損益となります。このため、証拠金として預け入れた金額を超える取引や、通貨の売りから入る取引も可能となります。

よってFX取引とは、証拠金を取引業者に差し入れることにより外国為替取引を行うことが可能となり、その取引の結果、差金決済を通じて為替差益を得られる地位にあるという権利（=資産）を有した上で行う取引であり、高リスク高リターンの性格を有する資産運用の一形態とも捉えられます。

所得税法では「資産」について明確な定義規定は置いていませんので、資産の定義は個別の条文や判例等を参考にして定義づけざるを得ませんが、資産とは、一般的には経済的価値を有する財産権をすべて含む概念であって、借地権や無体財産権、許認可により得られた権利や地位などの経済的価値を有する契約上の権利や地位などを広く含む概念がそれに当たるものと解されます。そのことから、上記のFX取引に係る契約上の地位たる権利は資産に該当するものと認められます。

2　FX取引による所得の範囲

FX取引で生じた差金決済に係る所得は、上記1記載のとおり、証拠金の差し入れによりFX取引ができることとなるという契約上の地位は資産に該当すると認められ、その契約上の地位たる権利を行使してはじめて得られたものであることから、資産の運用、保有により生ずる所得に当たるものと考えられます。

したがって、非居住者の国内源泉所得に該当しますので、所得税の確定申告が必要となります。

注　以上の考え方は国税不服審判所の平成31年3月25日裁決と同旨であり、裁決内容を一部引用しました。

3　租税条約における取扱い

日中租税協定においては、資産の運用・保有により生ずる所得に当たる個別条項はありませんが、その他所得条項により、所得源泉地課税と規定されていることから、源泉地の国内法により課税されることとなりますので、所得税の確定申告が必要となります。

参考　所法161①二《国内源泉所得》、同164①《非居住者に対する課税の方法》、所令280《国内にある資産の運用又は保有により生ずる所得》、日中租税協定22《その他所得》

008 国際運輸業所得の課税取扱い

Q 非居住者等が得る国際運輸業所得について、その課税取扱いを教えてください。

A PEを有する非居住者等の国内源泉所得とされる国際運輸業所得とは、国内及び国外にわたって行う船舶又は航空機による運送の事業による所得をいい、事業上の所得たるPE帰属所得として課税されることとなります。このように国の内外にわたって行う事業については、国内法上、国内事業から生ずる所得とされるものの範囲が具体的に定められています。

解説

国際運輸業の国内源泉所得とされるPE帰属所得の算定基準は、次のとおりとされています。

① 船舶による運送の事業については、国内において乗船し又は船積みをした旅客又は貨物に係る収入金額

② 航空機による運送の事業については、その国内業務に係る収入金額、必要経費、その国内業務の用に供する固定資産の価額等

つまり、事業所得と同様に、原則としてPEの存在する国において課税することとされていますが、「外国居住者等の所得に対する相互主義による所得税等の非課税等に関する法律」（旧法=「外国人等の国際運輸業に係る所得に対する相互主義による所得税等の非課税に関する法律」を改正したもの）により、相手国が我が国の国際運輸業者について非課税とすることを条件に、相手国の国際運輸業者の所得について、我が国でも非課税とする場合があります。

また、租税条約においても、ほとんどの締結国との間で国際運輸業所得について、

相互免税の規定が置かれています。

注　租税条約において相互免税規定を置いていない国は、船舶についてはタイ、バングラデシュの2か国、船舶・航空機の双方についてはスリランカ、フィリピンの2か国ですが、例えばタイについてはその税額の50%に軽減されているなど、これらのいずれの国とも課税上の軽減措置がとられています。

【参考】

上記の法律、及び同施行令に基づく国際運輸業所得についての相互免税については、その事業に付随する次の(1)の業務に係る所得を含むこととされていますが、その対象国は(2)に掲げる国とされています。

(1)　国際運輸業に付随して行う業務

①　船舶又は航空機の貸付け

②　上記①の貸付や船舶又は航空機による旅客・物品の運送に係る取次ぎ、媒介、代理その他これらに類する行為

③　旅客・貨物を空港へ運送し、又はこれらを空港から運送する行為

(2)　対象国及び租目等

外　国	非課税所得	税目
アメリカ	アメリカの居住者が営む船舶・航空機による国際運輸業所得	所得税、法人税及び事業税
オランダ	オランダに登録されている船舶による国際運輸業所得	所得税、法人税、住民税及び事業税
アルゼンチン	アルゼンチンの企業が営む船舶・航空機による国際運輸業所得	所得税及び法人税
レバノン	レバノンの居住者が営む船舶・航空機による国際運輸業所得	所得税、法人税、住民税及び事業税
イラン	イランの法人が営む航空機による国際運輸業所得	所得税及び法人税

注　表にある「非課税所得」には、租税条約により免除されることとなる所得は含まれません。

参考　所法161①一・③《国内源泉所得》、所令291《国際運輸業所得》、法法138③《国内源泉所得》、法令182《国際運輸業所得》、所得相互免除法11《国際運輸業に係る所得に対する所得税又は法人税の非課税》、同44《所得税又は法人税の非課税》、所得相互免除令35《国際運輸業に係る所得の範囲》、同36《外国の指定等》、同別表

009 償還差益に対する課税取扱い

Q 非居住者が受ける償還差益は、どのように課税されるのでしょうか。

A 非居住者が受ける割引債の償還差益は、国内法では利子等又は貸付金利子に含まれませんので、国内にある資産の運用又は保有による所得として、原則として源泉徴収の対象とならず、確定申告により納税することとなります。

ただし、2016（平成28）年1月1日前に発行された割引債については、措置法の規定により特定の割引債の償還差益（券面金額－発行価額）については、その発行時に18.378％（一部のものは16.336％）の税率による源泉分離課税が適用されて、源泉徴収のみで納税が完了することとなります。

2016（平成28）年1月1日以後に発行される割引債については、原則として発行時の源泉徴収制度及び源泉分離課税制度が廃止され、同日以後に支払われる償還金の差額金額について15.315％の税率による源泉徴収が行われることとなっています。

解説

1 国内法の取扱い

所得税の源泉徴収の対象とされる特定の割引債とは、割引の方法により発行される公債・内国法人発行の社債・外国法人が国内で発行した債券（償還期間1年以下である短期公社債で特定振替記載等がされるものを除きます）をいいますが、このほか、外国法人が2008（平成20）年5月1日以後に国外で発行する割引債の償還差益については、その外国法人が国内において行う事業に帰せられる部分の金額が、源泉徴収の対象となります（償還差益に関する取扱い、及び2016（平成28）年1月1日以後の取扱いの詳細は、第3章問159参照）。

2　租税条約における取扱い

我が国が締結した租税条約における割引債の償還差益に対する課税方法は、次の3パターンに分かれています。

① 利子等と同様に課税	アメリカ、イギリス、オーストラリア、中国、ドイツ、フランスなど下記②、③該当国等以外の条約締結国
② 居住地国で課税 （我が国では免税）	フィンランド
③ 国内法を適用して課税	エジプト、スリランカ、フィジー、ブラジル

なお、上表にある規定の取扱いは、次のとおりです。

(1)　利子等と同様に課税

租税条約では償還差益を個別の規定で利子に含め、利子についての免税又は軽減税率を適用することとしているもの

注　償還差益は、租税条約の規定では「公債、債券又は社債の割増金」や「償還された金額のうち融通された金額を超える部分」等と表現されています。

(2)　居住地国で課税（我が国では免税）

租税条約では償還差益を個別の規定では利子に含めないで、明示なき所得の規定（その他所得条項）により所得者の居住地国のみで課税し、所得源泉地国では課税しない（我が国では免税となる）こととしているもの

(3)　国内法を適用して課税

租税条約では償還差益を個別の規定で利子に含めないか、若しくは個別の規定がないため、又はその他所得条項の適用により源泉地国課税ができることとされているため、国内法の適用により居住者又は内国法人の場合と同様の源泉徴収税率を適用することとしているもの

参考　所法161①二《国内源泉所得》、措法41の12《償還差益等に係る分離課税等》、同41の12の2《割引債の差益金額に係る源泉徴収等の特例》、日米租税条約11《利子》ほか

第2節　組合契約事業利益の配分

010　組合契約事業利益の配分とは

Q　国内源泉所得とされる組合契約事業利益の配分とは、どのようなものをいうのでしょうか。

A　組合契約事業利益の配分とは、民法上の組合契約、投資事業有限責任組合契約又は有限責任事業組合契約などの組合契約に基づいてPEを通じて行う事業（組合契約事業）から生ずる利益で、非居住者等がその組合契約に基づいて配分を受けるものが、所得税法では国内源泉所得とされていて、所得税の源泉徴収の対象となるとともに総合課税の対象となります。

解説

1　対象となる組合契約の範囲等

(1) 対象となる契約

以下に掲げる契約が対象となります。

①　民法第667条第1項に規定する組合契約

②　投資事業有限責任組合契約に関する法律第3条第1項に規定する投資事業有限責任組合契約

③　有限責任事業組合契約に関する法律第3条第1項に規定する有限責任事業組合契約

④　外国における上記①～③に類する契約

(2) 各組合の概要

組合の形態としては従来から民法上の任意組合（「民法組合」といいます）があり、民法組合とは、2名以上の各当事者（組合員）が出資をして共同事業（事業目的は問われません）を営むことを約する合意によって成立する団体です。ただし、団体としての社団性や権利義務は有しておらず、登記も要しません。

民法組合はすべて無限責任組合員で構成されていて、課税関係は構成員課税（組合段階で課税されず、組合員に直接課税）とされています。具体的には、建設共同事業体（JV）や映画製作委員会などがこれに当たります。その後、投資事業有限責任組合（「投資組合」と称します）制度や有限責任事業組合（「有限組合」と称します）制度が、それぞれの個別法のもとで創設されました。

投資組合制度は、米国のLPS（Limited Partnership）をモデルに事業に対する資金供給等を目的として1998（平成10）年から発足しましたが、民法組合と大きく異なる点は、①有限責任組合員がいること（業務執行は無限責任組合員が行います）と、②登記を要することです。

有限組合制度は、欧米のLLP（Limited Liability Partnership）をモデルに新規創業の促進等を目的として2005（平成17）年から発足し、その特徴としては、①登記を要する点で民法組合と異なり、②出資者全員が有限責任の組合員である点で民法組合及び投資組合と異なり、③組合員全員が業務執行に当たる点で投資組合と異なります。

なお、組合契約事業は組合員の共同事業に当たることから、国内に事業所等のPEを置いて事業を行う場合には、その構成員たる各組合員においても、それぞれPEを有して直接事業を行っていることとなります。

また、所得税法では事業所得とされるPE帰属所得とは別建てで国内源泉所得の一つとして明記されていて、その利益の配分者に源泉徴収義務が課されています。法人税法では国内源泉所得の中には明文化されていませんが、その配分を受けるものは所得税の源泉徴収を受けたうえで、PE帰属所得として法人税の課税対象に組み込まれて申告時にすべて反映・精算されることとなります。

2 国内源泉所得の範囲

組合契約事業から生ずる利益、すなわち次の算式により計算した利益のうちから、組合契約を締結している、又はしていた者（組合員）がその組合契約に基づいて配分を受けるものが、国内源泉所得に該当します。

国内において行う組合契約に基づいてＰＥを通じて行う事業収入	－	その事業収入に係る費用	＝	組合契約事業利益

注1　事業収入には、収入に代わる性質を有する損害賠償金、和解金、解決金や遅延利息金で事業収入に代わる性質を有するものが含まれます。なお、この取扱いは、以下に記述する他の各国内源泉所得についても同様です（所基通161－46）。

2　上記の費用には、国内源泉所得について源泉徴収された所得税を含みます。

なお、法人の組合員の場合も上記**1**にあるとおりその配分を受ける事業利益について所得税の源泉徴収（税率20.42％）の対象とされています。

参考　所法161①四《国内源泉所得》、同212《源泉徴収義務》、所令281の2《恒久的施設を通じて行う組合事業から生ずる利益》、同328の2《組合員に類する者の範囲》、所基通164－4《恒久的施設を有する組合員の判定》

011　組合契約事業利益に対する租税条約の取扱い

Q　組合契約事業利益の配分については非居住者等の国内源泉所得とされていますが、租税条約ではどのような取扱いとされているのでしょうか。

A　所得税法では非居住者等が組合契約などに基づいて配分を受けるものについては国内源泉所得とされていますが、租税条約では事業所得条項が適用されるのが一般的です。事業所得は、非居住者等が国内に有するPEを通じて事業を行う場合に、そのPEに帰せられる部分に対してのみ我が国で課税されます。

解説

非居住者等がその組合契約事業から配分を受ける利益については、事業所得条項の定めのある租税条約では、例外なく適用されることとなりますので、その場合は所得源泉地国内にあるPEに帰せられる部分に対してのみ所得源泉地国たる我が国で課税されます。

したがって、国内にPEが存在しない場合や、PEが存在していても、そのPEに組合契約事業から生ずる利益が帰属しない場合には、利益が生じて配分を受けたとしても我が国では課税されないこととなります。

このことは、租税条約の形態をとっていないが、実質的には条約と同等の取扱いを受けることとされる、台湾との民間取決めに基づいて法的に裏付けしている所得相互免除法においても、同様となります。

なお、国内法の適用と同様に租税条約の適用においても、組合契約事業そのものは組合員の共同事業にあたることから、国内に事業所得のPEを置いて事業を行う場合には、その各組合員もそれぞれPEを有して直接事業を行っていることとなります。

そのことから、組合契約事業の利益配分を受ける場合は原則として国内法により源泉徴収の対象となるとともに、確定申告を要することとなります。

ただし、PEの範囲について国内法と租税条約でその規定する内容が異なっていることがあります。国内法上PEに該当する場合であっても、租税条約の規定によりPEに該当しないものと認められるものはないのか、よく確認することが必要ですが、現状の条文には異なる取扱いとする規定は見当たりませんので、国内法に従って課税されることとなります。

参考　日米租税条約7《事業所得》ほか

012 組合契約事業利益配分の源泉徴収制度

Q 非居住者等に対する組合契約事業利益の配分については、源泉徴収を要するそうですが、その内容はどのようになっているのでしょうか。

A 非居住者等の国内源泉所得とされる組合契約事業から生ずる利益の配分をする者は、その利益の支払をする者とみなされて、原則として20.42%の税率により源泉徴収を要することとなります。

解説

所得税法上、国内にPEを有する組合員である非居住者等が、そのPEを通じて行う組合契約事業の計算期間において生じた利益について金銭その他の資産（金銭等）の交付を受ける場合に、その利益の配分をする者（組合員の全員となります）はその利益の支払をする者とみなされて、所得税の源泉徴収義務者となります。

したがって、その配分をする者は金銭等の交付をした日、又は計算期間の末日の翌日から2か月を経過する日までに利益配分のための金銭等の交付がされない場合は、2か月を経過する日においてその支払があったものとみなして、原則としてそのつど所得税の源泉徴収が必要となります。

なお、組合契約事業の事務所等が国内にあれば、それはPEに該当して、そのPEを通じて事業を行っている場合には、すべての組合員が国内にPEを有して、そのPEを通じて事業を行っていることとなります。そのため、租税条約において、一般的に規定されている「PEなければ課税なし」、又は「PE帰属所得なければ課税なし」の原則に該当せず、その原則は適用されないことから、国内法に従って源泉徴収を要することとなります。

注1　国内に組合契約事業に関するPEも、それ以外の事業についてのPEもない場合には、その組合員である非居住者等が受ける利益の配分については、源泉徴収をする必要がありません。

2　組合員の範囲及び租税条約の取扱いは問10、11参照。

参考　所法161①四《国内源泉所得》、同212①、⑤《源泉徴収義務》、同213①一《徴収税額》

013 投資組合契約の外国組合員に対する課税の特例

Q 投資組合契約を締結して組合員となっている非居住者等には課税の特例があるそうですが、その要件などを教えてください。

A 投資事業有限責任組合（投資組合）契約を締結している非居住者等の組合員（外国組合員）で、かつ国内にPEを有してそのPEを通じて事業を行う者のうち、一定の要件を満たすものは、国内にPE帰属所得を有しない外国組合員とみなされて、課税されないこととされています。

解説

投資組合契約を締結している外国組合員のうちPE帰属所得を有しない外国組合員とみなされるための一定の要件と手続は、国内法では以下のとおりです。

1 適応要件

各組合員単位で次に掲げるすべての要件を満たす必要があります。

① 上記の投資組合契約によって成立する投資組合の有限責任組合員であること

② その投資組合契約に基づいて行う事業に係る業務の執行を行わないこと

③ その投資組合の組合財産に対する持分割合が25%未満であること

④ その投資組合の無限責任組合員と特殊の関係にないこと

⑤ その投資組合契約に基づいて国内においてPEを通じて事業を行っていないとしたならば（その組合員事業を除けば）、国内にPE帰属所得を有しない者に該当すること

注1　上記③の持分割合は、外国組合員と特殊の関係のある組合員の各特殊関係組合員の持分割合や、各特殊組合員の損益分配割合のいずれか高い割合で判定することとされていますが、このうち、親子関係のあるファンド（ファンド・オブ・ファンズ）の場合は、その持分割合を除外する等の計算を行い、その割合で判定することとされています。

2　投資組合契約には、
①　外国におけるこれに類する契約を含みます。
②　上記⑤の要件においては、外国組合員が既にこの特例の適用を受けている場合には、その投資組合契約以外のその外国組合員が締結していてこの特例が適用されている（組合員事業から除かれている）投資組合契約を含みます。

2　適用手続

その適用を受けるには、まず上記1の要件を満たす外国組合員が、所定の事項を記載した書類（特例適用申告書）に、上記1の①から③の要件を満たすことを証する書類を添付したものを、投資組合の無限責任組合員で組合利益の配分の取扱いをする者を経由して、組合利益の支払事務の取扱事務所等の所在地の所轄税務署長に提出する必要があります。

なおかつ、原則としてその投資組合の組合契約締結の日からその提出の日まで継続して上記1の①から⑤の要件を満たしている場合には、その提出の日以後、国内にPE帰属所得を有しないものとして取り扱われます。

したがって、その外国組合員が受ける組合契約事業利益の配分については、源泉徴収（課税）の対象とされません。

なお、その外国組合員が上記1の①から⑤の要件のいずれかを満たさなくなった場合には、その満たさないこととなった日以後は、その投資組合の解散又はその外国組合員が投資組合からの脱退などにより組合員でなくなるまでの間は、この取扱いは適用されません。

参考　措法41の21《外国組合員に対する課税の特例》、措令26の30《外国組合員に対する課税の特例》

第3節　土地等の譲渡対価

014　土地等の譲渡対価に対する源泉徴収制度

Q　非居住者等から国内にある土地などを購入する場合には、その支払う対価について源泉徴収を要するそうですが、どのような内容になっているのでしょうか。

A　所得税法上、非居住者等に対し、一定の土地等の譲渡による対価を支払う場合には、10.21％の税率による源泉徴収が必要とされていて、租税条約においても、その土地等の所在地国の課税を認めるのが通例です。

解説

1　国内法による取扱い

所得税の源泉徴収を要することとなる「一定の土地等の譲渡による対価」とは、国内にある土地若しくは土地の上に存する権利又は建物及びその附属設備若しくは構築物の譲渡による対価で、適用除外となるものを除いたものをいいます。

なお、この場合の源泉徴収義務者には、その対象となる対価の支払をする者が例外なくすべて含まれることとなっていますので、たとえ給与所得の源泉徴収義務者となっていないサラリーマンなど一般の人であっても源泉徴収義務者となり得ます。

ただし、これらに該当する譲渡の対価を非居住者等に支払う場合であっても、個人が自己等の居住用のために譲り受ける場合で、かつ、その対価が1億円以下である場合には、源泉徴収の対象となる非居住者等の国内源泉所得から除かれていて

（適用除外）、源泉徴収の必要はありません。

これは、居住用とするために比較的少額な不動産の譲渡を受けた個人についてまで源泉徴収義務を課すことは適当でないと考慮されたためです。

注　源泉徴収の対象とならない土地等の譲渡対価に該当するとしても、その所得者は国内にある資産（不動産）の譲渡による所得について確定申告を要することとなります。

以上をまとめると、次の表のとおりとなります。

課　税　対　象　所　得	適用除外となるもの	税　率
国内にある土地等の譲渡による対価 (1)　「土地等」の範囲 ①　土地若しくは土地の上に存する権利 ②　建物及びその附属設備 ③　構築物 注　土地等には、鉱業権（租鉱権及び採石権その他土石を採掘し又は採取する権利を含みます）、温泉を利用する権利、借家権及び土石（砂）などは含まれません。 (2)　「譲渡」の意義 通常の売買のほか、交換、競売、公売、代物弁済、財産分与、収用及び法人に対する現物出資など、有償無償を問わず、所有する資産を移転させる一切の行為を含みます。	次のいずれにも該当する場合 ①　譲渡対価の額が1億円以下であること ②　譲受人（個人）が自己又はその親族の居住の用に供するために譲り受けたものであること 注1　「居住の用に供する」ためには、その譲受けの日の現況において合理的な理由があれば、居住用に含まれることとされています。 2　個人の居住用であることが要件ですので、譲受人が法人の場合は適用除外とならず源泉徴収が必要です。	譲渡対価の10.21%

注1　上記の適用除外以外に、国際協定等により非課税とされている国際機関や、国内に居住する外国の大公使や外交官である大公使館職員は、人的非課税の取扱いを受けることから、これらに支払われるその譲渡対価についても、源泉徴収は不要です（第1章問29参照）。

2　外国法人について適用が除外されるのは、所得税法第13条第1項ただし書に規定する信託で、国内にある営業所に信託されたものの信託財産に帰せられるものに係るものに限定されます。これらを除き、「源泉徴収の免除証明書制度」（第1章問28参照）の適用はありませんので、原則どおり源泉徴収が必要となります（所法180①）。

3　土地等の譲渡がPE帰属所得に該当するものであっても、非居住者等の国内源泉所得とされる土地等の譲渡の要件に該当する場合は、所得税の源泉徴収を受けて、PE帰属所得の確定申告の際に精算されることとなります。

2　租税条約による取扱い

我が国が締結した租税条約では、土地等の譲渡による所得については、OECD

モデル条約と同様に譲渡収益条項において、その土地等の所在地国が課税できることとされている（源泉地国課税）のが一般的であり、その例外規定はありません。

したがって、土地等の譲渡については国内法の定めと同じ内容が適用されることとなり、実務的には国内法に基づき課税されることとなります。

注　以下、第3節の解説においては、個別に触れる必要がある場合を除き、租税条約に関する記述は省略します。

参考　所法161①五《国内源泉所得》、同212①《源泉徴収義務》、同213①二《徴収税額》、所令281の3《国内にある土地等の譲渡による対価》、所基通161－16《土地等の範囲》、同161－17《自己又はその親族の居住の用に供するために該当するかどうかの判定》、OECDモデル条約13《譲渡収益》

015 事務所併用住宅を購入した場合の譲渡対価の判定

Q 個人でコンサルティング事務所を経営している者ですが、土地付の事務所併用住宅を非居住者から購入することとなりました。この土地及び建物の対価は一括して1億2,000万円ですが、そのうち事務所部分は7,000万円、住宅部分は5,000万円と按分計算しています。

この場合、居住用部分の5,000万円については、居住用不動産の取得のために個人が1億円以下で譲渡した場合の特例が適用されて、源泉徴収を行わなくてもよいのでしょうか。

A 非居住者等に対して支払う譲渡対価の額は、その土地等の居住用部分と居住用以外の部分との対価の額の合計額により判定することとなりますので、その総額が1億円を超える場合には、国内源泉所得に該当して源泉徴収が必要となります。

解説

所得税法では非居住者等から国内にある土地等の譲渡を受けて、その対価を支払う者は、原則として所得税の源泉徴収義務が課されています。ただし、その譲渡対価の額が1億円以下で、かつ、その土地等を譲り受けた個人が自己又はその親族の居住の用に供するために譲り受けたものであるときには、源泉徴収の対象となる非居住者等の国内源泉所得から除かれており、源泉徴収を行う必要はありません。

ご質問のように、その土地等を居住用の部分と居住用以外の部分とに併用するために譲り受けた場合において、土地等の譲渡対価の額が1億円以下であるかどうかの判定に当たっては、居住用部分に係る対価の額だけで行うのではなく、あくまでも譲り受けた土地等の全体の金額、すなわち居住用部分に係る金額及び居住用以外の部分に係る対価の金額の合計額で判定することとされています。

したがって、ご質問の場合、居住用部分が5,000万円であっても、譲渡対価の総額は1億2,000万円ですから、源泉徴収が不要となる国内源泉所得の特例の要件に該当せず、特例は適用することができません。居住用部分を含めた譲渡対価の全額1億2,000万円に対して10.21%の税率による所得税12,252,000円の源泉徴収が必要となります。

注　事務所併用住宅をその譲渡対価の額が1億円以下で取得する場合において、その家屋の床面積の2分の1以上を居住用とすれば、主たる用途が居住用であると判定されて、上記の特例の適用ができます。

参考　所法161①五《国内源泉所得》、同法212①《源泉徴収義務》、同法213①二《徴収税額》、所令281の3《国内にある土地等の譲渡による対価》、所基通161－18《譲渡対価が1億円を超えるかどうかの判定》

016 サラリーマンが共有で住宅を購入した場合の取扱い

Q　サラリーマンである私と妻は50%ずつの共有により、非居住者から居住用の土地・家屋を1億4,000万円で購入しました。

この場合、全体の購入代金は1億4,000万円ですが、共有持ち分で按分すれば1人当り1億円以下となることから、源泉徴収が不要となる特例が受けられますか。また、もし特例が受けられないとしても、私も妻もサラリーマンですから、源泉徴収は行わなくてもよいでしょうか。

あなたも奥さんも、非居住者に住宅の購入代金を支払う際、10.21%の税率による源泉徴収を行う必要があります。

解説

ご質問の場合、非居住者等に支払う土地等の譲渡対価の額が1億円以下で、かつ、その土地等を自己又はその親族の居住の用に供するために取得する場合に該当すれば、所得税法上、源泉徴収の対象となる国内源泉所得から除かれることとなりますので、所得税の源泉徴収を行う必要はありません。

しかし、この場合の譲渡対価の額が1億円以下であるかどうかの判定は、法令の規定ぶりからその対価の金額そのもの、すなわちその土地等を譲渡した非居住者等が受け取る金額により判定することと解されます。

したがって、ご質問の場合には、非居住者が受け取る金額は1億円を超えていますので、上記の特例の適用はなく、譲渡対価の全額に対して10.21%の税率による所得税の源泉徴収が必要となります。

なお、この制度における源泉徴収義務者には、その対価の支払をする者のうち、上記の特例の適用を受ける者や人的非課税とされる者に対して支払をする者を除き、すべての支払者が含まれることとされています。そのため例えば、常時2名以下の家事使用人のみに対し給与等の支払をする個人の方の場合は、その支払う給与や報酬料金等について源泉徴収義務を免除されているという取扱いがありますが、この場合には適用されません。ご質問にあるようにサラリーマン（給与所得者）の方であっても、非居住者等に対する土地等の譲渡対価の支払の際は、10.21%の税率により源泉徴収を行うことが必要になります。

よって、あなたと奥さんはそれぞれ7,147,000円（1億4,000万円×1/2×10.21%）の所得税を源泉徴収する必要があります。

参考　所法161①五《国内源泉所得》、同212①《源泉徴収義務》、同213①二《徴収税額》、所令281の3《国内にある土地等の譲渡による対価》

017 土地共有の非居住者から購入する場合の取扱い

Q 非居住者2名が1/2ずつ共有している土地建物を自己の居住のためにその対価合計1億4,000万円で購入する予定ですが、源泉徴収が必要でしょうか。

A その譲渡者1人ごとの譲渡対価の額が1億円以下となることから、源泉徴収を要しません。

解説

前問（問16）の解説にありますように、非居住者等に支払う土地等の譲渡対価の額が1億円以下で、かつ、譲受人がその土地等を自己又はその親族の居住の用に供するために取得する場合に該当すれば、所得税法上、源泉徴収の対象となる国内源泉所得から除かれて所得税の源泉徴収は不要となります。

ご質問の場合は、土地等の譲渡対価の合計は1億円を超えているとしても、非居住者2人の共有で1/2ずつの持ち分を有しているとのことですので、土地等の譲渡を受ける非居住者一人当りの対価の額は7,000万円（1億4,000万円×1/2）となります。

したがって、非居住者2人ともそれぞれ1億円以下の譲渡対価の額で、かつ、譲受人の居住用のための購入という上記の要件を満たすことから、源泉徴収を行う必要はありません。

参考　所法161①五《国内源泉所得》、同212《源泉徴収義務》、所令281の3《国内にある土地等の譲渡による対価》

018 土地等の一括譲渡対価に含まれる固定資産税相当額

Q 内国法人である当社は、倉庫として使用するために外国法人日本支店から土地建物の一括譲渡を受けて、その対価を支払う契約を締結しました。その対価は1億円を超えていますので源泉徴収を行う予定ですが、契約に際して、その物件に係る未経過の固定資産税相当額も引渡し後の未経過日数に応じて支払うこととなりました。

この支払金額についても源泉徴収の対象に加えるべきでしょうか。

A 土地建物の譲渡契約において授受することとなった未経過固定資産税相当額は、その譲渡対価を構成することから、その分も含めて源泉徴収を要します。

解説

不動産取引の商慣習上、未経過期間対応分の固定資産税相当額をその不動産の本体価格に上乗せして精算することが当事者間の合意により広く行われていますが、地方税法上、固定資産税の納税義務者はその年の1月1日現在の物件所有者である売主とされていて、その年の中途において物件所有者が変更されたとしても納税義務者及びその納付税額とも変更されません。

よって、この上乗せ相当額は売買当事者間における取引上の利益を調整するための金銭授受に当たるものと認められ、譲渡対価の一部を構成することとなります。

注　ただし、売主が名義変更手続を失念などしたため、本来の所有者としてではなく納税義務を課されたものを調整するために授受する固定資産税相当額は、これに当たりません。

また、外国法人に支払う土地及び建物の譲渡による対価は1億円を超えて、内国法人たる貴社が取得するとのことですので、所得税法上、その外国法人の土地等の譲渡による国内源泉所得に該当します。

したがって、ご質問の場合は、固定資産税相当額を含む譲渡対価に対してその支払の際10.21%の税率による所得税の源泉徴収が必要となります。

参考　所法161①五《国内源泉所得》、同212《源泉徴収義務》、同213《徴収税額》、地法343①②《固定資産の納税義務者等》、同359《固定資産税の賦課期日》、消基通10－1－6《未経過固定資産税等の取扱い》

019 土地譲渡者が契約後の引渡し時に非居住者となった場合の取扱い

Q 内国法人である当社は、2023（令和5）年1月に居住者である会社員Aから国内にある土地を1億6,000万円で購入する契約を締結し、手付金800万円を支払いました。土地の引渡しはAの事情で2024（令和6）年5月となる予定であり、その時点で残金を支払うこととなっています。ところが、Aは引渡し前の2024（令和6）年4月から3年間の予定で海外転勤により出国することとなりました。この場合の支払は、非居住者に対する土地等の譲渡対価の支払に該当して、源泉徴収が必要となるのでしょうか。

A 土地等の譲渡について、所得税法上、その収入すべき日は、原則としてその引渡しの日とされることから、土地の引渡日において非居住者となっている場合には、非居住者に対する土地等の譲渡対価の支払に該当し、その対価の額から判定すると原則として源泉徴収が必要です。ただし、出国時までにしたAさんの確定申告の内容いかんによっては、源泉徴収は不要です。

解説

非居住者が国内にある土地等を法人事業者に1億円を超える対価の額で譲渡した場合、その譲渡所得の総収入金額の収入すべき時において非居住者としてその対価の支払を受けるときには、その対価について源泉徴収が必要となることとされています。ここでいう「譲渡所得の総収入金額の収入すべき時期」は、所得税法では原則として、資産の引渡しがあった日によるものとされています。

ご質問の場合、Aさんは土地譲渡の契約時点では居住者に該当しますが、その引渡しの日においては、既に1年以上の予定で出国されていることから、国内に住所を有しないものと推定されて非居住者となります。

したがって、非居住者となった後に譲渡対価の支払を受けることとなっていますので、内国法人たる貴社が支払うその譲渡対価の額が1億円を超えることから、その支払については原則として所得税の源泉徴収が必要となります。ただし、契約時に支払った手付金のように、その支払うべき日の現況において居住者である者に対して支払っているものについては、源泉徴収を行わなくて差し支えありません。

その一方、確定申告において、譲渡所得の総収入金額の収入すべき時期を「譲渡に関する契約の効力発生の日（契約締結日）」としている場合には、それを認めることとされています。

そのため、Aさんのように居住者が年の中途で出国する場合に、出国する日までに提出しなければならないこととされている所得税の確定申告書において、土地等の譲渡の日を「契約締結日」としているときには、引渡しの日においては、Aさんは既にその土地等の譲渡所得を申告済みということになりますので、源泉徴収を行わなくて差し支えありません。

そのようなことから、上記申告内容をAさんに確認した上で判断することをお勧めします。

参考　所法127《年の中途で出国をする場合の確定申告》、同161①五《国内源泉所得》、同212《源泉徴収義務》、所基通36－12《山林所得又は譲渡所得の総収入金額の収入すべき時期》

020 土地の譲渡所得の確定申告

Q 私は5年前からアメリカに居住しています。先日、相続により取得した日本国内にある土地を内国法人に売却し、その際、土地の譲渡対価の10.21％相当額が源泉徴収されました。

この土地の譲渡所得の課税は、日本ではその源泉徴収だけで終了するのでしょうか。

A 非居住者の場合、国内にある土地等の譲渡所得は、所得税法では総合課税の対象とされていますので、10.21％の源泉徴収だけで課税関係は完了しません。我が国において、その譲渡の日の属する年の翌年3月15日までに所得税の確定申告を行う必要があります。

解説

土地等の譲渡所得に関するこの取扱いは、譲渡者の国内におけるPEの有無又はPE帰属所得の有無にかかわらず、すべての非居住者に適用されます。したがって、土地等の譲渡対価の授受の際に課された10.21％相当額の源泉所得税は、確定申告によりその他の所得と合算されて精算されることとなります。

また、本問の場合と異なり、国内にある土地等の譲渡が源泉徴収の対象とならない場合においても、その所得者は資産（不動産）の譲渡による所得として同じ様に確定申告を要します。

なお、日米租税条約では、原則として、不動産の譲渡収益はその不動産の所在する締結国において課税（源泉地国課税）されることと定められています。したがって、ご質問の場合は、租税条約によって上記の課税関係が修正されることはありません。

参考 所法161①五《国内源泉所得》、同164①一ロ・二《非居住者に対する課税の方法》、同213①二《徴収税額》、日米租税条約13①《譲渡収益》

第4節 人的役務提供事業の対価

021 人的役務提供事業とは

Q 国内源泉所得とされる「人的役務の提供を主たる内容とする事業」とは、どのようなものをいうのでしょうか。

A 国内法上、国内源泉所得とされる人的役務提供事業とは、国内において、非居住者が営む「自己以外の者の人的役務の提供を主な内容とする一定の事業」、又は外国法人が営む「人的役務の提供を主な内容とする一定の事業」をいいます。表現を変えると、特定の人に役務提供をさせることを主な内容とする事業のことを指しますから、いわば人材派遣業的性質を有する事業ともいえます。

解説

人的役務提供事業は、国内法上、非居住者等が国内において行う一定の事業であって、事業を行う人（又は法人）自身が役務を提供するのではなく、その人が雇用している人や、その人と契約している人など、その人以外の他人が役務を提供することを主たる内容とする事業のことをいいます。したがって、非居住者が自ら役務の提供を行うことによって得られる給与、人的役務提供の報酬等と混同しないように区別することが必要です。

また、その事業は国内における事業に限られることから、日本の企業が国外で非居住者等から役務の提供を受けた場合には、その対価は国内源泉所得に該当しません。

この事業の範囲は、次のように定められています。

⑴　映画若しくは演劇の俳優、音楽家その他の芸能人又は職業運動家の役務の提供を主たる内容とするもの

⑵　弁護士、公認会計士、建築士その他の自由職業者の役務の提供を主たる内容とするもの

⑶　科学技術、経営管理その他の分野に関する専門的知識又は特別な技能を有する者のその知識又は技能を活用して行う役務の提供を主たる内容とするもの

ただし、上記⑶のうち、機械設備の販売その他事業を行う者の主たる業務に付随して行われる場合におけるその事業、及び建設、据付け、組立てその他の作業の指揮監督の役務の提供を主たる内容とする事業は除きます。

その事業が国内源泉所得とされる人的役務の提供を主な内容とする事業であるかどうかについては、国内における役務提供の契約ごとに、上記⑴～⑶にある内容の事業に該当するかどうかによって判定するものとされています。

また、芸能人の実演の録音、録画、放送などに関する支払で、著作隣接権の対価に対応するものを実演の対価に含めて一括して支払われる場合は、その全額が上記⑴の事業の対価になります。

ただし、実演の対価と区分して別途支払われるものは、著作隣接権の使用料に該当します。

なお、非居住者が次の①～④に掲げるような者を伴って、国内において自己の役務を主たる内容とする役務の提供をした場合に受ける報酬は、たとえその報酬の中にその伴った者の報酬部分が含まれていたとしても、伴った者の報酬部分を別途に区分して、その部分は人的役務提供事業の対価として捉えるのではなく、すべてその非居住者本人に対する人的役務の提供の報酬に該当することとされています。

①　弁護士、公認会計士等の自由職業者の事務補助者

②　映画・演劇の俳優、音楽家・声楽家等の芸能人のマネージャー、伴奏者、美容師

③　プロボクサー、プロレスラー等の職業運動家のマネージャー、トレーナー

④　通訳、秘書、タイピスト

そのほか、人的役務提供事業の対価には、その対価に代わる性質を有する損害

賠償金や和解金なども含まれます。また、人的役務を提供する者の役務提供のための旅費や滞在費等も、支払者から直接ホテル等に支払われる等の一定のものを除き、すべてその対価に該当します。

人的役務提供事業の対価については、その支払を受ける非居住者等のPE帰属所得に該当することとなるとしても、非居住者等の国内源泉所得として所得税の源泉徴収の対象とされています。

注　芸能人等の役務提供事業の対価のうち、不特定多数のものから支払われるものについては、源泉徴収を要しません（所法178、同212①、所令303の2、同328一）。

参考　所法161①六《国内源泉所得》、所令282《人的役務の提供を主たる内容とする事業の範囲》、所基通161－19《旅費、滞在費等》、同161－20《人的役務の提供を主たる内容とする事業等の範囲》、同161－21《人的役務の提供を主たる内容とする事業の意義》、同161－22《芸能人の役務の提供に係る対価の範囲》、同161－46《損害賠償金等》、法法138①四《国内源泉所得》、法令179《人的役務の提供を主たる内容とする事業の範囲》、法基通20－2－10《旅費、滞在費等》、20－2－11《芸能人等の役務の提供に係る対価の範囲》

022 外国の芸能プロダクション等に支払う手数料等

Q ホテル業を営む当社では、ダンスショーにチュニジアから招へいした外国人ダンサー（非居住者）を出演させるため、同国所在の芸能プロダクションA社と次のような内容の契約を締結しました。

① A社は外国人ダンサーを日本国内においては当社のみに派遣し、その対価として当社はA社に手数料を支払う（ダンサー1人当たり10万円）

② ショーへの出演契約は各ダンサー個人と個々に締結

③ ダンサーに対する報酬は月額20万円で直接本人に現金支給

④ 旅費及び滞在費は実費相当額をダンサー本人に現金支給

⑤ 契約期間は4か月（契約期間終了後は帰国）

この契約に基づき当社がA社及びダンサーに支払う報酬等については、源泉徴収の必要があるのでしょうか。

A チュニジアとは租税条約を締結していませんので、その国の居住者については我が国の国内法がそのまま適用されて、外国の芸能プロダクションに支払う手数料は人的役務提供事業に関する対価に該当し、また、ダンサーに支払う報酬、旅費及び滞在費については人的役務の提供に対する報酬に該当して、いずれも国内源泉所得となることから所得税の源泉徴収が必要です。

解説

貴社が芸能プロダクション及びダンサーに支払う報酬等の課税については、国内法上、それぞれ次のとおりに取り扱われます。

1　芸能プロダクションに支払う手数料

貴社が芸能プロダクションA社に支払う手数料（ダンサー1人当たり10万円）は、同社が招へいした外国人ダンサーに役務提供をさせることを内容とする事業活動に対するものであり、ダンサーはダンスショーに出演する芸能人に該当することから、国内源泉所得とされる人的役務の提供を主たる内容とする事業の対価に該当します。したがって貴社はその支払の際に、原則として20.42%の税率による所得税を源泉徴収する必要があります。

2　外国人ダンサーに支払う報酬、旅費及び滞在費

貴社が外国人ダンサー個人に支払う報酬は、国内において行われるダンスショーへの出演活動、すなわち芸能人（ダンサー）としての役務提供に基づくものであり、その役務提供のために支払われる旅費、滞在費を含めた総額が人的役務の提供に対する報酬に該当します。したがって貴社はその支払の際に、原則として20.42%の税率による所得税を源泉徴収する必要があります。

ただし、旅費及び滞在費等については、報酬の支払者が航空会社、ホテル、旅館等に直接支払い、かつ、その金額が通常必要であると認められる範囲内のものであるときは、源泉徴収の対象に含める必要はありません。

注　外国人ダンサーとは個別契約しないで、芸能プロダクションに対する人的役務提供事業の対価に含めてその報酬を支払う場合は、ダンサーに対する報酬相当額も源泉徴収されている結果となることから、みなし源泉徴収規定により、その対価のうちから報酬は支払われて源泉徴収が行われたものとみなされますので、源泉徴収は不要となります。

参考　所法161①六、十二《国内源泉所得》、同212①《源泉徴収義務》、同213①一《徴収税額》、同215《非居住者の人的役務の提供による給与等に係る源泉徴収の特例》、所基通161－19《旅費、滞在費等》、同161－21《人的役務の提供を主たる内容とする事業の意義》、同161－22《芸能人等の役務の提供に係る対価の範囲》、法法138①四《国内源泉所得》、法基通20－2－10《旅費、滞在費等》

023 人的役務提供事業の対価の租税条約による取扱い

Q 非居住者等が支払を受ける人的役務提供事業の対価については、租税条約においてどのように取り扱われているのでしょうか。また、租税条約上の原則としてよく聞く「PEなければ課税なし」という取扱いはその対価についても、適用されているのでしょうか。

A 我が国が締結している租税条約では、人的役務提供事業の対価は、芸能人等の役務提供事業に係るものを除き、原則どおり、非居住者等が国内にPEを有しないか、有していてもPEに帰属しない限り、我が国では課税されません。

ただし、芸能人等の役務提供事業の対価については、芸能人等の役務提供地国で課税できることとされているのが通例です。

解説

1 原則的な取扱い

租税条約上、締結相手国の「企業の利得」や「企業の産業上又は商業上の利得」に対しては、その企業が我が国の国内に有している支店、営業所などのPEを通じて国内で事業を営まないか、又はPEを有していてもその利得がそのPEに帰属しない限り、我が国の租税を免除するという、「PEなければ課税なし」、「PE帰属がなければ課税なし」という原則が例外なくとられています。

この「企業の産業上又は商業上の利得」には、人的役務提供事業の対価も含まれていて、租税条約の締結国に所在する企業が受ける人的役務提供事業の対価については、国内にPEを有していても、PEに帰せられる部分に対してのみ源泉地国課税されること（帰属主義）となっていますので、原則として、その企業が国内にPEを有しないか、又は有していてもその対価がPEに帰属しない限り、我が国では課税されないこととなります。

なお現在のところ、この原則に反する規定を置いている条約締結国は見当たりません。

2 芸能人等の役務提供事業の対価についての取扱い

❶ 原則的な取扱い

人的役務提供事業のなかでも、芸能人等の役務提供事業、すなわち芸能プロダクション等の企業（芸能法人等）が行う事業の場合は、その対価が人的役務提供事業により得られたものであるとしても、実質的にはそこに所属している個人が行う芸能活動などに対する報酬そのものに過ぎないケースもあるといえます。その場合は、本来その対価は、役務提供者個人に対する人的役務提供の報酬として役務提供地国で課税されるべきものであるにもかかわらず、それが芸能法人等という企業形態をとることによって課税を免れるという課税上の弊害が生ずることにもなりかねません。つまり、一部の芸能法人等には、その役務提供地国にPEを有しない限り役務提供地国では課税されないという、租税条約上の基本的なルールの適用を受けんがための形式だけのものも認められたという経緯があったからといわれています。

そのため、多くの租税条約は、役務提供地国にPEがあれば課税できるとする原則のほかに、PEを有しない場合についても次のような規定を置いて租税回避行為を防止しています。

① 芸能人又は職業運動家の役務提供地国で課税ができるとする規定

② 芸能人等の役務提供事業そのものをPEとみなすこととする（みなしPE）規定

③ 芸能人等の役務を提供する企業が、その役務を提供する個々の芸能人等により直接又は間接に支配されているような場合（ワンマンカンパニー）には、その役務の提供地国で課税できるとする規定

この租税回避防止規定を置いている租税条約を大きく分類すると、次表のようになります。

①	役務提供地国で課税できるとする規定のあるもの	アメリカ、イギリスなど②、③以外の国
②	ⓐ　みなしPE規定のあるもの	アイルランド、フィジー、ブラジル
	ⓑ　PEがあれば課税できるとする規定のあるもの	エジプト、ザンビア、スリランカ
③	PEがなくともワンマンカンパニーを課税できるとする規定のあるもの	イタリア

なお、上表にある規定の具体的な取扱いは、次のとおりです。

[1] 役務提供地国で課税できるとする規定のあるもの

芸能人等の役務提供事業による所得については、PE又はPE帰属の有無にかかわらずその役務提供地国（所得源泉地国）で課税できることとしている取扱い。

注　アメリカの場合は、日米租税条約によって、上記の原則のほか、芸能法人等が芸能人等を選定し指名できるような出演契約による役務提供事業については、事業所得条項が適用されることとされています（日米租税条約16②）。

[2] みなしPE規定のあるもの

我が国にPEを有しない場合であっても、国内で芸能人又は職業運動家の役務提供事業を行うときは、国内にPEを有するとみなすことにより、そのPEを通じて芸能人等の役務提供事業を行い、その利得がPEに帰属することとされることから、我が国でその企業の利得に対して課税できることとしている取扱い。

[3] PEがあれば課税できるとする（原則どおりの）規定のあるもの

我が国にPEを有し、これに帰属するものについては、我が国でその企業の利得に対して課税できることとしている取扱い。

注　租税条約において、PEがない場合には免税とされる場合でも、我が国では、その役務提供事業の対価に対していったん所得税の源泉徴収を要することとされています（その所得税を納付後に還付手続を行うことにより還付されます）が、この場合に「免税芸能法人等に対する届出書」を提出すれば、15.315％の税率で源泉徴収されることとなっています（措法41の22、措令26の32、実特法3①）。

[4] ワンマンカンパニーを課税できるとする規定のあるもの

芸能人等の役務を提供する企業については、その企業がその役務を行う芸能人等に直接又は間接に支配されている企業（ワンマンカンパニー）であるときは、その役務提供地国で課税できることとしている取扱い。

注　ワンマンカンパニーに該当しない芸能法人等については、役務提供地国にPEがないか、PEがあってもその対価がPEに帰属しない限り、課税されません。

❷ その他の取扱い

芸能人等の役務提供事業のうち、

① 政府間合意を条件とする文化交流（計画）等に基づく対価について、免税とするもの（インド、カナダ、韓国、中国、トルコ、フィリピンなど）

② 政府、非営利団体等の資金援助による場合の事業の対価について、免税とするもの（フランス）

があります（第3章問25及び26参照）。

参考　日米租税条約16②《芸能人》など

024 日米租税条約における芸能人等の役務提供事業

Q アメリカとの租税条約では、芸能法人が行う芸能人等の役務提供事業について、単にその芸能人等の役務提供地国で課税となるだけではなく、何か免税となる場合があるようですが、それはどのような内容なのでしょうか。

A 日米租税条約では、出演契約などで芸能人等が特定されていなくて、芸能法人が芸能人等を選定することができる場合には、事業所得条項が適用されることから、その法人が国内にPEがないか、その対価そのものがPEに帰属する対価でない限り免税となります。

解説

非居住者等である芸能プロダクション等の企業（芸能法人等）が行う芸能人又は運動家（芸能人等）の役務提供事業の対価については、国内法上、国内源泉所得として課税対象となり、日米租税条約においても、他の多くの締結国と同様に、原則として芸能人等の役務提供地国で課税できることとされています。

ただし、芸能人等の出演契約などにおいて、例えばサーカスの出演契約で特定の出演者の出演義務条項のないような場合で、芸能法人等が出演者を自由に選定・指名できるようなときは、その役務提供は芸能人の出演活動というよりも、芸能法人等の事業活動そのものとして捉えることができますので、その場合は日米租税条約では事業所得に該当することとされています。

したがって、その芸能法人等が国内にPEを有していないか、有していても支払を受ける対価がPEに帰属する対価でない場合は、所定の手続を行うことにより、我が国の課税を免除されることとなります。

注　このような規定を置いている条約締結国は、現在のところ、米国のみです。

なお、このような場合における租税条約による免税規定が適用される免税芸能法人等に該当したとしても、国内法の規定によりいったんは原則的な源泉徴収及びその納付が行われ、その後、対価の支払者を通じて支払者の所轄税務署に還付請求書を提出して、対価の支払時に源泉徴収された所得税の還付手続をとる必要があります。

注　その手続等の詳細については、第3章問28及び問29参照。

参考　所法161①六《国内源泉所得》、同法162《租税条約に異なる定めがある場合の国内源泉所得》、法法138①四《国内源泉所得》、同法139《租税条約に異なる定めがある場合の国内源泉所得》、措法41の22《免税芸能法人等が支払う芸能人等の役務提供報酬等に係る源泉徴収の特例》、措令26の32《同左》、日米租税条約7《事業所得》、同16②《芸能人》

025　ウクライナの劇団に支払う出演報酬等

Q　内国法人である当社では、ウクライナの劇団と1か月間にわたり国内各地で公演をしてもらう契約を締結しました。この契約では、当社は劇団に対して出演料のほか旅費、滞在費の実費相当額を支払うこととなっています。この出演料等については、源泉徴収が不要となる特例があるのでしょうか。

なお、劇団と一括契約しましたので、個々の劇団員とは何ら契約していません。

A　ウクライナの劇団に支払う出演料等については、非居住者等に対する人的役務提供事業の対価に該当しますので、その支払の際に原則として所得税の源泉徴収が必要です。ただし、この劇団の招へいが、ウクライナにも適用されることとなる旧ソ連との租税条約にいう一定の計画に基づいて行われるものである場合は、免税となります。

ただし、ウクライナとの間で署名済みの新条約が発効し、かつ租税に適用される日以後にその役務提供が行われる場合には、免税取扱いは適用されず、源泉徴収を要することとなります。

解説

ご質問の場合、ウクライナの劇団に支払う報酬については、所得税法では国内源泉所得とされる人的役務提供事業の対価に該当しますので、旅費、滞在費を含めた総額について、原則として20.42%の税率による所得税を源泉徴収しなければなりません。ただし、その旅費、滞在費については、貴社が劇団に支払わず、航空会社、ホテル等に直接支払い、その金額がその費用として通常必要であると認められる範囲内のものであるときは、その旅費、滞在費については源泉徴収の対象としなくて差し支えないこととされています。

なお、この劇団の招へいが、日本とウクライナとの政府間で合意された文化交流のための特別の計画に基づき、個人的活動により行われるもの（外務省の証明書発行のもの）である場合には、旧ソ連との租税条約が適用されますので、所定の手続を行うことにより、その支払の総額が免税とされます。

ただし、ウクライナとの間では新租税条約が2024（令和6）年2月19日に署名済みですので、その役務提供が新条約発効後で、かつ租税に関して適用される日以後に行われることとなる場合には、新条約に上記の免税取扱いが適用される規定は存在しないことから、課税対象とされて、20.42%の税率による所得税を源泉徴収する必要があります（日烏租税条約（未発効）16②）。

注1　ウクライナ以外にも次に掲げる国と締結した租税条約では、本文なお書に記載の要件を満たす場合には、芸能人や職業運動家の人的役務提供事業が免税とされています。

　イスラエル／インド／インドネシア／カナダ／韓国／シンガポール／スウェーデン／タイ／チェコ／スロバキア／中国／トルコ／ノルウェー／ハンガリー／バングラデシュ／フィリピン／ブルガリア／ベトナム／ポーランド／マレーシア／南アフリカ／メキシコ／ルクセンブルグ／ルーマニア／アルメニアなど旧ソ連構成国で条約継続適用国（7か国）

2　なお、上記1の締結国のうち、ノルウェーとフィリピンにおいては、上記1の条件を満たし、かつ、政府等の公的資金により、実質的に賄われている活動である場合に限り、免税とされています。

3　旧ソ連との租税条約について、その適用が確認されている国（7か国）の国名については、第2章問4を参照してください。

4　このほか、フランスについては上記の要件と異なる要件で免税とされています（次問（問27**1**①注）参照）。なお、本問の劇団が法人の場合の法人税の取扱いについても次問（問27**2**）参照。

参考　所法161①六《国内源泉所得》、同212①《源泉徴収義務》、同213①《徴収税額》、所基通161－19《旅費、滞在費等》、旧ソ連租税条約14②《芸能人》

026 フランスの芸能法人等に支払う役務提供事業の対価

Q 内国法人である当社は、我が国にPEを有していないフランスの芸能プロダクションB社との間に、両社独自の活動として当地の歌手Cの日本国内における役務提供契約を締結し、その対価をB社に一括して支払うこととしました。

この場合、B社及び出演する歌手Cに支払う報酬に対する源泉所得税の取扱い並びにB社の我が国における法人税の取扱いはどのようになるのでしょうか。

A フランスの芸能プロダクションに支払う対価については源泉徴収を要し、支払を受けたB社は我が国において法人税の申告義務を負います。国内で出演する歌手に支払う報酬については、B社への対価の支払の際に源泉徴収されたものとみなされます。

解説

1 源泉所得税の取扱い

① 芸能法人等にその対価を支払う場合の課税取扱い

国内法上、国内において、非居住者等である芸能プロダクション等の企業（芸能法人等）が営む芸能人等の役務提供事業の対価を支払う場合は、国内源泉所得に該当することから、その支払をする者は支払の際に所得税の源泉徴収が必要となります。

その一方、日仏租税条約では、原則として芸能法人等を含む企業が日本国内にあるPEを通じて日本国内で事業を行わないか、又は事業を行うとしても支払を受ける対価がその事業に帰属しない限り、その対価は我が国においては課税されないこととされています。ただし、その企業が国内において芸能人又は運動家としての役務提供活動を行わせることにより対価を得る場合には、その役務提供地国（日本）で課税されることとなっています。

したがって、ご質問の場合、貴社は、芸能法人等であるB社に芸能人の役務提供事業の対価を支払う際に国内法どおりに20.42%の税率による所得税の源泉徴収を要することとなります。

注　日仏租税条約においては、その芸能活動が政府・地方公共団体又は非営利団体などの資金によって実質的に賄われる場合（援助や助成を受けるもの）は、所定の手続を行うことにより役務提供地国免税となります（日仏租税条約17②）。

②　出演する歌手についての課税取扱い

出演する歌手の役務提供の報酬は、国内法上、役務提供地国である我が国において課税されるのが原則であり、日仏租税条約においても、芸能人等の個人的活動による所得については、役務提供地国で課税することができることとされています。

しかしながら、ご質問の場合、貴社がB社に対して人的役務提供事業の対価を支払う際に、その対価の20.42%相当額の所得税を源泉徴収している場合には、B社が当該対価のうちから歌手Cさんに対して支払う役務提供の報酬については、その支払の際に所得税が源泉徴収されたものとみなすこととされています。

したがって、歌手Cさんに支払う報酬については、B社において所得税が源泉徴収されたものとみなされることから、貴社が改めて源泉徴収を行う必要はありません。

2　芸能法人等における法人税の取扱い

ご質問のB社は我が国において法人税の申告義務があります。

国内において、人的役務の提供を主たる内容とする事業を行う外国法人は、国内法上、国内にPEを有していないか、又はPE帰属所得を有していなくても、法人税の申告を要することとなっているからです。

したがって、B社は法人税の申告の際には、上記❶のとおりに源泉徴収された税額について、歌手Cさんに対する報酬について源泉徴収されたものとみなされる所得税相当額を除いて、法人税額から控除することとなります。

注　日本にPEを有しない外国法人で日本国内において人的役務提供事業を行う場合は、その事業開始の日から2か月以内に「外国普通法人となった旨の届出書」を納税地の所轄税務署長に提出する必要がありますが、租税条約等の規定により免税とされる場合は原則として届出が不要とされています（法法149①）。

また申告期限については、事業が継続している場合は、その外国法人の事業年度終了の日の翌日から2か月経過した日の前日（＝2か月以内）とされていますが、その事業を終了（廃止）したときは、その人的役務提供事業を終了した日が申告期限とされています（法法144の6②）。

参考　所法161①六《国内源泉所得》、同215《非居住者の人的役務の提供による給与等に係る源泉徴収の特例》、法法138①四《国内源泉所得》、同141《外国法人に係る各事業年度の所得に対する法人税の課税標準》、同144《外国法人に係る所得税額の控除》、日仏租税条約7《事業所得》、同17《芸能人》

027 芸能法人等についてワンマンカンパニー課税のある国

Q 非居住者等の国内源泉所得とされる芸能人等の人的役務提供事業の対価について、租税条約では、その支払を受ける者がワンマンカンパニーの場合に限って課税される場合があるそうですが、どこの国とどのような取扱いを定めているのか、教えてください。

A 我が国が締結している租税条約のうち、イタリアについて定めがある「ワンマンカンパニー」とは、役務提供を行う芸能人等がその役務提供事業を行う企業を直接又は間接に支配しているときのその企業をいい、その企業の国内における役務提供事業の対価については、PE又はPE帰属の有無にかかわらず課税されます。

解説

一部の締結国との租税条約には、演劇、映画などの俳優その他の芸能人や運動家（芸能人等）の役務提供事業を行う芸能プロダクション等の企業（芸能法人等）について、芸能法人等の受ける対価が、実質的にはその芸能人等個人の活動による報酬であるにもかかわらず、形式的に芸能法人等の形態をとることによって、本来は受けるべき役務提供地国課税を受けないようなケースが認められた経緯があったため、いわば所得源泉地国における課税逃れ防止策の一つとして、ワンマンカンパニーに関する課税規定が設けられたといわれています。

現在、このような規定を置いている締結相手国は、イタリアだけです。

イタリアとの租税条約に規定する「芸能人等が直接又は間接に支配」に関する基準については、当該租税条約及び国内法にも明確な数値規定は置かれていませんので、条文の文言に該当するような支配関係、すなわちまさしく芸能人等が支配している企業であると認められる事実があるかどうかで判断することとなります。

注　旧日米租税条約においては、ワンマンカンパニーについて、①その企業の一事業年度中の所得のうち、その芸能人等の所得源泉地における役務提供によるものが50%以上を占めていて、②その企業の議決権株式の25%以上をその芸能人等が直接又は間接に所有している、などの数値基準を示した規定（旧条約18③）がありましたが、この規定は新条約（現行条約）により削除されています。

上記の租税条約では、このワンマンカンパニーが国内において人的役務提供事業を行った場合に支払を受ける対価については、そのワンマンカンパニーの国内におけるPE又はPE帰属の有無にかかわらず、我が国で課税されることとなります。

もちろん、支払先の芸能法人等がワンマンカンパニーに該当しない場合は、その対価については事業所得に関する規定が適用されて、支払先が国内にPEを有しないか又はその対価がPEに帰せられない限り、課税されません。

なお、その支払先がワンマンカンパニーかどうか不明な場合には、支払先企業から公証人による株主等の構成割合についての証明書を取り寄せるなどの方策をとることによって、確実に確認することができると思います。

注　本問の場合に免税とされる芸能法人等に対する支払に関する、国内法の規定による源泉徴収の特例については、次問（問28）参照。

参考　所法161①六《国内源泉所得》、同162《租税条約に異なる定めがある場合の国内源泉所得》、日伊租税条約7《事業所得》、同17②《芸能人》など

028 イタリアの免税芸能法人等に支払う役務提供事業の対価

Q　内国法人である当社では、イタリアの芸能プロダクションD社を通じて、イタリアの芸能人Eを日本に招へいする予定です。Eの出演報酬500万円は直接Eに支払わず、出演契約締結先のD社にその手数料とともに一括して800万円を支払うこととなっています。

当社が確認したところでは、D社は国内にPEを有せず、また、ワンマンカンパニーではないということですので、日伊租税条約を適用して、免税扱いにしてよいでしょうか。

A　イタリアとの租税条約により、国内にPE又はPE帰属所得を有せず、かつワンマンカンパニーに該当しない芸能プロダクションが受け取る対価は免税とされていますが、国内法によっていったん課税されることとなっていることから、貴社はその対価を同社に支払う際に所得税の源泉徴収を行う必要があります。

解説

国内法では、国内において芸能人等の役務提供を主たる内容とする事業を営む外国の芸能プロダクション等（芸能法人等）に対して支払うその対価は、国内源泉所得に該当することから、原則としてその支払の際に20.42%の税率による所得税の源泉徴収が必要とされています。

その一方、日伊租税条約では、芸能人等の役務提供事業の対価であっても、その提供事業を行う芸能法人等が国内にPEを有しないか、有していてもその対価が国内に有するPEに帰せられない場合、又はワンマンカンパニーでない場合には、我が国における課税が免除されています（免税芸能法人等）。

しかし、この場合の課税免除の方法は、源泉徴収が免除されるのではなく、免税外国芸能法人等が受けるその対価については、いったんその支払時に20.42%（「免税芸能法人等に関する届出書」をその支払の前日までに提出すれば15.315%）の税率による所得税の源泉徴収が行われます。これは、いわば芸能法人等や芸能人等に対する役務提供地国における課税逃れ防止策の一つとして国内法に定められたものといわれています。この源泉徴収された所得税については、免税芸能法人等が外国の芸能人等に支払った役務提供報酬について源泉徴収をして、その所得税を納付した後に還付請求書を提出することにより、還付されることとなっています。

ご質問の場合、イタリアの芸能プロダクションD社は、我が国にPEを有せず、しかもワンマンカンパニーに該当しないとのことですので、免税芸能法人等に該当します。したがって、貴社がD社にその対価を支払う際にいったん20.42%（又は所定の届出により15.315%）の税率による所得税の源泉徴収を行うこととなりますが、この場合、原則としてD社は興業主である貴社から受け取る対価のうちから、イタリアの芸能人Eさんに対して報酬を支払う際に20.42%の税率で源泉徴収した所得税を納付した後に、所定の還付請求書を貴社の納税地の所轄税務署に提出することにより還付を受けることとなります。その一方、D社は芸能人Eさんに支払う報酬に対する源泉所得税について、その納付に代えて、この還付金の一部を充当して精算することもできます。

なお、D社は、源泉徴収をした所得税の納付や還付請求書を提出するため、我が国における納税管理人を定めて、貴社の所轄税務署に届け出ることとされています。

この場合の、芸能人Eさんの国内源泉所得に対する課税は、D社からEさんへ支払う報酬に対する所得税の源泉徴収及びその納付が行われることによって終了することから、我が国における所得税の申告は不要となります。

上記の説明について、本問のケースに当てはめた場合の免税芸能法人等に対する源泉徴収と還付請求等の手順を次のとおり図示します。

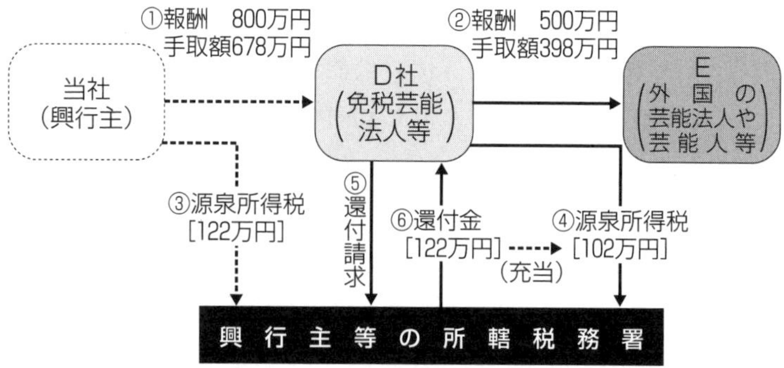

注1　上図にある数字は1万円未満切捨てで表示してあります。
2　D社（免税芸能法人等）は、「免税芸能法人等に関する届出書」を提出しているものとして、その対価についての源泉徴収税率は、15.315%として図示しました（手続については次問（問29）を参照）。
3　D社は、上記②の源泉所得税額（102万円）の納付に代えて、上記⑥の税務署からの還付金（源泉徴収された所得税122万円）の一部を充当することができます。

参考　所法161①六《国内源泉所得》、同162《租税条約に異なる定めがある場合の国内源泉所得》、法法138①四《国内源泉所得》、同139《租税条約に異なる定めがある場合の国内源泉所得》、措法41の22《免税芸能法人等が支払う芸能人等の役務提供報酬等に係る源泉徴収の特例》、措令26の32《免税芸能法人等が支払う芸能人等の役務提供報酬等に係る源泉徴収の特例》、実特法3《免税芸能法人等の役務提供の対価に係る源泉徴収及び所得税の還付》、日伊租税条約7《事業所得》、同17②《芸能人》

029 免税芸能法人等に対する源泉徴収の軽減手続

Q 内国法人である当社は、芸能プロダクションを営む我が国にPEを有していないイタリア法人に芸能人等の役務提供事業の対価を支払う予定です。確認したところ、そのイタリア法人は租税条約上の免税芸能法人等に該当するとのことです。この場合には、免税芸能法人等にその対価を支払う際に要する源泉徴収税率20.42%が、手続をとれば15.315%に軽減されるそうですが、その手続について教えてください。

A 芸能人等の役務提供事業の対価の支払を受けるイタリア法人が「免税芸能法人等に関する届出書」を作成のうえ、その支払者を経由して一定の手続により税務署に提出した場合には、源泉徴収税率が軽減されます。

解説

租税条約の定めにより課税を免除される芸能法人等が、芸能人等の役務提供事業の対価の支払を受ける場合には、国内法の定めにより、いったんその対価について源泉徴収が行われることとされていますが、その場合において、その免税芸能法人等が免税芸能法人等に関する届出書（様式は第1章問29の様式例4参照）を作成して、税務署長に提出した場合には、源泉徴収を受けるときの税率は、本則の20.42%から15.315%に軽減されます。

なお、この届出書は、その対価の支払を受ける前日までに免税芸能法人等が正副2部作成した上でその対価の支払者に提出し、その支払者は、正本を支払者の納税地の所轄税務署長に提出することとなります。

注　免税芸能法人等については、前問（問28）参照。

参考　所法212《源泉徴収義務》、措法41の22《免税芸能法人等が支払う芸能人等の役務提供報酬等に係る源泉徴収の特例》、措令26の32《免税芸能法人等が支払う芸能人等の役務提供報酬等に係る源泉徴収の特例》、措規19の14《免税芸能法人等が支払う芸能人等の役務提供報酬等に係る源泉徴収の特例》、実特法省令4《自由職業者、芸能人及び短期滞在者等の届出等》

030 米国法人に支払う専業モデルの役務提供事業の対価

Q 内国法人である当社は、国内にPEを有していないアメリカ法人F社との間で、専業モデルを国内において役務提供させる契約を結ぶ予定です。この専業モデルは国内法や租税条約にいう「芸能人」に該当し、源泉徴収が必要でしょうか。なお、当社は雑誌、ポスターなどの印刷物にその専業モデルの容姿の写真を掲載させる予定です。

A 米国法人に支払う役務提供事業の対価は、同法人が我が国にPEを有していないことからPE帰属所得は生ぜず、課税されません。

解説

専業モデルが芸能人に該当すれば、その国内における役務提供事業の対価は国内法及び日米租税条約の定めにより、役務提供地国である我が国で課税されることとなります。

しかし、雑誌、ポスターなどの印刷物のみにその容姿を掲載させる専業モデルは、日米租税条約第16条に規定する芸能活動を行う芸能人（entertainer）には含まれないと解されています。

また、国内法においても、所得税法第204条第1項第4号に規定する「モデル」と同条同項第5号に規定する「芸能人」とは規定を異にしていて、両者は違う範疇の業務を行うものとされていることから、モデルは芸能人に含まれていないものと認められます。

したがって、ご質問の場合、米国法人F社の役務提供事業は国内源泉所得とされる芸能人等の役務提供事業には該当せず、その受け取る対価は一般の事業所得を構成することから、国内法の事業所得（PE帰属所得）規定、及び日米租税条約の事業所得条項が適用されます。

F社は国内にPEを有していないことからPE帰属所得発生の余地がなく、その役務提供事業の対価は、国内法上はもとより、日米租税条約の事業所得条項により、「PE又はPE帰属所得なければ課税なし」の原則どおり我が国では課税されませんし、源泉徴収も不要です。

参考　所法161①六《国内源泉所得》、日米租税条約7《事業所得》、同16《芸能人》

031　英国法人に支払うプロサッカー選手の移籍料

Q　内国法人である当社では、イギリスのプロサッカークラブに所属する選手を自社のサッカーチームに移籍させようと企画しています。

実現した場合には、その選手の所属元のプロサッカークラブ（法人）に対する移籍料の支払が必要となります。この移籍料については源泉徴収が必要でしょうか。

A　英国法人に支払う移籍料は、所得税法上、国内源泉所得とされる人的役務提供事業の対価に該当し、役務提供地国である我が国における所得税の源泉徴収が必要です。

解説

国内法上、国内源泉所得となる人的役務提供事業の対価には、我が国内においてその事業を行う者がその人的役務の提供に関して支払を受けるすべての対価が含まれることとされていますので、職業運動家の役務の提供を受けるため、ご質問にあるようにその運動家の所属していた法人その他の者に支払われる移籍料や、そのほかに仲介料、レンタル料、保有権の譲渡対価又は賃貸料などの対価は、その名称のいかんを問わず、国内における人的役務提供事業の対価に該当することとされています。

したがって、ご質問の場合、貴社が英国法人に支払う移籍料についても、その英国法人に所属していた外国人選手の我が国内における役務提供を受けるための対価として支払われるものですから、人的役務提供事業の対価に該当し、原則として税率20.42%による所得税の源泉徴収が必要となります。

また、英国との租税条約においては、運動家の役務提供事業の対価に関して、その対価（所得）は運動家の活動が行われる国（役務提供地国）で課税できることとされていて、その対価の内容については国内法の定義によることとされていますので、国内法の規定による原則どおりの取扱いが適用されます。

参考　所法161①六《国内源泉所得》、同212《源泉徴収義務》、所令282一《人的役務の提供を主たる内容とする事業の範囲》、所基通161－24《人的役務の提供に係る対価に含まれるもの》、日英租税条約3②《一般的定義》、同16②《芸能人》

032 ドイツ法人に支払う機械の性能検査料

Q 内国法人である当社は、国内工場で使用しているドイツ製の精密機械製造設備の性能を検査してもらうために、新たにドイツの他の機械メーカーから専門家の派遣を受ける契約を締結しました。

この性能検査料については、人的役務の提供を主たる内容とする事業の範囲から除かれる事業の対価に該当するものとして、源泉徴収を行わなくてもよいでしょうか。

なお、そのドイツのメーカーは、日本にPEを有していません。

A 非居住者等に対する性能検査料の支払は、原則として人的役務提供事業の対価に該当しますので、所得税の源泉徴収が必要ですが、非居住者等が国内にPEを有していない場合はPEに帰属する所得ではありませんので、日独租税協定により、租税条約の届出書を提出すれば免税となります。

解説

非居住者等が国内において、科学技術、経営管理その他の分野に関する専門的知識又は特別の技能を有する者のその知識又は技能を活用して行う役務の提供を主たる内容とする事業を行う場合に受けるその人的役務の提供に係る対価は、国内法上、原則として国内源泉所得とされる人的役務提供事業の対価に該当します。また、その事業に該当するかどうかは個々の契約ごとの内容に基づいて判定します。

ただし、非居住者等から人材の派遣を受けたことにより支払う対価であっても、それが次のような事業に対するものであれば、人的役務提供事業の対価に該当しないこととされています。

(1)　機械設備の販売その他事業を行う者の主たる業務に付随して行われる場合における事業で、次の①～②のいずれかに当たるもの

① 機械設備の販売業者が、その販売業務に伴って販売先に対しその機械設備の据付け、組立て、試運転等のために技術者等を派遣するもの

② 工業所有権等の権利者が、その権利の提供を主たる内容とする業務に伴って、その提供先に対しその権利の実施のために技術者等を派遣するもの

(2) 建設、据付け、組立てその他の作業の指揮監督の役務の提供を主たる内容とする事業

ご質問の場合、貴社の支払う性能検査料は、機械設備の販売業者とは異なるメーカーとの間で締結した性能検査に関する新たな契約に基づいて支払われるものであり、また、日本におけるその専門家の人的役務は、そのメーカーの独自の検査業務であって販売業務に伴って提供されるものではありません。

これらのことから、機械設備の販売事業者の付随業務とされる上記(1)の①には該当せず、国内源泉所得とされる人的役務提供事業の対価に該当すると認められますので、原則として所得税の源泉徴収を要することとなります。

ただし、ドイツとの租税協定上は、人的役務提供事業の対価は事業所得に該当します。

ご質問の場合、そのメーカーは日本にPEがないとのことですから、PE帰属所得に該当しない対価となるこの場合の性能検査料については、ドイツとの租税協定による事業所得条項の適用により免税とされます。したがって、ドイツのメーカーから必要とされる特典条項に関する添付書類を添付した上で租税条約に関する届出書を提出してもらい、それを貴社の所轄税務署に提出すれば、源泉徴収を行う必要はありません。

参考　所法161①六《国内源泉所得》、同162《租税条約に異なる定めがある場合の国内源泉所得》、所令282《人的役務の提供を主たる内容とする事業の範囲》、所基通161－20《人的役務の提供を主たる内容とする事業等の範囲》、同161－25《機械設備の販売等に付随して行う技術役務の提供》、法法138①四《国内源泉所得》、同139《租税条約に異なる定めがある場合の国内源泉所得》、法令179三《人的役務の提供を主たる内容とする事業の範囲》、法基通20－2－12《機械設備の販売等に付随して行う技術役務の提供》、日独租税協定7①《事業利得》

033 産業用ロボットの購入先に支払う保守業務の対価

Q 　当社は、産業用ロボットの製造販売を営むスイス法人G社の日本支店から工場自動化のためにロボット機器を購入するとともに、機器のメンテナンス（保守）契約を締結し、定期的に保守を行ってもらうこととしました。

　G社は常に機器を正常な状態に維持するために必要な保守・点検・部品交換を毎月一定の料金で提供し、当社は毎月10万円の保守料金をG社に支払うこととしています。この保守料金は、人的役務の提供事業の対価に該当するものとして源泉徴収を行うべきでしょうか。

A 　ロボット機器の購入先に支払うその機器の保守業務の対価については、人的役務提供事業の対価には該当しないと認められますので、源泉徴収は必要ありません。

解説

　国内法上、外国法人の日本支店はPEに該当することから、国内における事業の所得について法人税の申告を要しますが、一般の事業所得については所得税の源泉徴収の対象とされていません。

　ご質問の場合、貴社がG社日本支店に支払っている保守料金は、G社から貴社が購入したロボット機器のメンテナンス（保守）をG社が行うことの対価として支払うとのことですので、この保守業務はG社のロボット機器の販売活動の一環として行われているものと認められます。

　また、貴社が支払う保守料金には、ロボット機器の部品代も含むものとされていますので、たとえロボット機器の保守業務を行うために技術専門家を派遣するものであるとしても、その業務は機能低下した部品の交換等によりロボット機器の機能維持を図ることが主であると認められます。

これらのことから、そのような保守業務は、本来、機械設備の販売その他事業を行う者の主たる業務に付随して行われるものと考えられます。

その場合は、国内源泉所得として所得税の源泉徴収の対象とされない事業所得、すなわちPE帰属所得には該当することとなりますが、所得税の源泉徴収の対象とされる人的役務の提供を主たる内容とする事業の範囲には含まれないこととなります。

なお、スイスとの租税条約においては人的役務提供事業そのものについて定義規定は置かれていませんので、日本における取扱いが適用されます。

したがって、貴社が支払っている保守料金については、源泉徴収を要する国内源泉所得とされる人的役務提供事業の対価には該当しないと認められますので、源泉徴収の必要はありません。

参考　所法161①六《国内源泉所得》、所令282三《人的役務の提供を主たる内容とする事業の範囲》、所基通161－25《機械設備等の販売等に付随して行う技術役務の提供》、法法138①四《国内源泉所得》、法令179三《人的役務の提供を主たる内容とする事業の範囲》、法基通20－2－12《機械設備の販売等に付随して行う技術役務の提供》、日瑞租税条約3②《一般的定義》

034 インド法人に支払うソフトウェア開発作業の委託料

Q 当社は、コンピュータ関連事業を営む内国法人ですが、国内にPEを有していないインド法人H社にソフトウェアの開発を委託しました。

H社の開発作業は、当社が作成した仕様書に基づきインド国内で行われ、開発されたソフトウェアの所有権は、当社に帰属することとなっていますが、H社に支払う対価について源泉徴収は必要でしょうか。

A インド法人に支払うソフトウェアの開発作業の委託料は、日印租税条約の定めにより、我が国の国内源泉所得に該当しますので、所得税の源泉徴収が必要です。

解説

ご質問の場合のソフトウェアの開発委託の対価は、開発作業の内容等からみる限り、専門的知識又は特別の技能を有する者がその知識又は技能を活用して行う人的役務の提供事業の対価に該当しますが、所得税法では、日本国内において行われた役務提供の対価のみが国内源泉所得として源泉徴収の対象とされています。

その一方、日印租税条約によれば、インド法人H社が我が国の顧客から受領するソフトウェアの開発受託の対価は、一義的には、H社の事業所得となり、H社は国内にPEを有していないことから、我が国では課税されないことと思われますが、条文上、その対価は同条約第12条第4項に定める「技術者その他の人員によって提供される技術的性質の役務（技術上の役務）に対する料金」に該当します。その場合は、その開発作業が我が国の国外で行われる場合であっても、同条第6項に規定する債務者主義の適用により、内国法人が債務者の場合は我が国の国内源泉所得とみなされて原則として税率20.42%、又は租税条約に関する届出書を提出すれば10%の税率による所得税の源泉徴収が必要となります。

これは国内法の規定により、所得源泉地に関して条約の定めによって国内源泉所得とされたものがあるときは、それを国内源泉所得に置き換えることとされていること（所得源泉地の置換え規定）から、日印租税条約の技術上の役務条項が適用されることとなるからです。

したがって、貴社は、H社にその対価を支払う際に上記の税率による源泉徴収を要します。

なお、インド法人H社は我が国にPEを有していなくとも、法人税法の規定により、その収入について法人税の確定申告を要することとなりますが、確定申告により、支払時に源泉徴収された所得税は法人税額から差し引かれる（精算される）こととなります。

注1　法人税の確定申告を行うことにより、ほかの収入との兼ね合いがありますが、一般的には源泉所得税の一部が還付される公算が大と見込まれます。申告に関する手続については第3章問26注参照。

2　インドと同様の規定を置いている租税条約締結国には、パキスタン（条約13）があります。

参考　所法161①六《国内源泉所得》、同162《租税条約に異なる定めがある場合の国内源泉所得》、同212《源泉徴収義務》、法法138①四《国内源泉所得》、同139《租税条約に異なる定めがある場合の国内源泉所得》、同141二《外国法人に係る各事業年度の所得に対する法人税の課税標準》、同144《外国法人に係る所得税額の控除》、日印租税条約12《使用料及び技術上の役務に対する料金》

035 オーストラリア法人に支払う講演料

Q 食肉加工業を営む当社は、日本にPEを有していないオーストラリア法人I社との契約により、その代表者（日本国籍でオーストラリア在住）を日本国内に派遣してもらい、オーストラリアにおける業界の技術的課題の解決策等に関する講演を行ってもらう予定です。その対価としてI社に50万円を支払う予定ですが、この支払に対して源泉徴収が必要でしょうか。

A 講演そのものは、一般的には講演者の専門的知識や特別の技能を活用して行う役務提供に当たるものと認められることから、国内法では課税の対象となるものと考えられますが、「租税条約に関する届出書」の提出手続をとってもらえれば、所得税の源泉徴収は不要となります。

解説

講演の具体的な内容が不明なことから、果たしてその講演が国内法にいう「講演者の有する科学技術、経営管理その他の分野に関する専門的知識又は特別の技能を活用して行っている」ものかどうか、判定が難しいですが、ただ一般的には、業界における技術的課題に関する講演を行うことは、講演者が有している専門的知識などを活用して行う役務提供に当たると認められることから、所得税法上、国内源泉所得とされる人的役務の提供事業に該当するものと考えられます。

その一方、日豪租税条約では、その対価は企業の利得として「事業利得」（事業所得）に該当するものと認められ、事業利得条項によりI社が国内にPEを有していないことから、PEに帰属する所得は生じませんので課税されないこととなります。

したがって、所得税法では適用する租税条約に国内法と異なる定めがある場合には、その条約の定めるところによることとされていますので、源泉徴収は要しないこととなります。

ただし、この条約上の特典の適用を受けるためには、居住者証明書を添付するなどの一定の要件を備えた「租税条約に関する届出書」をその支払日の前日までに対価の支払者を経由して所轄税務署長に提出する必要があります。

参考　所法161①六《国内源泉所得》、同162《租税条約に異なる定めがある場合の国内源泉所得》、所令282三《人的役務の提供を主たる内容とする事業の範囲》、日豪租税条約7《事業利得》

第5節 不動産の賃貸料等

036 不動産の賃貸料等とは

Q 国内源泉所得とされる不動産の賃貸料とは、どのようなものをいうのでしょうか。また、この中には船舶などの貸付け対価も含まれるとのことですが、その内容を教えてください。

A 国内法上、国内源泉所得とされる不動産の賃貸料等とは、非居住者等が支払を受ける国内にある不動産の貸付けやその権利の設定などの対価のほか、船舶、航空機の裸用船（機）契約に基づく貸付けによる対価をいいます。

解説

非居住者等の国内源泉所得とされる不動産の賃貸料等の範囲は、次の①～⑤に記載のとおりです。

① 国内にある不動産の貸付けによる対価

② 国内にある不動産の上に存する権利（借地権、地上権等）の設定等による対価

③ 採石法の規定による採石権の貸付け等による対価

④ 鉱業法の規定による租鉱権の設定の対価

⑤ 居住者又は内国法人に対する船舶、航空機の貸付けによる対価

なお、上記の不動産の賃貸料等の対価については、その支払を受ける非居住者等のPE帰属所得に該当することとなるような対価であるとしても、非居住者等の国内源泉所得として所得税の源泉徴収の対象とされています。

注　不動産の賃貸料等のうち、土地、家屋等を自己又はその親族の居住の用に供するために借り受け

た個人が支払うものについては、源泉徴収は不要とされています（所法212①、所令328二）。

上記に掲げたもののうち⑤の船舶、航空機の貸付けについては、次のような内容となっています。

1　船舶、航空機の貸付けの契約形態

船舶、航空機の貸借契約（用船（機）契約）には、法律的又は経済的な性質を異にする数種のものがありますが、大別すると次の3つの契約形態となっています。

① 裸用船（機）契約
② 定期用船（機）契約
③ 航海用船（機）契約

このうち、源泉徴収の対象となる船舶、航空機の貸付けによる対価は、裸用船（機）契約に基づいて支払を受ける対価に限られており、定期用船（機）契約又は航海用船（機）契約に基づき支払を受ける対価については、国内源泉所得とされる不動産の賃貸料等ではなく、源泉徴収の対象とならない「運送事業の所得」となります。

したがって、PEを有する非居住者等が上記②又は③の契約に基づいて対価の支払を受ける事業を国内及び国外にわたって行う場合には、国内において行う業務について生ずべき所得が国内源泉所得とされるPE帰属所得（運送の事業）に当たるものとされています。

なお、国内外にわたって行われる運送事業が国内源泉所得に該当するかどうかについては、船舶による運送事業にあっては、国内において乗船し又は船積みした旅客又は貨物に係る収入金額を基準として判定します。航空機による運送事業にあっては、国内業務に係る収入金額又は経費、あるいは固定資産の価額その他その国内業務がその運送事業に係る所得の発生に寄与した程度を推測するに足りる要因を基準として判定します。

以上述べた契約形態について、船舶のケースを例にとって説明します。

① 裸用船契約

この契約は、船舶のみを一定期間にわたり賃貸借するもので、法律的には純然たる船舶賃貸借契約に該当します。

この契約では船主（賃貸人）は、金利、償却費、船舶の保険料など、船舶保有上必要な船費を負担するのみで、運航費及び船員費、船用品費など運航上必要な船費は、原則として、すべて用船者（賃借人）の負担となります。

なお、非居住者等が居住者又は内国法人に対する裸用船（機）契約による船舶等の貸付けに基づいて支払を受ける対価については、たとえ、その用船者がその貸付けを受けた船舶等を専ら国外における事業のために用船したとしても、国内源泉所得に当たることとされています。

② 定期用船契約

この契約は、運航者（海運業を営む企業）に対し、船主が一定期間、船舶を船員付きで貸し付ける契約をいいます。

この場合、運航者が用船者となりますが、法律的には船舶賃貸借契約と労務供給契約との混合契約とみられています。この契約では運航者が荷主などから運賃を受け取り運航費を負担する一方、船主は運航者から用船料を受け取り、船員費、船用品費などの船費を負担します。

③ 航海用船契約

この契約は、運航者が、運送の態様として船舶の全部又は一部を用船者（荷主）に貸し切ったうえで、船積みした貨物の運送を約し、用船者は、これに報酬を支払うことを約する運送契約のことをいいます。

契約の期間は一定の航海を基準として定められ、運航者は運航費及び船費をすべて負担し、用船者は運航者に用船料（運賃）を支払うこととなります。

2　船舶、航空機の貸付けに伴う技術指導のための役務提供の対価

船舶又は航空機の貸付けに伴い、貸主が、その船舶又は航空機の運航又は整備に必要な技術指導を行うための役務の提供をした場合の対価については、契約書な

どにおいて船舶又は航空機の貸付けによる対価と、その役務の提供による対価とが明らかに区分されている場合は、その対価ごとに区分して所得の種類を判定することとなりますが、区分されていない場合は、その総額が船舶又は航空機の貸付けによる対価に該当するものとして取り扱われます。

参考　所法161①七《国内源泉所得》、所令291《国際運輸業所得》、所基通161－26《船舶又は航空機の貸付け》、同161－27《船舶等の貸付けに伴う技術指導等の対価》、法法138①五《国内源泉所得》、法令182《国際運輸業所得》、法基通20－2－13《船舶又は航空機の貸付け》、同20－2－14《船舶等の貸付けに伴う技術指導等の対価》

037 不動産賃貸料の租税条約による取扱い

Q 国内源泉所得とされる不動産の賃貸料は、租税条約においてどのような取扱いとなっているのでしょうか。

A 我が国が締結した租税条約では、不動産の賃貸料による所得については、その不動産の所在地国でも課税できることとしている例が一般的です。

解説

1 不動産の所在地国課税規定

我が国が租税条約を締結する場合に準拠しているOECDモデル条約にあるように、ほとんどの締結国において不動産から取得する所得については、不動産の所在地国に第一次的課税権を認めることとしています。これは、不動産所得が、道路や上下水道などの社会的インフラの整備などのための財政支出に関連して利得を享受しているという応益関係にあると認められることから、国際課税におけるいわば普遍的なルールとして規定されています。

また、不動産貸付業の所得についても、租税条約の多くは、不動産の所得に関する条項を設けていて、それとは別途に規定している事業所得条項に優先して適用することとしています。

このため、不動産の貸付けによる所得については、国内におけるPEの有無や、その所得がPEに帰属するかどうかにかかわらず、その不動産が国内にある限り、我が国で課税されることとなります。

なお、不動産そのものの定義については、不動産所在地国における法令の意義によることとしているのが通例です。

2　不動産の所得に関する課税規定がない場合

租税条約に不動産の所得に関する課税規定を置いていない場合で、明示なき所得の規定（その他所得条項）があるときは、それに従うこととなります。現在のところ、条約締結国で不動産の所得に関する課税規定を置いていない国は、スリランカのみですが、同国との租税条約では明示なき所得（その他の所得）の規定もありません。このように不動産所得の課税規定もその他所得条項もないときは、我が国の法令に基づいて課税されることとなります。

注　明示なき所得については、第3章問1の2最下部の注参照

参考　日米租税条約6《不動産所得》など

038 船舶又は航空機の賃貸料の租税条約による取扱い

Q 国内源泉所得とされる船舶又は航空機の裸用船（機）契約に基づく賃貸料は、租税条約において、不動産の賃貸料と同様の取扱いとなっているのでしょうか。

A 国内法上、船舶又は航空機については、不動産の範囲に含まれていますが、我が国が締結した租税条約では、船舶及び航空機を不動産として取り扱わないで、その賃貸料については「設備の使用料」に含めているものが多いほか、事業所得条項が適用される例もありますので、個別の確認を要します。

解説

船舶又は航空機の貸付けによる対価は、いわゆる裸用船（機）(bare boat charter) 契約に基づき支払を受ける対価をいい、国内法では不動産の賃貸料等として国内源泉所得に含まれています。

その一方、我が国が締結した租税条約においては、その不動産所得条項には船舶・航空機は不動産とみなさない規定を置いているのが通例です。租税条約の中には、使用料条項に船舶・航空機の裸用船（機）料が規定されていないものもありますが、租税条約上、船舶・航空機は「設備 (equipment)」に含むというのが国際的な解釈とされています。

したがって租税条約では、船舶・航空機の賃貸料については、「設備の使用料」又は「船舶・航空機の裸用船（機）料」として使用料条項に含めて取り扱うことが一般的です。

ただし、OECDモデル条約では、船舶・航空機を不動産とはみなさず、使用料条項にも規定されていないことから、近年締結（改正）されたアメリカやイギリスなどとの条約にみられるように、国際運輸における運用利得に付随するものであることを条件として、国際運輸業所得に含まれて相互免税とするもの、又はその条件を満たさない場合には事業所得条項を適用する例が増えています。

上記のほか、(1)設備の使用料条項に含まれておらず、事業所得条項の適用を除外していることからその他所得条項が適用されて源泉地国課税となる条約例がありますし、(2)主に台湾などに適用される「所得相互免除法」では、PE帰属となるものを除き、船舶等の貸付けによる対価について非課税とする個別規定を置いています。

注　国際運輸業所得そのものについては、源泉地国免税（相互免税）と規定しているのが通例です。

なお、我が国が締結した租税条約における船舶又は航空機の賃貸料の取扱いを大別すると、概ね次のとおりとなっています。

使用料の定義	国名	取扱い
「設備の使用料」及び「裸用船（機）料」のいずれについても規定あり	イスラエル、韓国、シンガポール、トルコ、マレーシア、南アフリカ、ルクセンブルク	使用料条項を適用
「設備の使用料」について規定あり（「裸用船（機）料」について明示規定なし）	アイルランド、アルメニアなど（旧ソ連）、イタリア、インド、インドネシア、エジプト、カザフスタン、カナダ、サウジアラビア、ザンビア、ジャマイカ、スリランカ、スロバキア、チェコ、中国、パキスタン、ハンガリー、バングラデシュ、フィジー、フィリピン、フィンランド、ブラジル、ブルガリア、ベトナム、ポーランド、メキシコ、ルーマニア	
船舶・航空機の運用利得に含めるもの又は事業所得についての規定あり	アメリカ、イギリス、オマーン、クウェート、デンマーク、ドイツなど	国際運輸業所得条項又は事業所得条項を適用
事業所得条項の規定あり	アイスランド、UAE、オーストラリア、オーストリア、オランダ、スイス、スウェーデン、スペイン、ニュージーランド、ノルウェー、フランス、ベルギー、ブルネイ、ポルトガル、香港、ロシア　など	事業所得条項を適用
その他所得条項の規定あり	タイ	源泉地国課税
非課税規定の中に個別に含めているもの	台湾	所得相互免除法により非課税

039 海外駐在員に支払う借上げ社宅の家賃

Q 内国法人である当社の社員Aが、2年以上の予定で海外拠点に駐在するため家族同伴で出国しました。その際、Aが国内で所有している家屋を当社の社宅として借り上げて、その家賃を毎月Aの預金口座に振り込むこととしました。この場合、非居住者となったAに支払う家賃について、源泉徴収が必要となるのでしょうか。また、Aは確定申告が必要でしょうか。

A 非居住者に支払う家賃のうち、法人が社宅として借り受ける場合は、国内源泉所得とされる不動産の貸付けによる対価に該当しますので、その支払の際に所得税の源泉徴収が必要となります。

また、不動産の賃貸料については、原則として確定申告が必要です。

解説

1 国内法の取扱い

非居住者等に支払う不動産の賃借料は、所得税法上、原則として国内源泉所得に該当して源泉徴収を要することとされています。

しかしながら、不動産の賃借料を非居住者等に支払う場合で、その土地家屋などを自己又はその親族の居住の用に供するために非居住者等から借り受けた個人が支払うものに限り、源泉徴収を要しないこととされています。

例えば、ご質問のような場合で、貴社が借り受けて家屋の賃貸借契約を結ぶのではなく、貴社の社員のどなたかが自己又はその親族の居住の用に供しようとして非居住者となったAさんと直接賃貸借契約を結んでAさんに家賃を支払う場合は、源泉徴収を要しないこととなります。

ご質問の場合は貴社（法人）が契約当事者として借り受けていますので、個人が借り受けた場合についてのみ認められている源泉徴収義務を免除する規定は適用されません。

したがって、その家賃の支払の際に20.42%の税率による所得税の源泉徴収が必要となります。

2 租税条約による取扱い

我が国が締結している租税条約では、不動産の賃貸料に関する規定を置いている場合は、現在のところ例外なくOECDモデル条約と同様に「不動産所在地国」課税となっています。

また、租税条約上、特に規定のない国（現在はスリランカのみ）については、国内法の規定が適用されますので、賃貸人の海外居住地国がいずれであるかを問わず、上記**1**の課税取扱いが適用されることとなります。

3 家賃収入のある海外勤務者（非居住者）の確定申告

不動産の賃貸料は総合課税の対象となっていますので、ご質問にある家主であるAさんは、次により我が国で所得税の確定申告をしなければなりません。

① 海外赴任する年と帰国した年の確定申告

海外赴任する年と帰国した年については、その年中にそれぞれ居住者期間と非居住者期間とを有することとなりますので、居住者であった期間内に得た給与所得等金額と、海外勤務の非居住者期間に受けた家賃収入による不動産所得金額とを合算して確定申告を行います。

ただし、家賃収入による不動産所得金額が20万円以下で、かつ給与収入金額が2,000万円以下のときは、原則として確定申告は要しないこととされています。もっとも、確定申告を行うとしたならば納付すべき税額を上回る源泉徴収税額があるようなケースでは、源泉徴収された税額の還付を受けるために確定申告を行うことは可能です。

また、居住者期間を有していることから、配偶者控除、扶養控除などの人的控除もできることとなりますが、医療費控除や各種保険料控除は、居住者期間内において実際に支払ったものに限り、控除できることとされています。

注　国外居住の配偶者や扶養親族を有している場合のそれらの控除については、「親族関係書類」及び「送金関係書類」の添付又は提示を要することとされていますので、注意が必要です（所法120③、同190、同194⑤⑥、所令262③、同316の2③など）。

② 海外勤務期間中における年の確定申告

その年のまるまる1年を通じて海外支店勤務（非居住者）となっている年については、その年中の家賃収入による不動産所得金額が、基礎控除額を超えることとなるときは、原則として確定申告をしなければなりません。

もっとも、その所得金額が、基礎控除額以下の場合でも、源泉徴収された税額の還付を受けるために確定申告を行うことは可能です。

なお、この場合に適用できる諸控除は、基礎控除、雑損控除及び寄附金控除だけとされています。

注　確定申告の提出先については第1章問19注3を参照してください。

参考　所法120《確定所得申告》、同121《確定所得申告を要しない場合》、同161①七《国内源泉所得》、同164①二《非居住者に対する課税の方法》、同165《総合課税に係る所得税の課税標準、税額等の計算》、同212《源泉徴収義務》、所令328二《源泉徴収を要しない国内源泉所得》

040　非居住者に支払う共益費（管理料）

Q　内国法人である当社は、国内において、非居住者から事務所を賃借していて、賃借料のほかに、共益費に当たる管理料を支払っています。
この管理料については、源泉徴収を行うべきでしょうか。

A　所得税法上、国内源泉所得とされる国内にある不動産等の貸付けによる対価には、非居住者に支払う共益費（管理料）も含まれるものと認められますので、源泉徴収の対象になると考えられます。

解説

不動産の貸付けによる対価とは、もともとその不動産の賃貸借契約において得られる諸々の収入を指すものと思われますが、ご質問の共益費（管理料）については本来、賃借人が負担すべき費用について家主が支払ったものを支弁してもらうという、いわば実費の立替精算的な性格を有していることから、不動産の貸付けによる対価に含まれないとする考えもあるかと思います。

しかしながら現実的には、その管理料は、賃借物件の共同使用部分の電気料金などのように、文字通りに他の賃借人と共同して応益を受ける部分の費用負担（=共益費）という性格を有していることや、なによりも賃貸借契約上、賃借人が賃借料と合わせて支払うべきものとされていて、契約どおりに支払わなければ、その物件を賃借することができなくなることは明らかですから、その管理料も不動産の貸付けの対価の一部を構成すると認められます。

したがって、管理料を含めた支払金額が源泉徴収の対象となります。

なお、不動産の貸付けの対価には、ご質問の共益費に限らず、権利金や更新料などのほか、不動産の賃貸料等に代わるものとして支払われる損害賠償金や和解金なども含まれることとされています。

参考　所法161①七《国内源泉所得》、所基通161－46《損害賠償金等》

第6節　利子所得

041　利子等とは

Q　国内源泉所得とされる利子等とは、どのようなものをいうのでしょうか。居住者や内国法人が課税対象とされる利子等とは、違いがあるのでしょうか。

A　国内法上、非居住者等の国内源泉所得とされる利子等とは、公社債及び預貯金の利子並びに合同運用信託、公社債投資信託及び公募公社債等運用投資信託の収益の分配のうち、国内にその発生源泉があるものに限定されています。

解説

非居住者等の国内源泉所得とされる利子等の範囲は、次の①～④に記載のとおりです。

① 公社債のうち、我が国の国債若しくは地方債又は内国法人の発行する債券の利子

なお、内国法人の発行する債券には、振替記載等をしたため現に債券の存在しない社債等も含まれます。

② 外国法人の発行する債券の利子のうち、その外国法人の国内にあるPEを通じて行う事業に係るもの

③ 国内にある営業所、事務所その他これらに準ずるもの（営業所）に預け入れられた預貯金の利子

④ 国内にある営業所に信託された合同運用信託、公社債投資信託又は公募公

社債等運用投資信託の収益の分配

注1　割引債の償還差益は「国内にある資産の運用、保有による所得」とされていますので、利子等には該当しません（第3章問9参照）。
2　利子所得の範囲に関する租税条約における取扱いについては、第3章問45参照。

その一方、居住者又は内国法人は無制限納税義務者に該当しますので、課税対象とされている利子等には、例えば、公社債の利子であればその公社債の発行者が我が国や国内の地方公共団体又は内国法人だけに限らず、外国や外国の地方公共団体又は外国法人が発行する場合の利子もすべて含まれます。

非居住者等の国内源泉所得とされる利子等には、外国の国債や地方債の利子のほか、外国法人の発行する債券の利子のうち、国内に有するPEを通じて行う事業に係るもの以外のものは、これに該当しないこととなります。

したがって、例えば、外国で発行された公社債又は公社債投資信託等の受益証券の利子又は収益の分配に係る利子等について、国内におけるその利子等の支払の取扱いをする者は、その利子等を居住者又は内国法人に対して支払う際には、所得税を源泉徴収することとされていますが、非居住者等に支払う場合には、その利子等の支払者が国内にPEを有している外国法人でない限り、我が国では課税されませんので、源泉徴収を要しません。

なお、法人税法では利子等について国内源泉所得に含めていませんが、非居住者等が受け取る上記①～④の公社債や預貯金などの利子等については、その支払を受ける非居住者等がPEを有しているかどうか、又は国内事業に帰せられるものであるかどうかにかかわらず、利子等の支払者は原則としてその支払の際に源泉徴収を要することとされています。

また、非居住者等が支払を受ける特定利子や償還差益について、措置法の規定により所得税が課税されない特例がありますが、この具体的な内容については、第1章問29❶を参照してください。

注　国債や公募公社債などの一定のもの（特定公社債）等については、国内にPEを有する非居住者に対する課税方式を源泉分離課税の対象からはずし、株式や公社債等の譲渡損失と損益通算できる申告分離課税（原則として税率15.315％）とすることとされています（措法8の4①）。

参考 所法2①八の四《定義》、同23①《利子所得》、同161①八《国内源泉所得》、所基通161－28《振替公社債等の利子》、法法141《外国法人に係る各事業年度の所得に対する法人税の課税標準》

042　利子等の源泉徴収制度

Q　非居住者等が銀行の国内営業所から受け取る預金の利子等は、どのように課税されるのでしょうか。

A　非居住者等が国内にある営業所等から支払を受ける利子等については、その支払を受ける際に原則として15.315%の税率による所得税の源泉徴収が行われ、国内にあるPEに帰属しないものは源泉分離課税となります。

ただし、特定の利子等については源泉分離課税の対象から除かれることとなります。

解説

所得税法上、国内源泉所得にあたる利子等については、支払を受ける非居住者等が国内にPEを有しているかどうか、又はPEを有していてもその国内事業に帰せられるものであるかどうかにかかわらず、所得税の源泉徴収の対象となります。

国内に支店、営業所などのPEを有する非居住者等が利子等の支払を受ける場合は、その利子等については原則として総合課税の対象となりますので、その源泉徴収税額を含めたところで所得税又は法人税の確定申告をしなければなりません。

ただし、利子等の受領者が国内にPEを有しないか、又はその利子等がPEに帰属されないこととなる非居住者等の場合は、源泉徴収だけで課税関係が終了すること（源泉分離課税）となります。

なお、国内にPEを有する非居住者に対して支払われるべき利子等のうち、国債や公募公社債などの一定のもの（特定公社債）の利子等については源泉分離課税の対象から除かれ申告分離課税となりますが、その課税の取扱いについては、次問（問43）を参照してください。

さらに、非居住者等が受領する利子等のうちPE帰属所得に該当することとなるもの以外は、すべて源泉分離課税の対象とされています。

その一方、我が国が締結している租税条約においては、利子について、債務者の居住地国を所得の源泉地として課税できること（債務者主義）としているケースが通例ですが、利子に関する規定を置いていない締結国もあります。これらの場合はいずれのケースにしても、国内法の規定により課税されることとなります。

ただし、最近におけるアメリカやイギリス、スウェーデンなどとの条約改正では、利益連動型といわれる利子を除いて利子そのものを原則として免税とするものや、近年におけるオランダやスイス、フランスなどのように金融機関等受取の利子を免税とする規定を置いていて、そのような改正例が増えつつあります（租税条約における取扱いについては、第3章問45参照）。

参考　所法161①八《国内源泉所得》、同164《非居住者に対する課税の方法》、同212《源泉徴収義務》、同213《徴収税額》、法法141《外国法人に係る各事業年度の所得に対する法人税の課税標準》、措法3《利子所得の分離課税等》、同8の4《上場株式等に係る配当所得等の課税の特例》

043 特定公社債等の利子等に対する取扱い

Q 2016（平成28）年1月1日以後から変更された非居住者が受け取る利子等に対する課税の取扱いは、どのようになっているのでしょうか。

A 国内にPEを有する非居住者が有するPEに帰属する所得となる利子等のうち、特定公社債等に係る利子等については、所得税の源泉分離課税が廃止されて、申告分離課税となります。

解説

2016（平成28）年1月1日以後からは、国内にPEを有する非居住者がそのPEに帰属する所得となる利子等のうち、

① 金融商品取引所に上場されている公社債や、国債・地方債・外国公債などの特定公社債の利子

② 公社債投資信託のうち、一定の公募により受益権の募集が行われたものや、その受益権が金融商品取引所に上場しているものなどの収益の分配

③ 公募公社債等運用投資信託の収益の分配

については、従来適用されていた所得税の源泉分離課税の対象から除かれ、申告分離課税（税率15.315%）とされています。

同じくPEに帰属する所得の利子等のうち、上記の特定公社債以外の公社債の利子で、同族会社の判定株主、又はその株主の親族などにその同族会社から支払われる利子については、所得税の総合課税の対象となります。

注　これらの利子等については、同日以後、株式や公社債等の譲渡損失との損益通算の対象とされたことにより、課税上のバランスを考慮して改正されたものです。

なお、原則としてPE帰属所得とされるもので、上記に該当するもの以外のものについては、この取扱いは適用されません。

また、原則として外国法人に支払われる利子等でPE帰属所得となるものについて

は、所得税を源泉徴収されたうえで法人税の確定申告を要する（源泉所得税の精算が行われる）こととされています。

参考　所法23《利子所得》、同164《非居住者に対する課税の方法》、同165《総合課税に係る所得税の課税標準、税額等の計算》、措法3《利子所得の分離課税等》、8の4《上場株式等に係る配当所得等の課税の特例》、同37の11《上場株式等に係る譲渡所得等の課税の特例》

044 海外転勤者の財形住宅（年金）貯蓄利子

Q 私は、海外支店に3年間の予定で勤務することとなりましたが、7年前から、国内銀行との間で勤労者財産形成住宅貯蓄契約を締結し、給料天引きにより預入しています。出国後には、この預金の利子は、どのように取り扱われるのでしょうか。

A 勤労者財産形成住宅貯蓄や勤労者財産形成年金貯蓄（「財形住宅（年金）貯蓄」といいます）の非課税制度の適用を受けていた勤労者が非居住者となった後において支払を受けるものについては、次のような特例が定められています。

解説

1 海外転勤者に対する財形住宅（年金）貯蓄非課税制度の特例

財形住宅（年金）貯蓄非課税制度の適用を受けていた勤労者が、海外勤務のため出国したことにより非居住者となった場合において、その勤労者が一定の要件を満たした海外転勤者であって、かつ必要な手続を行った場合には、出国後7年以内の期間に限り、非居住者となっている海外勤務期間中も引き続いてこの制度の適用を受けられることとされています。

したがって、ご質問の場合には次に掲げる要件を満たしていて、必要な手続を行う限り、その利子等について源泉徴収されることはありません。

① 適用が受けられる海外転勤者の要件

その勤労者と賃金支払者との間に、出国後も引き続いて雇用契約が継続していて、かつ、その雇用契約に基づく賃金の全部又は一部が、継続して国内で支払われることとされている場合におけるその海外転勤者

② 必要な手続

その海外転勤者は、出国をする日までに「海外転勤者の財形非課税住宅（年金）貯蓄継続適用申告書」を、勤務先、及び現に非課税扱いを受けている財形住宅（年金）貯蓄の預入等をしている金融機関の営業所等を経由して住所地の所轄税務署長に提出しなければなりません。

③ 対象となる財形住宅（年金）貯蓄

海外勤務期間中も引き続きこの制度の適用が受けられることとなる貯蓄は、勤労者が出国前に非課税扱いを受けていた預貯金等（利子等により元加されるものを含みます）に限られます。また、海外勤務期間中はその財形住宅（年金）貯蓄の口座に賃金からの天引きによる預入等（積立）をしないこととされています。

注　勤労者財産形成貯蓄（一般財形貯蓄）の場合は、本問のような制限はなく、海外転勤中であっても国内払の賃金があればその賃金からの天引きにより積立を継続することができますが、その利子等に対する非課税制度はありません。

2 要件違反として非課税扱いが受けられなくなる場合

次のような場合には、要件違反に該当して、海外勤務期間中に引き続いて非課税扱いを受けることはできないこととされています。

① 海外勤務期間中において、その者の賃金から天引きして、その財形住宅（年金）貯蓄の口座に預入等をした場合

② その者が、国内において雇用契約に基づく賃金の全部又は一部の支払を受けないこととなった場合

③ その者が、出国をした日から7年を経過する日までに、その雇用契約を結んでいる賃金支払者の国内の事務所、事業所等に勤務することとならなかった場合

④ その者が、国内勤務をすることとなってから2か月以内に「海外転勤者の国内勤務申告書」を提出しなかった場合

注1　国内勤務をすることとなった日とは、その勤務を命じられた日（発令の日）をいうこととされています。

2　事務の引継等のやむを得ない事情により2か月以内に必要な申告書を提出しなかった場合には、帰国後、速やかにそのやむを得ない事情があったことを証するその勤務先の長の書面を添付して申

告書を提出すれば救済される取扱いがあります（国税庁法令解釈通達）。

その場合には、その勤務先の長は、現に継続しているその貯蓄の受入れ金融機関の営業所等の長に対して、その事由が生じた日から6か月以内にその旨を書面で通知する必要があります。

3　要件違反があった場合に非課税扱いが受けられなくなる利子等

上記2にあるような要件違反があった場合には、次に該当する利子等は非課税扱いが受けられなくなり、源泉徴収を要することとなります。

① 預貯金、合同運用信託又は有価証券の利子又は収益の分配のうち、その計算期間が1年以下であるもの……要件違反が生じた日の属する計算期間の次の計算期間の利子等

② 上記①以外の利子若しくは収益の分配又は生命保険若しくは生命共済契約等の差益……要件違反が生じた日から起算して1年を経過する日後に支払われる利子等

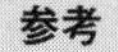

措法4の2《勤労者財産形成住宅貯蓄の利子所得等の非課税》、同4の3《勤労者財産形成年金貯蓄の利子所得等の非課税》、措令2の6③《財産形成非課税住宅貯蓄申込書の記載事項及び提出等》、同2の7《特定財産形成住宅貯蓄契約についての財産形成非課税住宅貯蓄申込書の特例》、同2の8《財産形成住宅貯蓄の利子所得等が非課税とされない場合》、同2の21《海外転勤者の財産形成非課税住宅貯蓄継続適用申告書等》、同2の31《財産形成非課税年金貯蓄申込書の提出等についての準用》、財形促進法6《勤労者財産形成貯蓄契約等》

045 利子等の租税条約による取扱い

Q 非居住者等が利子等を受け取る場合の国内法における源泉徴収に関する取扱いは、租税条約によって修正されるのでしょうか。

A 我が国が締結した租税条約においては、利子等の範囲を広義に定めているほか、所得税の源泉徴収税率を軽減したり、特定の利子等について免税としているものがあります。この定めに該当する場合は、国内法に優先して適用されることとなります。

解説

1 利子等の範囲

所得税法上は、公社債及び預貯金の利子などについて「利子等」と規定し、「貸付金の利子」とは区別して規定しています。

その一方、我が国が締結した租税条約の多くは、利子等について「公債、債券又は社債その他のすべての種類の信用に係る債権から生じた所得及びその他の所得で当該所得が生じた締約国の税法上貸付金から生じた所得と同様に取り扱われるもの」と定義し、租税条約で規定する「利子」の範囲には、預貯金の利子等だけでなく、貸付金の利子（事業上の貸付金利子）も同じカテゴリーに属するものとして包括的に含むこととしています。

また、償還差益についても、多くの締結国との条約では「公社債等の割増金又は償還された金額のうち融通された金額を超える部分」と規定して利子に含めることとされています。

なお、ほとんどの租税条約においては、利子の支払債務者の居住地国、又は利子を負担するPE所在地国を利子所得の源泉地として課税することができること（債務者主義）とされており、国内で発生した利子については国内法の規定に基づいて所得税が課税されることとなります。

ただし、最近の条約改正例では、利子の源泉地国では原則として免税とする締結国（アメリカ、イギリス、スウェーデンなど）があります。その場合でも、債務者等の収入や所得又は資産価値等の変動若しくは配当や分配金等を基礎として算定される利子（利益連動型の利子）については異なる取扱いとなり、他の条約例と同様に10%の軽減税率により課税されることとされています。

2　源泉徴収税率の軽減等

多くの租税条約では、投資所得とされる配当や使用料と同様に、利子に対する所得税の源泉徴収税率は10%に軽減されています。

この軽減税率の特例は、その利子の取得者が国内に支店等のPEを有しない場合、又は有している場合でもその利子がそのPEを通じて行われる事業と実質的に関連を有していない（又は帰せられない）場合に限り、適用されます。

国内にPEを有しているか、又はPEを通じて事業を行う場合で、そのPEと実質的関連性を有しているときは、事業所得条項が適用されます。

また、貸付金の利子が利子に含まれる旨の規定がある場合には、貸付金の利子についても、利子に対する軽減税率が適用されることとなります。

なお、租税条約の中には、軽減税率を10%とする特例のほかに、

① 国内法の定める源泉徴収税率15.315%を超える税率を制限税率としているもの（タイは法人受取のものに限り25%。この場合は国内法の税率15.315%が適用されます）

② 制限税率を10%超～15%としているもの（ブラジルは12.5%、トルコ、メキシコは15%）

③ 利子の範囲や制限税率に関して特に規定がないことから、国内法の税率15.315%を適用するもの（エジプト、スリランカ）

があります。

3 金融機関等に対する免税

近年において、我が国が締結（改正）した租税条約の中には、上記1の免税規定を置く租税条約のほかに、銀行、保険会社、（登録）証券会社などを受取人とする利子については免税としているもの（オーストラリア、オランダ、スイス、フランスなど）があります。また、オーストラリア、カナダ、フランスなど多くの国との租税条約においては、相手国の中央銀行や政府機関等に支払う利子を相互に免税としています。

なお、これらの国のうち大部分の国とは、これらの銀行によって保証され若しくは保険が付された債権又はこれらの銀行による間接融資に係る債権の利子を免税としています。

注　租税条約における、上記2～3の特例については、巻末の付録「租税条約（源泉徴収関係）一覧」を参照してください。

第7節　配当所得

046　配当等とは

Q　国内源泉所得とされる配当等とは、どのようなものをいうのでしょうか。居住者や内国法人が課税対象とされる配当等とは、違いがあるのでしょうか。

A　国内法上、非居住者等の国内源泉所得とされる配当等とは、内国法人から支払を受ける剰余金の配当や利益の配当のほか、公社債投資信託等以外の投資信託の収益の分配などに限定されています。

解説

非居住者等の国内源泉所得とされる配当等の範囲は、内国法人から支払を受ける次の①～④及び⑦に掲げるもの、並びに⑤～⑥に掲げるものをいいます。

①　剰余金の配当（株式又は出資に係るものに限られ、資本剰余金の減少に伴うもの及び分割型分割によるものを除きます。ただし、出資については、公募公社債等運用投資信託以外の公社債等運用投資信託の受益権及び社債権的受益権を含みます）

②　利益の配当（資産の流動化に関する法律に規定する金銭の分配を含み、分割型分割によるものを除きます）

③　剰余金の分配（出資に係るものに限られます）

④　金銭の分配（投資信託及び投資法人に関する法律に規定するものに限られ、出資総額等の減少に伴う金銭の分配に当たるものを除きます）

⑤　基金利息（保険業法第55条第1項に規定するもの）

⑥　国内にある営業所に信託された公社債投資信託及び公募公社債等運用投資

信託以外の投資信託、又は特定受益証券発行信託の収益の分配

⑦　みなし配当

注1　上記②には、特定目的会社の社債権的受益権の剰余金の配当が含まれます。ただし、国内において支払を受けるべきものについては、その募集が一定の公募により行われたものや、金融商品取引所に上場されているもの等以外のものとされています。

2　上記⑥のうち、公募公社債等運用投資信託以外の投資信託（私募公社債等運用信託）には、従来はその受益権の募集が公募の方法により行われたもので、国内募集割合が50%以下のものを含む（法法2二十九ロ⑵、法令14の3）こととされていましたが、2016（平成28）年1月1日以後に国内において支払を受けるべきものについては、国内募集割合いかんにかかわらず、一定の要件に該当するものとされています。

その一方、無制限納税義務者である居住者又は内国法人が課税対象とされる配当等には、外国法人から支払を受ける剰余金の配当等も含まれていますが、非居住者等が国内源泉所得とされるものは、投資信託等を除き、内国法人から支払を受けるものに限られています。

したがって、非居住者等が外国法人から支払を受ける投資信託等以外の配当等は、たとえ国内にある支払取扱い機関から国内で支払を受けるものであっても、我が国では課税されません。

なお、上記①～③には、法人が確定した決算において、剰余金又は利益の処分により配当又は分配したものだけでなく、内国法人が株主等に対して、その株主等である地位に基づいて供与した経済的利益を含みます。

ただし、その経済的利益であっても、法人の利益の有無にかかわらず供与することとしている、例えば旅客運送業を営む法人が自己の交通機関を利用させるために交付する株主優待乗車券などについては、法人が利益処分として経理しない限り、配当等には含まれないこととされています。

ところで、法人税法では配当等について国内源泉所得に含めていませんが、外国法人を含む非居住者等が受け取る上記の配当等については、その支払を受ける非居住者等がPEを有しているかどうか、又は非居住者等の国内事業に帰せられるものであるかどうかにかかわらず、配当等の支払者は、原則としてその支払の際に所得税の源泉徴収を要することとされています。よって、非居住者等のPE帰属所得に該当するもの以外は、所得税の源泉分離課税となります。

参考　所法24①《配当所得》、同25《配当等とみなす金額》、同161①九《国内源泉所得》、同178《外国法人に係る所得税の課税標準》、所基通24－1《剰余金の配当、利益の配当又は剰余金の分配に含まれるもの》、同24－2《配当等に含まれないもの》

047 配当等の源泉徴収制度

Q 非居住者等が内国法人から受ける剰余金の配当は、国内法ではどのように課税されるのでしょうか。

A 国内法では、非居住者等が内国法人から支払を受ける剰余金の配当については、その支払を受ける際に原則として20.42%の税率（一定の非居住者等が支払を受ける上場株式等の配当などについては、軽減税率の特例があります）による所得税の源泉徴収が行われます。

解説

非居住者等が受ける配当等については、国内における非居住者等のPE帰属の有無に応じて、次のような課税上の取扱いが定められています。

1 国内にPEを有する非居住者等が受ける配当等

非居住者等が国内にPEを有してそのPEに帰せられるものとして支払を受ける配当等については、総合課税の対象となりますので、原則として20.42%の税率による源泉徴収税額を含めたところで所得税又は法人税の確定申告をしなければなりません。

ただし、国内にPEを有する非居住者（下記(3)については外国法人を含む非居住者等）については、次のような課税の特例があります。

(1)上場株式等の配当等の課税の特例

次に掲げる上場株式等の配当等については、15.315%の税率による所得税の源泉徴収が行われることとされています。また、原則として確定申告を要しないこととされています（確定申告をして源泉徴収税額の還付は受けられます）が、下記②については、内国法人から支払を受けるものに限ります。

① 内国法人から支払を受ける上場株式等の配当等

注　配当等の支払基準日において発行済株式の総数又は出資金額の3%以上に相当する数又は金額の株式又は出資を有する国内にPEを有する非居住者が支払を受ける上場株式等の配当等については、この特例制度の対象とはなりません。
　なお、上場株式等の範囲については、下記の「3参考(2)上場株式等の範囲」を参照。

②　公募証券投資信託（公社債投資信託及び特定株式投資信託を除きます）の収益の分配に係る配当等

③　特定投資法人の投資口の配当等

注　特定投資法人とは、投資主の請求により投資口の払戻しをする旨が定められている一定の投資法人をいいます。

④　公募特定受益証券発行信託の収益の分配

⑤　公募特定目的信託の社債権的受益権の剰余金の配当

(2)上記(1)以外の配当等で確定申告を要しないもの

内国法人から支払を受ける上記(1)以外の配当等で、1回に支払を受けるべき金額が10万円（配当計算期間が1年未満の場合は、配当計算期間の月数（1月未満の端数は1月とします）に12を除したものを10万円に乗じた金額）以下の配当等

(3)私募公社債等運用投資信託等の収益の分配金の源泉分離課税

公募公社債等運用投資信託以外（私募型）の公社債等運用投資信託の受益権、及び特定目的信託の社債権的受益権に係るもの（私募公社債等運用投資信託等）の収益の分配による配当等については、15.315%の税率による所得税の源泉分離課税とされています。

また、国外で発行されて国外において支払われた収益の分配について、国内の支払取扱者を通じてその交付を受ける場合も同様です。

なお、私募公社債等運用投資信託の15.315%の税率による源泉分離課税の範囲は、その受益権の募集が一定の公募により行われたものや金融商品取引所に上場されているもの等以外のもので、その受益権の募集が国外において行われるものを含め、金融商品取引所法に規定する取得勧誘が多数の者を相手方として行う場合などの要件に該当するものをいうこととされています。

このほか、国外私募公社債等運用投資信託等以外の国外私募投資信託等の配当等については、原則どおり20.42%の税率による源泉徴収が行われ、総合課税（確

定申告）の対象となります。

2 国内にPEを有しない非居住者等が受ける配当等

国内にPEを有しないか、又PEを有していてもその国内事業に帰せられないものとされる非居住者等が支払を受ける配当等については、原則として20.42%（私募公社債等運用投資信託等の収益の分配については15.315%）の税率による所得税の源泉徴収だけで課税関係が完結する源泉分離課税の適用を受けますので、確定申告は不要です。

なお、特定目的信託の社債権的受益権のうち、その募集が国内又は国外において、金融商品取引法に規定する場合に該当する取得勧誘であるなどの要件に該当して公募により行われたものとされるものや、金融商品取引所に上場されているもの等は、公社債の利子所得や譲渡所得との損益通算を行うために、20.42%の申告分離課税となり、源泉分離課税の対象から除かれています。

3 参考

⑴　株式等の範囲

配当等を生じる元本である「株式等」とは、措置法の規定では、次に掲げるもの（外国法人に係るものを含み、ゴルフ場その他の施設の利用に関する権利に類するものに該当する一定のものを除きます）をいいます。

①　株式（株主又は投資主となる権利、株式の割当てを受ける権利、新株予約権及び新株予約権の割当てを受ける権利を含みます）

②　特別の法律により設立された法人の出資者の持分、合名会社、合資会社又は合同会社の社員の持分、協同組合等の組合員又は会員の持分その他法人の出資者の持分（出資者、社員、組合員又は会員となる権利及び出資の割当てを受ける権利を含み、下記④にあるものを除きます）

③　協同組織金融機関の優先出資に関する法律に規定する優先出資（優先出資者となる権利及び優先出資の割当てを受ける権利を含みます）及び資産の流動化に関す

る法律に規定する優先出資（優先出資社員となる権利及び新優先出資引受権付特定社債に付する新優先出資の引受権を含みます）

④　投資信託の受益権

⑤　特定受益証券発行信託の受益権

⑥　社債権的受益権

⑦　公社債（長期信用銀行債等は除きます）

⑵　上場株式等の範囲

配当等について特例の対象とされている「上場株式等」とは、措置法の規定では、次に掲げるものをいいます。

①　金融商品取引所に上場されている株式等

②　店頭売買登録銘柄（株式で、認可金融商品取引業協会がその定める規則に従い、店頭売買につき、売買価格を発表し、かつ、その株式の発行法人に関する資料を公開するものとして登録をしたものをいいます）として登録された株式（出資を含みます）

③　店頭転換社債型新株予約権付社債（新株予約権付社債で、かつ上記②と同内容の条件のものとして認可金融商品取引業協会が指定をしたものをいいます）

④　店頭管理銘柄株式（金融商品取引所への上場が廃止され、又は店頭売買登録銘柄としての登録が取り消された株式のうち、認可金融商品取引業協会がその定める規則に従い指定したものをいいます）

⑤　認可金融商品取引業協会の定める規則に従い、登録銘柄として認可金融商品取引業協会に備える登録原簿に登録された日本銀行出資証券

⑥　外国金融商品市場において売買されている株式等

⑦　公募により募集した公社債投資信託以外の証券投資信託（特定株式投資信託を除きます）の受益権

⑧　特定投資法人の投資口

⑨　公募により募集した証券投資信託以外の投資信託で、公募公社債等運用投資信託を除いたものの受益権

⑩　特定受益証券発行信託の受益権で、その募集が一定の公募により行われた

もの

⑪　特定目的信託の社債的受益権で、その募集が一定の公募により行われたもの

参考　所法161①九《国内源泉所得》、同164《非居住者に対する課税の方法》、同178《外国法人に係る所得税の課税標準》、同179《外国法人に係る所得税の税率》、同212《源泉徴収義務》、同213《徴収税額》、措法8の2《私募公社債等運用投資信託等の収益の分配に係る配当所得の分離課税等》、同8の3《国外で発行された投資信託等の収益の分配に係る配当所得の分離課税等》、同8の4《上場株式等に係る配当所得等の課税の特例》、同8の5《確定申告を要しない配当所得等》、同9の3《上場株式等の配当等に係る源泉徴収税率等の特例》、同9の3の2《上場株式等の配当等に係る源泉徴収義務等の特例》、同37の10②《一般株式等に係る譲渡所得等の課税の特例》、同37の11②《上場株式等に係る譲渡所得等の課税の特例》、措令25の9②《上場株式等に係る譲渡所得等の課税の特例》、措規18の10①《上場株式等に係る譲渡所得等の課税の特例》

048 非居住者から自己株式の取得を行った場合のみなし配当

Q　上場会社である内国法人の当社では、株主から公開買付けによる自己株式の取得を予定していますが、対象となる株主の中に非居住者が含まれています。

この場合には源泉徴収を行うべきと聞いていますが、どのように計算するのでしょうか。

A　上場会社等が公開買付けにより自己株式を取得した場合において、株主に支払う対価のうち、その株式に対応する資本金等の額を超える部分については、みなし配当として所得税の源泉徴収を要することとなります。

解説

公益法人等及び人格のない社団等以外の法人が行う自己株式の取得については、金融商品取引所の開設する市場における購入や店頭売買登録銘柄の店頭売買による購入など、一定の事由に該当する取得を除いて、自己株式を取得する法人（=株式発行法人）においては資本金等の減少となり、その減少額を上回る対価で株主に金銭を交付した場合の対価には、実質的に利益剰余金の配当部分が含まれていることにほかなりませんので、株主については所得税法におけるみなし配当の規定が適用されることとなります。

非居住者の国内源泉所得とされる配当等には、みなし配当も含まれていますので、本問の公開買付けによるその支払のうち、取得する自己株式に対応する貴社の資本金等の額を超える金額については、剰余金の払戻し部分に該当して貴社からの利益の配当等があったものとみなされて、みなし配当に該当する金銭等の支払があった場合に当たることから、20.42%の税率による所得税の源泉徴収が必要となります。

この場合のみなし配当の計算は以下のとおりとなります。

（みなし配当の計算式）

① 「一株当りの資本金等の額」＝$\dfrac{\text{「発行法人の自己株式取得直前の資本金等の額」}}{\text{「自己株式取得直前の発行済株式総数」}}$

② 「資本金等の額の取得株式対応部分の額」＝「一株当りの資本金等の額」×「取得する自己株式の数」

③ 「みなし配当の額」＝「自己株式の取得額」－「資本金等の額の対応部分の額」

また、租税条約では、貴社が非居住者や外国法人の株主から公開買付けにより自己株式を取得した場合について、課税の特例を認めるような規定を置く条約例はありませんので、国内法に基づき上記の場合と同様に課税の対象とされて、源泉徴収が必要となります。

注　租税条約における配当の定義は、一般的には締結国の定めるところによることとされていますので、みなし配当も国内法の規定に従うこととなります。

参考　所法25《配当等とみなす金額》、同161①九《国内源泉所得》、同212《源泉徴収義務》、同213《徴収税額》、所令61《所有株式に対応する資本金等の額又は連結個別資本金等の額の計算方法等》

049 配当等の租税条約による取扱い

Q 内国法人である当社（3月31日決算）では、決算終了後、今までは当社株式を100％所有する香港の親会社に配当を支払う際に租税条約の適用を受けて5％の税率で源泉徴収していましたが、当社の決算に先立つ昨年12月末に、親会社が当社の持株のすべてをカナダの法人に譲渡したため、当期からは親会社となったカナダの法人に配当を支払う予定です。

配当の支払先が変わっても同じように税率の軽減を受けられるでしょうか。

A 我が国が締結したほとんどの租税条約において、配当等に対する所得税の源泉徴収税率は軽減されていて、この税率は、その多くが「一般の配当」と「親子会社間の配当」とに区分して規定されています。一般の配当の軽減税率を通常10％ないし15％としているのに対して、親子会社間の配当については、免税とするもの、あるいは5％又は10％に軽減している条約例が多くなっています。

カナダとの租税条約においても同様に税率軽減の規定を置いています。

解説

租税条約では、配当について、OECDモデル条約第10条第3項にあるようにほとんどの条約が「株式、…その他利得の分配を受ける権利から生ずる所得…であって」、「…分配を行う法人が居住者とされる締結国の租税に関する法令上株式から生ずる所得と同様に取扱われるもの」と定義づけていて、一般的には国内法の定めるところによることとされています。

一般の配当については、10％ないし15％を限度税率とする条約例が多いですが、シンガポールやマレーシアとの条約では、我が国源泉の配当についてのみ適用される（相手先国では非課税となる）規定を置いています。

また、我が国に所得源泉のある配当のうち、不動産関連株式の配当については、一般の配当に対する税率よりも高い税率（15%）とするオーストラリアとの条約例もあります。

その一方、親子会社間配当についての規定を別途設けて、一般の配当に比して優遇している例が多いですが、その理由は、外国企業が国内に支店を設けて事業を行う場合と、子会社を設けて事業を行う場合とにおける税負担の差の調整、つまり支店形態では配当課税が発生し得ないのに比べ、子会社形態では配当課税が生じることに対するバランスを図るためといわれています。

ここにいう親子会社とは、各国との租税条約の規定によりその要件は多少異なりますが、概ね次の関係にあるものをいいます。

①　配当を受け取る者が、その配当を支払う法人の議決権のある株式の間接所有を含めて、少なくとも10%又は25%以上を所有していること

②　株式その他利得の分配に係る事業年度の終了の日若しくは配当支払日に先立つ（又は配当の支払を受ける者が特定される日をその末日とする）6か月又は12か月を通じて、上記①に定める株式を所有していること

ところで、ご質問にあるカナダとの租税条約においては、一般の配当は税率15%に、所有期間の要件を満たした議決権株式の所有割合25%以上の場合の親子会社間配当については税率5%に、それぞれ軽減されています。

ご質問の場合、香港の法人が貴社の株式をカナダの法人に譲渡したのは、貴社の事業年度の終了の日からさかのぼって3か月前ということですので、親会社として上記①の要件を満たしていたとしても、今回の配当の支払にあたっては、日加租税条約第10条に規定する「事業年度終了の日に先立つ6か月の期間を通じ、株式を所有」するという要件を満たしていませんので、親子会社間の配当に係る軽減税率（5%）を適用することはできないこととなります。

したがって、一般の配当に対する税率（15%）を適用して所得税の源泉徴収を行う

べきであると考えられます。ただし、本問の場合を含め、一般の配当に対する軽減税率を適用するためには租税条約に関する届出書の提出が必要です。

注1　条約における特例としては、すべての配当を免税とするもの（ザンビア）があり、その他に一般の配当については、限度税率を20%とするもの（スリランカ）や、限度税率の定めのないもの（タイ）もあり、定めなき場合には国内法と同じ税率が適用されます。

2　近年において締結（改正）した欧米諸国との条約では、親子会社間配当について、議決権のある株式の所有割合や所有期間は異なりますが、一定の要件を満たせば所得源泉地国において免税とされるケースが多くなっています。

親子会社間配当に関する免税規定について次問（問50）参照。

参考　所法161①九《国内源泉所得》、同213《徴収税額》、日加租税条約10《配当》

050　親子会社間配当の租税条約による特例

Q　親子関係にある外国法人に支払う配当については、免税となる場合があると聞きましたが、どのような場合に免税となるのでしょうか。

A　配当に関する各国との租税条約のうち、特定の国との租税条約では、一定の要件をみたす親子会社間配当について源泉地国免税とされています。

解説

租税条約では、一般の配当と異なり、親子会社間配当については、進出国における事業形態による課税上の不均衡、即ち支店形態をとる場合と、子会社形態をとる場合のその利益分配に対する課税上のバランスを考慮して、軽減税率の軽減度を上げる（税率を下げる）こととするのが一般的ですが、アメリカやイギリスなど特定の国とは、一定の要件に該当するものについて所得源泉地国における課税を免除することとされています。

各国ごとに議決権のある株式の持株割合は、間接所有を含むか否かの所有形態による基準が異なるものの、その所有期間の基準については6か月間とする例が大勢となっていますが、そのほか12か月とする条約例もあります。

注　親子会社間配当の要件については前問（問49）参照。

親子会社間配当について免税規定を置いている条約例の概要は次のとおりです。

国　名	所有期間	持株割合（その他の要件）
スイス	365日	間接含み10%以上
イギリス、オーストリア、スウェーデン、ベルギー	6か月	間接含み10%以上
ニュージーランド	6か月	間接含み10%以上（要件有）
デンマーク	6か月	直接10%以上

フランス	6か月	間接含み25%以上/直接の場合15%以上
メキシコ	6か月	直接25%以上（要件有）
オランダ	6か月	間接含み50%以上
アメリカ	6か月	間接含み50%以上（要件有）
スペイン	12か月	間接含み10%以上
オーストラリア	12か月	間接含み50%以上（要件有）
ドイツ	18か月	直接25%以上

注　カナダとの租税条約は前問（問49）参照。

参考　日英租税条約10③《配当》など

051 日本子会社の清算による残余財産の分配

Q 当社はIT関係の事業を営むアメリカ法人が100%所有する子会社で、5年前に設立以来日本国内における唯一の拠点となっていますが、親会社の経営方針により当社を解散し清算することとなりました。国内における不動産などの資産を処分して得られた金銭を残余財産として分配する予定ですが、その場合には源泉徴収を行う必要があるのでしょうか。

A 外国法人株主が解散する法人から残余財産の分配を受ける場合で、みなし配当に該当する部分があるときは、国内源泉所得に該当して所得税の源泉徴収を要します。

また，米国親会社は有価証券の譲渡があったものとみなされて、我が国で法人税の申告義務が生じますが、日米租税条約に定める要件を満たすことにより、源泉徴収を含めて免税の適用を受けることができます。

解説

法人の解散による残余財産の分配を行う場合には、所得税法上、その交付する金銭の額がその所有株式に対応する資本金等の額を超える部分については、利益剰余金の配当部分に当たることから、みなし配当として分配を受ける非居住者等の国内源泉所得に該当して、原則として20.42%の税率による所得税の源泉徴収を要することとなります。

その一方、日米租税条約では親子会社間配当のうち、配当の支払を受ける者が特定される日をその末日とする6か月の期間を通じて、その配当支払法人の議決権のある株式の50%以上の株式を直接又は間接に所有する米国居住者たる一定の要件に該当する法人を受益者とするものについては、免税とされています。

ご質問の場合は上記の要件を満たしていると認められて、かつ租税条約に関する届出書に居住者証明書等の必要な書類を添付して提出する手続をとれば、源泉徴収は必要ありません。

他方、米国親会社は残余財産の分配額からみなし配当控除後の金額（資本の払戻金額）については、有価証券の譲渡を行ったものとみなされて、出資金額（取得価額）を上回る資本の払戻金額（譲渡価額）がある場合は、株式譲渡益が生ずることとなります。

国内法上、単なる内国法人株式の譲渡の場合は原則として課税されませんが、ご質問の場合の株式については事業譲渡類似株式等に該当するものと認められ、かつ、国内にPEを有していない外国法人に該当して、内国法人株式100%を5年にわたり所有しているとのことですので、その譲渡益には法人税が課税されることとなります。

ただし、日米租税条約においては、不動産関連法人株式以外の譲渡収益については所得源泉地国（日本）免税としていることから、上記みなし配当の場合と同様に一定の手続をとることにより、免税となります。

注　事業譲渡類似株式等及び不動産関連法人株式の内容については第3章問2参照。

参考　所法24《配当所得》、同25《配当等とみなす金額》、同161①三・九《国内源泉所得》、同212《源泉徴収義務》、同213《徴収税額》、所令61②三《所有株式に対応する資本金等の額の計算方法等》、法法24《配当等の額とみなす金額》、同61の2《有価証券の譲渡益又は譲渡損の益金又は損金算入》、同138①三《国内源泉所得》、同141二《外国法人に係る各事業年度の所得に対する法人税の課税標準》、法令23①三《所有株式に対応する資本金等の額の計算方法等》、同178①四・④《国内にある資産の譲渡により生ずる所得》、日米租税条約10③《配当》、同13②⑦《譲渡収益》

第8節　貸付金の利子

052　貸付金の利子とは

Q　国内源泉所得とされる貸付金の利子とはどのようなものをいうのでしょうか。その内容を教えてください。

A　非居住者等の国内源泉所得とされる貸付金の利子は、所得税法上、国内において業務を行う者に対する貸付金で「その業務に係るものの利子」及びこれに準ずるものの利子とされていますが、その業務に係るものの利子とは、その国内において行う業務の用に供されている部分の貸付金に対応するものをいいます。

解説

所得税法でいう、非居住者等が支払を受ける貸付金の利子で国内において行う業務の用に供されている部分の貸付金に対応するものとは、例えば、内国法人に対する貸付金であっても、それが国外の工場建設のためのものや、国外支店の業務遂行上の運転資金としてもっぱら使用されるような場合には、その利子は国内業務に対応するものといえないことから、国内源泉所得に該当しないこととなります。また、その貸付金の一部だけが国内において行われる業務の用に使用されることが明らかな場合には、その貸付金の利子を、国内において行われる業務の用に供されている部分の貸付金に対応するものと、その他のものとに区分して国内源泉所得の金額を求めることとなります。

さらに、国外において業務を行う者に対して提供された貸付金で、その国外において行う業務に係るものの利子、並びに非居住者等に対して提供された貸付金でその非居住者等の行う業務以外のものに係る貸付金の利子は、国内源泉所得には該当しないこととされています。

以上のことから、次に掲げる貸付金の利子は、貸付を受けた者の国外業務に係るものであることが明らかなものを除き、原則として、国内源泉所得とされる貸付金の利子に該当することとされています。

① 居住者又は内国法人の国内にある事業所等に提供した貸付金の利子

② 国内において業務を行う非居住者等に提供した次のいずれかの貸付金の利子

イ 国内事業所等を通じて提供した貸付金の利子

ロ 非居住者等の国内源泉所得に係る所得金額の計算上、必要経費又は損金に算入されるもの

このほか、原則として国内業務を行う者との間における資産の譲渡、又は役務提供の対価に係る債権（延払債権）について、その債務の履行すべき日までの期間が6月を超えないものの利子は除かれます。

その一方、債券をあらかじめ約定した期日にあらかじめ約定した価格で買い戻し、又は売り戻すことを約定して譲渡又は購入したり、その約定に基づいてその債券と同種・同量の債券を買い戻したり又は売り戻す取引（債券現先取引）について生ずる差益を含みます。

注　一定の民間国外債の利子や外国金融機関等の債券現先取引等に係る利子などについては、非課税とされる制度があります（措法42の2ほか）。

この貸付金の利子の範囲は、所得税法上、具体的には次のように定められています。

1　一般の貸付金の利子

一般の貸付金とは、国内において業務を行う者に対して行う融資契約などに基づく貸付金で、その業務に係るものをいいます。

なお、一般の貸付金の利子は金銭消費貸借契約に基づくものの利子をいうことから、預貯金の利子や社債の利子はこれに該当しませんので、これらとは区別する必

要があります。

また、上記の融資契約に基づく貸付金の利子や融通手形の利子などは、貸付期間の長短に関係なく、たとえその期間が6か月以下の短期の貸付期間の利子であっても、国内源泉所得として貸付金の利子に含まれます。

このほか、貸付金、預け金、前払金等のような名称のいかんにかかわらず、その実質が貸付金であるもの、及びこれに準ずる次のようなものに係る利子も含まれます。

① 勤務先等に対する預け金で、預貯金に該当しないもの

② 取引先等に対する保証金、敷金、預け金等

③ 前渡金、立替金等

④ 保証債務を履行したことに伴い取得した求償権

⑤ 当座貸越に係る債権

2 延払債権等の利子

延払債権等とは、

① 売買、請負、委任の対価、又は物や権利の貸付け、使用の対価に係る延払債権

② 上記①の対価に代わる性質を有する損害賠償金等に係る延払債権

をいいます。

ただし、次の債権のうち、その発生の日からその債務を履行すべき日までの期間（履行期間）が、6か月以下のものは含まれません。

イ 国内において業務を行う者に対する資産の譲渡又は役務の提供の対価に係る債権（商品の輸入代金についてのシッパーズユーザンスに係る債権、又は商品の輸入代金、出演料、工業所有権・機械装置等の使用料に係る延払債権のようなもので、一般に「売掛金、又は未収金債権」等と呼ばれているもの）

ロ 上記イの対価の決済に関し、金融機関が国内において業務を行う者に対して有する債権（銀行による輸入ユーザンスに係る債権のようなもので、一般に「手形債権」等と呼ばれているもの）

このように、国内で業務を行う者に対する資産の譲渡又は役務の提供の対価に係る債権等の決済に関し、金融機関等が有する債権の履行期間が6か月を超えないものの利子は、貸付金の利子から除かれています。

その理由としては、この債権が、ユーザンスを供与した外国企業からすると、輸出代金に係る売掛金債権であったり、又はその決済に関して外国金融機関が国内業者に対して有する手形債権等であって、その信用供与は貿易取引等で一般的に行われている決済方法のひとつであることが背景にあります。

したがって、その履行期間が6か月を超えないような取引上発生することが多い短期債権の利子についてまで、貸付金の利子として源泉徴収の対象とすることは、円滑な国際商取引を阻害するおそれがあるほか、取引頻度が高く反復して行われるものについては、課税技術上も、その把握・整理等に困難を伴うといったことから、除かれているものと思われます。

ただし、貸付金の利子から除かれている履行期間が6か月以下の短期債権の利子は、事業所得に該当することとされていますので、国内にPEを有し、PEに帰属する所得とされる利子を有する非居住者等については、所得税・法人税とも総合課税（確定申告）の対象になります。

なお、法人税法上は、貸付金の利子は国内源泉所得から除かれていますが、所得税の源泉徴収は非居住者及び外国法人を通じて同様の取扱いとされていて、PE帰属所得に該当するもの以外は、源泉分離課税として源泉徴収のみの対象とされます。

3　船舶又は航空機の購入のための貸付金の利子

これらの利子については、内国法人又は居住者の業務の用に供される船舶又は航空機の購入のために提供された貸付金の利子だけが国内源泉所得に該当する貸付金の利子となります。したがって、非居住者等の業務の用に供される船舶又は航空機の購入のために、その非居住者等に提供された貸付金の利子は、国内源泉所得に該当しません。

参考　所法161①十《国内源泉所得》、所令283《国内業務に係る貸付金の利子》、所基通161−29《当該業務に係るものの利子の意義》、同161−30《貸付金に準ずるもの》、同161−31《商品等の輸入代金に係る延払債権の利子相当額》、同161−32《資産の譲渡又は役務の提供の対価に係る債権等の意義》

053　貸付金の利子に対する源泉徴収

Q　非居住者等が支払を受ける貸付金の利子について、国内法における課税の取扱いを教えてください。

A　所得税法上、非居住者等が支払を受ける国内業務に係る貸付金の利子については、原則としてその支払の際に、20.42%の税率による所得税が源泉徴収されます。

解説

非居住者等のうち、国内に支店、営業所等のPEを有しないか、又はPEを有していてもそのPEに帰属しないものとして非居住者等が支払を受ける貸付金の利子については、国内法では所得税の源泉徴収だけで課税関係が完結することとされていますので、源泉徴収された20.42%の税率による分離課税が適用されることとなります。

その一方、国内にPEを有する非居住者等がそのPEに帰属するものとして支払を受ける貸付金の利子については、その源泉徴収税額を含む全収入総額について、非居住者の場合は所得税の総合課税の対象となり、また、外国法人の場合は各事業年度の所得に対する法人税の課税対象となるため、それぞれ所得税又は法人税の確定申告を要することとなります。

なお、外国銀行の日本支店など、法人税（又は申告所得税）を納付する義務のある外国法人（又は非居住者）にあっては、その外国法人等が、その納税地の所轄税務署長から「外国法人又は非居住者に対する源泉徴収の免除証明書」の交付を受け、その証明書を所得の支払者に提示した場合には、その証明書の有効期間内に支払われるものについて源泉徴収が免除されることとなっています。

参考　所法164《非居住者に対する課税の方法》、同213《徴収税額》、同214《源泉徴収を要しない非居住者の国内源泉所得》

054 貸付金利子の租税条約による取扱い

Q 貸付金の利子について、租税条約ではどのような課税取扱いとなっているのでしょうか。また、源泉徴収税率は軽減されるのでしょうか。

A 我が国の国内法では、非居住者等の所得源泉地の判定基準として、国内源泉所得とされる貸付金の利子について使用地主義をとっていますが、租税条約においては、一般的に債務者主義がとられています。また、ほとんどの租税条約では貸付金利子も国内法でいう「利子等」に含めていて、税率については軽減されることとなっています。

解説

国内源泉所得とされる貸付金の利子については、租税条約では、「利子」の定義の中に包括的に含まれています。

その課税取扱いは、次のような特例が設けられています。

1 利子の所得源泉地についての特例

非居住者等が支払を受ける貸付金の利子については、所得税法では「国内において業務を行う者に対する貸付金でその業務に係るものの利子」を国内源泉所得とすることとしています（「使用地主義」といいます）が、所得源泉地に関する定めのある租税条約では例外なく、その支払者（債務者）の居住する国において利子は発生するものとする、「債務者主義」の考え方がとられています。

注　租税条約において、利子について所得源泉地に関する定めがないのは、スリランカのみですが、債務者居住国で課税できることとされています。

租税条約により債務者主義がとられている国との間では、債務者の居住地国が利子の所得源泉地ということとなります。

このように、所得税法において定められている所得源泉地と、租税条約において定められている所得源泉地とが異なっている場合には、国内法上、租税条約において定められている所得源泉地によることとされています。

そのため、例えば、国内において業務を行う内国法人に対する貸付金の利子については、所得税法では、その貸付金が国外において使用又は運用される場合には、国内源泉所得に該当しないこととなりますが、利子の所得源泉地について債務者主義をとる租税条約では、その支払者の居住地国を所得源泉地とすることになっていることから、所得源泉地が置き換えられて、内国法人が支払う利子は、その貸付金が使用又は運用される場所にかかわらず、我が国で課税されることとなります。

注　租税条約のなかには、日米や日中の租税条約にあるように「一方の締結国の法令等で認められている租税の免除や減免などを制限するものと解してはならない」といういわば予防的な条項（＝プリザベーション（preservation）条項）が置かれている条約例がありますが、所得源泉地置換規定により、国内法では国内源泉所得とならないものが、条約により課税されることに対する条約のプリザベーション規定との解釈の整合性について、疑義が生じるところです。これについては、この条項そのものは法的には確認規定と解されること、またその適用される範囲は、租税の減免に関して直接的に規定している条項に及ぶものと解されることから、「国内源泉所得は、その異なる定めがある限りにおいて、その租税条約に定めるところによる」（所法162①、法法138①）との規定に基づき実務上は整理されることとなります。

ただし、OECDモデル条約にあるように、多くの租税条約では、利子の支払者が相手国にPEを有する場合に、利子の支払の基因となった債務がそのPEについて生じ、かつその利子がPEによって負担されるものであるときは、PE所在地国のみに所得の源泉があることとされています。

したがって、内国法人の支払う利子のうち、この規定がある条約国に設置されている海外支店が支払うべき貸付金の利子の支払がある場合については、我が国では課税されないこととなります。

注　たとえば、内国法人の海外支店の支払うべき利子が第三国に所在する企業からの債務に対する利子の支払である場合であって、その第三国にはその支店に係るPEがないときには、この規定の適用はされないこととなります。

2　源泉徴収税率の軽減

各国との租税条約のうち多くのものは、貸付金の利子も国内法にいう「利子等」

に含まれるものとしていますので、その場合には所定の手続をとることによって利子等と同様の軽減税率が適用されることとなります。

軽減税率は多くの場合10%とされていますが、これと異なる軽減税率を定めている国（ブラジルは12.5%、トルコ、メキシコは15%）もあります。

なお、タイについては、租税条約において金融機関等以外の法人受益者の限度税率が25%とされていますので、同国居住者に適用する場合には、国内法に基づき税率20.42%で所得税が課税されることとなります。

注　租税条約において、貸付金の利子を「利子」に含めるという規定がおかれていない場合、又は限度税率の定めがない場合（エジプト、スリランカなど）には、国内法に基づき課税されますので、軽減税率などの特例の適用はありません。

3　課税の免除

近年に改正されたアメリカ、イギリス、オランダ、フランスなどとの租税条約では、その締結国の居住者により行われる設備や物品の販売の一環として生ずる債権に関して支払われる利子は、その居住地国のみで課税されることとされています。この場合には履行期間を問わず適用されることから、例えば、これらの条約締結国の法人による設備や物品販売の一環として生じたもので、国内法では国内源泉所得とされる貸付金の利子に該当するものを内国法人がその法人に支払う場合には、所定の手続をとることによって免税とされて所得税の源泉徴収を要しないこととなります。

また、アメリカ、イギリス、スウェーデンなどとの租税条約では、売上や利益などに連動して算定される利子（利益連動型利子）等を除き、原則としてすべての利子を免税としており、この場合に該当する場合も上記と同様の手続をとることによって源泉徴収は要しないこととなります。

注　租税条約における貸付金の利子に係る各国ごとの取扱いの概要については、付録「租税条約（源泉徴収関係）一覧」を参照してください。

参考　所法161①十《国内源泉所得》、同162《租税条約に異なる定めがある場合の国内源泉所得》

055 シンガポール子会社が行った立替金に対する利子

Q 　内国法人である当社は外国からの輸入代金の支払にあたつて、シンガポールに設立しているファイナンス専門の子会社に立替払いをさせ、後日、子会社に返済期間等に応じて計算した金利を含めた金額で立替金を返済することとしています。

　この立替金の利子についても、源泉徴収が必要でしょうか。

A 　立替金と称していても実質的には貸付金に該当すると認められますので、子会社に支払うその利子については、国内源泉所得とされる貸付金の利子として所得税の源泉徴収が必要となります。

解説

　国内で事業を営んでいる者が、非居住者等からその国内業務に関する資金の貸付け等を受けることにより支払う利子は、所得税法では、原則としてその非居住者等の貸付金の利子に係る国内源泉所得に該当することから、その利子の支払者は支払の際に所得税の源泉徴収を行うことが必要です。

　また、この貸付金の範囲については、第3章問52で説明したように、貸付金、預け金、前払金等のような名称のいかんにかかわらず、その実質が貸付金であるもの、及びこれに準ずる次のようなものが含まれることとされています。

① 勤務先に対する預け金で預貯金に該当しないもの

② 取引先等に対する保証金、預け金、前渡金、立替金等

③ 売買、請負、委任の対価又は物や権利の貸付け、使用の対価に係る延払債権

④ 上記③の対価に代わる性質を有する損害賠償金等に係る延払債権

　ただし、国内において業務を行う者に対する資産の譲渡又は役務提供の対価に係

る債権等で、その履行期間が6か月を超えないものの利子は、国内源泉所得とされる貸付金の利子には該当しません。

ご質問の場合、海外子会社が行った立替払に係る債権は、貸付金の利子から除かれることとなる短期履行期間についての特例が認められる資産の譲渡等に係る債権には該当しませんし、返済期間に応じて計算した金利を付している実状からみて、立替金名目であったとしてもその実質が貸付金に該当すると認められます。

したがって、その利子については、貴社の国内業務に関して授受するものに当たり、国内源泉所得とされる貸付金の利子として、支払の際に税率20.42%による所得税の源泉徴収が必要となります。

また、シンガポールとの租税協定では、利子の所得源泉地について債務者主義がとられていて、利子支払者の居住地国で課税できることとされていますので、上記と同じ取扱いとなります。

なお、シンガポールとの租税協定に貸付金の利子について軽減税率の規定が置かれていることから、所定の手続をとることにより、その税率が10%に軽減されることとなります。

参考　所法161①十《国内源泉所得》、同212《源泉徴収義務》、所基通161－30《貸付金に準ずるもの》、日星租税協定11《利子》

056　元本に上乗せした貸付金の利子

Q　外資系の内国法人である当社は、国内にPEを有していないオーストラリアの親会社A社から設備投資のための資金融資を受けています。約定では、その利子は計算期間ごとに支払うのではなく、元本の残高に上乗せされることとなっています。

この場合、A社に対して利子の支払が実際に行われているわけではありませんので、源泉徴収はしなくてよいでしょうか。

A　その利子をA社からの借入元本に繰り入れた際に貸付金の利子の支払があったこととなりますので、その繰り入れの際に、原則として所得税の源泉徴収が必要となります。

解説

所得税法では、日本国内で事業を営んでいる者が、非居住者等からその国内業務に関する資金の貸付け等を受けることにより支払う利子は、原則としてその非居住者等の貸付金の利子に係る国内源泉所得として、その利子を支払う際に税率20.42%による所得税の源泉徴収を要することとなっています。

ここでいう「支払」とは、現実に金銭を交付する行為のほか、元本に繰り入れ、又は預金口座に振り替え、債権等と相殺するなどその支払の債務が消滅する一切の行為が含まれることとなっています。

したがって、ご質問の場合もA社からの借入元本に繰り入れた際に利子の支払があったこととなり、源泉徴収を行う必要があると考えられます。

なお、オーストラリアとの租税条約においては、貸付金の利子も国内にPEを有していないか、又は有していてもPEと実質的な関連を有しない限り、債務者主義によりその利子支払者の居住地国で課税されますが、源泉徴収税率は所定の手続をとることにより10%に軽減されます。

注　債務の支払者が、源泉徴収の対象となるもので未払のものについて、債務の免除を受けた場合には、その免除を受けた時に支払があったものとして源泉徴収を行う必要がありますが、その支払者について、債務超過の状態が相当期間継続していて支払不能と認められた場合にその債務免除が行われたときは、支払があったものとはされません（所基通181～223共－2）。

参考　所法161①十《国内源泉所得》、同212《源泉徴収義務》、所基通181～223共－1《支払の意義》、日豪租税条約11《利子》

057 輸出代金の前受金に対する利子相当額

Q 内国法人である当社では、ベトナムやタイなど東南アジア諸国にある現地法人向けの輸出について、本邦通貨による前受金を受け入れています。その前受金は輸出商品の船積み前に商品の輸出代金として前受けし、前受金額と前受期間とに応じて、一定の利率により計算した金額を支払うこととなっています。

この支払額については、源泉徴収が必要でしょうか。

A 海外の現地法人から受け入れた輸出代金の前受金について支払う利子相当額は、所得税法上、国内源泉所得とされる貸付金の利子に該当しますので、原則として所得税の源泉徴収が必要です。

解説

ご質問の外国法人から受け入れた前受金は輸出商品の引渡し（船積み）前に受け取り、その前受金について生じる支払額は、前受金額と前受期間とに応じて一定の利率により計算されたものとのことですので、利子相当額に該当すると認められます。所得税法上、貴社が海外の現地法人に支払う前受金の利子相当額は、その名称のいかんにかかわらず、非居住者等の国内源泉所得とされる貸付金に準ずるものの利子に該当します。

したがって、貴社がその利子相当額を支払う際に、原則として20.42%の税率による所得税の源泉徴収が必要となります。

ただし、ベトナムその他の多くの締結国との租税条約では、債務者主義により所得源泉地とされる利子支払者の居住地国課税ができることとされていますが、貸付金の利子に対する限度税率を10%（ただしタイは原則25%ですので軽減されません。その他ブラジルは12.5%、トルコ、メキシコは15%）とされていますので、ご質問の場合は現地法人所在各国との租税条約を確認の上、軽減税率の適用ができるものについて、租税条約に関する届出書を貴社の所轄税務署に提出すれば、軽減税率の適用を受けることができます。

注　輸出先がアメリカ、イギリス、フランスなどに所在する場合の取扱いについては、第3章問54❸参照。

参考　所法161①十《国内源泉所得》、同212《源泉徴収義務》、所基通161－30《貸付金に準ずるもの》、日越租税協定11《利子》

058　米国法人に支払う輸入代金の延払利子

Q　内国法人である当社は、国内にPEを有していないアメリカ法人B社から大型クレーン車を輸入し、その代金を3年間の延払で支払うこととしています。延払に際し年3%の利子を元本に上乗せして支払う予定ですが、この利子については源泉徴収が必要でしょうか。

A　米国法人に対して支払う延払債権の利子については、日米租税条約により所定の手続をとれば日本では免税となり、所得税の源泉徴収を要しません。

解説

所得税法では、非居住者等が有する国内において業務を行う者に対する資産の譲渡等に係る債権で、その発生の日からその債務を履行すべき日までの期間（履行期間）が6か月を超える場合には、その債権の利子は国内源泉所得に該当して、所得税の源泉徴収が必要とされています。

その一方、日米租税条約においては、債務者等の収入・所得・利得などに連動して算定される利子やそれに類する利子を除いて、利子の受益者が米国居住者である場合には、その利子について原則として米国においてのみ課税することができることとされています。

したがって、ご質問の場合に支払う利子は、日米租税条約の規定にあるような収入や利得などに連動して算定される利子には当たらないものと認められることから、条約の特典を受ければ国内法の規定にかかわらず日本では免税とされ、源泉徴収を要しません。

なお、免税の特典を受けるためには、所定の添付書類を添付した租税条約に関する届出書の提出が必要となります。

注　上記の租税条約による取扱いは、イギリス、オランダ、ドイツ、フランスなどでも適用されます。

参考　所法161①十《国内源泉所得》、同162《租税条約に異なる定めがある場合の国内源泉所得》、所令283①一《国内業務に係る貸付金の利子》、日米租税条約11①《利子》

059　カナダ法人に支払う延払債権の履行期間

Q　内国法人である当社は、カナダ法人C社から精密機械を総額60万ドルで輸入しました。その代金の決済は、4か月ごとに2年間で6回（各回とも10万ドル）の延払とし、その際に年利2%の金利を払うこととしています。

　この場合において支払う第1回目の金利については、履行期間が6か月を超えないものとして、源泉徴収の対象としなくてよいでしょうか。

A　カナダ法人に対する債務を履行すべき期間が6か月を超えていることから、非居住者等の国内源泉所得とされる貸付金の利子に該当し、第1回目の金利を含めて所得税の源泉徴収が必要となります。

解説

　所得税法上、非居住者等に支払う延払債権等の利子のうち、国内業務を行う者に対する商品等の輸出代金のうち、その延払債権の履行期間が6か月を超えないものの利子については、国内源泉所得に該当しないこととされていますので、所得税の源泉徴収を要しません。

　ここでいう履行期間とは、その債権の発生の日からその債務を履行すべき日までの期間、又は期間の更新等によりその期間が実質的に延長されることが予定されている場合の延長された期間、あるいはその成立の際は6か月を超えなかった履行期間が期間の更新等により6か月超となる場合のその更新前の期間を含む期間をいいます。

　ご質問の場合は、カナダ法人C社に対して延払債務を履行すべき2年間のうち、分割して支払う第1回目だけが4か月目ということであって、そのことは単に債務の履行期間を構成する一部の履行期限が6か月以内となっているにすぎませんので、その1回目の履行期限のみについて、全体の履行期間とは分離独立した期間とみて履行期間要件を充たしていると判定することはできないものと解されます。

したがって、第1回目の金利も国内源泉所得とされる貸付金の利子に該当しますので、その金利の支払の際に税率20.42%による源泉徴収が必要となります。

なお、カナダとの租税条約においても、貸付金の利子は債務者主義により所得源泉地とされる利子支払者居住地国で課税ができることとされていますが、税率については、租税条約に関する届出書を提出することにより、10%に軽減されます。

参考　所法161①十《国内源泉所得》、同212《源泉徴収義務》、所令283①《国内業務に係る貸付金の利子》、日加租税条約11②《利子》

060 外国銀行国内支店に支払う借入金利子

Q 内国法人である当社は、中国法人のD銀行本店から受けた融資に対する利子について、その支払の際に、10%の軽減税率によって源泉徴収を行っています。

先日、D銀行から「貴社に対する債権を東京支店に移管するので、その後発生する利子は同支店に支払ってほしい」旨の連絡がありました。当社が東京支店に支払う利子についても、今までどおりに源泉徴収が必要でしょうか。

A 非居住者等に支払う利子であることに変りはありませんので、従来どおり、原則として所得税の源泉徴収が必要です。ただし、D銀行東京支店から源泉徴収の免除証明書の提示を受ければ、その有効期間内に支払う利子については、源泉徴収は要しません。

解説

ご質問の場合、利子の支払先が中国法人本店から同法人の我が国内にある支店に変更されても、中国法人に対する支払であることに変更はありませんし、かつ日本国内に有するPEに帰属する所得であるとともに、所得税法上、及び日中租税協定上も貴社が支払う利子は国内源泉所得に該当するとともに、同協定に定める債務者主義により、その支払者の居住地国における課税がされることとなります。

したがって、PE帰属所得とされる貸付金の利子については、その利子の支払の際に原則として20.42%の税率による所得税を源泉徴収しなければなりません。また、日中租税協定上は事業所得条項が適用されて、同協定にある利子についての軽減税率は適用されません。

この場合は、その支店が法人税の確定申告を行って徴収された源泉所得税を精算することとなります。

ただし、日本に支店などを有し法人税を納付する義務のある外国法人で、一定の要件を満たしているものについては、その外国法人の申請により、法人税の納税地を所轄する税務署長から「外国法人又は非居住者に対する源泉徴収の免除証明書」の交付を受けられることとされていますので、その外国法人がこの証明書を所得の支払者に提示した場合には、その証明書の有効期間内に支払われるものに対して、源泉徴収が免除されることとなっています。

ご質問の場合も、D銀行東京支店から貴社に源泉徴収の免除証明書の提示があれば、その証明書の有効期間内に支払う利子については、源泉徴収を要しないこととなります。

注1　日中租税協定では、締約国の政府、地方公共団体、中央銀行、又はその政府の所有する金融機関が取得する利子等については、源泉地国免税とされています。

2　近年において我が国が締結（改正）した租税条約の中には、銀行、保険会社、（登録）証券会社などを受取人とする利子については、免税としているもの（アメリカ、イギリス、フランス、オーストラリア、オランダ、スイスなど）があります。

参考　所法161①十《国内源泉所得》、同180①《恒久的施設を有する外国法人の受ける国内源泉所得に係る課税の特例》、所令304《外国法人が課税の特例の適用を受けるための要件》、同305《外国法人が課税の特例の適用を受けるための手続等》、日中租税協定7《事業所得》、11《利子》

061　出国後の社員に支払う退職金の遅延利子

Q　国内でのサービス業務を行う内国法人である当社の社員Eは、30年間勤務して退職し、その後タイに永住するために出国しました。

当社では、Eに退職金3,000万円を支給する予定でしたが、資金繰り上の事情から、退職金の一部（1,000万円）の支払を1年間待ってもらい、相応の遅延利子を支払うことで合意しました。

この利子については、源泉徴収が必要でしょうか。

A　非居住者に支払う遅延利子は、国内源泉所得とされる貸付金の利子に該当しますので、所得税の源泉徴収が必要です。

解説

ご質問のEさんは永住目的でタイに出国したとのことですので、出国した翌日から非居住者になります。

所得税法上、Eさんのように退職金支給に関して支払われる遅延利子については、居住者の場合はその人の雑所得として扱われ、所得税の源泉徴収の対象にはなりませんが、非居住者の場合は、その元本（退職金の一部）が貴社の国内業務に使用されるものであると認められることから、国内源泉所得とされる貸付金に準ずるものの利子、すなわち貸付金の利子として扱われます。

よって、その遅延利子は源泉徴収の対象とされます。

タイとの租税条約においては、利子に関する規定上、債務者主義をとっていて、利子の支払者の居住地国で課税できることとされています。また、限度税率10%の対象となる受益者は法人である金融機関等に限定されていて、その他の場合の限度税率は25%とされていて軽減されていないことから、個人については国内法で定める税率が適用されることとなります。

したがって、貸付金の利子に対する源泉徴収税率は、国内法の規定どおりに

20.42%となります。

なお、退職金支給に対する課税については、もともと退職所得の収入金額の収入すべき時期はその支給の基因となった退職の日とされています。ご質問の場合、Eさんは退職後に出国したとのことですので、退職金の総額について居住者扱いで所得税の税額計算を行い、退職金の支払のつど、実際の分割支払額に対応する税額を源泉徴収することとなります。

注　出国して非居住者となった後に退職して退職金の支給を受ける場合には、国内勤務期間に対応する部分については、国内源泉所得に該当しますので、非居住者扱いによる所得税の源泉徴収を要します（所法161①十二ハ、所基通36－10。詳細については第3章問142参照）。

参考　所法30《退職所得》、同36《収入金額》、同161①十《国内源泉所得》、同212《源泉徴収義務》、所基通161－30《貸付金に準ずるもの》、日泰租税条約11《利子》

062　売買単価の変更に伴って支払う精算金の利子相当額

Q　内国法人である当社は、ミャンマー法人から契約に基づき商品を輸入しています。

その商品の対価は、2022（令和4）年1月からは覚書を結んで暫定的な価額で支払ってきましたが、その後の価額交渉により、値上げ額を合意しました。その結果、2022（令和4）年1月取引分までさかのぼって適用対象とすることに伴い、値上げ後の合意価額と従来から支払ってきた価額との差額に加えて、その差額に一定利率の金利をつけて、利子相当額を2023（令和5）年1月から支払うこととなりました。

この利子相当額は、源泉徴収の対象となるのでしょうか。

A　ミャンマー法人との間で合意した値上げ後の価額と従来からの支払額との差額に対する利子相当額については、所得税法上、国内源泉所得とされる貸付金（延払債権）の利子に該当するものと認められますので、履行期間が6か月超のものについて、その支払の際に所得税の源泉徴収が必要です。

解説

1　利子相当額の取扱い

貴社がミャンマー法人に支払う利子相当額は、次の理由により、所得税法上、非居住者等の国内源泉所得とされる貸付金（延払債権）の利子に該当するものと認められます。

① 利子相当額は、支払者及び受領者とも、金利として授受していること

② 利子相当額の計算の基となるものは、合意した値上げ後の価額と従来の支払価額との差額により生ずる債権であるとしても、その債権は輸入代金に係る債権

そのものであって、債権は金利の計算期間の初日（2022（令和4）年1月）から存在していること

③　利子相当額は、その債権の元本額と存続期間に基づいて一定の利率によって計算され、その差額に係る債権とは別建てで支払うこととしていること

2　延払債権の利子の取扱い

国内法上、非居住者等に支払う貸付金の利子に関する原則的取扱いは、国内において業務を行う者に対する貸付金等でその業務に係るものの利子は、国内源泉所得として所得税の源泉徴収が必要とされています。

また、国内法上、商品等の輸入代金に係る延払債権の利子相当額は、ここでいう貸付金の利子に該当しますが、商品等の輸入代金に係る延払債権のうち、その発生の日からその債務を履行すべき日までの期間が6か月を超えないものの利子については、源泉徴収の対象となる貸付金の利子から除かれていて、事業所得とされています。

ご質問にあるように輸入商品の価額がきちんと決まらずに、その後、値上げした合意価額と支払額との差額に金利を付するような場合において、その差額に係る利子相当額が商品等の輸入代金に係る延払債権に係る利子といえるかどうか、さらにいえば、その利子相当額に係る債権が利子計算期間の初日に存在したかどうかが、検討すべきポイントとなります。

これについては、上記❶①～③の理由から、ご質問の利子相当額は、商品等の輸入代金に係る延払債権に係る利子に該当するものと思われます。

したがって、その利子計算期間の初日から差額の決済日までの期間が6か月を超えないものを除き、原則として、その利子相当額の支払の際に20.42%の税率による源泉徴収が必要となります。

なお、各国との租税条約のうち多くのものは、貸付金の利子に対して債務者主義による所得源泉地課税ができることとしている一方、その税率については軽減する規定を置いています（限度税率10%が一般的です）が、ご質問の場合のミャンマーについて

は、我が国と租税条約が締結されていませんので、ミャンマー法人に対する支払については国内法どおりに課税されることとなります。

参考　所法161①十《国内源泉所得》、同212《源泉徴収義務》、所令283《国内業務に係る貸付金の利子》、所基通161－31《商品等の輸入代金に係る延払債権の利子相当額》

063 スイス所在の慈善事業団体からの借入金利子

Q 内国法人で公益社団法人である当社は国内事業の必要上、宗教活動の一環として慈善事業を行う我が国にPEのないスイス所在の団体から5百万ユーロの資金を借り受け、その返済のつど利息を付して支払う予定ですが、この利息については源泉徴収を要しますか。

A その団体はスイスの居住者と認められ、その支払う利息は非居住者等の国内源泉所得とされる貸付金の利子に該当しますので、所得税の源泉徴収が必要です。

解説

借入先であるスイス所在の慈善事業団体の法人格の有無が不明ですが、少なくとも人格のない社団等に該当するものと認められ、その場合は法人とみなされて、所得税法では非居住者であれ、外国法人であれ、国内業務を行う者に対するその業務に係る貸付金の利子は、国内源泉所得に該当して所得税の源泉徴収を要することとされています。

その一方、スイスとの租税条約の定義規定等において、居住者には、「その締結国において課税を受けるべき者のほか、その締結国の法令に基づいて設立された団体であって、専ら宗教、慈善…その他公の目的のために運営されるもので、その所得の全部又は一部に対する租税が免除されるものを含む」こととされています。

また同条約では、すべての信用に係る債権から生じた所得で、締結国の租税に関する法令上貸付金から生じた所得とされるものを利子と定義づけているとともに、債務者主義により利子の支払者の居住地国を所得源泉地として課税できることとする定めを置いています。

ただし、同条約では利子の税率について、限度税率10%に軽減しています。

よって、ご質問の場合は国内法及び租税条約のいずれの規定上においても、その支払う利息は我が国で課税される貸付金の利子に該当するものと認められます。

したがって、ご質問にあるスイス所在の団体の国内における位置づけの確認を行い、その団体が上記の租税条約の規定に該当すれば、所定の手続をとることにより税率10%の軽減税率の適用を受けることができます。

その反対に該当しない場合は、国内法の規定どおりに税率20.42%による源泉徴収を行う必要があります。

参考　所法2《定義》、同法4《人格のない社団等に対するこの法律の適用》、同法161①十《国内源泉所得》、日瑞租税条約4《居住者》、同11《利子》

第9節　使用料等

064　使用料等とは

Q　国内源泉所得とされる使用料等とは、どのようなものに対する支払をいうのでしょうか。

A　所得税法上、国内源泉所得とされる使用料等とは、非居住者等が国内において業務を行う者から支払を受ける次に掲げる使用料又は対価で、その支払者の国内業務に係るものをいいます。

①　工業所有権等の使用料又はその譲渡による対価

②　著作権の使用料又はその譲渡による対価

③　機械、装置等の使用料

解説

1　使用料等の支払の基因となるものの範囲

(1)工業所有権等の範囲

使用料等の支払の基因となる工業所有権等、著作権及び機械·装置等の範囲は、それぞれ次のとおりです。

区　　分	内　　容
1　工業所有権	①特許権、②実用新案権、③意匠権、④商標権
2　その他の技術に関する権利	①　工業所有権に関して特許又は登録を受ける権利（出願権） ②　工業所有権の実施権（通常実施権、専用実施権）
3　特別の技術による生産方式又はこれらに準ずるもの	特許権、実用新案権、意匠権、商標権等の工業所有権の目的にはなっていないが、生産その他業務に関し、繰り返し使用し得るまでに形成された創作、すなわち、 ①　特別の原料、処方、機械、器具、工程によるなど独自の考案又は方法を用いた生産についての方式 ②　これに準ずる秘けつ、秘伝その他特別に技術的価値を有する知識及び意匠等 をいい、具体的には、 ③　いわゆる「ノウハウ」（事業上の秘けつ、あるいは技術上の秘けつ） ④　機械、設備等の設計及び図面等に化体された生産方式 ⑤　デザイン等 も含まれます。 ただし、海外における技術の動向、製品の販路、特定の品目の生産高等の情報又は機械、装置、原材料等の材質などの鑑定、若しくは性能の調査、検査等は、含まれません。

注　2015（平成27）年4月に知的財産高裁で実用椅子のデザインに著作権を認めた判決がでて確定しました。このケースにおけるデザインは、意匠権ではなく、著作権で保護されることとなります。

なお、工業所有権等の使用料とは、技術等の実施、使用、採用、提供若しくは伝授又は技術等に係る実施権や使用権の設定、許諾若しくはその譲渡の承諾につき支払を受ける対価の一切をいうこととされています。

(2)著作権の範囲

著作権とは、英語で「copyright」と表現するように、端的にいえば「作品を複製する権利」のことをいい、「その権利は、それを創り出した人（創作者）にある」という考え方がベースとなっています。著作権の対象となる作品は、我が国の著作権法では、「思想や感情を創作的に表現した、文芸、学術、美術、音楽の範囲に属するもの」と定められていて、例えば、小説、絵画、映画、写真、地図、建築物などは「著作物」と呼ばれています。著作権は著作物を創作したことにより当然に発生し、その権利の成立・享有には何らの手続も不要とされていますが、一定期間を経過したら消滅することとなる権利です。

注　著作権の保護期間は、現行では、映画を含むすべての著作物について、その作者が①実名（周知の変名を含む）の著作物は原則として死後70年間、それ以外の②無名・変名の著作物、③団体名義の著作物、④映画の著作物はすべて原則として、公表後70年間は存続するものとされています（著法51～54）。

同法において定められている著作権に含まれる主な権利は、次のとおりです。

① 著作物の複製権
② 著作物の上演権、演奏権
③ 著作物の公衆送信権（放送権、有線放送権）等
④ 著作物の譲渡権
⑤ 著作物の貸与権
⑥ 言語著作物の口述権
⑦ 美術及び写真著作物の展示権
⑧ 映画著作物の上映権及び頒布権
⑨ 著作物の翻訳権、翻案権等
⑩ 二次的著作物の利用に関する原著作物の権利

この場合の著作権には、著作物を独占的に印刷、発売、頒布することができる出版権、及び実演家、レコード製作者若しくは放送事業者の権利として認められる著作隣接権、その他これに準ずるものを含むこととされています。

なお、国内源泉所得とされる著作権の使用料等とは、著作物の複製、上演、演奏、放送、展示、上映、翻訳、編曲、脚色、映画化その他著作物の利用又は出版権の設定につき支払われる対価、及び著作権の譲渡の対価の一切をいうこととされています。

(3)機械、装置等の範囲

機械、装置等とは、機械、装置、車両及び運搬具、工具、器具又は備品をいいますが、ここでいう備品には、絵画、彫刻等の美術工芸品、古代の遺物等のほか観賞用や興行用などの用に供される生物も含まれます。

2　国内業務に係るものの意義

国内源泉所得とされる要件である「国内における業務に係るもの」とは、国内において業務を行う者に対して提供・供与された工業所有権等のうち、その国内において行う業務の用に供されている部分に対応するもの（使用地主義によるもの）をいいます。

したがって、例えば、内国法人が提供を受けた工業所有権等を国外において業務を行う他の者（再実施権者）のその国外における業務の用に供するために非居住者等に対して支払う使用料のうち、再実施権者の使用に係る部分の使用料（その内国法人が再実族権者から受領する使用料の額を超えて支払う場合には、その受領する使用料の額に達するまでの部分の金額に限ります）は、国内源泉所得に該当しないこととなります。

また、同様に内国法人が非居住者等に支払う機械、装置等の使用料であっても、その機械、装置等を国外のみにおいて使用するときの使用料も、国内源泉所得には該当しないこととなります。

ここでいう「業務」とは、一定の継続的に行う仕事のことをいい、事業の概念より広く定義づけられますし、必ずしも営利を目的とするかどうかは問いません。

注1　国内法においては上記の使用地主義により国内源泉所得に当たるかどうかを判定しますが、租税条約では国内法と異なる定めをとっている締結国があります（第3章問68参照）。
　2　現行においては、非居住者等の国内源泉所得とされる使用料等のうちPE帰属所得に該当するもの以外は、法人税法上、国内源泉所得から除かれていますが、所得税の源泉徴収はすべて源泉分離課税の対象とされています。

参考　所法161①十一《国内源泉所得》、所令284《国内業務に係る使用料等》、所基通161−33《当該業務に係るものの意義》、同161−34《工業所有権等の意義》、同161−35《使用料の意義》、同161−39《備品の範囲》、著法21《複製権》など

065 工業所有権等の使用料

Q 工業所有権等の使用料とはどのようなものをいうのか、その内容を教えてください。

A 工業所有権等の使用料とは、「①工業所有権、②その他の技術に関する権利、③特別の技術による生産方式又はこれらに準ずるもの」の実施や使用などに関して支払を受ける対価の一切をいいます。

ここでいうその実施や使用などの範囲には、工業所有権等の採用、提供若しくは伝授又はこれらの権利に係る実施権若しくは使用権の設定、許諾若しくはその譲渡の承諾も含まれることとされています。

解説

工業所有権等の使用料とされるこれらの対価は、使用料という名目にかかわらず、その実質が使用料としての性質を持っているかどうかにより使用料に該当するかどうかを判断すべきです。

したがって、例えばその使用にあたって販売高の何パーセントという契約で支払われるもの（ランニングロイヤルティ）以外のものでも、その契約を締結するにあたって支払われる頭金（イニシャルペイメント）や権利金等のほか、これらのものを提供し、又は伝授するために要する費用に充てるものとして支払われるものも含まれることとされています。

工業所有権等の使用料に該当するかどうかの判定にあたって留意すべき点は、次のとおりです。

1 図面、人的役務等の提供を受ける対価として支払う場合

技術等の提供又は伝授を受けるために、図面、型紙、見本などの物の提供を受けるか、又は技術者の派遣を受けることのみを契約の内容としていて、しかも、その

技術等の提供又は伝授の対価のすべてをその提供された図面その他の物や技術者派遣の対価として支払う場合には、その対価のうち、次のいずれかに該当するものは工業所有権等の使用料に該当するものとされます。いずれにも該当しない場合は、単なる物としての図面などの対価又は人的役務の提供の対価の支払に該当するものとされ、使用料には当たりません。

① その対価として支払う金額が、その提供又は伝授された技術等を使用した回数、期間、生産高又はその使用による利益の額に応じて算定されているもの

② 上記①のほか、その対価として支払う金額が、その図面などの作成又は技術者派遣のために要した経費の額に通常の利潤の額（個人が自分で作成した図面などを提供したり、又は自ら役務提供している場合には、その人が図面などの作成又は役務提供について通常支払を受けるべき報酬の額を含みます）を加算した金額に相当する金額を超えるもの

注　上記②の取扱いは、一般的に技術等の使用料について、既にコスト投入済みのものから得られる対価であって、そのほとんどの部分が純所得となるような性格のものと考えられるところから、定められたものといえます。
　なお、その対価の額が、提供された図面などの作成費用に通常の利潤を加算した金額程度のものであるかどうかは、その支払先から見積書等を提出させるなどしてその作成費用の明細を確認し、判定することとなります。

2　使用料のほかに図面代等の実費を支払う場合

技術等の提供契約に基づき支払う対価のうち、その提供者に対して本来の使用料のほかに次に掲げる費用や代金を含めている場合には、原則として、これらの費用や代金も使用料に含まれることとなりますが、それらが契約書、請求書等において、本来の契約の目的となっている使用料と明確に区分されている場合には、その費用や代金は、技術等の使用料には該当しないものとして取り扱われます。

① 技術等の提供契約に基づき、その提供者から派遣を受けた技術者の給与や通常必要と認められる渡航費、国内滞在費、国内旅費

② 工業所有権等の提供契約に基づき、その提供者のもとに技術習得のために派遣した技術者に技術の伝授をするために要する費用

③ 技術等の提供契約に基づき提供された図面、型紙、見本などの物の代金で、

その作成のための実費の程度を超えないと認められるもの

④　映画フィルム、テレビジョン放送用のフィルム又はビデオテープの提供契約に基づき、これらの物とともに提供するスチール写真などの広告宣伝用材料の代金で、その作成のための実費の程度を超えないと認められるもの

注　上記**1**の注にあるように、技術等の使用料は、一般的に過去の研究投資の成果である工業所有権等から派生するいわばノウハウ料であり、その収入はほとんど純所得を構成するものであろうと考えられるところから、上記にあるような実費的な費用や代金の支弁に該当するものは、使用料には当たらないこととされているものです。

ただし、これらの費用や代金が、本来の使用料と区分されないで一括して支払われる場合には、たとえこれらの費用や代金が含まれているとしても、その支払われる全額が使用料として取り扱われることとなります。

なお、使用料の内容が実費相当額に当たるものとして使用料には該当しないこととされる図面などの対価や技術者の派遣費用を受け取るときの所得は、通常はその図面などの作成地又は技術者の役務提供地において生じた所得とされています。

したがって、国内において技術者の役務提供が行われている場合には、人的役務提供事業の対価又は給与等の人的役務提供の対価として国内源泉所得に該当することとなります。

3　和解金、損害賠償金等

外国の企業に対して、その所有する工業所有権等を侵害したことにより支払うこととなる損害賠償金や和解金その他これに類するもの（遅延利息等に相当する金額を含みます）は、本来であれば支払うべきであった使用料に代わる性質を有するものと認められるところから、その名称いかんにかかわらず、通常は使用料に該当するものとして取り扱われます。

4　委託研究費、共同研究費

技術開発のための研究を外国企業に委託してその研究費用を支払ったり、外国企業と共同で研究を行い、その研究費用を外国企業と分担するような場合は、その研

究の結果得られた工業所有権等の提供を受けられるという点からみて、たとえその支払は研究費の負担であるとしても、実質的には使用料に該当するのではないかという見方があります。

このような研究費用の支払については、その事実関係を吟味して個別に判断すべきですが、次のいずれにも該当する場合には、使用料に該当しないものと考えられています。

① その研究委託又は共同研究に関する契約を締結する当初においては、その研究の成果が全く不確定なものであること

② その負担する研究費が、研究のために要する実費相当額であること

5 オプションフィー（技術情報の開示料）

工業所有権等の権利者である外国企業から技術情報の開示を受けて、それを工業所有権等の提供契約を締結するかどうかの判断資料とするようなケースがあります。この場合に支払われる技術情報の開示契約の対価（オプションフィー）については、本契約締結後に使用料の一部を構成するものとして充当されることとなる例が一般的であり、またその開示を受けること自体が従来は有していなかった技術的価値の享受となることと認められることから、技術導入に至らない場合であっても、使用料に該当するものとして取り扱われています。

6 日本に登録のない特許等に係る使用料

特許等は国ごとに登録されますが、例えば、たまたま日本に登録がなく、外国に登録のある特許について、国内における製造販売分については使用料を支払わず、その登録のある外国向けの販売分についてだけ使用料を支払うようなケースが生じた場合の使用料は、はたして国内源泉所得に該当するのかどうかという問題があります。

この場合、使用料の所得源泉地について、支払先居住国との租税条約において債務者主義がとられているときは、支払者が居住者又は内国法人である限り、所得

源泉地が置換えられて我が国で課税されることとなります。

ただし、租税条約の中には国内法と同様に使用地主義がとられている国（フィジー）があり、そことの租税条約においては工業所有権等の使用された国が所得源泉地とされています。

なお、租税条約上、所得源泉地について特に規定を置いていない国（アイルランド、オーストリア、スリランカなど）については、どこにおいてその工業所有権等が使用されたとみるのか事実関係の確認を要しますが、その場合はその特許登録のある国（上記のケースでは、外国の販売先）において使用されたものとして、我が国の国内源泉所得とは当たらないとする考え方が一般的です。

注　オーストリアについては、特に所得源泉地規定はありませんが、源泉地を問わず居住地国課税（＝源泉地国免税）としています。

参考　所法161①十一《国内源泉所得》、所基通161－35《使用料の意義》、同161－36《図面、人的役務等の提供の対価として支払を受けるものが使用料に該当するかどうかの判定》、同161－37《使用料に含まれないもの》、同161－46《損害賠償金等》

066 租税条約による工業所有権等の使用料等の取扱い

Q 工業所有権等の使用料等は、租税条約ではどのように取り扱われているのでしょうか。

A 我が国が締結した租税条約では、工業所有権等の譲渡による対価を使用料の範囲から除いたり、船舶及び航空機の裸用船（機）料を使用料と同様に取り扱ったりするなど、使用料等の範囲が条約締結国によって異なります。

使用料等の課税については、源泉徴収税率を軽減したり、特定のものを免税としている条約例があります。

解説

1 使用料等の範囲

① 工業所有権等の使用料

OECDモデル条約では、工業所有権等の使用料について、「特許権、商標権、意匠、模型、図面、秘密方式若しくは秘密工程の使用若しくは使用の権利の対価として、又は産業上、商業上若しくは学術上の経験に関する情報の対価として受領されるすべての種類の支払金」と定義していて、我が国が締結した多くの租税条約でもこの定義を採用しており、定義でカバーしきれない用語については、締結国の租税法令上の意義によることとされています。

なお後述するように、文化的使用料の課税を免除している締結国との租税条約においては、使用料について、文化的使用料と工業的使用料に区分して定義づけています。

② 工業所有権等の譲渡

国内法上、工業所有権等の譲渡による対価（キャピタルゲイン=capital gains）は使用料と同様の取扱いとなっています（第3章問64参照）が、租税条約では、締結国によってその取扱いはまちまちとなっていて、PEに帰属するもの以外の譲渡対価の取扱いを大別すると次のとおりです。

なお、下記ⓑ、ⓒにあるように譲渡対価を使用料に含まず、使用料とは別に取り扱うこととする規定を置いている国もあります。

この場合、譲渡対価を譲渡収益として取り扱い、収益を取得する居住地国においてのみ課税（我が国では免税）するという規定のしかたが多くなっています。

ⓐ　譲渡対価を使用料と同様に取り扱う（源泉地国課税とする）国

イスラエル、韓国、シンガポール、タイ、トルコ、ノルウェー、バングラデシュ、フィンランド、ブルガリア、ベトナム、マレーシア、南アフリカなど

ⓑ　真正（完全）な譲渡以外の譲渡対価を使用料と定めて源泉地国課税とする（真正な譲渡は使用料とせず、原則として源泉地国免税とする）国

メキシコ

注　真正な譲渡とは、租税条約（議定書など）において、「真正な、かつ、いかなる権利をも譲渡者に残さない譲渡」と定義づけられています。

ⓒ　工業所有権等の譲渡対価も他の財産（動産）の譲渡対価と同様に取り扱うが、原則として源泉地国免税とする国

アイルランド、アメリカ、イギリス、イタリア、インド、オーストラリア、オーストリア、オランダ、スイス、デンマーク、ドイツ、フランス、ベルギーなど

ⓓ　上記ⓒと同様に他の財産（動産）の譲渡対価と同様に取り扱うが、源泉地国課税とする国

エジプト、カナダ、中国など

ⓔ　譲渡対価を使用料又は他の財産の譲渡対価に含めず、その他所得として源泉地国課税とする国

スウェーデン

③ **裸用船(機)の賃貸料**

船舶及び航空機の裸用船（機）料は、国内法上、不動産の賃貸料に該当します（第3章問36参照）が、租税条約では、使用料条項に規定を置いて使用料に含めるもの、又は、設備の使用料に含めるものがあるほか、使用料に含めず事業所得に含めるものなどに分かれています（第3章問38参照）。

2　源泉徴収税率の軽減等

① **税率の軽減**

多くの租税条約では、使用料等に対する所得源泉地国における課税規定を置いていて、課税する場合の所得税の源泉徴収税率は5～15%に軽減されています。

この軽減税率の特例が適用されるのは、その使用料等の取得者が国内にPEを有しない場合、又は有している場合でもその使用料等の支払の基因となった権利等がそのPEと実質的に関連しない場合に限られます（免税の場合も同様です）。

また、工業所有権等の譲渡対価が使用料等に含まれる旨の規定がある場合には、その譲渡対価についても使用料等の軽減税率が適用されることとなります。

注1　使用料等の取得者が国内にPEを有し、その使用料等がPEに帰属している場合には事業所得条項が適用されることとなり、租税条約による軽減税率や免税の適用はありません。
　2　ブラジルとの租税条約では、商標権の使用料の制限税率が25%とされていますので、国内法の定めによる税率が適用されることとなります（実特法3の2）。

② **免　税**

使用料等の免税については、次の2つのパターンがあります。

ⓐ　近年において締結（改正）した租税条約の中には、PEに帰属するもの以外の使用料等について一定の要件を満たした場合には課税を免除する特典条項の規定を置いているものがあります。

◦使用料そのものを免税としている国

アメリカ、イギリス、オランダ、スイス、スウェーデン、デンマーク、ドイツ、フランス、ベルギー、ロシアなど

ⓑ　租税条約の中には、PEに帰属するもの以外の使用料について、文学上、美術上又は学術上の著作権の使用又は使用の権利の対価（文化的使用料）と、その他の使用料（工業的使用料）とに区分して定義し、文化的使用料については源泉地国において免税とする旨を定めているものがあります。

注　文化的使用料は、国内法では、著作権の使用料に当たります。

◦文化的使用料を免税としている国

アルメニア（旧ソ連）、スロバキア、チェコ、ハンガリー、ポーランドなど

◦文化的使用料のうち、著作権又は映画フィルムの使用料を免税としている国

スリランカ

注　アルメニアなど旧ソ連との租税条約についてその適用が確認されている国については第2章問4を、使用料等について源泉徴収税率の軽減の定めのある国及びそれぞれの税率等については、付録「租税条約（源泉徴収関係）一覧」を参照してください。

参考　所法162《租税条約に異なる定めがある場合の国内源泉所得》、OECDモデル条約12《使用料》

067 租税条約による著作権・設備の使用料等の取扱い

Q 著作権や設備の使用料等については、租税条約上、工業所有権等の使用料等の場合と異なる取扱いがあるのでしょうか。

A 多くの租税条約においては、著作権の範囲について、工業所有権等の場合と同様にOECDモデル条約に定める定義を採用しています。

著作権、設備の使用料等の課税取扱いについては、締結国によってそれぞれ分かれています。

解説

1 著作権の使用料等

OECDモデル条約では、著作権の範囲を「文学上、芸術上若しくは学術上の著作物（映画フィルムを含む）の著作権」と定義しています。

我が国が締結した租税条約の多くも、同モデル条約の定義を採用していて、著作権そのものの定義については、工業所有権等と同様に締結国の租税法令上の意義によることとされています。

その課税の取扱いも、工業所有権等の使用料の場合と同様の取扱いとなっています。

この場合において、映画フィルム（ラジオ放送用、テレビジョン放送用のフィルム又はテープを含みます）の使用料については、ほとんどの租税条約では工業所有権等の使用料と同様に取り扱っていますが、租税条約の中には、それとは別に、

① 映画フィルムの使用料を事業所得とするほか、著作権又は映画フィルムの使用料を源泉地国免税とするもの（スリランカ）

② 映画フィルムの使用料をそれ以外の使用料の限度税率10%よりも高い15%の限度税率としているもの（フィリピン）

③　映画フィルムの使用料を我が国の国内法の取扱いによることとしているもの（エジプト）

のような条約例もあります。

また、租税条約の中には、映画フィルムを含む著作権の使用料を文化的使用料に区分して、源泉地国免税とするもの（アルメニア（旧ソ連）、スロバキア、チェコ、ハンガリー、ポーランドなど）があります。

なお、著作権の譲渡による対価の取扱いについては原則として工業所有権等の譲渡の取扱いと同様とされていることから、前問（問66）を参照してください。

2　設備の使用料

国内法では、機械、装置その他用具の使用料とされていますが、我が国が締結した租税条約の多くは、機械、装置等の範囲を「産業上、商業上若しくは学術上の設備」と定義づけています。

租税条約における設備の使用料の課税取扱いについて大別すると、

①　事業所得とするもの（PEに帰属する所得でなければ課税されません）

②　使用料及び事業所得の範囲から除いているもの（租税条約に別段の定めがなければ、国内法による課税の対象となります）

③　使用料として課税の対象とするもの

に分かれていますが、多くの租税条約では③のケースが採用されています。

その適用国は、次のとおりです。

①事業所得とするもの

アメリカ、イギリス、オランダ、スイス、ドイツ、ノルウェー、フランス、ベルギー、ロシアなど

②使用料の範囲に含めず、かつ事業所得条項から除かれていて国内法による課税とするもの

タイ

③使用料とするもの

アルメニア（旧ソ連）、イタリア、インド、インドネシア、エジプト、カナダ、韓国、シンガポール、中国、フィリピン、ブラジル、ベトナム、マレーシアなど多くの国

注　OECDモデル条約では、設備の使用料を使用料の範囲に含めず、事業所得としています。

3　設備の譲渡収益

設備の譲渡収益については、上記**2**①の事業所得とするもののうち、

①　これを免税とするもの（アメリカ、イギリス、オランダ、ドイツ、スイス、フランス、ベルギー、ロシアなど）

②　これを課税とするもの（ノルウェー）

に分かれています。

上記**2**②の国内法により課税とするものは、上記⑤と同様の取扱い（課税）とされています。

上記**2**③の使用料とするものについては、

③　これを免税とするもの（イタリア、インド、インドネシア、フィリピン、ブラジルなど多くの国）

④　これを課税とするもの（アルメニア（旧ソ連）、エジプト、カナダ、韓国、シンガポール、中国、ベトナム、マレーシアなど）

に分かれています。

参考　所法162《租税条約に異なる定めがある場合の国内源泉所得》、OECDモデル条約12《使用料》

068 租税条約における使用地主義と債務者主義

Q 租税条約では使用料がどこの国で生じたかを決めるにあたり使用地主義と債務者主義という決め方があるそうですが、それはどのようなことなのか教えてください。

A 所得税法では、国内源泉所得とされる工業所有権等の使用料について、その支払者の国内業務に係るものを国内源泉所得としており、このように工業所有権等の使用地国を所得源泉地としている定め方を「使用地主義」といいます。

これに対して、工業所有権等の使用地にかかわらず、使用料の支払者（債務者）の居住地国を所得源泉地とする定め方を「債務者主義」といいます。

解説

1 国内法における原則

国内源泉所得とされる使用料について、国内法で規定する国内業務に係るものとは、使用料等のうち国内における業務の用に供されている部分に対応するものをいいます。

したがって、国内で使用される工業所有権等に係るものに限り国内源泉所得とされること（使用地主義）となります（第3章問64参照）。

2 租税条約と所得源泉地に関する規定

我が国が締結した租税条約の多くは、PEを通じて事業を行う使用料の受益者について、その支払の基因となった権利等がそのPEと実質的な関連を有するものであるときの使用料は、事業所得に該当することを原則としているほか、それ以外の場合の使用料については、使用料の受益者の居住地国において課税することを原則としつつ、使用料の生じた（所得源泉地）国においても課税できることとされています。

そのため、使用料が生じたものとされる所得源泉地に関する規定（source rule）がどのような基準によって定められているかが課税上の重要なポイントとなりますが、国内法では使用地主義となっている一方、我が国が締結した多くの租税条約では、債務者の居住（所在）地国を所得源泉地とする債務者主義がとられています。

このように所得源泉地がバッティングする場合には、課税される者にとって租税条約の規定よりも国内法の規定の方が有利なときは国内法の適用を選択することができる（プリザベーション・クローズ=preservation clause）という、条約と国内法の優先適用に関する原則があります。しかし使用料を含む特定の所得については、国内法において国内源泉所得として規定していても、租税条約によりこれと異なる定めにより国内源泉所得とされたものをもって、これに対応する国内源泉所得とみなすこと（所得源泉地置換え規定）と規定しています。ここにおいて、我が国では国内源泉所得の判定基準である所得源泉地規定にプリザベーション・クローズの適用がないことが明確にされているものと、一般的には解されています。

したがって、我が国の居住者が租税条約で債務者主義を採用している国の居住者に使用料を支払う場合には、その工業所有権等がどこで使用されるかにかかわらず、我が国で課税されることとなります。

ここでいう債務者とは、その支払うべき債務を消滅させる行為の主体者をいいますが、それは債務そのものを負うべきこととなる条約締結国の居住者、すなわち所得計算上、債務を控除（負担）して、最終的にその所得について課税を受けるべきものとされる者を指すことから、例えば、内国法人の国外にある駐在員事務所が工業所有権等を使用しているような場合でも、債務者は、その内国法人（居住者）そのものとなります。

ただし、租税条約で使用料の源泉地を規定していない国や租税条約を締結していない国の居住者への支払については、国内法が適用されることから、使用地主義により課税されることとなります。

なお、租税条約で使用料の源泉地を規定していない国のうち、近年に締結（改正）したアメリカ、イギリス、フランスなど主として欧米諸国との国においては、条約の特典条項によりその課税を免除されることとなっています。

租税条約における所得源泉地に関する規定を要約すると、次に掲げる表のとおりです。

区　分		条約締結国
1	債務者主義をとっているもの	アルメニア（旧ソ連）、イタリア、インド、オーストラリア、カナダ、韓国、タイ、中国、香港など　下記2～4以外の国
2	使用地主義をとっているもの	フィジー
3	特に規定を置いていないもの（国内法により使用地主義）	アイルランド、スリランカ
4	特に規定を置いていないが、条約の特典条項により免税とされるもの	アイスランド、アメリカ、イギリス、オーストリア、オランダ、スイス、スウェーデン、デンマーク、ドイツ、フランス、ベルギー、ラトビア、リトアニア、ロシア

注　フィジーは日英租税条約の原条約（1963年発効条約第20号）により適用される地域（当時＝現在は国）となっています。

参考　所法161①十一《国内源泉所得》、同162《租税条約に異なる定めがある場合の国内源泉所得》

069 製造特許等の技術導入前にイスラエル法人に支払う選択権料（オプションフィー）

Q　当社は、精密機械の製造業を営む内国法人ですが、国内にPEを有していないイスラエル法人A社との間で、国内における特定部品の製造に係る製造特許及びノウハウの使用許諾契約を締結するにあたり、契約締結の判断材料とするため、次のような条件で技術情報の開示を受ける対価として30万ドルを支払う予定ですが、源泉徴収が必要でしょうか。

① 当社は、使用契約締結に係る選択権（オプション）を6か月間行使できること。

② 当社は、A社から提供を受けた情報の秘密保持義務を負うこと。

③ 使用契約が締結されなくとも、支払ったオプションフィーは返還されないが、使用契約が締結されたときは、A社に対する使用料に充当されること。

国内にPEを有していない非居住者等に対して製造特許等の使用許諾契約締結前に支払うオプションフィーは、特許権等の譲渡対価には当たりませんが、技術等の使用料に該当して所得税の源泉徴収を要するものと考えられます。

解説

ご質問のオプションフィーは次の理由により、所得税法では国内源泉所得とされる使用料等に該当するものとして、所得税の源泉徴収を行う必要があると認められます。

① 技術情報の開示を受けた製造特許及びノウハウに関する使用許諾契約が締結されなかった場合には、貴社はその製造特許及びノウハウを使用できないこととなりますが、A社にとっては、それらの開示により受け取る対価（オプションフィー）はその製造特許及びノウハウから生ずる収益にほかならないこと

② 貴社が支払ったその対価は返還されないことから、開示を受けた技術情報そ

のものに技術的な価値があると認められること

③　あくまでも技術情報の開示を目的とする対価の支払であり、特許権等の譲渡対価とは認められず、使用料と認められること

④　その技術情報は、貴社の国内業務のために使用されるものと認められること

また、イスラエルとの租税条約においても、特許権等の使用の対価などの用語の意義は、条約適用国における租税に関する法令上の意義に従い適用されることとされていて、「特許権等の使用若しくは使用の権利の対価、又は産業上などの経験に関する情報の対価として受領するすべての種類の支払金」は、使用料に該当するものとされており、国内にPEを有していないイスラエル法人に内国法人が支払う使用料については、その支払者の居住地国で生じたものとされる債務者主義により我が国で課税されます。

したがって、貴社はA社にその対価を支払う際に、原則として20.42%の税率による源泉徴収が必要ですが、その支払の前日までに租税条約に関する届出書の提出を所轄税務署に行えば10%の税率に軽減されます。

参考　所法161①十一《国内源泉所得》、同212《源泉徴収義務》、所基通161－34《工業所有権の意義》、同161－35《使用料の意義》、日以租税条約3《一般的定義》、同12《使用料》

070 米国法人に支払う特許権の譲渡対価

Q 内国法人である当社は、国内にPEを有していないアメリカ法人から、国内業務に供するために建設機械の製造に関する特許権を譲り受けることとなりました。

この特許権は、日本のほか8か国に登録されていますが、当社が譲り受けるのは日本に登録されているものだけです。

当社は、その対価として100万ドルを一括して支払う予定ですが、この対価について、源泉徴収が必要でしょうか。

A 国内にPEを有していない米国法人に支払う特許権の譲渡による対価は、日米租税条約の定めにより所得税の源泉徴収を要しません。ただし、必要書類を添付した届出書を提出する必要があります。

解説

所得税法上、非居住者等に支払う特許権等の譲渡対価で、国内で業務を行う者の国内業務に係るものは国内源泉所得に該当して、課税されることとなっています。しかし、ご質問にあるように米国法人に支払う場合は、日米租税条約の定めが優先適用されます。

日米租税条約によると、所得源泉地国にPEを有していない場合の特許権の譲渡対価については、所得者の居住地国でのみ課税されること（譲渡収益条項）となっていて、また、その使用料についても同様です。

したがって、米国の居住者に支払う工業所有権等に関する対価については、それが譲渡の対価であるか使用料であるかを問わず、所得源泉地である我が国では、原則として所得税は課税されません。

ただし、条約の適用を受けるためには、その対価を支払う前日までにその受益者は米国の居住者であるとともに、その者が条約の特典条項に定められた所定の条件を満たしていることなどを証する必要な書類を添付した租税条約に関する届出書の提出を行うことが必要です。

注　日米租税条約など特典条項の定めのある租税条約に関する届出書の添付書類については、第2章問11参照。

参考　所法161①十一《国内源泉所得》、同162《租税条約に異なる定めがある場合の国内源泉所得》、日米租税条約13⑦《譲渡収益》、同22《特典の制限》

071　スウェーデン法人に支払う特許権の譲渡対価

Q　内国法人である当社は、国内において通信機の製造業を営んでいますが、スウェーデン法人B社から通信機に関する特許権を譲り受けることとなりました。B社は国内にPEを有していません。

この特許権の譲渡の対価については、源泉徴収が必要でしょうか。

A　特許権の譲渡対価については、スウェーデン法人が国内にPEを有していない場合は、国内法及び租税条約の定めにより所得源泉地国で課税されますので、所得税の源泉徴収が必要です。

解説

国内において業務を行う者が、国内にPEを有していない非居住者等に対して支払う特許権の譲渡対価で国内業務に係るものについては、所得税法により国内源泉所得に該当するものとして所得税の源泉徴収の対象とされています。

また、スウェーデンとの租税条約では、本国で保有している特許権等の譲渡対価については使用料条項及び譲渡所得条項の適用がなく、その他所得条項が適用されます。その他所得条項では、スウェーデン法人が、所得が生ずる国内にPEを有していない場合には、その生ずる締結国（所得源泉地）である我が国において原則どおり課税できることとされています。その場合、軽減税率の規定はありませんので、国内法に規定する税率が適用されます。

したがって、ご質問の場合は、貴社の国内業務に使用するため国内にPEを有していないスウェーデン法人のB社から特許権の譲渡を受け、その対価を支払うこととしていますので、国内法により20.42%の税率による源泉徴収が必要となります。

注　本問の非居住者等が国内にPEを有していて、特許権がそのPEの事業用資産を構成する場合には、原則として20.42%の税率による源泉徴収を受けた上で、我が国で法人税等の申告納税が必要となります（日典租税条約13②）

参考　所法161①十一《国内源泉所得》、同212《源泉徴収義務》、日典租税条約12《使用料》、同21③《その他所得》

072　外国向け輸出分に限定してノルウェー法人に支払う特許権の使用料

Q

内国法人である当社では、日本で製造した製品を輸出するにあたり、国内にPEを有していないノルウェー法人C社が保有する化学製品に関する特許権（イタリアをはじめアメリカ、イギリスなどの諸外国に登録済み。日本では未登録）について使用許諾契約を同社と締結し、使用料を支払うこととなりました。

C社には、特許権の登録されている諸外国に輸出されるもののみを対象としてその使用料を支払うこととしており、国内販売分については特許権が及ばないことから使用料の支払対象としていません。

この支払う使用料については、源泉徴収をしなければなりませんか。

外国向け輸出分に限定して支払う場合であっても、特許権の使用料については、ノルウェーとの租税条約における債務者主義の適用により所得税の源泉徴収が必要です。

解説

所得税法では、国内にPEを有していない非居住者等に支払う特許権の使用料等については、使用地主義がとられていますので、輸出先の外国においてのみ使用される特許権の使用料は国内源泉所得に該当せず、我が国では課税されないこととなります。

しかし、ノルウェーとの租税条約においては、我が国の国内法と異なり、PEを有していない使用料の受領者について、特許権がどこで使用されたかに関係なく、その支払者（債務者）の居住地国を基準とする債務者主義により、特許権の使用料に係る所得源泉地が定められています。

ご質問のように、その特許権は特許登録のある輸出先でのみ使用されることから使用地が外国であるとしても、その対価の支払者は内国法人である貴社とのことですので、その場合はどこで使用されているかを問わず、国内源泉所得に該当することとなります。

これは、国内法の所得源泉地に関する置換え規定により、ノルウェーとの租税条約の使用料条項が優先して適用されたことによるものです。

なお、もしも日本法人がノルウェー国内にPEを有して製造を行い、そのPEが使用料を負担（経費に計上）するようなケースの場合には、租税条約上そのPE所在地国（＝ノルウェー国内）が所得源泉地とされます。もちろんこのようなケースは本問の場合には当てはまりませんが、結論は異なることとなります。

したがって、本問の場合はその支払の際に原則として20.42％（租税条約に関する届出書を要件どおりに提出すれば10％）の税率による所得税の源泉徴収が必要となります。

注　本問とは異なり、債務者主義をとっている条約締結国所在の企業から製造技術（ノウハウ）の提供を受けて第三国で製品を製造するような場合でも、債務者が内国法人である限り、原則として本問と同様の結論となります。

参考　所法161①十一《国内源泉所得》、同162《租税条約に異なる定めがある場合の国内源泉所得》、同212《源泉徴収義務》、日諾租税条約12《使用料》

073 在メキシコ工場で支払う特許権の使用料

Q 内国法人である当社は、メキシコ工場における新製品の製造に関して、国内にPEを有していないメキシコ法人D社がメキシコにのみ登録している特許権の使用許諾契約を同社と結び、その使用料はメキシコ工場で支払う予定です。この使用許諾を受けた製品はメキシコ工場のみで製造し、支払う使用料はメキシコ工場の現地における法人税申告に反映（損金算入）させるつもりです。この場合の使用料の支払について、我が国で源泉徴収が必要となるでしょうか。

A 現地におけるPEであるメキシコ工場で支払い負担する特許権の使用料は、日墨租税条約における債務者主義の例外規定に該当しますので、所得税の源泉徴収を要しないものと考えられます。

解説

所得税法においては、内国法人が非居住者等に支払う特許権の使用料等について使用地主義を課税原則としていますので、国内業務とは無関係にもっぱら海外の工場のみで使用するための特許権の使用料は、国内源泉所得に該当しません。

しかし、メキシコとの租税条約では、原則として使用料の支払者の居住地（本店所在地）国に所得の源泉があるとする債務者主義をとっていますので、内国法人である貴社が債務者の場合、その支払う特許権の使用料は、国内法の所得源泉地置換え規定の適用により国内に所得の源泉がある（国内源泉所得に該当する）こととなり、所得税の源泉徴収が必要となります。

ただし、帰属主義の課税ルールを原則とする租税条約では例外なく定められていますが、メキシコとの租税条約においても、債務者主義を原則としながら、「使用料の支払者が一方の締結国内にPEを有する場合において、その使用料を支払う債務が当該PEについて生じ、かつ、その使用料を当該PEが負担するときは、その使用料は、当該PEが存在する締結国内で生じたものとされる」とのただし書き規定が置かれていて、所得源泉地について、いわば債務者主義の例外規定が設けられています。

ご質問の場合、貴社は、メキシコにおけるPEに該当するメキシコ工場のみにおいてD社から使用許諾を受ける特許権を使用して製品を製造し、その使用料を支払うとともに、メキシコにおける法人税の申告で損金に算入することを予定しているとのことですので、そのとおり実行されれば上記の例外規定に当てはまるものと認められます。

したがって、国内法及び租税条約上も、この使用料の支払について貴社は源泉徴収を行う必要はありません。

参考　所法161①十一《国内源泉所得》、同162《租税条約に異なる定めがある場合の国内源泉所得》、所基通161－33《当該業務に係るものの意義》、日墨租税条約12④《使用料》

074 フィンランド法人に支払う特許権侵害をめぐる和解金

Q　内国法人である当社では、産業用機械部品を国内で製造しています。当社のある製品について、フィンランド法人E社から、日本で登録している特許権を侵害されたとして損害賠償訴訟を提起され、この度、裁判所においてE社と和解が成立し、和解金を支払うこととなりました。

この和解金は、所得税法において非課税とされている損害賠償金に該当するのでしょうか。

なお、E社は、日本にPEを有していません。

A　和解（損害賠償）金は一律に非課税とされるものではなく、特許権侵害に係るものの支払は通常、特許権の使用料に代わる性質を有するものと認められますので、その場合は原則として工業所有権等の使用料として所得税の源泉徴収が必要です。

解説

損害賠償訴訟を提起されて支払う和解金は、通常は損害賠償金に当たるものとして、その損害賠償金が不法行為その他突発的な事故により資産に加えられた損害について支払うものであれば、所得税法上、原則として非課税とされています。

しかし、ご質問の損害賠償金はその計算根拠が不明ですが、訴訟内容からみて、通常の場合には我が国で登録している特許権を侵害したことに伴って生じる経済的損失を補償するために支払うこととなるものであって、その損失とは本来、特許権の使用許諾契約を特許権者と締結していたのであれば支払われたであろう対価に相当するものになるものと思われます。そうであれば、その賠償金は、その名目いかんにかかわらず、いわばその特許権の使用料に代わる性質を有するものと認められます。

また、フィンランドとの租税条約においても、PEを有していない居住者が保有する特許権等の使用若しくは使用の権利の対価として受け取るすべての種類の支払金は使用料に該当するものとされていて、その所得源泉地は債務者主義が適用されていますので、支払者（債務者）の居住する我が国で課税されることとなります。

したがって、ご質問の損害賠償金は工業所有権等の使用料として、原則20.42%（租税条約に関する届出書を要件どおりに提出すれば10%）の税率による所得税の源泉徴収が必要となります。

なお、使用料の性質を有する損害賠償金には、その支払が遅延したことに基づく遅延利息に相当する金額も含まれます。

ただし、賠償金の計算根拠（明細）が明らかになり、使用料に相当する部分以外の部分として合理的であると判断される金額については、使用料とされる金額から除外されることとなると思われますが、その内容によっては他の国内源泉所得（例えば、「貸付金の利子」など）に該当することもあり得ますので、留意ください。

参考　所法9①十七《非課税所得》、同161①十一《国内源泉所得》、同212《源泉徴収義務》、所令30《非課税とされる保険金、損害賠償金等》、所基通161－35《使用料の意義》、同161－46《損害賠償金等》、日芬租税条約3《一般的定義》、同12《使用料》

075　米国法人に支払う特許のサブライセンス料

Q　内国法人である当社は、国内にPEを有していないアメリカ法人F社の関連会社（F社の持株割合35%）ですが、F社はオランダ法人G社所有の特許について、F社及びその関連会社が使用できるライセンス契約を締結しています。当社はF社からその特許の使用許諾を受けて、国内で製品の製造を行うこととしています。当社は、F社がG社に支払うこととなるライセンス料のうち、当社が国内で製造した製品数量に対応する部分の金額をF社に支払うこと（サブライセンス契約）となっています。

なお、F社はG社に対して当社の分を含め全体の使用数量に応じたライセンス料の支払義務を負い、ライセンス料率は全体の累積使用料に応じて漸減するボリュームディスカウント方式となっています。F社はG社から第三者に対してサブライセンスを許諾する権利を与えられていませんが、持株割合25%以上の関連会社に対するサブライセンスの供与は可能となっています。

この場合において、当社がF社に支払うサブライセンス料は日米租税条約にいういわゆる導管取引となる支払にあたり、条約の特典（免税）は受けられないこととなるのでしょうか。

米国法人に支払うサブライセンス料は、契約内容等からみて日米租税条約で定める「導管取引防止規定」が適用される取引ではなく、我が国では免税とされるものと考えられます。

解説

日米租税条約においては、特許権の使用料についてPEに帰属しないものは原則として所得源泉地国免税とされていますが、この例外として、使用料条項の中に導管取引防止規定を置いています。

ご質問にもある「導管取引」(back to back transaction) とは、法的な名義人が単なる導管にすぎない場合の取引をいい、日米租税条約では、特典濫用防止の観点から、ある無体財産権（特許権等）に関して日米間で使用料が支払われた場合に、後述する「支払の条件関係」に該当するときは、その受領者は使用料の受益者（特典を受けることができる者）とされず、同条約の特典を受けられないこととされています（導管取引防止規定）。

その支払の条件関係に該当するときとは、「日本法人から米国法人に特許権使用料の支払がある場合において、次の①、②のいずれにも該当する者が、「同一の特許権」の使用に関して、米国法人から使用料の支払を受けないとしたならば、米国法人がその特許権の使用に関して日本法人から使用料の支払を受けることはなかったであろうと認められるとき」のことをいいます。

① 他方の国内で生ずる使用料に関して、米国法人に対して与えられる特典と同等以上の特典を受ける権利を有しない者
② 日米いずれの居住者でもない者

この規定を形式的にご質問の場合に当てはめますと、米国法人のF社を導管としてオランダ法人たるG社が使用料の受益者となって、日米租税条約の特典を濫用することとなると認められる支払の条件関係に該当するとも思われます。

しかし、導管取引を条約特典の適用除外としたのは、特典の濫用防止の観点から規定しているものであるという趣旨からみて、上記の支払の条件関係について詳細に検討しますと、次のように考えられます。

(i) 上記にいう「同一の特許権」の使用に関する使用料の支払とは、日米間における特許権の使用料がそのまま第三国居住者に支払われるようなことを指していると思われます。したがって、例えばG社とF社との契約書の中で、貴社に必ずサブライセンスを与える、又はサブライセンスの供与先が貴社に限定されるような場合で、その使用料はF社を経由してG社にそのまま支払われることが定められているようなときが、これに当てはまるものと思われます。

(ii)　また、G社からF社に対して全世界特許の使用許諾がなされ、F社はサブライセンスに係る使用料も含めて、全世界の使用実績に応じて使用料の支払義務をG社に負い、かつ、F社においてもその特許を使用した実績があるときは、日米間における使用料の支払有無にかかわらず、F社はG社に対して使用料を支払うこととなることから、その帰結として日米間と米蘭間の使用料の計算基礎が異なることとなります。

ご質問の場合には、

①　G社とF社のライセンス契約では、F社とその関連会社に使用許諾が与えられており、サブライセンスの供与先が貴社に限定されていないこと、また、そのライセンス契約は単に貴社に対するサブライセンスの供与のみを目的としていると認められないこと

②　F社からG社への使用料の支払義務は、貴社からF社へのサブライセンス料の支払の有無にかかわらず発生すること

③　F社は貴社以外の関連会社にもその特許の使用許諾を与えることができるので、その場合は日米間と米蘭間の使用料の計算基礎が異なることになると認められること

④　第三国法人F社はオランダ法人で、オランダとの租税条約では日米間と同等の条約上の特典（免税）を得られる立場にあること

から、日米租税条約の導管取引防止規定の適用はされない取引内容であると認められます。

したがって、日本では免税とされることとなり、所得税の源泉徴収の必要はないものと考えられます。

なお、日米租税条約の特典を受けるためには、租税条約に関する届出書に必要な添付書類を添付して所轄税務署に提出する必要があります。

参考　所法161①十一《国内源泉所得》、同162《租税条約に異なる定めがある場合の国内源泉所得》、日米租税条約12①⑤《使用料》

076 出国後に支払を受ける職務発明による「相当の対価」

Q　内国法人である当社では、国内業務に供するために開発した社員の職務発明について、使用者原始取得とせず、社員から特許を受ける権利を承継するとともに、特許法第35条の規定による相当の対価として、その権利の実施後の成績に応じて補償金を支払うこととしています。

この補償金を、このたび中国に出国して現地企業に就職、非居住者となった者に支払う場合には、居住者の場合と同様に雑所得に当たるものとして、源泉徴収の対象としなくてもよいでしょうか。

A　非居住者が特許を受ける権利の承継に係る「相当の対価」として支払を受ける補償金は、居住者が支払を受けるとした場合の所得区分にかかわらず、工業所有権等の譲渡による対価として国内源泉所得に当たることから、所得税の源泉徴収が必要になると考えられます。

解説

社員の職務発明について特許を受ける権利を使用者が原始取得する定めをおかず、発明した社員から使用者に承継させた場合、社員はその代償として相当の対価の支払を受ける権利（対価請求権）を取得します。

その相当の対価については、本来であれば、権利承継時において合理的に評価したものとして支払を受けるべき金額が存在することとなりますが、実際問題として承継時にその金額を算定することは難しいことから、ご質問のように実施後の成績に応じて支払う補償金であっても、その権利承継の代償として与えられた「対価請求権」によるものであるといえます。

これらのことから、ご質問の相当の対価は、国内業務に供するために行う特許を受ける権利承継の代償、すなわち工業所有権等の譲渡による対価に該当するものと認められます。

よって、非居住者に対して支払うその対価は、所得税法では工業所有権等の使用料の範囲に含まれて源泉徴収の対象とされる国内源泉所得に該当します。

なお、日中租税協定においては、受益者の営むPEの事業用資産と関係のない工業所有権等の譲渡の対価については、譲渡所得条項が適用されて、所得源泉地国において課税できることとされています。

したがって、ご質問の場合の非居住者が相当の対価として支払を受けるものは、居住者が支払を受けるとした場合の所得区分（雑所得）いかんにかかわらず、工業所有権等の譲渡による対価として国内源泉所得に該当し、その場合は税率軽減の規定はありませんので税率20.42%による所得税の源泉徴収が必要になると考えられます。

注1　居住者に対して支払われる工業所有権等の使用料は源泉徴収の対象とされていますが、職務発明に係る相当の対価は、使用者等に権利承継させた代償として支払を受けるものであって、その支払時期に応じて譲渡所得又は雑所得に該当し、社員等の有する権利を使用者等に使用させることにより支払を受けるものではないことから、源泉徴収の対象とされていません。

2　2015（平成27）年7月に改正特許法が成立し公布されていますが、職務発明については、主として次のように改められています（特許法35）。

⑴　特許を受ける権利が、契約や勤務規則などの定めにより「使用者原始取得」とすることを定められること

⑵　発明者（社員）は、金銭その他の経済上の利益（相当の利益）を受ける権利を有すること

参考　所法161①十一《国内源泉所得》、同212《源泉徴収義務》、所基通23～35共1《使用人等の発明等に係る報償金等》、同161－35《使用料の意義》、特許法35《職務発明》、日中租税協定12《使用料》、同13④《譲渡所得》

077 ベルギー法人に支払う商標権の譲渡対価

Q 内国法人である当社は、国内にPEを有していないベルギー法人H社から日本、米国、カナダ及びオーストラリアの4か国における商標権の譲渡を受け、その対価を一括して支払うこととしています。なお、商標権の譲渡後においては、H社は4か国には何の権利も有しなくなります。この商標権の譲渡対価について、源泉徴収が必要でしょうか。

A ベルギー法人に支払う商標権の譲渡による対価は、ベルギーとの租税条約における譲渡収益条項により居住地国課税に該当すると認められますので、所得税の源泉徴収は必要ないと考えられます。

解説

所得税法上、国内にPEを有していない非居住者等に支払う商標権の譲渡による対価については、使用地主義がとられていますので、国内で使用されるものに係る対価は原則として我が国で課税されることとなっています。

その一方、ベルギーとの租税条約においては、2019（平成31）年1月19日に発効した新条約の前の条約においては、商標権を含む財産について譲渡の対価を取得する場合には、商標権を含む財産の「真正な、かつ、いかなる権利をも譲渡人に残さない譲渡」から生じる収益についてのみ譲渡収益（キャピタルゲイン）条項を適用することとしており、その場合は、所得源泉地国に有するPEの事業用資産の一部をなすものを除き居住地国課税とされていて、我が国では課税されないこととされていましたが、新条約においては、それを規定していた議定書の条項は削除されています。

ただし、新条約における譲渡所得条項により、不動産や一定の株式などの譲渡を除いて、譲渡収益は原則として譲渡者の居住地国においてのみ課税されることとされていますので、引き続き我が国では課税されません。

注　ベルギーとの旧条約にあるように商標権等の「真正な譲渡」のみを譲渡収益とするが、それ以外の譲渡については使用料を定めている締結国は、現行ではメキシコだけです。

ご質問の場合は、

① H社が4か国において所有している商標権の譲渡を受け

② 貴社がその商標権を取得した後においては、H社は4か国には何らの権利も有しなくなり

③ その対価は一括して支払われる

とのことから、その商標権の譲渡は、ベルギーとの租税条約にいう「その他の財産の譲渡」に当たるものと認められます。

また、商標権については、いわゆるパリ条約において、「いずれかの同盟国において正規に登録された商標は、他の同盟国において登録された商標から独立したものとする」との“商標権独立の原則”を明確にしていることから、商標権が登録されているそれぞれの国ごとに判定することとなります。

したがって、我が国においては課税されないこととなりますので、租税条約に関する届出書を提出すれば、所得税の源泉徴収を行う必要はありません。

参考　所法161①十一《国内源泉所得》、同162《租税条約に異なる定めがある場合の国内源泉所得》、日白租税条約13⑤《譲渡収益》

078 M&Aに伴いシンガポール法人から取得した商標権の譲渡対価

内国法人である当社は、海外進出戦略の一環として、シンガポールに本拠を置く食品メーカーI社（国内にPEはありません）を買収することとしています。

その際に、I社が所有するブランド（商標）については、別途に譲渡契約を結び権利の対価を一括して支払のうえ取得し、主に東南アジアや中国における商品販売に活用することとしています。

この対価については源泉徴収が必要でしょうか。

A シンガポール法人に支払う商標権の譲渡による対価については、シンガポールとの租税協定における債務者主義が適用されて所得税の源泉徴収が必要です。

解説

所得税法においては、国内にPEを有していない非居住者等に支払う商標権の譲渡による対価については使用地主義をとっていますので、その商標権を国内業務の用に供さない限り、国内源泉所得には該当しません。

その一方、シンガポールとの租税協定においては、所得源泉地国にPEを有していない場合の商標権の譲渡による収入は、使用料と同様の取扱いと定められています。その使用料条項においては、債務者主義が適用されて対価の支払者（債務者）の居住地国に所得の源泉があることとされています。これを受けて国内法による所得源泉地置換え規定により、シンガポールとの租税協定で定める使用料条項が適用され、我が国で課税されることとなります。

したがって、貴社はその対価の支払の際に原則として20.42%（租税条約に関する届出書を提出すれば10%）の税率による所得税の源泉徴収を行うことが必要となります。

参考　所法161①十一《国内源泉所得》、同162《租税条約に異なる定めがある場合の国内源泉所得》、同212《源泉徴収義務》、所基通161－33《当該業務に係るものの意義》、日星租税協定12②④⑤《使用料》

079 台湾法人に支払う製造技術に関する一時金

Q 内国法人であるIT関連のメーカーの当社は、国内にPEを有していない台湾法人J社が保有するIT関連の製造に関する技術について、国内における製造、使用及び販売に係る独占的な実施許諾契約を結び、その一時金として300万ドルを支払う予定です。J社の技術については、日台両国で特許権を有しているものの、いまだ確立された技術といえず、今後更に双方で研究活動を行うことを合意しています。

したがって、当社が支払う一時金は、それが直ちに販売に結び付いた対価として支払うものではありませんから、源泉徴収の対象としなくてもよいでしょうか。

A 台湾法人に支払う一時金は、契約内容等からみて工業所有権等の使用料に該当して、国内法及び台湾との租税取決めによって、所得税の源泉徴収が必要と考えられます。

解説

所得税法では、国内にPEを有していない非居住者等が、国内において業務を行う者から受ける工業所有権等の使用料でその業務に係るものは、非居住者等の国内源泉所得に該当することから、その支払の際に所得税の源泉徴収が必要とされています。

技術等に関する使用料の性質は、一般に過去の研究投資の成果である工業所有権等又は技術、知識、情報等の提供に対するいわばノウハウ料であり、そのほとんどの部分が純所得を構成するものであろうと考えられます。

その一方、研究開発そのものは人的・物的・時間的な投資をすることによってその目的とする技術等を確立する作業であり、研究成果を得られるかどうか不確実なことから、その負担する費用の額が研究のために要する実費相当額である場合には、使用料には当たらないものと考えられます。

ご質問の場合、提供を受ける技術そのものがいまだ確立されておらず、そのため一時金の支払が直ちに販売に結び付いた対価ではないということから、使用料には当たらないのではないかとのことですが、

① 提供を受ける技術情報は、貴社の国内業務のために使用されること

② 今後さらに研究活動を行う必要があるとしても、その実施許諾を受けた技術については日台両国において既に特許権を取得しており、その許諾時において研究の成果が全く確立されていないものであるとはいえないこと

③ 支払う一時金は、その金額の算定要因からみて研究開発のために実費相当額を分担したものでなく、国内における特許権の独占的使用権を取得するための対価であると認められること

から、J社に支払う一時金は、工業所有権等の使用料に該当するものと考えられます。

なお台湾との間において、2017（平成29）年1月以降、「外国居住者等の所得に対する相互主義による所得税等の非課税に関する法律」（所得相互免除法）が制定施行されていて、2015（平成27）年に日台間の民間租税取決めとしてスタートした租税条約に相当する枠組みに法的措置が構築されています。その所得相互免除法においては、工業所有権等の使用料そのものの定義は所得税法の定める国内源泉所得のうち、機械、装置等の使用料を除いて同様の定めを置いています。また、所得源泉地国にPEを有していない場合に支払うその使用料は、債務者主義により我が国で生じたものとして課税されることとなっています。

したがって、貴社がJ社にその一時金を支払う際、原則として税率20.42%（所得相互免除法に定める、租税条約の適用を受ける場合と同様に、一定の届出書を提出すれば10%）による源泉徴収を要します。

参考　所法161①十一《国内源泉所得》、同212《源泉徴収義務》、所基通161－37《使用料に含まれないもの》、所得相互免除法15①・㉙《配当等に対する源泉徴収に係る所得税の税率の特例等》

080　2か国の法人に支払う共同研究開発分担金

Q　内国法人である当社は、国内にPEを有していないカナダ法人及びオーストラリア法人と風力発電等の再生可能エネルギーに関する共同研究開発契約を締結し、両国における研究開発の分担金として両国法人にそれぞれ毎月2万ドルを3年間支払うこととしています。この研究開発が成功すれば、それにより得られる新しい技術情報や運営ノウハウ等の提供を受ける予定ですが、今回の支払については源泉徴収を要しないこととしてもよいでしょうか。

A　カナダ法人及びオーストラリア法人に支払う共同研究開発分担金は、国外で行われる人的役務提供事業の対価に当たるものとして、又は一定の要件を満たす支払金であれば工業所有権等の使用料に該当しないものとして、いずれの場合でも、両国の法人に対する支払対価は所得税の源泉徴収を要しないものと考えられます。

解説

所得税法上、国内にPEを有しない非居住者等が、企業活動として研究開発業務を国内で行う場合に支払を受ける対価は、通常、科学技術等の専門知識等を活用して行う役務提供事業に該当して国内源泉所得となりますが、ご質問の場合の研究開発は国外で行われるとのことですので、その支払対価は国内源泉所得には当たらないこととなります。

しかし、研究開発により新技術が確立した暁には、その技術情報やノウハウ等が受けられるとのことですので、その支払う分担金のなかに、本来は工業所有権等の使用料とすべきものが含まれているのではないかとも考えられます。

これについては、締結した契約内容や事実関係の詳細を吟味検討して判断すべきですが、次のいずれにも該当する限り、その分担金は工業所有権等の使用料には当たらないものと考えられます。

①　その契約締結時において、その研究成果が全く不確定なものであること

②　その分担金の支払額が研究開発に要する実費相当額であること

なお、カナダ及びオーストラリアとの租税条約では、いずれもその事業が人的役務提供事業の対価に当たるものについては、他の租税条約と同様に企業の産業上又は商業上の利得（事業所得）に該当しますが、ご質問の場合は国内にPEを有していないことから、我が国では課税されません。

また、両条約とも、工業所有権等の使用料そのものについての用語の定義はされていないことから、その意義は条約適用国の国内法の定めによることとされています。

以上を総合しますと、ご質問の分担金が上記①、②の要件を満たしているという前提の下で判断する限り、その支払対価は工業所有権等の使用料には当たらないものと認められ、よって所得税の源泉徴収を要しないものと考えられます。

参考　所法161①六・十一《国内源泉所得》、日加租税条約3《一般的定義》、12《使用料》、日豪租税条約3《一般的定義》、12《使用料》

081 南アフリカ居住者に支払うゴルフコース設計図の提供対価等

Q 内国法人である当社は国内でゴルフ場をオープンすることとし、南アフリカ居住で国内にPEを有していない著名な元プロゴルファーにその設計を依頼しました。

コース完成後は、その設計者の名前をコース名に挿入して使用する許可を得ていますが、コースの形状などを変更するには、設計者の許可が必要です。

この設計図の提供などの対価は一括して支払う予定ですが、源泉徴収が必要でしょうか。

A 非居住者に支払う国内ゴルフコースの設計図の提供の対価は「特別の技術による生産方式などに準ずるものの使用料」に該当するものとして、また、コース名に付ける名義使用料は「商標権の使用料」に該当するものとして、いずれの部分の支払についても所得税の源泉徴収が必要となると考えられます。

解説

国内にPEを有していない非居住者からの国内ゴルフコースの設計図の提供は、所得税法上、非居住者の国内源泉所得とされる工業所有権等の譲渡に該当して源泉徴収の対象となる可能性がありますが、その場合には南アフリカとの租税条約では、PEを有しない者の工業所有権等の譲渡の対価について、使用料条項に該当して課税されることとなっています。

しかし、その内容を詳細に検討しますと、ご質問の設計図の提供については、コース完成後にコースの形状を自由に変更できず、そのプロゴルファーの許可を要することとされていることから、その対価は、単に図面そのものの譲渡を受けたことによる対価のみから構成されているものとは考えられません。貴社が支払う対価は、その元プロゴルファーの経験に基づいたコース攻略などの戦略性を表現した創作性の高いノウハウ又はデザインの使用料、すなわち国内法でいう特別の技術による生産方式などに準ずるものの国内における提供の対価（使用料）に該当するものと認められます。

また、支払先が有名な元プロゴルファーとのことですから、その設計図の提供の対価には、その元プロゴルファーの名前をコース名に挿入して国内業務に使用するための名義使用料が多分に含まれているものと思われますので、この名義使用料に相当する部分については、商標権の使用料に該当するものと考えられます。

なお、南アフリカとの租税条約では、著作権、商標権、意匠、図面、秘密方式などの使用又は使用の権利の対価及び譲渡の対価は、使用料条項に一括して該当するものとされています。また、その用語の定義については条約適用国における国内法の定めによることとされていて、さらに、内国法人が国内にPEを有していない非居住者に支払う使用料については、その所得源泉地を債務者主義により我が国で生じたものとされて、課税されることとなっています。

したがって、上記のいずれの部分についても国内業務に供していることから、原則として税率20.42％（租税条約に関する届出書を提出すれば10％）による所得税の源泉徴収が必要となります。

参考　所法161①十一《国内源泉所得》、同212《源泉徴収義務》、所基通161－34《工業所有権等の意義》、日南阿租税条約3《定義》、同12《使用料》

082 イタリア法人から受ける経営指導等の対価

Q 内国法人である当社は、支店形態はとらずに日本進出したレストラン業を営むイタリア法人の唯一の日本子会社です。イタリアにおける経営ノウハウを活かした事業展開を行うべく、イタリア法人から指導担当者を日本に派遣してもらい、店舗内のレイアウトや調理マニュアルの提供を含む、経営指導を受けるほか、従業員のジョブトレーニングの指導なども継続的に実行してもらう契約を締結し、その対価として当社売上高の3%を支払うこととしています。この支払金については源泉徴収が必要でしょうか。

A イタリア法人から日本子会社が受ける経営指導等に対する支払対価は、人的役務提供事業の対価には該当せず、工業所有権等とされるノウハウの使用料に当たるものと考えられますので、その支払の際に所得税の源泉徴収が必要となります。

解説

国内にPEを有していないイタリア法人は、日本子会社に対する経営指導にあたって、本国から指導担当者を日本に派遣して行っていることから、その対価は所得税法上、非居住者等の国内源泉所得とされる人的役務の提供事業の対価に該当する可能性もあります。

しかしながら、ご質問にある経営指導は、イタリア法人がイタリア現地において確立した長年にわたり培った経営上の秘けつ、秘伝等のノウハウや特別な技術に基づくものであり、国内法でいう科学技術や経営管理等に関して派遣された指導担当者個々人が有する専門的知識等に基づいて行う人的役務提供事業の対価には当たらないものである、と認められます。

このような特別な技術やノウハウを国内業務に供するために提供することにより得ら

れる対価は、国内法でいう工業所有権等の使用料を構成するものとされていて、その提供が図面や人的役務の提供による場合に受ける対価には、その提供した技術等の使用回数や生産高などに応じて算定されるもののほか、ご質問にある売上高に応じて支払われるもの（ランニングロイヤルティ）も使用料に含まれることと解されています。

なお、イタリアとの租税条約においては、使用料条項に定める「産業上、商業上などの経験に関する情報の対価」に該当し、その定義は条約適用国の国内法に委ねられていて、対価の受領者であるイタリア法人は所得源泉地である日本国内にPEを有していませんが、その使用料は債務者主義により我が国で生じたものとして課税されることとなります。

したがって、貴社はその対価の支払の際に原則として20.42%（租税条約に関する届出書を提出すれば10%）の税率による所得税の源泉徴収を行うことが必要となります。

参考　所法161①六・十一《国内源泉所得》、同212《源泉徴収義務》、所令282《人的役務の提供を主たる内容とする事業の範囲》、所基通161－34《工業所有権等の意義》、同161－35《使用料の意義》、同161－36《図面、人的役務等の提供の対価として支払を受けるものが使用料に該当するかどうかの判定》、日伊租税条約3《一般的定義》、同12《使用料》

083 香港在住非居住者に支払う情報提供料

Q 当社はアパレル業を営む内国法人ですが、国内業務に供するために香港在住で国内にPEを有していない日本人K氏に2年間の契約で次の業務を委託し、その報酬として各年200万円を支払うこととしました。

① 香港における衣料品関係の市場調査を3か月に1回実施し、その調査結果報告書を提出する業務

② 中国本土における衣料品に関する情報を収集し、①の報告書に併せて提出する業務

この契約により、当社が支払う業務委託報酬については、源泉徴収が必要でしょうか。

A 香港在住の非居住者に支払う業務委託報酬は、単に香港及び中国本土における衣料品に関する情報提供の対価及び役務提供の報酬と考えられ、使用料その他の国内源泉所得に該当しませんので、所得税の源泉徴収は必要ありません。

解説

所得税法における国内源泉所得を詳らかに確認すると、国内にPEを有していない非居住者の国内源泉所得とされる使用料の中に、国内において業務を行う者から受ける「特別の技術による生産方式若しくはこれらに準ずるもの」の使用料が規定されています。

この場合の「…準ずるもの」とは特許権等の工業所有権の目的にはなっていないが、生産その他業務に関し、繰り返し使用し得るまでに形成された創作、すなわち、特別の原料、処方、機械、器具、工程によるなど独自の考案又は方法を用いた生産についての方式、これに準ずる秘けつ、秘伝その他特別に技術的価値を有する知識及び意匠などをいいます。

つまり、いわゆるノウハウのほか、機械、設備等の設計及び図面等に化体された生産方式、デザインなども含まれますが、海外における技術の動向、製品の販路、特定の品目の生産高等の情報などは、これに含まれないこととされています。

そのほか、国内源泉所得とされる人的役務提供の報酬については、原則として国内においてその役務提供がなされない限り、国内源泉所得に該当することはありません。

ご質問の場合は、香港及び中国本土における市場調査や情報収集活動、及びそれらの報告に関する対価の支払と認められますので、これらを内容とする対価に止まる限り、工業所有権等の使用料に含まれず、また、香港及び中国本土で役務提供が行われる以上、国外において行う人的役務提供の報酬に当たり、国内源泉所得に該当しないものと認められます。

なお、香港との租税協定においても、用語の定義は協定適用国の国内法の定めによることとされているとともに、人的役務提供の報酬の取扱いについては、国内法と同様の規定ぶりとなっています。

したがって、国内法及び香港との租税協定のいずれの規定においても、課税されることとなる対価にも報酬にも当てはまりませんので、所得税の源泉徴収の必要はありません。

参考　所法161①十一・十二《国内源泉所得》、所基通161－34《工業所有権等の意義》、日香租税協定3《一般的定義》、同12《使用料》、同14《給与所得》

084 非居住者に支払うデザイン料等

Q 　内国法人である当社では、創立40周年を記念して世界各国から国内販売用の衣服のデザインをコンペ方式により募集して、フランス人、イタリア人及びギリシャ人の3人が入選しました。各入選者には賞金100万円ずつを支払うほか、日本への旅行に招待し、その費用は全額当社が負担します。

　また、入選者には、そのデザインの発表会に2回出席してもらいますので、日本に滞在中（8日間）は1日につき2万円を滞在費として支払います。この場合の賞金、招待旅費及び滞在費に対する源泉徴収はどのようにすればよいでしょうか。

　なお、入選者はいずれもそれぞれの国の居住者であって、日本にPEを持っていません。

A 　非居住者に支払われるデザインコンペの賞金などは原則として、工業所有権等に準ずるものの使用料として所得税の源泉徴収が必要ですが、非居住者の居住地国との租税条約の定め方いかんによって免税となったり、税率が軽減される場合があります。

解説

1 賞金及び招待旅費

　国内にPEを有していない非居住者に対するご質問の賞金は、衣服のデザインについて支払われるとのことと、その利用状況が国内業務に供するためのものであること以外はその詳細が明らかでありませんが、一般的に、工業デザインとして意匠権設定の対価として支払われたものでなくとも、デザインそのものは、デザイナーの個性や感性、商品に対する信条などが表現されたものであって、反復して利用できるものであることから、その対価は、所得税法でいう工業所有権その他これに準ずるものの使用料に該当するものと考えられます。よって原則として、それに付随して行う招待旅行の費用を含めた全支払額について、非居住者に支払う国内源泉所得に当たるものとして所得税の源泉徴収が必要です。

ただし、デザイナーのうちフランス人については、日仏租税条約の使用料条項の定めにより、租税条約に関する届出書に必要な書類を添付して提出すれば、免税となります。

次に、イタリア人については、国内法で定める税率は原則20.42%ですが、イタリアとの租税条約の使用料条項に規定する軽減税率の適用を受けるために同じく届出書を提出すれば、10%の税率に軽減されます。

なお、ギリシャ人については、我が国はギリシャと租税条約を締結していませんので、国内法がそのまま適用されることから、その規定どおりに課税されて、20.42%の税率による源泉徴収が必要です。

ただし、招待旅行費用の支払額のうち、貴社が本人には交付せず航空会社、ホテル等に直接支払ったもので、その金額がその費用として通常必要であると認められる範囲内のものについては、課税する必要はありません。

2　滞在費用

招待したデザイナーに支払う滞在費については、国内におけるデザイン発表会に出席してもらう対価として、国内源泉所得とされる人的役務提供の対価を構成しますので、国内法では課税の対象となり、原則として20.42%の税率による所得税の源泉徴収が必要とされています。

よって、ギリシャ人については国内法に基づき、貴社は源泉徴収を行う必要があります。

ただし、租税条約の適用が可能なフランス人及びイタリア人に支払う滞在費については、①フランス人には、自由職業その他の独立の性格を有する活動による利得に当たると認められることから、日仏租税条約の事業所得条項が適用され、また、②イタリア人には、同じ理由で日伊租税条約に定める自由職業所得条項が適用されますので、それぞれ国内にPE又は固定的施設（Fixed Base=「FB」といいます）を有さない限り、租税条約に関する届出書を提出すれば、免税となります。

参考　所法161①十一《国内源泉所得》、同162《租税条約に異なる定めがある場合の国内源泉所得》、同212《源泉徴収義務》、所基通161－34《工業所有権等の意義》、同212－4《対価又は報酬の支払者が負担する旅費》、日仏租税条約3《定義》、同7《事業所得》、同12《使用料》、日伊租税条約12《使用料》、同14《自由職業所得》

085 オーストラリア法人に支払う地区開発事業のマスタープラン作成報酬

Q 内国法人である当社は、オーストラリア西部地区におけるテーマパーク等施設の開発のためのマスタープランの作成を国内にPEを有していないオーストラリア法人に依頼し、総額100万ドルを支払う予定ですが、この支払について、源泉徴収が必要でしょうか。

なお、この契約では、当社は、そのマスタープランを具体化するために本件業務の成果品（図面、イメージ図等）をその対象地域内においてのみ使用（複製を含む）することができ、その場合、本契約に基づき支払われる役務提供の対価以外の対価の支払を何ら求められることはない旨が規定されています。

マスタープラン作成の報酬そのものは、原則として工業所有権等の使用料に該当するものと認められ、日豪租税条約に定める債務者主義が適用されますので、所得税の源泉徴収が必要です。

解説

ご質問にある契約により提供を受けるマスタープランは、豪州の対象地域内に限定して使用できるもので、図面やイメージ図などの媒体により得られることとされており、その中には当然ながら豪州法人の持つプラン作成上のノウハウ等が表現されているものと認められます。

よって、国内法上は、国内にPEを有していない豪州法人が作成した図面などに化体されたノウハウ等は工業所有権等に準ずるものに当たり、その使用の対価は国内業務に使用される場合は、国内源泉所得とされる使用料に該当するものと考えられます。この考え方は日豪租税条約においても、工業所有権等の使用料そのものについて定義がなく、その用語の意義は条約適用国の国内法によることとされているので、同様の取扱いとなります。

ただし、その成果品は現地においてのみ使用するとのことですので、所得源泉地について国内法は使用地主義をとっていることから、そのことが履行される限りにおいて、ご質問の場合は国内源泉所得に当たらないものと認められます。

その一方、日豪租税条約は債務者主義をとっていて、その図面等を国外の業務に限定して使用するとしても、内国法人である貴社が支払者（債務者）であることから、国内法で定める所得源泉地置換え規定により所得源泉地は日本国内とされる条約の規定が優先されますので、使用料として所得税の源泉徴収をすべきものと考えられます。

したがって、貴社は豪州法人にその報酬を支払の際、原則として20.42%（租税条約に関する届出書を提出すれば5%）の税率による源泉徴収が必要となります。

なお、その支払額が提供を受ける図面等の作成費用に通常の利潤の額を加算した金額程度である場合には、工業所有権等の使用料には該当せず、人的役務提供（外国法人の場合は人的役務提供事業）の対価となりますので、図面等の作成が国内で行われない限り、国内源泉所得に当たらないことから、源泉徴収は要しないこととなります。

また、人的役務提供事業に関する日豪租税条約の定めも、支払を受ける豪州法人が日本国内にPEを有していないことから、事業所得条項が適用されることとなり、国内法と同様の取扱い（源泉徴収は不要）となっています。

参考　所法161①六・十一《国内源泉所得》、同162《租税条約に異なる定めがある場合の国内源泉所得》、同212《源泉徴収義務》、所基通161－34《工業所有権等の意義》、同161－36《図面、人的役務等の提供の対価として支払を受けるものが使用料に該当するかどうかの判定》、日豪租税条約3《一般的定義》、同7《事業利得》、同12《使用料》

086　中国法人に支払うプログラムの複製権取得対価

Q　内国法人である当社は、国内にPEを有していない中国法人L社からデータ処理装置付きの機械を輸入し、国内で販売しております。

従来は、その装置に係る数種類のプログラムのコピーを有形物の形で個別に輸入販売していましたが、その数種類のプログラムの複製権を取得して、当社で国内ユーザー向けに一部変更したうえで販売することとなりました。このため、L社との間にライセンス契約を締結し、その対価を支払う予定ですが、この支払については、源泉徴収が必要でしょうか。

国内販売のために行う中国法人に支払うプログラム複製権の取得対価は、著作権の使用料に該当すると認められますので、その支払の際に所得税の源泉徴収を要することとなります。

解説

著作権法上、プログラムそのものは著作物に該当し、その複製権は著作者が専有する権利として保護されています。

ご質問の場合、貴社が単に、プログラムのコピーした物を輸入して国内販売するだけであれば、通常その支払は著作複製物の購入対価と考えられ、所得税法上は事業所得に該当して所得税の源泉徴収は必要ないと思われますが、ご質問の場合は既存プログラムの複製権取得の対価ということですので、既存のプログラムは著作権法における著作物に該当すると考えられます。その複製権取得の対価は、中国法人L社とのライセンス契約によりプログラムを複製する許諾を受けた対価と認められ、貴社の国内業務に供しているとのことですので、所得税法では国内にPEを有していない非居住者等の国内源泉所得とされる著作権の使用料に該当して、所得税の源泉徴収を要することとなります。

また、日中租税協定においても著作権の使用料そのものに関する定義は協定適用国の国内法の定めによることとされていて、内国法人が国内にPEを有していない非居住者等に支払う使用料は、租税協定で定める債務者主義により所得源泉地が置換えられて、我が国で生じたものとして課税されることとなっています。

したがって、貴社は中国法人にその対価を支払う際に、原則として20.42%（租税条約に関する届出書を提出すれば10%）の税率による源泉徴収が必要です。

参考　所法161①十一《国内源泉所得》、同212《源泉徴収義務》、著法10①九《著作物の例示》、同21《複製権》、日中租税協定3《定義》、同12《使用料》

087 カナダ法人に支払うデータベースの使用料

Q　内国法人である当社は、国内において、ある分野に関する国際的特許情報のオンラインサービス業務を開始することになりました。この業務に必要なデータベースには、国内にPEを有していないカナダ法人M社から提供を受けて各国の特許情報のほか関係する文献を蓄積しており、当社と契約をした国内ユーザーがその端末機から当社のホストコンピュータのデータベースにアクセスして検索できることとなっています。

当社は国内ユーザーから使用実績に応じて対価を受け取り、その一定割合をデータベースの提供の対価としてM社に支払うこととなっていますが、その際に源泉徴収が必要でしょうか。

A　データベースの提供を受けるためにカナダ法人に支払う対価には、自動公衆送信権又は複製権等の著作権の使用料が含まれているものと認められますので、その対価は国内源泉所得に当たることから、その支払の際に所得税の源泉徴収を要することとなります。

解説

データベースとは、著作権法上、「論文、数値、図形その他の情報の集合物であって、それらの情報を電子計算機を用いて検索することができるように体系的に構成したもの」とされていて、データベースそのものが単なる事実の羅列であるものを除き、各データには創作性が認められないものであっても、「データベースでその情報の選択又は体系的な構成によって創作性を有するものは、著作物として保護する」ものとされています。

ご質問の場合のデータベースは、各国の特許情報とその関係文献を蓄積（=情報の選択）して、かつ、オンラインでアクセスできるようにそのデータを統一的若しくは系統的に整理するベースを作っているもの（=体系的な構成）であって、そのようにして編み出された体系的な構成そのものが創作性を有していると認められますので、著作権法上の著作物に該当するものと考えられます。

また、私的使用のためにある論文の一部を複製したような場合は、それは単に部分侵害であり、その論文の著作権者に対する権利（複製権）侵害とはしないこととされていますが、そのようなケースとは異なり、データベースの送信者側からみると、データベースという著作物を自動公衆送信によりユーザーに利用させていることになりますので、送信者は本来、著作者から自動公衆送信権の許諾を受けなければ、オンラインサービス業務を行うことができないこととなります。

なお、データベースの利用においては、データベースから情報を引き出し、再利用可能な形式で端末機に蓄積するためにダウンローディングが行われる必要がありますが、これは通常、データベースの一部の複製に当たり、データベースの著作権の複製権が及ぶものと考えられます。

よって、ご質問の場合には、そのデータベースは著作物に該当しますので、自動公衆送信権又は複製権等の著作権の使用料が含まれていると認められ、またそのデータベースは貴社の国内業務に供するものとのことですので、国内にPEを有していないカナダ法人に支払う対価については、所得税法上、非居住者等の国内源泉所得とされる著作権の使用料に該当して、所得税の源泉徴収の対象となります。

カナダとの租税条約においても、著作権の使用料そのものに関する定義は条約適用国の国内法の定めによることとされていて、内国法人がPEを有していない非居住者等に支払う使用料は、その所得源泉地を債務者主義により我が国で生じたものとされて、課税されることとなっています。

したがって、カナダ法人にその対価を支払う際に20.42％（租税条約に関する届出書を提出すれば10％）の税率による源泉徴収を要することとなります。

参考　所法161①十一《国内源泉所得》、同212《源泉徴収義務》、著法2①九の四・十の三《定義》、同12の2①《データベースの著作物》、同21《複製権》、同23《公衆送信権等》、日加租税条約3《定義》、同12《使用料》

088 エストニア法人に支払うパッケージソフト購入の対価

Q　内国法人である当社は、国内にPEを有していないエストニア法人N社が開発・製造したソフトウェア製品（CD）を輸入し、国内顧客に販売するため、N社との間で次のような内容の販売契約を締結しました。

①　ソフトウェア製品の著作権を保有するN社からは、当社に複製、翻訳、翻案、改変等をする権利は付与されておらず、当社はN社にユーザー販売価格の一律80%相当額を支払う。

②　その製品を購入した顧客（エンドユーザー）は当社との使用許諾契約（契約期間に制限なし）によりソフトウェアの使用権が付与されるが、エンドユーザーにはバックアップのための複製以外は認められていないし、ソフトウェアを使用する権利を第三者に譲渡することも認められていない。

この製品は、国内で不特定多数の者に販売して利用してもらうために標準化されたものですから汎用性があります。このため、当社がN社に支払う対価は著作複製物の購入の対価に当たり、源泉徴収は不要と解してよいでしょうか。

A　エストニア法人への支払はパッケージソフトの売買・再販売の対価に当たるものと認められることから、その購入対価は著作権の使用料には該当せず、所得税の源泉徴収を行う必要はないと考えられます。

解説

コンピュータのソフトウェアの主たる部分であるプログラムは、著作権法上、「電子計算機を機能させて一の結果を得ることができるようにこれに対する指令を組み合わせたものとして表現したもの」と定義されています。同法において、プログラムは著作物とされていて、著作物の複製権、貸与権、翻案権等の権利は保護の対象とされています。

したがって、非居住者等に支払うこれらの権利の対価は著作権の使用料となりますので、所得税法では国内源泉所得に該当し、国内にPEを有していないものに支払う際には、原則どおり所得税の源泉徴収を行う必要があります。

その一方、著作権使用の対価ではなく、ソフトウェア製品（著作複製物）の購入の対価を支払うときは、PEの有無に関係なくその対価は産業上又は商業上の利得として事業所得に該当することとなり、源泉徴収を行う必要はありません。

ソフトウェアの販売契約が「著作複製物の販売契約」に当たるかどうかについては、契約内容が次に掲げる要件に該当するかどうかにより判断するのが相当と思われます。

（国外の製造者（著作物の権利者）と国内の販売者との契約内容）

① 販売者は、製造者から製品を購入し、それと同時に製品の所有権が移転すること

② 販売者は、ソフトウェアの複製、貸与、翻訳、翻案等を行う権利を有せず、これらの権利は例外なく独占排他的に製造者に専属すること

③ 製造者に対するその購入対価の支払は、ソフトウェアの使用回数、使用期間、使用による収益などに対応していないこと

④ 販売者は、エンドユーザーに対して製品の販売を行うこと

（国内の販売者と国内の顧客（エンドユーザー）との契約内容）

⑤ エンドユーザーには、複製物所有者として行うバックアップのための必要最低限の複製などを除き、ソフトウェアの複製権が認められていないこと

⑥ エンドユーザーは、製品を使用する権利を永久に認められていて、製品を購入したのと同じこととなるような実質を有していること

これらの要件に該当する場合は、例えば著作複製物である書籍を輸入して、読者に販売するようなケースと同様であり、いずれの場合でもその支払う対価は著作権の

使用料には該当しないものと解されています。

ご質問の場合においては、

① 貴社は著作権に関する複製等の権利を付与されていないこと

② その製品の購入価格はユーザー販売価格に応じたものであって、ソフトウェアの使用回数等に応じたものではないと認められること

③ 貴社はユーザーとの無期限の契約に基づき、ユーザーに標準化された製品を販売することとされていること

④ エンドユーザーは、複製物所有者として行う必要最低限の権利以外に何ら権利を有していないこと

から、貴社が国内にPEを有していないN社に対して支払うソフトウェア製品の購入対価は、いわゆるパッケージソフト（不特定多数の者に広く販売する目的で、プログラムをパッケージ化したもの）の売買・再販売の対価に当たり、著作権の使用料に該当しないものと考えられます。

なお、エストニアとの租税条約では、著作権の使用料を含む用語の意義は条約適用国の国内法の定めによることとされています。

注　エストニアは旧ソ連邦を構成する国でしたが、分離後は2018（平成30）年に日本との租税条約が発効していて、その租税条約の使用料条項では、債務者主義による所得源泉地の定めと、課税が生ずる場合の税率は5%に軽減される定めが置かれています。

参考　所法161①十一《国内源泉所得》、所基通161－35《使用料の意義》、著法2①十の二《定義》、同10①九《著作物の例示》、日エストニア租税条約3《一般的定義》

089 インド法人に支払うダウンロード方式によるソフトウェア販売の対価

Q 内国法人である当社は国内にPEを有していないインド法人の子会社ですが、その親会社が開発して所有権を有するソフトウェアの複製物を国内において販売する権利を供与されていて、この販売による営業利益に応じた一定金額を「License fee」として親会社に支払っています。当社にはソフトウェアそのものの複製権や貸与権などは付与されておらず、当社が受注した顧客は直接親会社のウェブサイトからダウンロードしてもらい、その起動に必要なキーは親会社から当社経由で顧客に発行して、親会社算定の金額により当社が顧客からその販売代金を回収しています。

この場合に親会社に支払う対価は著作権使用料として源泉徴収の対象となりますか。

A 貴社は親会社であるインド法人が開発したソフトウェア複製物の国内販売を行っていて、その支払う対価は著作権使用の対価が含まれているものとは認められないことから、所得税の源泉徴収は不要であると考えられます。

解説

国内にPEを有していない非居住者等に国内業務に関して著作権の使用料を支払う場合は、所得税法上、その非居住者等の国内源泉所得に該当して、原則どおり所得税の源泉徴収を要することとなります。

この場合の著作権は、創作した著作物に与えられる権利ですが、著作権法で著作物と規定されているプログラムから成るソフトウェアは著作物に含まれるものと解されていて、そのソフトウェアの複製権のほか、貸与権や翻案権がそれに当たるものといえます。

ご質問の内容からすると、上記の著作権の権利行使に関する許諾はその所有者たる親会社のインド法人から供与されていないとのことですし、販売するソフトウェアのダウンロードも貴社を経由しない方法で行われている実情からすると、貴社における業務内容が、ご質問にあるように顧客からの受注に始まる販売代金回収までの販売活動に係る一連の事業活動の範囲内に止まる限り、著作権法にいう複製権などの利用は行われていないと認められます。

したがって、親会社に支払う対価は著作権使用料には該当しないものと考えられます。

なお、インドとの租税条約でも、著作権そのものについては条約適用国における国内法の定める意義によることとされています。

以上のことから、所得税の源泉徴収は要しないものと考えられます。

参考　所法161①十一《国内源泉所得》、所基通161－35《使用料の意義》、日印租税条約3《一般的定義》

090 韓国法人に支払うゲームソフト開発制作の委託料

Q　内国法人である当社は、ゲームソフトの開発・制作及び国内販売業を営んでいますが、国内にPEを有していない韓国法人P社に対して新しいゲームソフトの開発・制作をゲームのコンセプトを含むすべての分野で委託（外注）することとし、契約を締結しました。

契約書では、成果物の納品にあたり、そのゲームソフトの著作権を含むすべての成果物をP社から当社に引き渡す内容となっています。この場合の委託料（外注費）の支払対価については、源泉徴収が必要でしょうか。

A　韓国法人に支払う著作権を含むすべての成果物の引渡し対価は、著作権の譲渡による対価に該当すると考えられますので、国内法及び日韓租税条約により、著作権の使用料として所得税の源泉徴収を要することとなります。

解説

ゲームソフトを含むソフトウェアそのものの定義や取扱いについては、我が国の税法において特に定義はされていませんが、各税法が借用概念として規定する著作権法に定める著作物には、同法で著作物と明文化されているプログラムを主たる構成部分としているソフトウェアが含まれるものと一般的には解されていて、著作権法においては、著作物を創作する者が著作者に当たり、何らの手続を要することなくその権利は保護されています。

ご質問のゲームソフトについても、そのコンセプトを含むすべての分野での制作を委託するとのことですので、創作した者である韓国法人P社が著作者となります。P社から受ける著作物の引渡しに際しては、契約上、著作権を含むすべての成果物が創作した者から貴社に移転されることとなっていますので、著作権の譲渡に当たるものと認められます。またその支払対価は、P社から引渡しを受けたゲームソフトを貴社の国内業務に供するために支払うものと認められますので、所得税法上、国内にPEを有していない非居住者等に支払うその対価は、そのまま非居住者等の国内源泉所得に該当して所得税の源泉徴収の対象となります。

日韓租税条約では、著作権そのものは条約適用国の国内法に定める定義によるものとされていて、その譲渡の対価は使用料条項に含まれていることから、ゲームソフトの引渡しによる対価は、国内法及び同条約に規定する著作権の使用料に該当します。また、同条約では、内国法人が国内にPEを有していない非居住者等に支払う使用料については、債務者主義により我が国で生じたものとして課税されることとなっていますので、貴社がP社にその対価を支払う際、原則として20.42%（租税条約に関する届出書を提出すれば10%）の税率による源泉徴収が必要となります。

なお、ゲームソフトの作成について、委託した者がプログラム仕様書などでソフトウェアの内容等をこと細かに指示し、外注先はもっぱらプログラムへの単なる変換作業等を行うに過ぎないなど、その作成した成果物に創作性が認められないような場合には、著作権の譲渡には当てはまらないものと思われます。

注　その場合でも、インド及びパキスタンとの租税条約では、技術上の役務に対する料金に関する定めがあることから、その適用がされることとなる場合の支払金については、所得源泉地の債務者主義への置換え適用とあいまって所得税の源泉徴収を要することとなります（日印租税条約12など）。

参考　所法161①十一《国内源泉所得》、同212《源泉徴収義務》、著法10①九《著作物の例示》、日韓租税条約3《定義》、同12《使用料》

091 海外生中継による放映権料

Q　内国法人である当社はテレビ放送会社ですが、海外のサッカーの試合を国内で生中継するにあたり、その放映権料を国内にPEを有していないポルトガルの放送権者に支払いました。

海外からの生中継については、制作された著作物の使用とは異なるものと思われますので、源泉徴収の対象としなくてもよいでしょうか。

A　スポーツ番組の生中継とはいえ、単なる監視用の固定カメラによる自動撮影などとは異なり、中継画面には撮影、編集等を行う者の知的創作性が反映されていると認められますので、この放映権料は著作権の使用料として所得税の源泉徴収が必要であると考えられます。

解説

所得税法では、国内にPEを有していない非居住者等に対し国内において業務を行う者が支払う著作権の使用料又はその譲渡による対価で国内業務に係るものは、国内源泉所得に該当し、原則どおり所得税の源泉徴収が必要です。

その著作権の使用料とは、著作権法上の著作物の複製、上演、放送、展示、上映、翻訳、編曲、脚色、映画化その他著作物の利用又は出版権の設定につき支払を受ける対価の一切をいいます。

この著作物とは、思想、又は感情を創作的に表現したものであって、文芸、学術、美術又は音楽の範囲に属するものをいうこととされています。

ご質問にあるスポーツ番組の生中継であっても、例えば単なる監視のために使用するような固定カメラによる機械的な自動撮影の放映などとは異なり、放送されている画面には撮影、録音、編集などを通じて、その番組制作者の意図や知的又は美的創作性が反映されているものと認められますので、著作物の放送に該当するものと考えられます。

また、ポルトガルとの租税条約においては、著作権そのものは条約適用国の国内法に定める定義によるものとされていて、内国法人が国内にPEを有していない非居住者等に支払う使用料について、債務者主義により我が国で生じたものとして課税されることとなっています。

したがって、貴社が支払う放映権料は著作権の使用料として原則20.42%（租税条約による届出書を提出すれば5%）の税率による源泉徴収を行う必要があります。

参考　所法161①十一《国内源泉所得》、同212《源泉徴収義務》、所基通161－35《使用料の意義》、著法2①一《定義》、日葡租税条約3《一般的定義》、同12④《使用料》

092　8か国の非居住者に支払う翻訳料

Q　内国法人である当社は、小説や論文などの翻訳物を国内で販売しています。各国在住の非居住者に翻訳を委託し、その対価を支払っていますが、完成した翻訳物については、当社に所有権が帰属することとなっています。

その委託先は、イギリス、ドイツ、フランス、スペイン、ポルトガル、メキシコ、中国及び韓国在住の8か国の非居住者です（いずれも国内にPEはありません）が、これらの者に支払う翻訳の対価について源泉徴収は必要でしょうか。

A　翻訳物は著作権法上の二次的著作物に当たるため、国内法上は、その使用料又は譲渡対価は国内源泉所得として所得税の源泉徴収を要しますが、各国との租税条約の定め方による適用いかんによって、それぞれ取扱いが異なります。

解説

小説や論文などの著作物を翻訳した場合には、その翻訳文は、著作権法において二次的著作物としてその権利が保護されています。

ご質問の場合は、引渡しを受けた翻訳物の所有権が貴社に帰属することになっていることから、翻訳した成果物そのものを買い取る契約であると認められますので、国内にPEを有していない者に対する支払金は、実質的にその著作物の権利の譲渡の対価に該当し、国内業務に係るものは、所得税法では原則どおり所得税の源泉徴収の対象とされる国内源泉所得となります。

ただし、著作権の譲渡対価の取扱いについては、各国との租税条約の定め方によってまちまちとなっていて、適用する租税条約によっては国内法と同じ取扱いで源泉徴収が必要とされる場合があります。

また、別な条約では、著作権の譲渡対価について、その他の動産の譲渡と同様な取扱いで免税とされて、源泉徴収が不要となる場合もあります。

ご質問の国内にPEを有していない非居住者に支払う翻訳の対価について、各居住地国ごとに適用される源泉徴収の取扱いは次のとおりとなっています。

① 支払先がイギリス、ドイツ、フランス及びスペイン、ポルトガルの居住者である場合

5か国ともそれぞれの租税条約（協定）の定めにより、譲渡対価は使用料と異なる取扱いとなっていて、他の動産の譲渡と同様な取扱いで所得源泉地国免税とされていますので、所定の手続をとれば源泉徴収は不要です。

② 支払先がメキシコの居住者である場合

メキシコとの租税条約の定めでは、譲渡人にいかなる権利をも残さない、真正（完全）な譲渡は源泉地国免税とし、それ以外の譲渡対価を使用料に含めて所得源泉地国で課税できることとしています。ご質問の場合は、翻訳物の所有権が貴社に帰属することとなっていることから、条約でいう真正な譲渡に該当し、所定の手続をとれば源泉徴収は不要であると考えられます。

③ 支払先が中国の居住者である場合

中国との租税協定の定めにより、著作権の譲渡対価については、譲渡所得条項が適用されて他の動産の譲渡と同様に取り扱われますが、不動産譲渡の場合と同様に所得源泉地国で課税できることとなっています。軽減税率の定めはありませんので、その対価の支払の際に20.42%の税率による源泉徴収が必要です。

④ 支払先が韓国の居住者である場合

韓国との租税条約の定めにより、著作権の譲渡対価についても、使用料と同様に取り扱い、債務者主義により我が国に所得源泉があることとなって課税されることとなります。その対価の支払の際に原則として20.42%（所定の手続をとれば10%）の税率による源泉徴収が必要となります。

参考　所法161①十一《国内源泉所得》、同162《租税条約に異なる定めがある場合の国内源泉所得》、同212《源泉徴収義務》、著法2①十一《定義》、同

11《二次的著作物》、日英租税条約12《使用料》、同13《譲渡収益》、日仏租税条約12《使用料》、同13《譲渡収益》、日独租税協定12《使用料》、同13《譲渡収益》、日西租税条約12《使用料》、同13《譲渡収益》、日葡租税条約12《使用料》、同13《譲渡収益》、日墨租税条約12《使用料》、同13《譲渡収益》、同議定書14、日中租税協定12《使用料》、同13《譲渡所得》、日韓租税条約12《使用料》

093 国内の代理人を通じて支払う著作権使用料

Q 内国法人である当社は国内で雑貨製造業を営んでいますが、国内にPEを有していない香港法人Q社との間で同社の所有するキャラクターの使用許諾契約を締結し、キャラクター商品を製造することとなりました。

このキャラクターの使用料は、契約期間中の売上高の5％と定められており、Q社の日本における代理人である内国法人R社を経由して支払うこととなっています。

R社はQ社の日本国内での使用料の集金業務のみを行っていて、Q社所有キャラクターの使用許諾に関する権限は一切有していません。

R社を経由してQ社に支払うキャラクターの使用料の支払の際に源泉徴収を行う必要があるのでしょうか。

A 国内の代理人は香港法人が受け取るべき使用料の授受に関する代理受領人にすぎませんので、貴社が代理人に使用料を支払う際に、その使用許諾者に対する支払があったものとして所得税の源泉徴収が必要となります。

解説

所得税法では、国内にPEを有していない非居住者等に支払う著作権の使用料で国内業務に係るものは、国内源泉所得となり、原則として20.42％の税率による所得税の源泉徴収が必要となりますが、その一方、その支払先（収入すべき者）が内国法人である場合には、源泉徴収の必要はないこととされています。

ご質問の場合、貴社が実際に使用料を支払う相手先は内国法人R社とされていて、R社は、香港法人Q社のために国内における契約を締結する権限等を一切有せず、Q社の日本における著作権使用料の集金業務のみを行っているとのことですので、R社に支払うといっても、その実態は、単にR社はQ社が受け取るべき使用料を代理して受領し、Q社に送金することを行っているにすぎません。このため、貴社の支払に伴う使用料受領の効果はQ社にのみ生ずるものと考えられます。

つまり、貴社の内国法人R社に対する支払によって、直ちに貴社の香港法人Q社に対する使用料の支払債務が消滅し、Q社が収入することとなるので、この支払は実質的には外国法人に対するものであると認められます。

なお、香港との租税協定においては、PEを有しない締結国の居住者に支払われる著作権使用料について、債務者主義により我が国で生じたものとして課税されることとなっています。

したがって、貴社が内国法人R社に著作権の使用料を支払う際に、原則として20.42%（租税条約の届出書を提出すれば10%）の税率による源泉徴収が必要となります。

参考　所法161①十一《国内源泉所得》、同212《源泉徴収義務》、日香租税協定12《使用料》

094 ハンガリー所在の著作権管理法人に支払う映画フィルム購入代金

Q 内国法人である当社は、国内にPEを有していないハンガリー法人S社を介して映画を購入して国内の映画館等に配給する権利を有しています。

S社は映画フィルムの製作者ではありませんが、ハンガリーとの租税条約にいう文化的使用料の受益者に著作権の管理法人であるS社も含まれるものと解して、S社に対する支払の際の源泉徴収は不要としてよいでしょうか。

A ハンガリー法人は著作物（映画フィルム）の複製権、上映権等のいずれかの権利の譲受け又は使用許諾を受けていない限り、受益者には含まれませんが、ハンガリー国内におけるその法的関係などをよく確認のうえ受益者となるべき者を特定して、租税条約に関する届出書の提出を求めてその提出があれば、免税の適用を受けられることとなります。

解説

映画フィルムは著作権法において映画の著作物に該当して、その著作権者（通常は映画製作者）は、著作物の複製権、上映権、頒布権、公衆送信権、又は翻訳権を有し、その原著作権者又は二次的権利者からこれらの権利の全部又は一部の譲渡、若しくは使用許諾を受けることにより、その映画フィルムの著作権に係る受益者の地位を得ることとなります。

所得税法では、非居住者に対する著作権の使用料の支払について、国内業務に係るものは国内源泉所得に該当して、所得税の源泉徴収を要することとされています。

その一方、ハンガリーとの租税条約では、映画フィルムの著作権の使用料（文化的使用料）については、その「受益者」に対する所得源泉地国における課税が免除されることとなっています。

この受益者とは、著作物について有する権利の行使により利益を受ける者、すなわちその映画フィルムの複製権などの権利行使ができる者に限定されるものと解されます。

ご質問の内容から判断する限り、その対価の支払先であるハンガリー法人が著作権者とどのような法的関係にあるのか不明ですので、例えばその法人は単なる著作権の管理法人であって、著作権の権利行使ができる者には含まれないようなケースも想定されます。

したがって、その場合は租税条約に定める免税規定の適用対象外となりますので、国内にPEを有していないハンガリー法人に対して国内で配給（上映）するために支払う映画フィルムの購入対価は、国内法がそのまま適用されて、著作権の使用料に当たるものとして20.42%の税率による源泉徴収が必要となると解されます。

しかしながら、ご質問にある支払そのものは、あくまでも著作権の使用対価にほかなりませんから、ハンガリー国内における著作権に関する法的な関係や取扱い、契約内容をよく確認して、その映画フィルムの配給による受益者となるべき者（そのハンガリー法人又は著作権者など）を特定したうえで、その受益者に対して租税条約に関する届出書の提出を求めて提出してもらうことにより、この支払について免税とされる取扱いを受けることができると認められます。

参考　所法161①十一《国内源泉所得》、同212《源泉徴収義務》、著法2《定義》、同10《著作物の例示》、日洪租税条約12《使用料》

095　海外勤務者に支払う原稿料

Q　内国法人である当社の社員Sはインドのムンバイ支店に勤務していて非居住者となっていますが、Sには毎月インドに関する経済事情を情報収集してもらい報告させています。送られてきたレポートは当社の社内で回覧し、給料のほかにその原稿料としてSに月額12万円を支払っています。

この場合の原稿料の支払は、著作権の使用料として源泉徴収の対象となるのでしょうか。

そのレポートは著作権法上の著作物には当たらないものと認められますので、原稿料の支払は著作権の使用料に該当せず、所得税の源泉徴収を必要としません。

解説

所得税法上、貴社の社員Sさんのレポートが著作権法に定める保護されるべき著作物に当たる場合は、そのレポートを国内業務に供していることから、その原稿料の支払は、国内にPEを有していない非居住者に支払う著作権の使用料として、所得税の源泉徴収を要する国内源泉所得に該当することとなります。

著作権法において、著作物とは、思想又は感情を創作的に表現したものであって、文芸、学術、美術又は音楽の範囲に属するものをいうこととされています。

ご質問の場合のレポートは、単にインド国内における経済事情に関する情報を収集し、それを社内業務に供するために報告したものということですので、著作権法にいう著作物には該当しないものと考えられます。

したがって、その原稿料は、インド国内で情報収集し、社内で報告するための役務提供の対価であると認められます。この場合の役務提供は国外で行われていることから、その支払の対価は国内源泉所得に該当しませんので、源泉徴収を必要としません。

なお、日印租税条約においても、著作権を含む用語の定義は条約適用国の国内法の定めによることとされています。

参考　所法161①十一・十二《国内源泉所得》、所基通161－35《使用料の意義》、著法2《定義》、日印租税条約3《定義》

096　デザイナーに支払うコンサルタント料

Q　内国法人である当社は、国内業務に供するためにデザイナーでオランダ居住のT1氏とフィンランド居住のT2氏（いずれも国内にPEを有していません）のどちらかと次のような内容の服飾ファッションに関するコンサルタント契約を締結し、その報酬を総額で決めて一括して支払う予定ですが、どちらと契約しても源泉徴収は必要でしょうか。

① T1又はT2氏は、当社が国内において開催する発表会に可能な限り出席してアドバイスなどの活動を行う。

② 当社は、国内における広告宣伝活動のためにT1又はT2氏の写真及び自筆署名を使用することができる。

③ T1又はT2氏は、欧州全域におけるファッション情報等を収集し随時当社に提供する。

A　デザイナーに支払った報酬全額が著作権等の使用料に当たるものと考えられ、国内業務に供されていることから国内源泉所得に該当しますが、その居住地国によっては所得税の源泉徴収の要否が分かれることとなります。

解説

ご質問のコンサルタント契約は、デザイナー両氏に共通した内容となっていて、その内容を検討すると、①は国内におけるアドバイス活動を行う人的役務提供の対価、②は国内における写真の著作物等の使用に係る著作権等の使用料、③はデザイン等の提供がなければ現地におけるファッション情報の収集・提供を行う人的役務提供の対価と認められますが、支払うこととしている報酬は対価の内容に係わらず総額で決められており、上記①～③に分けて個々の金額を算定することは不可能となっていると認められます。

なお、所得税法では、国内業務に供される著作権の使用料について、「著作物の複製、上演、演奏、放送、展示、上映、翻訳、編曲、脚色、映画化その他著作物の利用又は出版権の設定につき支払を受ける対価の一切をいう」こととされています。

また、技術等又は著作権の提供契約に基づき支払を受けるもののうち、その契約により国内において行われる人的役務の提供のための費用が使用料として支払を受ける金額と明確に区分されているときのその費用は、使用料に該当しないこととされています。

よって、所得税法における以上の取扱いを総合しますと、ご質問にある国内にPEを有していない非居住者たるデザイナーに支払うコンサルタント料は、その報酬全額が国内源泉所得とされる著作権等の使用料に該当して、原則どおり税率20.42%による所得税の源泉徴収を要するものと判断されます。

その一方、租税条約においては、オランダ及びフィンランド両国ともその用語の意義は条約適用国における国内法の定めによることとされていますが、国内にPEを有していない非居住者等が支払を受ける著作権等の使用料に対する課税取扱いはそれぞれ異なっています。

オランダとの租税条約では、例外なく所得源泉地国免税とされていて、T1氏に支払うこととなる場合は、源泉徴収を要しません。

フィンランドとの租税条約では、債務者主義が適用されて所得源泉地国課税（ただし税率10%に軽減）とされていますので、T2氏に支払うこととなる際は源泉徴収を要することとなります。

したがって、ご質問のデザイナーの居住地国により、その課税取扱いが分かれていますが、いずれの場合も租税条約の適用を受けるには、それに関する届出書の提出手続が必要とされています。

参考　所法161①十一《国内源泉所得》、同162《租税条約に異なる定めがある場合の国内源泉所得》、同212《源泉徴収義務》、所基通161－35《使用料の意義》、同161－37《使用料に含まれないもの》、著法２《定義》、同法10《著作物の例示》、日蘭租税条約3②《一般的定義》、同12《使用料》、日芬租税条約3②《一般的定義》、同12《使用料》

097 米国法人に支払う機械のリース料

Q　内国法人である当社は工作機械のメーカーですが、アメリカ法人U社から国内工場で使用するための機械のリースを受けることになりました。U社に支払うリース料について、源泉徴収が必要でしょうか。

なお、U社は日本にPEを有していません。

A　米国法人に支払う機械のリース料については、米国法人が国内にPEを有していませんので、日米租税条約の定めにより、必要書類を添付した届出書を提出すれば所得税の源泉徴収を要しません。

解説

所得税法では、国内にPEを有していない非居住者等が国内において業務を行う者から受ける機械、装置、工具、器具、備品の使用料は、国内源泉所得に該当し、原則どおり所得税の源泉徴収を要することになっています。

その一方、日米租税条約においては、機械など設備の使用料について別段の定めがなく、同条約第7条第1項（事業所得条項）によると、米国の企業の利得に対しては、その企業が日本国内にあるPEを通じて日本国内で事業を行わない限り、米国においてのみ課税できることとされ、日本における課税を免除することとされています。この場合の企業の利得については、事業所得条項以外に該当する定めがないことから、設備（船舶及び航空機を除きます）のリースから生じる所得は事業所得条項に含まれることと解されます。

したがってご質問の場合は、米国法人U社は日本国内にPEを有していないとのことですので、租税条約の事業所得条項の適用により日本では免税とされ、源泉徴収は必要ありません。

ただし、この条約の特典を受けるためには、租税条約に関する届出書に米国居住者である旨の証明書等の添付が必要とされています。

注1　本問の場合は、我が国における法人税申告も不要となります（法法4③、同138）。
　2　機械・装置等の設備の使用料について、米国と同様に事業所得条項が適用される国としては、イギリス、ノルウェー、フランス、オランダ、スイス、ドイツなどがあります。

参考　所法161①十一《国内源泉所得》、同162《租税条約に異なる定めがある場合の国内源泉所得》、所令284《国内業務に係る使用料等》、日米租税条約7《事業所得》、同22《特典の制限》

098 ブラジル法人に支払うコンテナのリース料等

Q 海上運送を業とする内国法人の当社では、国内にPEを有していないブラジルの船会社との運送契約のほかに、国内業務に供するために同社からコンテナをリースしてリース料を支払うことがあるほか、そのコンテナがコンテナヤードから搬出され、荷を降ろした後から再びコンテナヤードへ搬入されるまでの間にフリータイム（無料期間）を経過したときには、その経過した日数に応じてコンテナ留置料（コンテナ・ディテンション・チャージ）を支払うことがあります。

これらの支払については、源泉徴収が必要でしょうか。

A ブラジル法人から賃借するコンテナの使用料は、そのコンテナが内国法人の業務の用に供される船舶等において使用されるものであることから、非居住者等の国内源泉所得とされる使用料に該当しますので、所得税の源泉徴収が必要です。

解説

所得税法においては、内国法人が国内にPEを有していない非居住者等に対してその国内業務の用に供するために器具、備品等の使用料を支払う場合は、非居住者等の国内源泉所得に該当して、原則どおりその支払の際に所得税の源泉徴収を要することとされています。この使用料には、内国法人の業務の用に供される船舶等においてコンテナを使用する場合に支払うその使用料（リース料）が含まれることと解されています。

また、ご質問にあるコンテナ留置料、すなわちコンテナ・ディテンション・チャージ（Container Detention Charge）については、1日経過するごとにその日数に応じて料金を支払うことと定めていることから、コンテナを使用することに伴い発生する対価（使用料）であると認められます。

よって、国内法では、非居住者等に支払うこれらの対価は、国内源泉所得とされる器具・備品等の使用料に該当するものと考えられます。

ただし、個別の取引では内国法人が直接コンテナの所有者に対して留置料を支払うのか、あるいはその間に何社も仲介に入り、それぞれに運送契約を交わし支払うのかにより、非居住者等所得に該当するものなのか、又は国内取引に該当するものとしてよいのか、その区分けが異なってくることもあろうかと思われますので、個々の取引内容を十分に吟味・確認する必要があります。

その一方、ブラジルとの租税条約においては、産業上、商業上の設備の使用の対価については、支払者（債務者）の居住地国に源泉のある使用料（債務者主義）として取り扱われ、また、設備の範囲については条約適用国における国内法の規定に基づき判定されることから、コンテナの使用料も国内法と同様の取扱いとなります。

したがって、ご質問の場合は原則として20.42%（租税条約に関する届出書を提出すれば12.5%）の税率による所得税の源泉徴収が必要となります。

注　コンテナの使用料は相手先の所在地国の租税条約により事業所得になる場合又は国際運輸業所得になる場合等があり、所得税の源泉徴収を必要としない場合がありますので、租税条約の取扱いに注意する必要があります。

参考　所法161①十一《国内源泉所得》、同212《源泉徴収義務》、所令284《国内業務に係る使用料等》、日伯租税条約2《一般的定義》、同11《使用料》

099　英国法人に支払うコンテナの使用料

Q　内国法人である当社は、当社の業務とする船舶による国際航路の貨物輸送に関して、イギリスの法人からコンテナを賃借しています。当社が支払う賃借料については、源泉徴収が必要でしょうか。

A　英国法人に支払うコンテナ賃借料については、国際運輸のために使用されるものである限り、日英租税条約の定めにより課税されませんので、所得税の源泉徴収を要しません。

解説

所得税法においては、非居住者等に支払うコンテナの賃借料は、内国法人がその業務の用に供する船舶等において使用されるものについては、器具・備品等の使用料に該当するものと解されています。よって、その賃貸料は国内源泉所得として課税され、原則として所得税の源泉徴収の対象となります。

その一方、日英租税条約においては、船舶等を国際運輸に運用する場合に、「物品又は商品の運送のために使用されるコンテナー（その運送のためのトレーラー、及び関連設備を含みます）の使用、保管又は賃貸から取得する利得」については、国際運輸業所得条項により、英国においてのみ課税することとされています。

したがって、ご質問のように専ら国際航路の貨物輸送に使用するコンテナの賃借料については、日本では免税とされていますので、源泉徴収を必要としません。

なお、この場合には、必要な書類を添付した租税条約に関する届出書の提出手続が必要です。

注　コンテナの使用料について、英国と同様に国際運輸業所得条項が適用されて免税となる国としては、アメリカ、イスラエル、シンガポール、ドイツ、ノルウェー、南アフリカなどがあります。

参考　所法161①十一《国内源泉所得》、同162《租税条約に異なる定めがある場

合の国内源泉所得》、所令284《国内業務に係る使用料等》、日英租税条約8《国際運輸業所得》

100 海外駐在員事務所における事務機器及び車両等の賃借料

Q　内国法人である当社は、ベトナムに駐在員事務所（現地での税務申告対象外）を置き、事務所で使用する事務機器及び車両は、すべて現地のリース会社から賃借しています。

賃借料は、当社の本社から駐在員事務所に送金の上、請求を受けているその事務所が支払事務を行っていますが、この賃借料について、源泉徴収を行う必要がありますか。

A　ベトナムとの租税協定でいう設備は、国内法上の使用料支払の対象物とされる車両及び運搬具、器具、備品などと同じ範囲と解されますので、事務機器及び車両の使用料は、日越租税協定にいう債務者主義に基づき、その支払の際に所得税の源泉徴収が必要となります。

解説

所得税法では、非居住者等の国内源泉所得とされる使用料等の支払の対象物たる設備として、機械、装置、車両及び運搬具、工具、器具、備品が列挙されています。

その一方、ベトナムとの租税協定においては、使用料について、産業上、商業上若しくは学術上の設備の使用若しくは使用の権利の対価として受領するすべての種類の支払金をいうものと規定されています。

また、同協定では、その所得源泉地について、その支払者が一方の締約国の居住者であるときは、その締約国内で生じたものとされるものと定められており、債務者主義がとられています。

ここでいう支払者（債務者）とは、その支払うべき債務を負っている条約締結国の居住者を指すことから、原則として、現地でPEに該当して税務申告を行うべきものには当たらないこととされている、つまりPEの範囲外として法人組織の一部を構成すると認められる現地の駐在員事務所ではなく、いずれかの国の居住者として課税を受ける法人そのものが債務者となります。

そのため、国内法における所得源泉地置換え規定が適用され、ご質問の場合は、その賃借料の支払者（債務者）である貴社の所在地国（日本）に所得の源泉があることとされます。

ご質問の場合、同協定でいう「設備」とは何を指し、どの範囲までを設備というのかがもう一つのポイントとなりますが、同協定及び実特法上は、設備に関する定義はありません。

この場合、同協定の適用上、協定に定義されていない用語については、協定適用国の租税に関する法令における意義を有するものとされています。

また、同協定の英語正文では、設備と訳されている英文は“equipment”と表現されています。この equipment とは、通常、備品や設備、車両などと直訳され、財務諸表上は、機械、事務用機器、輸送機器などを指しています。

したがって、ご質問の場合の事務機器及び車両の賃借料は、日越租税協定における債務者主義により、国内源泉所得とされる使用料に該当しますので、原則として20.42%（租税条約に関する届出書を提出すれば、10%）の税率による所得税の源泉徴収が必要となります。

なお、その賃借料は現地の駐在員事務所が支払事務を行い支払っていますので、国外払に該当し、源泉所得税の納付期限は、その支払の日の属する月の翌月末日となります。

注　租税条約のなかで設備の使用料を本問と同様に使用料条項に含めているが、本問の支払相手国と異なり、所得源泉地に関する規定がないため国内法の使用地主義の適用により課税されない国として、アイルランド、スリランカがあります。

参考　所法161①十一《国内源泉所得》、同162《租税条約に異なる定めがある場合の国内源泉所得》、同212《源泉徴収義務》、所令284《国内業務に係る使用料等》、日越租税協定3《定義》、同12《使用料》

101　エジプトの博物館に支払う絵画等の賃借料

Q　内国法人である当社は、国内にPEを有していないエジプト所在の博物館（法人）から絵画や彫刻など100点を半年間賃借し、その賃借料を支払う契約を締結しました。

賃借した絵画等は、当社から地方にある美術館やデパート等に賃貸する予定ですが、当社が支払う賃借料については、源泉徴収が必要でしょうか。

なお、賃借する絵画等は、すべて作者の死後100年超経過したものです。

A　エジプト法人に支払う絵画や彫刻などの賃借料は、その内容に応じて著作権の使用料又は美術工芸品等の使用料（備品の使用料）に該当しますので、所得税の源泉徴収が必要です。

解説

絵画や彫刻などの賃借料は、通常、美術の著作物の展示権の使用許諾対価の支払として著作権の使用料に該当しますが、ご質問の場合は、エジプト法人から賃借するすべての絵画等は、その作者の死後100年を超えて現存しているものとのことですので、日本及びエジプトにおける著作権の保護期間は異なっていますが、著作権を使用することとなる日本における保護期間は原則として著作者の死後70年までとされていることから、その著作権はすでに消滅していると認められます。そのため、その絵画等は著作権法上の著作物ではなく、美術工芸品に当たることとなり、美術工芸品や古代の遺物等は、所得税法上は備品に含まれることとされています。

したがって、国内業務に供するため、国内にPEを有していない非居住者等にその賃借料を支払う場合は国内源泉所得に該当して、原則どおり所得税の源泉徴収を要します。

注　その対価が著作権の使用料に該当する場合も、本問の場合と同様に源泉徴収の対象とされる国内源泉所得に該当します。

その一方、エジプトとの租税条約においては、絵画等の賃借料の支払金は、「産業上、商業上若しくは学術上の設備の使用若しくは使用の権利の対価」に該当し、設備の範囲については、条約適用国の国内法の定めによることとされています。

また、同条約では所得源泉地については債務者主義により支払者の居住地国で生じたものとされていることから、国内にPEを有していない非居住者等に対する設備の使用料については、国内法及び租税条約に基づき課税されることとなります。

したがって、貴社は賃借料の支払の際に、原則として20.42%（租税条約に関する届出書を提出すれば10%）の税率による源泉徴収が必要となります。

注　各国における著作権の保護期間は、ベルヌ条約により国際的な保護期間として著作者の死後又は公表後50年間を原則としていて、エジプトはその条約加盟国ですが、その一方日本は国内法の改正により70年間を原則としています。ただし、国によっては70～100年に及ぶ期間としていたり、逆に25年ないし30年と短い期間とする国もあります（ベルヌ条約7など）。

参考　所法161①十一《国内源泉所得》、同212《源泉徴収義務》、所基通161－39《備品の範囲》、著法51《保護期間の原則》、日埃租税条約2《一般的定義》、同10《使用料》

第10節 給与、人的役務提供の報酬等

102 給与、人的役務提供の報酬等とは

Q 非居住者の国内勤務による給与や人的役務の提供に対する報酬などについては、源泉徴収の対象となるそうですが、どのようなものが対象となるのでしょうか。

A 非居住者に対して支払う給与などの人的役務の提供に対する報酬等のうち、国内における役務提供に基づく対価として支払われるものが国内源泉所得に該当して、所得税の源泉徴収の対象となります。

解説

所得税法上、非居住者が支払を受ける給与、人的役務提供の報酬等とは、①給与等、②人的役務提供の報酬、③退職手当等、④公的年金等をいいますが、そのうち、国内源泉所得とされるものの具体的な内容は、次の表のとおりです。

なお、人的役務提供の報酬は、あくまでも自己の役務提供に基づいて取得する対価のことをいいますので、他人に役務の提供をさせることにより取得する対価、つまり人的役務提供事業の対価については、ここでいう給与、人的役務提供の報酬等には該当せず、第4節で述べた「人的役務提供事業の対価」となります。

区　分	内　容
1．給与等	俸給、給料、賃金、歳費、賞与又はこれらの性質を有する給与のうち、国内において行う勤務に基因するものをいい、その範囲は、概ね居住者の給与所得に該当するものと同様と考えられます。 通常は、被用者として使用者との間の勤務関係を前提に、雇用ないしこれに準ずる関係に基づいて使用者から支給されるもの（給与等）がこれに該当し、居住者の場合と同様に、金銭以外の物又は権利その他経済的な利益によるものも含まれます。 なお、旅費や通勤手当の非課税規定は、給与の支払を受ける非居住者についても、居住者の場合と同様に適用されます。 給与等については、原則として、その勤務が日本国内で行われた場合に国内源泉所得に該当し、我が国で課税の対象となりますが、国外における勤務に対する給与等については、我が国では課税の対象となりません。この場合において、その勤務が国内及び国外の双方にわたって行われた場合には、その給与等の計算の基礎となった期間のうち、国内勤務期間に対応する部分のみが課税の対象となります。 また、次の勤務は、国内における勤務に含まれます。 ①　内国法人の役員としての勤務で、国外において行うもの ただし、その勤務を行う者が、同時にその内国法人の使用人として常時勤務を行う場合は、その役員としての勤務などを除いたもの ②　居住者又は内国法人が運航する船舶又は航空機において行う勤務その他の人的役務の提供 ただし、国外の寄港地において行われる一時的な人的役務の提供がある場合は、その役務提供を除いたもの 注　外国政府、外国の地方公共団体に勤務する人が日本国内における勤務により受ける一定の給与については、課税されないこととされています。
2．人的役務提供の報酬	非居住者が国内において行う自己の役務提供に基づいて支払を受ける報酬のうち、給与等に該当するもの以外のものをいいます。それは具体的には、租税条約でいうところの自由職業者等が受ける次に掲げるような報酬が該当します。 ①　映画、演劇の俳優、歌手、音楽家その他の芸能人又は職業運動家の人的役務の提供に対する報酬 ②　弁護士、公認会計士、建築士その他の自由職業者の人的役務の提供に対する報酬 ③　科学技術、経営管理その他の分野に関する専門的知識又は特別の技能を有する者のその知識又は技能を活用して行う人的役務の提供に対する報酬
3．退職手当等	退職手当、一時恩給その他の退職により一時に受ける給与及びこれらの性質を有する給与で、その支払を受ける者が居住者であった期間に行った勤務その他の人的役務の提供に基因するものをいいます。 この場合、次の勤務その他の人的役務の提供については、その勤務その他の人的役務の提供を行う者が非居住者であった期間内に行ったものであっても、上記の居住者であった期間に行った勤務その他の人的役務の提供に含まれることとされています。 ①　内国法人の役員としての勤務で、国外において行うもの ただし、その勤務を行う者が、同時にその内国法人の使用人として常時勤務を行う場合は、その役員としての勤務などを除いたもの

区　分	内　容
	②　居住者又は内国法人が運航する船舶又は航空機において行う勤務その他の人的役務の提供 ただし、国外の寄港地において行われる一時的な人的役務の提供がある場合は、その役務提供を除いたもの なお、厚生年金保険法の規定に基づき支払われる一時金で加入者の退職に基因して支払われることから退職所得とみなされるものも、居住者の場合と同様に退職手当等に含まれます。
4.公的年金等	非居住者に対して支払うべき公的年金等については、外国の法令等に基づくもの及びこれに類する給付を除き、居住者であった期間の勤務に基因するものに限らず、すべて国内源泉所得に該当して課税されます。 公的年金等とは、次のような年金をいいます。 国民年金、厚生年金、共済年金、恩給、過去の勤務に基づき使用者であった者から支給される年金、確定給付企業年金法や確定拠出年金法等の規定に基づいて支給を受ける退職年金など なお、生命保険契約に基づく年金などの個人契約による年金は、ここでいう公的年金等の範囲に含まれず、「保険契約に基づく年金等」に該当するものとして別のカテゴリーとされています。

なお、我が国が締結している租税条約では、人的役務提供の報酬について、OECDモデル条約の規定（自由職業所得は削除）にあるように、雇用契約等に基づくものと、自由職業者等の役務提供によるものとに分けて規定していて、その主な概要は次のとおりです。

①　給与等については、例外なく国内法と同様に、原則として役務提供地国で課税することとされていますが、人的交流を促進するために、短期滞在者や交換教授、留学生、事業修習生等で一定の要件に該当する場合には、源泉地国（役務提供地国）免税とする特例が多く設けられています。

②　役員に対する報酬については、国内法と同様に、役員の役務提供地国でなく、法人の居住地（所在地）国で課税できることとしている規定を置いているのが一般的です。

③　自由職業者の報酬については、医師や弁護士などと自由職業者を特掲し、その所得については、事業所得に準じて「固定的施設=FB（医師の病院や診療所、弁護士の法律事務所などを指します）がなければ課税せず」との国際課税の原則どおりに規定されています。したがって、自由職業者が国内にFBを有していて、かつ、それに帰属する部分がある場合にのみ、その報酬は課税の対象となります。

④　芸能人等の所得については、滞在期間の長短等に関係なく、役務提供地国でも課税できる旨の規定を多くの条約が置いています。

⑤　退職手当等については、それに関して別段の定めを置く租税条約はなく、そのため条約にある給与等に関する規定を適用することとなります。

なお、退職年金については、居住地国のみで課税できる規定を多くの条約が置いています。

参考　所法28①《給与所得》、同30①《退職所得》、同35③《雑所得》、同161①十二《国内源泉所得》、同212《源泉徴収義務》、所令82の2《公的年金等とされる年金》、同285《国内に源泉がある給与、報酬又は年金の範囲》、OECDモデル条約15《給与所得》、同16《役員報酬》、同17《芸能人》、同18《退職年金》

103　給与、報酬等に対する源泉徴収

Q　非居住者に対して支払う給与や人的役務提供の報酬等に対する源泉徴収の取扱いを教えてください。

A　非居住者に対して国内源泉所得とされる給与、人的役務提供の報酬等を国内において支払う者は、その支払の際、原則として20.42%の税率による所得税の源泉徴収が必要です。

解説

所得税法では、非居住者が支払を受ける給与、人的役務提供の報酬等のうち、公的年金等以外のものについては、原則として国内における勤務その他の人的役務の提供に基づく対価として支払われる報酬等の金額に限って、所得税の源泉徴収の対象となります。

その一方、公的年金等については、外国の法令等に基づくもの等を除き、居住者期間における勤務等の有無にかかわらず、そのすべてが源泉徴収の対象とされています。

ただし、その場合に対象となる金額については、支払を受ける金額から一定の金額を控除することと定められています。つまり、支払を受ける公的年金等の金額から受給者の年齢に応じて、次の金額を控除した後の金額が源泉徴収の対象金額となります。

年　　齢	控　　除　　額
65歳未満	5万円×年金の額に係る支給月数
65歳以上	9.5万円×年金の額に係る支給月数

なお、源泉徴収の対象金額については、次の点に留意が必要です。

1　源泉徴収の対象金額の計算

① 給与、人的役務提供の報酬等には、その報酬等として直接支払われるものだけでなく、その報酬等に代わる性質を有する損害賠償金その他これに類するものも含まれます。

② 人的役務提供の報酬の支払者が、その人的役務を提供する者の必要とする往復の旅費、国内滞在費等の費用を負担する場合には、原則として、その負担する費用もその報酬に含まれます。

ただし、その費用として支出する金銭等が、その者に対して交付されるのではなく、その報酬の支払者から航空会社、ホテル等に直接支払われ、かつ、その金額がその費用として通常必要であると認められる範囲内のものであるときは、課税しなくてもよいこととされています。

注　給与の支払を受ける者の場合は、これらの費用については、それが旅費として適正なものである限り、非課税となります。

③ 非居住者である役員、社員等に対して社宅を無償で提供したり、会社までの通勤費を支給するような場合には、次のように取り扱うこととなります。

イ　社宅の貸与による経済的な利益は、給与等として国内源泉所得に該当しますので、その利益の額について居住者と同じような計算方法で算出し、その課税の取扱いも変わることはありません。また、その他の経済的な利益も原則として居住者と同じような取扱いとなります。

ロ　通勤費については、居住者である給与所得者に対する通勤手当の取扱いに準じて取り扱います。

2　租税条約による免税等

所得税法の規定では国内源泉所得に該当するため、所得税の源泉徴収の対象とすべきものであっても、我が国が締結している租税条約の規定によって、例えば、給与等のうち一定の要件に該当する短期滞在者や交換教授、留学生、事業修習生等に対する給与等については、必要な手続をとれば免税とされるなど、我が国では課税されないものがあります。

ただし、免税とされるもの以外の給与等については、他の所得と異なり、給与、人的役務提供の報酬等に係る源泉徴収税率の20.42％については、租税条約の規定によって軽減されることはありません。

3　国内払とみなされる場合等

内国法人の役員は、その駐在する海外支店で支払を受ける役員報酬がある場合でも、原則として、その役員が国外で行う勤務は国内における勤務とみなされ、その報酬は所得税の源泉徴収の対象となります。

また、給与や役員報酬の支払が国外で行われる場合であっても、その支払者が国内に事務所、事業所などを有しているときは、国内で支払うものとみなして源泉徴収を行うこととされています。

ただし、その場合の源泉所得税の納付期限は、国内払の場合の翌月10日とは異なり、その支払の日の属する月の翌月末日とされています。

参考　所法161①十二《国内源泉所得》、同212①・②《源泉徴収義務》、同213①《徴収税額》、所令285《国内に源泉がある給与、報酬又は年金の範囲》、所基通36－40～49《役員に貸与した住宅等に係る通常の賃貸料の額の計算》等、同161－40《旅費、滞在費等》、同161－46《損害賠償金等》、同212－4《対価又は報酬の支払者が負担する旅費》、措法41の15の3③《公的年金等控除の最低控除額等の特例》、復興財確法28《源泉徴収義務等》

104 勤務等が国内外にわたる場合の国内源泉所得の計算

Q 非居住者に対して支払う給与などの計算期間の中に、国内勤務と国外勤務の双方がある場合、所得税の課税対象となる国内源泉所得金額はどのように計算するのでしょうか。

A 非居住者が国内外の双方にわたって行った勤務や役務提供により給与又は報酬の支払を受ける場合には、原則としてその給与などの総額のうち、国内において行った勤務などに対応する部分の金額が国内源泉所得に該当することとなります。

ただし、一定の場合には、その按分計算は不要とされています。

解説

1 原則的な取扱い

国内及び国外の双方にわたる勤務又は人的役務の提供により受ける給与又は報酬についての国内源泉所得の金額は、原則として次の算式により計算されることとされています。

（算式）

$$\text{国内源泉所得金額} = \text{給与又は報酬の総額} \times \frac{\text{国内において行った勤務又は人的役務の提供の期間}}{\text{給与又は報酬の総額の計算の基礎となった期間}}$$

注　この場合の期間とは、暦によって計算した日数をベースにして計算することとなります。

なお、上記の算式による具体的な計算例を示すと、次のとおりとなります。

（計算例）

1　報酬の支払金額　　100万円
2　総従事日数　　40日
3　国内における従事日数　　20日

としたときにおける国内源泉所得となる報酬の金額は、

$$100万円 \times \frac{20日}{40日} = 50万円$$

となります。

注　計算例の場合の源泉徴収すべき税額は、50万円×20.42％＝102,100円となります。

①　ただし、国内における公演等の回数、収入金額等の状況に照らし、その給与又は報酬の総額に対する国内源泉所得とされる金額が著しく少額であると認められる場合は、その按分計算の必要がないこととされています。したがって、その場合は、その給与又は報酬について源泉徴収は要しないこととなります。

注　ここでいう「著しく少額」とはどのような金額を指すのか、その数値的な範囲が具体的に明示されていないことから明確な線引きが難しいですが、その報酬総額に対する国内源泉となる金額の割合（比率）が社会通念に照らして（常識的に判断して）明らかに少ない比率の額であると認められるものは、これに該当するといえます。

②　国内において勤務し、又は人的役務を提供したことにより、特に給与又は報酬の額が加算されているなどの場合には、上記算式は適用されません。その場合は、別途、それを加味した合理的な計算を行うこととなります。

③　給与又は報酬が退職手当等である場合には、上記の算式中「国内において行った勤務又は人的役務の提供の期間」は、「居住者であった期間に行った勤務又は人的役務の提供の期間」と読み替えて計算します。

なお、この期間には、内国法人の役員として行った国外における勤務や、内国法人等が運航する船舶等における勤務等で、居住者であった期間の勤務又は人的役務の提供に含まれるものとされる、その非居住者であった期間に行った勤務又は人的役務の提供の期間を含みます。

2　給与等の計算期間が1か月以下の場合の特例等

勤務を行うことにより支給を受ける給与等の計算期間の中途に出国して、非居住者となった者に対して、その支給期が到来した給与等を支払う場合で、その計算期間が1か月以下のものについては、その給与等の総額を国内源泉所得に該当しないものとすることができます。

もっともこの場合において、その給与等の全額が国内勤務に対応するものであるときには、上記の特例を適用することはできません。

また、非居住者としての勤務が、内国法人の役員として行う国外勤務や、内国法人等が運航する船舶等の勤務である場合の給与等についても、同じく特例は適用されません。

なお、上記のケースとは逆に、その計算期間の中途において、国外勤務から国内勤務に転勤したために帰国して居住者となった者に対して、その支給期が到来した給与等を支払う場合も、同様に特例は適用されず、その総額が居住者に対する給与等として源泉徴収の対象となります。

これは、非永住者以外の居住者となった者は、なったその時から無制限納税義務者となることから、また非永住者とされる居住者となった者は、国内で支払を受けるものはその全額が課税対象とされることから、それぞれそのような取扱いとなります。

参考　所法7《課税所得の範囲》、同161①十二《国内源泉所得》、同212《源泉徴収義務》、所基通161－41《勤務等が国内及び国外の双方にわたって行われた場合の国内源泉所得の計算》、同212－5《給与等の計算期間の中途で非居住者となった者の給与等》

105　賞与の計算期間の中途で非居住者となった場合の取扱い

Q　内国法人である当社の社員が本年（閏年ではありません）3月20日に、海外支店勤務のため2年間の予定で出国しました。この社員には6月10日に賞与を支給する予定ですが、これに対する所得税はどのように計算すればよいのでしょうか。なお、賞与の計算期間は昨年12月1日から本年5月31日までです。

A　非居住者となる者の出国後に支払う賞与のうち、出国までの国内勤務に対応する部分は国内源泉所得に該当しますので、次の算式により計算した額に対して所得税の源泉徴収を行う必要があります。

$$\text{国内源泉所得金額} = \text{賞与の総額} \times \frac{\text{国内において勤務した期間}}{\text{賞与の総額の計算の基礎となった期間}}$$

解説

上記の算式における「賞与の総額の計算の基礎となった期間」とは、その賞与の金額を定めることにつき基準となった勤務の期間をいい、その期間が明らかでない賞与については、その賞与と同性質の給与等の直前の支給期から、その賞与の支給期までの期間によるものとされています。

所得税法では、非居住者が支払を受ける給与等のうち、国内において行う勤務に基因するものが国内源泉所得に該当して、所得税の源泉徴収の対象となります。

すなわち、非居住者が国内及び国外の双方にわたって行う勤務に対する賞与については、国内における勤務に対応するものに限り源泉徴収を要し、その具体的な計算方法は上記の算式によることとなります。

ただし、非居住者である内国法人の役員が国外で勤務する場合で、使用人として勤務する場合に該当しないときは、役員として行う国外勤務は国内における勤務とみなされますので、その賞与の全額が国内源泉所得に該当することとなり、上記の取扱いは適用されません。

ご質問の場合の賞与の受給者は社員（使用人）とのことですので、課税の対象となる金額は、国内勤務に対応する部分の計算を行い算出します。

ご質問の場合、具体的には、賞与の計算期間は前年12月1日から本年5月31日までの182日となるのに対して、国内勤務期間は前年12月1日から出国の日の3月20日までですので、110日となります。

したがって、賞与の総額に「110/182」を乗じて求めた額が課税の対象となる金額です。この課税対象額に20.42%の税率を乗じた金額が源泉徴収すべき所得税の金額となります。

参考　所法161①十二《国内源泉所得》、同212《源泉徴収義務》、同213《徴収税額》、所基通161－41《勤務等が国内及び国外の双方にわたつて行われた場合の国内源泉所得の計算》

106 賞与の支給対象期間が特定できない場合の取扱い

Q 内国法人である当社では、本年3月中に創業50周年を記念して、海外支店勤務者を含む全社員に一律30万円の賞与を支給する予定です。

この場合、海外支店勤務者のように非居住者となっている者の課税対象金額の計算は、どのようにすればよいのでしょうか。

A 支給対象期間が特定できない賞与の課税対象金額は、その直前に支給した通常の賞与の支給期から記念賞与の支給期までを記念賞与の計算期間とみて、その間に国内勤務期間のある非居住者について、その期間に対応する部分を国内源泉所得金額とする計算を行うことにより算出します。

解説

非居住者が支払を受ける賞与（賞与の性質を有する給与を含みます）の計算の基礎となった期間のうちに、国内において勤務した期間が含まれている場合には、その賞与の金額のうち国内勤務期間に対応する部分の金額が国内源泉所得とされ、課税（所得税の源泉徴収）の対象となります。

この賞与の計算の基礎となった期間とは、その賞与の金額を定めることにつき基準となった勤務期間をいいますが、その期間が特定できない賞与については、その賞与と同性質の給与等の直前の支給期（支給すべき日）からその賞与の支給期までの期間によるものとされています。

したがって、ご質問の場合の非居住者について課税対象とされる国内源泉所得の金額は、「記念賞与の額」に「本年3月以前に支給した賞与の支給すべき日（通常は支給日）からその記念賞与の支給すべき日までの期間に対する国内勤務期間の割合」を乗じて計算することとなりますが、その算式を示すと、次のとおりとなります。

$$\text{国内源泉所得金額} = \text{記念賞与の額} \times \frac{\text{分母にある期間における国内勤務期間}}{\text{直前支給賞与の支給期から記念賞与の支給期までの期間}}$$

参考　所法161①十二《国内源泉所得》、所基通161－41《勤務等が国内及び国外の双方にわたって行われた場合の国内源泉所得の計算》、同186－2《賞与の計算の基礎となった期間》

107 給与の計算期間の中途で非居住者となった場合の取扱い

Q 前々問（問105）と同じ社員（本年3月20日に海外支店勤務のため2年間の予定で出国）に対して支給する3月分の給与（給与の計算期間は3月1日から3月31日までで、支給日は4月10日）に対する源泉徴収はどのように計算すればよいのでしょうか。

A 給与の計算期間の中途で非居住者となった社員については、国内勤務期間が短い場合の課税の特例に該当しますので、所得税の源泉徴収を行う必要はありません。

解説

非居住者が国内及び国外の双方にわたって行う勤務に対する給与等については、原則として国内勤務に対応するものに限り、所得税を源泉徴収することとされています。

しかしながら、給与等の計算期間の中途で出国して非居住者となった人に支払う給与等のうち、非居住者となった日以後に支給期の到来するもので、その給与等の計算期間が1か月以下のものについては、その給与等の全額が国内勤務に対応するものである場合を除き、その総額を国内源泉所得に該当しないものとして取り扱う特例があります。

ただし、非居住者としての勤務が内国法人の役員として行う国外勤務などである場合のように、国内における勤務その他の人的役務の提供とみなされるものの給与等については、この特例の適用はありません（不適用要件）。

したがって、ご質問の場合は、上記の不適用要件にあてはまらず、かつ出国した社員の給与の計算期間は1か月以下のものに該当しますので、その給与について、源泉徴収する必要はありません。

参考　所法161①十二《国内源泉所得》、所令285《国内に源泉がある給与、報酬又は年金の範囲》、所基通212－5《給与等の計算期間の中途で非居住者となった者の給与等》

108　外国法人から派遣された国内支店社員の給与

Q　私は外国法人の国内支店で給与事務を担当していますが、当支店には本社から10人位の社員が派遣されています。その派遣期間はまちまちで、6か月までの人から長い人では5年を超える人もいます。

また、給与は当支店で支払うのが原則ですが、一部本人の希望により本社から留守宅に直接支払ってもらっている人もいます。

このような場合、源泉徴収はどのようにすればよいのでしょうか。

A　1年以上の勤務予定で国内支店に派遣された社員は、その支店から支払われる給与等についてのみ源泉徴収の対象となりますが、1年未満の勤務予定期間で派遣された社員に対する国内に事務所等を有する支払者から支給される給与等については、国内払のものに限らず外国の本社から支払われるものも、非居住者に支払う国内源泉所得として所得税の源泉徴収を行う必要があります。

解説

外国の本社から1年以上の勤務予定で国内の支店に派遣された社員は、所得税法上、国内で雇用されて勤務している日本人社員と同様に居住者に該当しますが、その中でも、日本国籍を有せず、かつ過去10年以内における国内居住期間が合計で5年以下の社員は非永住者、それ以外の5年を超えて勤務する社員は非永住者以外の居住者（永住者）にそれぞれ区分されています。いずれの者も、給与等の支払事務を取り扱うその支店から支払われる給与等についてのみ、所得税の源泉徴収が必要ですし、この給与等については、原則として年末調整の対象となります。

ただし、外国の本社から非居住者の留守宅に直接支払われる給与等は、原則として国内における源泉徴収の対象にはなりませんが、永住者に該当する社員は、所得税法で定めるすべての所得について納税義務があることから、その給与等の支給方法を問わず課税対象所得となることに変わりはありませんので、我が国の所得税が課されることとなります。この場合、国内支店で支払われた給与等と合算して確定申告し、精算（納税）することとなります。

また、非永住者に該当する社員は、国外源泉所得以外の所得のほか、国外源泉所得で国内において支払われ、又は国外から国内に送金されて受領したものに限り課税されることとなりますので、例えばご質問の場合とは逆に、国内払の給与等以外の支払を受けていないときは、原則としてその支店から支払われる給与等に対する源泉徴収だけで課税が終了することとなります。

なお、非永住者であっても、国内源泉所得は国外源泉所得以外の所得に含まれますし、その支払形態いかんを問わず課税対象とされていますので、留守宅に直接支払われる給与等についても、国内勤務に基づく対価であることにかわりはないことから、国外源泉所得以外の所得に該当して永住者と同様に確定申告を要することとなります。

一方、外国の本社から1年未満の勤務予定で国内支店に派遣された社員の給与等については、非居住者に支払われるものであることから、国内払のものだけでなく、外国本社から支払われるものがあれば、その分も含めて源泉徴収が必要となります。

つまり、国外において支払われる給与等であっても、その社員の国内勤務に基づき支給される給与等であることにほかなりませんので、国内払のものと同様に国内源泉所得となるからです。

ご質問の場合のように国内支店勤務ということは、当然その支払者が国内に事務所や事業所等を有していることを意味していますから、その場合の非居住者の所得については、国内において支払を受ける場合のほか、外国本社から国外において支払を受ける場合であっても、その支払は国内で行われたものとみなされて、その支払者に源泉徴収義務が課されています。

以上のことから、ご質問にある本社から派遣の社員に支払う給与等について、その社員に国籍の変更がないものとした場合の源泉所得税の取扱いをその支払場所の形態ごとにまとめますと、次表のとおりとなります。

派遣期間 ／ 区分 ／ 支払場所	1年未満	1年以上5年以下	5年超
	非居住者	居住者（非永住者）	居住者（永住者）
国内(支店)払	源泉分離課税	源泉徴収あり（原則として年末調整の対象）	源泉徴収あり（原則として年末調整の対象）
国外(本社から留守宅)払	源泉分離課税	源泉徴収なし（確定申告）	源泉徴収なし（総合課税による確定申告）

注　多くの租税条約においては、その勤務地のPEによってその給与等が負担されないなど、一定の要件に該当する短期滞在者等については、役務提供地国である我が国での課税を免除する規定を置いていますが、PEによる負担の有無を問わない条約例（スリランカ）もあります。

なお、居住者の判定は通常、締結国の国内法の定めによることとされていて、この場合、我が国と異なり、例えばアメリカ（米国）では、米国国籍のある者やグリーンカード（永住許可証）所有者はその居住地にかかわらず米国居住者とされています（属人主義）。そのため、米国人については双方居住者（Dual Resident）となる可能性を有していると認められますので、日米租税条約では、双方居住者に該当する場合、その個人が使用する恒久的住居の所在地などの基準により判定して、どちらかの締結国の居住者とみなすこととしています（日米租税条約4）。

その判定により米国居住者とみなされた場合は、我が国では非居住者とされます（実特法6）ので、上記の派遣期間に基づく課税の取扱いが違ってくることがあることに留意してください。

参考　所法2①《定義》、同5《納税義務者》、7①《課税所得の範囲》、同22《課税標準》、同28《給与所得》、同120《確定所得申告》、同161①十二《国内源泉所得》、同183《源泉徴収義務》、同190《年末調整》、同212《源泉徴収義務》、所令17《非永住者の課税所得の範囲》、所基通7－2《非永住者に係る課税標準の計算…送金を受領しなかった場合》

109 国内業務をテレワークにより行う海外勤務者に支払う給与

Q 内国法人である当社は、フィリピン出身の従業員Aに広告用原稿の作成業務を担当するチームの一員として5年間本社勤務をしてもらいましたが、この度、結婚を機に夫と共にフィリピンに帰国し、そこで従来と同様の業務をパソコンを利用したテレワークにより従事してもらうこととなりました。当社ではフィリピンでの勤務時間は特に定めていませんが、日本には住まずフィリピンに住居を構えて勤務してもらい、特に重要な問題が生じない限り、すべてテレワークにより打合せや事務連絡を行う予定です。この場合にAに支払う給与等について、所得税の源泉徴収は必要でしょうか。

A 非居住者として行う業務が国内において行われない以上、その勤務に基づいて支払われる給与等については国内源泉所得に該当しませんので、所得税の源泉徴収は必要ありません。

解説

我が国からフィリピンに夫と共に帰国したAさんは、貴社において勤務期間を定めずに現地に赴いたとしても、従来から国内本社で行っていた業務そのものは現地において引き続き行われるとのことですし、何よりも夫と共にフィリピンに居住するとの事実から、生活の本拠はフィリピンにあり、我が国では非居住者に該当するものと認められます。

所得税法では、非居住者については、その所得の源泉が国内にある場合、つまり会社の従業員（使用人）については、国内において行う勤務に基因して給与等の対価を稼得した場合に、国内源泉所得として所得税の源泉徴収を要することとされています。

ご質問のAさんについては、従来から国内で行っていた勤務内容と同じ内容の業務をテレワークにより従事することとなるとしても、勤務する場所はあくまでも国外のフィリピンとのことですので、国外源泉所得に該当し、国内において行う勤務には当たらないことから、国内源泉所得は生じないものと認められます。

また、フィリピンとの租税条約においても、給与所得については、原則として国内法と同様に、勤務が行われる国において課税できることとされています。

したがって、貴社が支払う給与等については、所得税を源泉徴収する必要がありません。

注　国内で開催される会議等に参加した場合は、その部分に係る期間に対応する給与等については、国内源泉所得として所得税の課税対象となります。

参考　所法3②《居住者及び非居住者の区分》、同161①十二《国内源泉所得》、同212《源泉徴収義務》、所令15《国内に住所を有しない者と推定する場合》、日比租税条約15《給与所得》

110　租税条約による給与、報酬等の特例

Q　非居住者が受け取る給与や人的役務の報酬等については、租税条約で短期滞在者免税などのいろいろな特例があるそうですが、どのような特例があるのか教えてください。

A　給与、人的役務提供の報酬等については、租税条約では、所得税の源泉徴収税率の軽減規定は置かれていませんが、一定の場合には課税が免除される特例を設けているものがあります。

解説

我が国が締結している多くの租税条約は、OECDモデル条約にあるように雇用関係により提供される人的役務に対する給与などの報酬について、その役務提供地国で課税されることを原則としながら、「短期滞在者免税」などの課税特例規定を置いていますので、条約の定める一定の要件に該当して、必要な手続をとれば我が国では免税となります。

これらの特例により、短期滞在者や海外出張者などに対する居住地国と役務提供地国とによる国際的な二重課税を排除することができるとともに、国際的な人的交流を図る上で課税による障害を生じさせないような仕組みとなっています。

また、自由職業その他の独立の性格を有する活動に関して取得する所得に対しては、役務提供地国において事業拠点を置いて活動する場合には、事業所得についての課税原則に類似した「FB（固定的施設）なければ課税なし」という原則が多くの条約で定められています。

この場合も、独立した立場で行う人的役務の提供が一種の事業活動とみられることから、PE所有者と、その同じ所得源泉地国内においてPEに準ずるような事務所などの拠点、すなわちFBを有する者との間の課税上の均衡を維持しながら、国際的な人的交流について、課税による障害が生じないように配慮されています。

これらの特例のほかに、OECDモデル条約にあるように、「学生・事業修習者等の免税」、及び教育・研究に関する「交換教授等の免税」も多くの租税条約で定められています。

なお、租税条約における特例は次に掲げる表のとおりですが、これらは租税条約の特例に関する一般的な内容、要件等の概要を示したものにすぎませんから、各租税条約の実際の適用にあたっては、その租税条約の規定内容などをよく確認する必要があります（短期滞在者等についての国別の取扱いの概要は巻末の付録「租税条約（源泉徴収関係）一覧」参照）。

区　分	特例の内容、要件等の概要
1　短期滞在者免税	次の３つのすべての要件に該当する場合には、勤務地あるいは役務提供地国である我が国での課税を免除するという特例です。 ①　勤務地における滞在期間がその年、課税年度又は連続する12か月の期間を通じて183日（又は180日）以内であること ②　その給与等を支払う雇用者は、勤務が行われた締約国の居住者又はこれに代わる者でないこと ③　その給与等が、勤務する国内に雇用者が有する支店等のPE又はFB（又は企業）により負担（損金計上）されないこと 注１　我が国の企業が非居住者を短期間雇用して支払う（負担する）給与等については、この特例は適用されません。 ２　芸能人及び職業運動家については、この特例は適用されない場合が一般的です。
2　自由職業者免税	自由職業者等の所得については、 ⑴　国内に自己の活動の拠点として通常使用することができるFBを有しない場合、あるいはそれに加えて我が国における滞在期間を限定してその範囲内で滞在する場合は、我が国での課税を免除するという事業所得に準じた特例です。 ⑵　その一方、事業所得条項が適用されて、PEを有しない場合又は有していてもそのPEに帰せられない場合は、課税を免除することとしている租税条約例が近年の改正により増えています。 ここでいう「自由職業」には、特に、学術上、文学上、美術上及び教育上の独立の活動、並びに医師、弁護士、技術士、建築士、歯科医師及び公認会計士の独立の活動が含まれるものとされています。 注１　FBについては、第3章問102参照。 ２　芸能人及び職業運動家については、この特例は適用されない場合が一般的です。
3　学生・事業修習者等免税	学生や事業修習者等が、生計、教育、勉学、研究又は訓練のため受け取る給付で国外から送金されるものについては、我が国での課税を免除するという特例です。 なお、租税条約によっては、滞在期間や報酬金額を限定した上で課税免除するものもあります。

区　分	特例の内容、要件等の概要
	また、政府、宗教・教育・慈善団体等からの交付金、手当、奨励金あるいは雇用主等から支払われる給与等、我が国における人的役務による報酬についても、一定の金額制限の要件を満たせば、免税とする条約例もあります。
4　交換教授等免税	大学その他の教育機関（学校教育法第１条に規定する学校をいいます）からの招へい等に基づき、その機関において教育又は研究を行うため、我が国に一時的に滞在する教授等が取得する報酬については、その滞在予定期間又は入国後２年間に限り、免税とする特例です。 注　その他の教育機関には、専修学校又は各種学校は含まれていません。

参考　OECD モデル条約15《給与所得》、同20《学生》

111　海外勤務の内国法人の役員に支払う報酬

Q　内国法人である当社は海外に支店を多数置いていますが、当社の役員には地域統括のため海外支店に常駐している者や、海外支店の支店長として常勤している者がいます。

法人の役員の場合は、国外勤務であってもその報酬等が源泉徴収の対象になるそうですが、これについて教えてください。

A　所得税法上、内国法人の役員の場合、その役員としての国外における勤務も、国内において行う勤務に含まれることとされていますので、その報酬等は国内源泉所得に該当して、所得税の源泉徴収を要します。

なお、租税条約上も通常、国内法と同様の取扱いとなっています。

解説

1　原則的取扱い

近年における企業の国際化の進展により、その企業の国内組織又は関係会社が国内だけに止まらず海外に進出して事業活動を行うようになり、これに伴い、その企業本体内のみならず関連会社グループ内での役員の兼務や非常勤役員となるケースも多くみられます。このような役員に限らず、一般的には、企業経営を行う役員の職務の性質からみて、役員には使用人のような一定の場所における労務提供という職務上の属性はないと認められ、その経営活動が行われる場所を特定することは困難です。

したがって、単に役員が駐在する地理的な勤務地だけに限定して、その報酬が国内源泉所得に該当するかどうかを判定することは課税上適切でないと認められることから、所得税法上、内国法人の役員としての国外における勤務も、その本社のある国内において行う勤務に含まれることと定められているものと思われます。

このような考え方は、OECDモデル条約をはじめほとんどの租税条約においても、「役員の資格で取得する役員報酬その他これに類する（賞与を含む）支払金については、役員の勤務地にかかわらず、その法人の居住（所在）地国で課税できる」こととしていることからも、国際的なルールとして採用されているものであるといえます。

この場合、その勤務が国外において行われたものであっても、国内において行われたものに含まれることとなる内国法人の役員の範囲は、内国法人の取締役、執行役、会計参与、監査役、理事、監事、清算人及びこれら以外の者で法人の経営に従事している者など、法人税法上「役員」とされる者のすべてが該当します。

注1　役員及び役員報酬等の範囲については、通常、租税条約において定義づけられていませんし、その場合は条約適用国（日本）の租税に関する法令における意義を有する（規定に従う）ものとされています。
　2　租税条約のうち、法人の役員が取得する報酬等について、法人所在地国においても課税できることとしながら、役員報酬で「管理的又は技術的、商業的などの性質の日常の任務（職務）の遂行」に関する報酬については、被用者（使用人）に支払われる報酬とみなして役務提供地国で課税できることとしている締結国（アイルランド、フィリピン、ベルギー、フィジー）があります。
　3　租税条約のうち、法人の役員がその法人から支払を受ける報酬についても、使用人の場合と同様に取り扱うこととされている締結国（スリランカ）があります。

2　国内勤務に含まれない場合

内国法人の役員としての勤務で国外において行うものは、原則として国内における勤務に含まれますが、次に該当する場合には、国内における勤務に含まれないこととされています。

①　内国法人の役員が同時に使用人として海外支店等で常時勤務する場合

内国法人の役員としての勤務を行う者が、同時にその内国法人の使用人として国外において常時勤務を行う場合は、一般の使用人の場合と同様に取り扱われて、国内における勤務には含まれません。

ここでいう「内国法人の使用人として常時勤務を行う場合」とは、例えば内国法人の取締役兼ニューヨーク支店長の役職のように、内国法人の役員が、内国法人の海外にある支店の支店長としての職務を遂行するために、常時その支店に勤務しているような場合をいいます。

したがって、例えば外国法人との合弁会社である内国法人の役員で、その外国法人の本国に居住している非常勤の役員である場合や、海外駐在の内国法人の役員が、非常勤役員としてその駐在国（居住国）で情報の提供や商取引の側面的援助などを行っているにすぎないような場合には、使用人として常時勤務を行う場合には該当しませんので、その非常勤役員の受ける役員報酬等は、すべて国内源泉所得に該当して、所得税の源泉徴収を要することとなります。

② 内国法人の役員が国外にあるその法人の子会社に常時勤務する場合

内国法人の役員が国外にあるその法人の子会社（海外現地法人）に常時勤務する場合において、次に掲げる要件のいずれにも該当するときは、内国法人の使用人兼務役員として同時に行う使用人としての勤務と実質的に異ならないものと認められます。そのため、その子会社における勤務も、海外支店等において使用人として常時勤務している場合と同様に取り扱われて、国内における勤務に含まれないこととなります。

したがって、この場合に内国法人から支払を受ける役員報酬は国内源泉所得とはみなされず、我が国では課税されないこととなります。

ⓐ　現地における制度的な制約から支店の設置が困難であるなど、その子会社の設置が海外における現地の特殊事情に基づくものであって、その子会社の実態が内国法人の支店、出張所と異ならないものであること

ⓑ　内国法人と子会社における役員派遣に関する手続を経ないで行うなど、その役員の子会社における勤務が内国法人の命令に基づくものであり、職務実態としては、その内国法人の使用人としての勤務であると認められること

3　まとめ

所得税法における内国法人の国外勤務役員に対する課税（源泉徴収）関係の概要を簡潔にまとめると、次表のようになります。

<table>
<tr><th colspan="2">国外における勤務状況</th><th>国内勤務の判定</th><th>課税の要否</th><th>具 体 例 等</th></tr>
<tr><td colspan="2">国外において、使用人として常時勤務</td><td>国内勤務に含まれない</td><td>否</td><td>取締役兼支店長、取締役兼工場長など</td></tr>
<tr><td colspan="2">国外において、使用人としての勤務がない</td><td>国内勤務に含まれる</td><td>要</td><td>非常勤役員、監査役、情報提供や商取引の側面支援を行う役員など</td></tr>
<tr><td rowspan="2">海外現地法人勤務</td><td>実質的には内国法人の使用人</td><td>国内勤務に含まれない</td><td>否</td><td>現地の事情から支店等の設置が困難な場合など</td></tr>
<tr><td>上記以外</td><td>国内勤務に含まれる</td><td>要</td><td></td></tr>
<tr><td colspan="2">内国法人の代表権を有する役員の国外勤務</td><td>国内勤務に含まれる</td><td>要</td><td>代表権を有しており、使用人としての地位は認められない</td></tr>
</table>

注　上記**1**の注に列挙してあるように、我が国が締結している租税条約に別段の定めがある場合には、国内法の規定にかかわらず、その定めに従うこととなります。

参考　所法161①十二《国内源泉所得》、同212《源泉徴収義務》、所令285《国内に源泉がある給与、報酬又は年金の範囲》、所基通161－42《内国法人の使用人として常時勤務を行う場合の意義》、同161－43《内国法人の役員が国外にあるその法人の子会社に常時勤務する場合》、法法2十五《定義》、法令7《役員の範囲》

112　海外駐在役員について負担した諸費用

Q　内国法人である当社は、インドネシア駐在役員について発生した次の諸費用をすべて負担することとしていますが、この場合の課税関係はどうなるのでしょうか。

① 健康診断費用
② 任地での健康保険料
③ 任地での医療費
④ 社宅使用料
⑤ 任地における子女の教育費
⑥ 家族の語学研修費
⑦ 特別帰国旅費
⑧ メイドの雇入費

A　役員個人が本来負担すべき費用を法人が負担した場合は、その役員に対して経済的な利益を供与したこととなりますので、役員に対する給与等として課税対象となり、所得税の源泉徴収が必要です。

解説

前問（第3章問111）でお答えしましたように、所得税法では、役員について、原則としてその国外で行う場合の勤務も国内における勤務に含まれることとなっています。また、その役員に支払う報酬等には、国外勤務に係る役員報酬のほかに、その性質を有するものとされる経済的な利益の供与によるものも含めた総額について給与所得を構成することから、所得税の課税対象とされて源泉徴収が必要となります。

これについては、インドネシアとの租税協定においても、「法人の役員の資格で取得する役員報酬その他これに類する支払金に対しては、法人所在地国で課税できる」こととされています。また、役員及び役員報酬に関する定義は条約にその定めがないことから、締結国（日本）における定めに従うこととされています。

ご質問の場合の貴社が負担した費用については、現地における諸事情があるとはいえ、次の表の判定結果にありますように一部の費用について、本来は個人が負担すべき費用を法人が負担したものがあると認められますので、その費用負担については、その役員に対する経済的な利益を供与していることとなります。

したがって、その負担額は役員に対する給与等として課税対象とされて、源泉徴収が必要となります。

（負担した費用の判定結果）

費用の区分	判定結果
①　健康診断費用	非課税 ただし、家族の検診費用については課税
②　任地での健康保険料	課税
③　任地での医療費	課税
④　社宅使用料	所得税基本通達にある社宅の取扱いを準用
⑤　任地における子女の教育費	課税
⑥　家族の語学研修費	配偶者については、会社の業務上必要な場合は非課税 子女については、課税
⑦　特別帰国旅費	本人及び家族の一時帰国旅費については、往復航空運賃のみ非課税 宿泊料については課税
⑧　メイドの雇入費	課税

参考　所法36《収入金額》、同161①十二《国内源泉所得》、同212《源泉徴収義務》、所令285《国内に源泉がある給与、報酬又は年金の範囲》、所基通36－40《役員に貸与した住宅等に係る通常の賃貸料の額の計算》、昭50直法6－1、日尼租税協定3《一般的定義》、同16《役員の報酬》

113 海外子会社出向中の使用人兼務役員に支払う報酬

Q　内国法人である当社の取締役海外事業部長（使用人兼務役員）を正式な就任手続をとった上でオランダ子会社（現地法人）の社長に兼任して、2年の任期で現地に赴任させました。赴任後はその子会社経営に専念させて現地法人から役員報酬を支給するほか、毎月開催する当社の取締役会にも一時帰国により出席させて経営状況の報告を受けるとともに、従来どおりに使用人兼務役員として部長職の報酬も支払う予定です。

当社が支払う報酬についての課税取扱いはどのようになるのでしょうか。

A　海外現地法人に出向した使用人兼務役員は、国内においては使用人としての勤務実態がないものと認められることから、実際は非常勤役員に該当し、支給を受ける報酬は、非居住者が支払を受ける役員報酬として所得税の源泉徴収を要することとなります。

解説

ご質問の使用人兼務役員は、海外現地法人の社長として2年間の予定で赴任させたとのことですので、日本を出国した翌日から非居住者に該当します。また、現地法人の経営に専念させて、その報酬はその法人から支払われるとのことですので、内国法人の使用人として常時勤務を行う場合には当たらないものと認められます。

なお、国内には毎月1回開催される取締役会に出席するために帰国させるとのことですので、その職務実態から判断して、貴社の非常勤役員に該当すると認められます。

所得税法では、非居住者である役員が支払を受ける報酬は、その勤務地を問わず課税されることとなりますので、ご質問の事実関係から、たとえ使用人兼務役員の形式を調え、使用人として職制上有している部長職に相当する給与として支払うものであったとしても、その勤務は行っていない実状がある以上、その支払う対価は非常勤役員としての職務に対するものに該当すると認められることから、その支給額のすべてが役員報酬として課税の対象となると考えられます。

また、オランダとの租税条約でも、法人の役員については、国内法と同様に、その報酬に対して所得源泉地たる法人所在地国で課税できることとされています。

したがって、貴社が支払う報酬は、非居住者が支払を受ける役員報酬として国内源泉所得に該当して、20.42%の税率による所得税の源泉徴収が必要となります。

参考　所法161①十二《国内源泉所得》、同212《源泉徴収義務》、所令285《国内に源泉がある給与、報酬又は年金の範囲》、所基通161－42《内国法人の使用人として常時勤務を行う場合の意義》、同161－43《内国法人の役員が国外にあるその法人の子会社に常時勤務する場合》、法法2十五《定義》、日蘭租税条約15《役員報酬》

114　米国居住の非常勤役員に支払う報酬等

Q　内国法人である当社の取締役に新たに選任されたアメリカの居住者Bは、非常勤勤務により現地で各種の情報を収集したり、商取引の側面的援助を行っています。Bに対して支払う役員報酬や賞与については、源泉徴収が必要でしょうか。

A　米国居住者である非常勤役員に支給する役務提供の対価については、役員報酬のほか役員賞与の支給額を含めて所得税の源泉徴収が必要です。

解説

所得税法上、非居住者が内国法人の役員として行う国外勤務は、原則として国内における勤務に含まれますので、その役員報酬等の対価は国内源泉所得に該当して、所得税の源泉徴収の対象とされています。

また、日米租税条約では、法人の役員の資格で取得する役員報酬その他これに類する支払金（役務提供の対価）については、法人の所在地国で課税されることとされていて、この定めに関する例外規定はありません。

なお、役員の範囲については、締結国（日本）における定めに従うこととされていて、国内法上、取締役は法人の役員に該当します。

ご質問の場合には、その役員は米国における非常勤役員として現地における情報収集等を行っているとのことですので、使用人として常時勤務を行うケースには該当しません。

したがって、貴社がBさんに対して支払うものは、すべて役員としての役務提供の対価と認められますので、役員報酬だけでなく賞与も含めた全支給額について税率20.42%による源泉徴収を行う必要があります。

参考　所法161①十二《国内源泉所得》、同212《源泉徴収義務》、所令285《国内に源泉がある給与、報酬又は年金の範囲》、法法2十五《定義》、日米租税条約3《一般的定義》、同15《役員報酬》

115　税制適格ストックオプションの適用要件とは

Q　内国法人である当社はストックオプション制度を導入する検討を行っていますが、この制度に係る経済的利益に所得税を課さない特例として「税制適格ストックオプション」があると聞きました。その特例の適用を受けるための要件を教えてください。

A　税制適格ストックオプションとは、付与された権利の行使期間や年間の権利行使価額などについて一定の要件を満たす新株予約権（特定新株予約権）をいい、付与された特定の役員等が権利を行使して株式を取得した場合には、その株式の取得に係る経済的利益（取得株式の時価と権利行使価額（払込価額）との差額）について、所得税は課されません（ただし、取得株式を売却した場合には、株式の売却価額と権利行使価額との差額は、譲渡所得として課税されます）。

解説

(1)　ストックオプション制度とは、会社が役員や使用人に対して、あらかじめ定められた価額（権利行使価額）でその会社の自社株式を一定期間（権利行使期間）内に購入することができる権利（新株予約権）を与える制度をいい、役員等は将来、自社の株価上昇の時点で権利を行使して自社株式を取得し、売却することにより、実現した株価上昇分の利益を得ることができます。そのことから、役員などに対する業績向上のインセンティブとして機能することが期待できるほか、株価上昇にむけた株主重視の経営やベンチャー企業の人材確保などにも資するといわれています。さらに役員退職金制度の一形態としてこの制度を利用しようとする動向も定着しつつあります。

この新株予約権の権利行使により株式を取得する場合には、その取得した自社株式の時価と行使価額（払込価額）との差額が制度的に生じ、その差額は税務上において、会社から与えられた経済的利益として給与所得を構成します。この権利行使時における経済的利益に所得税を課さない（実質的には株式譲渡時まで課税を繰延べる）特例として「税制適格ストックオプション」が制度化されることとなり、具体的には平成10年度税制改正により法制化されています。

そのストックオプションが税制上の特例措置の適用される「税制適格ストックオプション」であるか、または特例措置の適用がされない「税制非適格ストックオプション」であるかによる所得税の課税内容を整理すると次のとおりとなります。

区分	課税内容
税制適格ストックオプション	①権利行使時には、所得税の課税はなし。 ②取得株式の売却時には、株式売却価額と権利行使価額（払込価額）との差額を譲渡所得として課税。
税制非適格ストックオプション	①権利行使時には、行使時の株式の時価と権利行使価額（払込価額）との差額を給与所得として課税。 ②取得株式の売却時には、株式売却価額と権利行使時の株式の時価との差額を譲渡所得として課税。

(2)　税制適格ストックオプションとされる新株予約権（「特定新株予約権」）の要件は、会社法の決議に基づき行われる次の要件を満たすものに限られますが、その会社の大口株主やその特別関係者は対象外とされていることから、付与された権利者は、権利行使を行う際にその会社の大口株主等に該当していなかったことを誓約する書面、及び他の特定新株予約権の行使の有無等を記載した書面をその付与会社に提出する必要があります。

（特定新株予約権に係る契約の要件）

①権利行使は、付与決議の日後2年を経過した日から当該付与決議の日後10年（2023（令和5）年4月1日以降は、下記⑷記載の要件を満たすものである場合には、「15年」）を経過する日までの間に行うこと。
②年間の権利行使額の合計額が1,200万円を超えないこと。
なお、2024（令和6）年分以降は、権利行使価額の限度額が次のとおりとなります。
　イ　設立の日以後の期間が5年未満の会社の場合は、「2,400万円」
　ロ　上記イの期間が5年以上20年未満の会社で、金融商品取引所に未上場の会社、又は上場されている会社でその上場等の日以後の期間が5年未満の会社の場合は、「3,600万円」
③1株当たりの権利行使価額は、付与会社の株式の付与契約締結時における1株当たりの価額相当額以上であること。

④特定新株予約権については、譲渡はできないこと。 ⑤特定新株予約権の行使による株式の交付が、その交付のために付帯決議をされた会社法第238条第1項に定める事項（取締役等の氏名を除く）に反しないで行われたものであること。 ⑥特定新株予約権の行使により取得する株式につき、その付与会社と金融商品取引業者等との間であらかじめ締結される株式の振替口座簿への記載・記録、保管の委託等に関する取決めに従い、一定の方法によりその業者等の振替口座簿に記載等を受けるか、又はその営業所等に保管の委託等がされること。

なお、この特例の適用者について、上記⑥の保管の委託等の解約や贈与など一定の事由によりこの特例の適用を受けて取得した株式（特定株式）について、その全部又は一部の返還又は移転があった場合には、その事由が生じた時に、その時の価額に相当する金額による譲渡があったなどとみなされることとなります。

(3)　上記(2)の要件のほかに、中小企業等経営強化法の改正に伴い、2019（令和元）年から、この特例制度の適用対象者（特定従事者）が次のとおり追加されています。

追加された特例適用者の範囲	中小企業等経営強化法に規定する認定新規中小企業者等が同法に規定する認定計画に従って行う社外高度人材活用新事業分野開拓に従事する社外高度人材（取締役及び使用人等以外の者であって、同計画実施の日から新株予約権の行使の日まで引き続き居住者であること、及び付与決議のあった日においてその会社の大口株主等でないこと、の要件を満たす者（特定従事者）に限ります）。
契約の要件	上記(2)の要件に加え、次の要件が追加されます。 ①付与された者が行使日までに国外転出する場合には、その会社にその旨を通知すること。 ②その行使日以前に認定計画について、認定の取消しがあった場合には、速やかにその者にその旨を通知すること。

(4)　2023（令和5）年4月1日以後に行われる特定新株予約権に係る契約要件のうち、上記(2)の①の要件について、スタートアップ育成の観点から、その事業展開の多様化を図るために、次の①及び②の要件を満たす場合は、その権利行使の期限について「付与決議の日後15年を経過する日までの間」に行うこととされました。

（その要件）①　付与決議の日において、会社の設立の日以後の期間が5年未満であること

②　付与決議の日において、金融商品取引所に上場、又は店頭登録銘柄に登録されている株式の発行会社でないこと

ただし、特定従事者が、この特例の適用を受けて取得した株式の譲渡等をする

時までに国外転出する場合には、その時において、新株予約権の行使日におけるその株式の価額に相当する金額による株式譲渡があったものとみなして、所得税が課されます。

なお、上記の契約要件については、「新株予約権の行使により取得をする株式については、金融商品取引業者等の営業所等に保管の委託等がされること」とされていましたが、2024（令和6）年分以降は、「新株予約権を与えられた者と当該行使に係る会社との間で締結される一定の要件を満たす当該行使により交付をされる譲渡制限株式の管理等に関する契約に従って、当該会社により当該管理等がされること」との要件を満たせば、その選択により、上記の委託等は不要となります。

また、上記(3)の特例適用者の範囲について、認定新規中小企業者等の資本金要件や常時使用従業員数要件が廃止されるとともに、社外高度人材についての実務経験要件が廃止され、適用対象者に教授・准教授や一定のエンジニア等が追加されます。

参考　所法28《給与所得》、同36《収入金額》、同183《源泉徴収義務》、措法29の2《特定の取締役等が受ける新株予約権の行使による株式の取得に係る経済的利益の非課税等》

116 米国法人派遣の子会社役員等が受けるストックオプションの権利行使益

Q　内国法人である当社に100％出資の親会社であるアメリカ法人C社から派遣されている米国人の役員と従業員が、C社から付与されたストックオプションの権利を行使しましたが、どのように取り扱えばよいのでしょうか。

そのアメリカ人役員などは、いずれも3～4年間の国内勤務予定ですが、アメリカ国内の住居を引き払い家族同伴のうえで派遣されており、日本に入国して1年経過後にストックオプションの権利を付与されました。なお、権利行使に係る事務は内国法人である当社で行われますが、権利行使により取得することとなる株券又は現金の日本国内への送金等は行わないこととしています。

A　取得したストックオプションの権利行使益は、直接の雇用関係がなくとも給与所得に該当するものと考えられ、非永住者が受けるものは、その権利付与時から行使時までの期間に占める国内勤務期間に対応する部分の金額が国外源泉所得以外の所得たる給与等の額となりますが、国外払となる場合は所得税の源泉徴収を要せず、その役員及び従業員は我が国での所得税の確定申告が必要となります。

解説

ストックオプション（新株予約権）とは、一般的に、会社が発行する株式（ストック）を予め定められた価額で取得することができる権利（選択権=オプション）をいうものとされていて、その権利が行使された場合（権利行使時）には、会社はその権利行使者に対して、新株の発行又は自己株式を移転する義務を負うこととされています。

注　この制度は1997（平成9）年5月の改正商法により導入され、2002（平成14）年4月施行の改正商法で「新株予約権の無償発行」として整備されました。その後制定された会社法では、新株予約権と引換えにする金銭の払込みに代えて、役務の提供により発生する報酬債権との相殺という法律構成をとることによって、通常の有償発行として整理できることとされています。

取得したその権利行使益、つまり権利行使日における株価（時価）から新株予約権の取得価額等を控除した金額は、ストックオプションを付与した者から業績向上等に寄与した者に対する成功報酬型給与（インセンティブ報酬）として与えられる報奨制度のひとつとして、使用者から役員又は使用人に対してその地位又は職務に関して与えられたものと認められます。

よって、その経済的な利益は、いわば付与した者との委任関係や雇用関係その他これに類する原因に基づいて受けるものであることから、旧商法や会社法などに基づくものについては所得税法上、原則として権利行使時に給与所得として取り扱うこととされていて、その取扱いは基本的には発行法人が外国法人である場合も同様であると考えられます。

また、ご質問のように直接、雇用関係等がない子会社等に勤務する者に対して親会社が権利付与した場合においても、間接的ではありますが、その勤務を通じて貴社に100%出資する親会社の業績に寄与するものであることに着目して付与した成功報酬型給与と考えられます。それはいわば、出向元企業から出向者に支払われる報酬に類似したものであり、権利付与者と子会社等に勤務する者との間には、雇用契約等に類する契約が存在するものと認められます。

なお、これについては、労務の質や量との相関関係の濃淡あるいは存否いかんにかかわらず、子会社の役員等としての地位に基づき付与されたものは、直接の雇用関係がなくとも、その権利行使益は給与所得に該当するという趣旨の裁判例もあります。

したがって、ご質問にある米国法人B社から供与された、貴社に派遣されている米国人の役員と従業員がストックオプションを行使したことによる利益についても、給与所得として課税されることとなると考えられます。

ところで、ご質問にある米国人の役員と従業員は、3～4年間の国内勤務予定で、しかも米国内の住居を引き払い家族を同伴して我が国に派遣されていることから、原則として米国においては非居住者となり、我が国では居住者であるとともに、非永住者にも該当することとなると思われます。

このストックオプションによる経済的利益については、権利付与時から行使時までの間の経営努力・勤労の成果を権利行使時において一時に享受することとなりますが、権利行使時において非永住者に該当して、その場合は、国外源泉所得以外の所得たる給与等について課税されるものであるからといって、直ちにその全額が国内勤務に対応する部分であると断定するのは、合理的とはいえません。

よって、この場合は、権利付与時から行使時までの期間のうちに占める国内勤務期間に対応する部分の金額を課税対象とされる給与等の額として取り扱うこととなります。

また、日米租税条約においても、ストックオプション制度に基づき被用者が享受する利益については、その付与から行使までの期間に関連するものは給与所得条項の「その他これらに類する報酬」とされています。さらに、被用者たる日本国居住者（米国非居住者）が、次に掲げるすべての要件を満たす場合には、その権利付与時から行使時までの期間のうち、米国勤務に関連する部分のみが米国において課税できることとされています。

①　その勤務に関してストックオプションを付与されたこと

②　その付与から行使までの期間中、日米両国内において勤務を行ったこと

③　その行使の日において勤務を行っていること

④　日米両国の法令に基づき、その利益について両国において課税されることとなること

ただし、その権利行使による経済的な利益は株式の取得について申込みをした日によって実現するものであり、一般的には株券の交付法人（米国法人B社）の所在地が当該所得の支払地とされることから、ご質問の場合は国外払となりますので、非永住者については所得税の源泉徴収は要せず、我が国において本人が所得税の確定申告を行うことにより課税されることとなります。

注　本問の派遣役員等が双方居住者に該当し、日米租税条約の定めにより我が国では非居住者とみなされた場合でも、米国法人の事務所等が国内に存在しない限り、その結論は本問の場合と同じものになると考えられます。

参考　所法2《定義》、同5《納税義務者》、同7《課税所得の範囲》、同28《給与所得》、同36②《収入金額》、同161①十二《国内源泉所得》、同183《源泉徴収義務》、所令17《非永住者の課税所得の範囲》、同84《譲渡制限付株式の価額等》、所基通23～35共－6《株式等を取得する権利を与えられた場合の所得区分》、同23～35共－6の2《株式等を取得する権利を与えられた場合の所得の収入すべき時期》、日米租税条約4《居住者》、同14《給与所得》、同15《役員報酬》、同議定書10

117 米国法人派遣の日本支店勤務米国人が帰国後に受けるストックオプションの権利行使益

Q　アメリカ法人D社の日本支店である当社は、4年間の予定でD社から米国人Eの派遣を受けていましたが、Eはこのたび期間満了に伴いアメリカに帰国しました。Eは日本支店への派遣期間中にD社からストックオプションを付与されていましたが、帰国後に権利行使しています。

この場合に日本における課税はどのようになるのでしょうか。

A　非居住者については、ストックオプションの権利付与時から行使時までの期間のうち、国内勤務に対応する部分の金額が国内源泉所得（給与所得）として取り扱われ、国外払のものとして所得税の源泉徴収を要することとなります。

解説

ストックオプションの意義や所得税の取扱いについては、前問（問116）で回答のとおりですが、日米租税条約においても、米国の居住者が受けるストックオプション制度に基づき被用者が享受する利益については、その議定書で「権利付与から行使までの期間に関連するものは、給与所得条項の適用上、その他これらに類する報酬（給与所得）とされる」こととしています。また、同議定書では、ストックオプションの権利付与から行使までの期間中に日米両国における勤務などがある場合は、「その権利行使の時に被用者が非居住者となっている国（日本）では、その利益のうち、権利の付与から行使までの期間中において、日本における勤務期間に関連する部分のみを課税することができる」こととされています。

したがって、ご質問の場合は、ストックオプションの付与時から日本を出国するまでの勤務期間に関連する部分の経済的な利益が、国内源泉所得に当たる給与等に該当するものと認められます。

なお、Eさんは米国に帰国後は非居住者に該当し、国内源泉所得の支払は国外

（米国）において行われることとなりますが、貴社は米国法人の日本支店ということですので、その支払をする者の国内事業所にあたることとなる日本支店では、その国内源泉所得について所得税の源泉徴収が必要となります。

ただし、源泉所得税の納付期限は国外払に該当することから、支払の日の属する月の翌月末日となります。

参考　所法161①十二《国内源泉所得》、同212②《源泉徴収義務》、日米租税条約14《給与所得》、同条約議定書10

118 台湾居住の子会社役員に付与したストックオプションの権利行使益と株式譲渡益

Q　内国法人である当社は、子会社を含むグループ全体での業績アップを目的に、国内外の子会社の役員や従業員にもストックオプション（税制適格に該当する契約を結んでいます）を付与することとし、その中には唯一、国外にある台湾子会社の現地に居住する役員も含める予定です。この役員は子会社入社から現在まで子会社のみの勤務で、今後も異動する予定はありませんが、この付与された権利を行使したり、それにより取得した株式を譲渡した場合の日本における課税はどのようになるのでしょうか。

A　非居住者とされる国外子会社役員に付与したストックオプションの権利行使益は給与等に該当しますが、内国法人の役員としての国内勤務がないことから国内源泉所得には該当せず、所得税は課税されません。

株式譲渡による売却益については、日台民間租税取決め及び所得相互免除法の適用により台湾でのみ課税され、我が国では所得税は課されません。

解説

ご質問の子会社役員は、台湾居住で専ら台湾子会社のみに勤務されているとのことですので、所得税法上、非居住者に該当します。その役員に対する課税の取扱いは次のとおりです。

1 権利行使益

その役員が付与を受けることとなる税制適格ストックオプションの権利行使益は、付与した貴社が台湾子会社の親会社に当たり、その役員とは直接の委任関係や雇用関係はないものの、これらに類する原因に基づいて付与されたものと認められます。

よって、権利行使によってその役員が取得する経済的利益は、所得税法上、原則として給与等に該当しますが、税制適格ストックオプションの権利行使益については、その権利行使時の課税は行わないこととされています。

仮に税制非適格ストックオプションであったとしても、その役員は内国法人の役員としての国内勤務を行っていませんので、国内源泉所得に該当せず、所得税は課税されません。

また、実質的に台湾との租税条約に当たる「日台民間租税取決め」、及び「所得相互免除法」（租税取決め等）においても、給与等については、その勤務が行われない地域では課税できない旨の規定となっています。

2 株式譲渡益

その役員が税制適格ストックオプションにより取得した株式を譲渡（売却）した場合に得られる売却益（売却価額－権利行使価額）については、所得税法上は、譲渡所得に該当します。

この場合において、税制適格ストックオプションの行使により取得した株式を非居住者が譲渡（売却）した場合には、その売却益は国内源泉所得（国内にある資産の譲渡により生ずる所得）として取り扱われて、株式等の譲渡に係る譲渡所得等として、申告分離課税の対象となります。

ただし、台湾との租税取決め（第13条5項）においては、株式の譲渡益について「譲渡者が居住者とされる地域においてのみ租税を課することができる」こととされていて、また、所得相互免除法においても、「外国居住者等に係る外国の法令によりその外国の所得として取り扱われる譲渡益については、我が国の所得税は課さない」ことと規定されています。

よって、台湾居住者たるその役員が税制適格ストックオプションの権利行使により取得した株式の譲渡益については、我が国では所得税は課されず、台湾でのみ課税されることとなります。

参考　所法28《給与所得》、同36《収入金額》、同161①《国内源泉所得》、所令281《国内にある資産の譲渡により生ずる所得》、措法29の2《特定の取締役等が受ける新株予約権の行使による株式の取得に係る経済的利益の非課税等》、措令19の3㉒《同左》、所得相互免除法19《資産の譲渡により生ずる所得に対する所得税又は法人税の非課税》

119 海外支店支払の内国法人の役員報酬

Q 当社は内国法人ですが、当社の専務取締役は1年以上単身で香港所在の支店に駐在して、中国を含む東南アジア全域を統括しています。当社では、専務に対する役員報酬のうち、一部を本社から国内にある留守宅に支払い、残額は香港支店を通じて直接本人に支払っています。この場合、専務は非居住者ですので、留守宅に支払っている部分についてのみ源泉徴収すればよいのでしょうか。

A 役員報酬については、非居住者として国外勤務に係るものであっても原則として国内勤務に含まれることから、本社支払部分のみに限らず、香港支店を通じて支払う報酬も含めた全額について、所得税の源泉徴収が必要です。

解説

所得税法では、非居住者である従業員に支払う給与については、国内における勤務に基づくものを国内で支払う場合に、所得税の源泉徴収を行うこととなっています。

しかしながら、内国法人の役員については、原則として非居住者として国外で行う勤務であっても、国内における勤務に含まれることとなっています（ただし、その役員としての勤務を行う者が、同時にその内国法人の使用人として国外において常時勤務を行う場合におけるその勤務は、国内勤務には含まれません）。

したがってご質問の場合、貴社の専務は非居住者として香港支店に駐在していますが、中国を含む東南アジア全域を統括する業務にあたっていることから、常時使用人としての勤務を行っているとは認められませんので、香港支店を通じて支払う部分を含めた役員報酬全額が国内源泉所得に該当するものと考えられます。

また、国内源泉所得の支払が国外で行われる場合であっても、その支払者が国内に事務所、事業所などを有しているときは、国内で支払うものとみなして税率20.42%

による源泉徴収を行うこととされています。

なお、香港との租税協定においても、役員報酬その他これに類する支払については、法人所在地国で課税できることとされていますので、国内法及び租税条約により源泉徴収する必要があります。

この場合、香港支店を通じて支払う給与に対する源泉所得税の納付期限は、国外払となることから、その支払の日の属する月の翌月末日となります。

参考　所法161①十二《国内源泉所得》、同212①・②《源泉徴収義務》、所令285①《国内に源泉がある給与、報酬又は年金の範囲》、日香租税協定15《役員報酬》

120 海外支店勤務社員の留守宅に支払う給与

Q 当社は建設関係の重機販売業を営む内国法人ですが、オーストラリアに支店を開設し、社員（すべて使用人）を3年間の予定で派遣することとなりました。

これらの社員は全員単身で赴任しますので、給与の一部を日本の留守宅に支払う予定ですが、その留守宅に支払う給与は源泉徴収が必要でしょうか。

A 雇用されている社員が支給を受ける国外勤務による給与は、国内源泉所得には該当しませんので、留守宅支払を含むすべての給与について、所得税の源泉徴収の必要はありません。

解説

貴社がオーストラリアに開設する支店に勤務する社員は、予定している勤務期間が3年間とのことですから、所得税法上、出国後の社員は非居住者として取り扱われます。

非居住者が支給を受ける給料や賞与などについては、使用人（社員）としての勤務に基づく場合は、日本国内において行う勤務に基づくものに限り国内源泉所得となり、我が国の所得税が課税されます。

ご質問にある社員の留守宅に支払う給与については、それが日本国内で支払われるものであるとしても、オーストラリアの支店における社員の勤務に対する報酬にほかなりませんから、オーストラリアに源泉のある所得となり、現地支払を含むすべての給与について我が国では課税対象になりません。

また、オーストラリアとの租税条約においても、給与所得については、国内法と同様の規定が置かれています。

したがってご質問の場合、その社員が日本に一時帰国して勤務するなどのことがない限り、その給与は支給方法のいかんにかかわらず、所得税の源泉徴収を要しません。

参考　所法161①十二《国内源泉所得》、日豪租税条約14《給与所得》

121 海外からの長期出向社員に支払う家族在留手当

Q 外国法人の100%出資子会社（内国法人）である当社は、親会社のスイス法人から現地居住のスイス人社員を3年間の予定で出向を受け入れて、国内本社での勤務に就いてもらうこととしています。この社員の家族は子供の学校の都合で3か月間現地に滞在することとなり、そのため当社は家族在留手当を別途現地に送金する予定ですが、この場合の課税の取扱いはどうなるのでしょうか。

A 入国後におけるその出向社員は、日本国籍を有していないことから非永住者に該当し、国内における勤務に基因して支給されるものと認められる家族在留手当は、国内源泉所得として所得税の源泉徴収を要します。

解説

ご質問の出向社員は、スイス人で3年間の予定で入国し、内国法人の本社勤務をされるとのことですので、入国後は居住者ではあっても、さらに区分されて非永住者に該当することとなります。所得税法では、非永住者は、国外源泉所得以外の所得のほかに、これ以外の所得で国内において支払われるか、又は国外から国内に送金されたものに限り、課税されることとなっています。

貴社が現地に送金する家族在留手当は、あくまでもその出向社員が国内において行う勤務の対価の一部を構成すると認められ、また、その支払事務は国内で行われることから、源泉徴収を要する国内払の国外源泉所得以外の所得たる給与等に該当します。

注　本問の場合、日本の居住者に当たることから、あくまでも参考にすぎませんが、スイスとの租税条約でも、その勤務について取得する給料その他これに類する報酬は、国内法の規定と同様に、原則として役務提供地国で課税できることとされています。

したがって、スイスの親会社から受け入れた出向社員の国外在住家族に支払う家族在留手当については、内国法人たる貴社の国内払の給与等に該当して、他の居住者と同様の税率による所得税の源泉徴収が必要となります。

参考　所法2①四《定義》、同7①《課税所得の範囲》、同28《給与所得》、同183《源泉徴収義務》

122 海外から派遣の短期滞在社員に支払う留守宅手当

Q ドイツ法人の国内工場ですが、本社から10か月間の滞在予定で出向扱いとして派遣されるドイツ在住の社員から当工場において技術指導を受けることとなりました。この社員が単身赴任して勤める工場で支給する給料のほかに現地に居住する家族あてに留守宅手当が本社から現地の家族に支給されます。この場合の手当の課税取扱いはどのようになるのでしょうか。

A 10か月間の予定で外国法人から派遣されて貴工場において勤務する社員は、非居住者に該当しますので、その支払を受ける給料のみならず留守宅手当についてもすべて国内勤務の対価にほかならないことから、国内源泉所得に該当するとともに、本社支給の留守宅手当は国内で支払われたものとみなされて、給料と合算した金額について所得税の源泉徴収を要します。

解説

ご質問のドイツ本社から派遣された社員は、10か月間の勤務予定で国内に滞在されるとのことですので、所得税上、非居住者に該当します。非居住者については、その国内における勤務から得られる給料や賃金のほかに、居住者の場合と同様に、金銭以外の物や権利その他経済的な利益も含めて、その支払われる場所が国内又は国外かのいずれかを問わず、国内勤務に対応するすべての対価が給与等として国内源泉所得に該当して課税対象とされます。

よって、ご質問の留守宅手当についてもその派遣された社員の国内勤務に基づく対価にほかなりませんから、国内源泉所得に該当し、その支払は国外で支払われた場合でも、その支払者が日本国内にPEを有するときには、その給与等は日本国内で支払われたものとみなされて、ドイツ本社の国内PEたる貴工場が所得税の源泉徴収を行うこととなります。

なお、ドイツとの租税協定においても、給与所得については、原則として国内法と同じく勤務地国における課税ができることとされています。

また、同協定において協定締結国内で勤務を行う場合には、一定の要件を満たすことにより我が国での課税が免除される短期滞在者免税制度が規定されていますが、この要件の一つとされる「その課税年度において開始又は終了するいずれの12か月間においても、給与等の受領がその勤務地国（日本）における滞在期間が合計183日を超えないこと」との要件については、ご質問の場合は滞在期間が10か月間であることから要件を満たさず、短期滞在者免税の適用はできません。

よって、ご質問の留守宅手当は、国内勤務に基因する給与等として国内源泉所得に該当し、また本社から支給されるものであっても国内で支払われたものとみなされて、国内支給分と合算して20.42%の税率による源泉徴収を要することとなります。

参考　所法161①十二《国内源泉所得》、同164②二《非居住者に対する課税の方法》、同212②《源泉徴収義務》、同213《徴収税額》、日独租税協定14《給与所得》

123 メキシコ現地法人出向者に支払う給与較差補填金

Q 当社から、メキシコの子会社（現地法人）F社に来月から2年間の予定で出向することとなる社員（使用人）がおり、出向中の給与はF社から支給されますが、F社と当社の給与条件に較差があるため、その差額を社内規定に基づき社員に送金する予定です。

当社が支払う給与の較差補填金は、源泉徴収が必要でしょうか。

A 被用者たる社員の国外勤務に基づいて支払われる対価の一部を負担することとなる給与較差補填金は、国外源泉所得に該当しますので、所得税の源泉徴収は必要ありません。

解説

貴社の海外現地法人に出向することとなる社員は、2年間の予定で海外勤務をされるとのことですので、所得税法上は出国した翌日から非居住者として取り扱われます。

また、非居住者が受ける給与や賞与などのうち、使用人（社員）の場合は、国内において行う勤務に基づくものだけが国内源泉所得とされて、我が国の所得税が課税されますが、国外での勤務に基づくものについては国外源泉所得となりますので、所得税は課税されません。

ご質問の社員に支払う給与較差補填金は、もともと貴社と出向社員との間における雇用契約に基づき、出向後においても従来どおりの労働条件を維持するために支出される貴社負担の給与にあたるものと思われます。一方、出向社員の勤務そのものはもっぱら国外で行われていることから、事実上、海外現地法人における勤務の対価の一部を貴社が支払っていることとなるものと認められます。

よって、給与較差補填金は国外源泉所得に該当し、日本では所得税の課税対象になりません。

また、メキシコとの租税条約においても、給与所得については、原則として国内法と同様の規定が置かれています。

したがって、貴社が支払うその補塡金については、所得税を源泉徴収する必要がありません。

参考　所法161①十二《国内源泉所得》、日墨租税条約15《給与所得》

124 有給休暇中に帰国して非居住者となった者の給与

Q 当社では、ベルギーの関連法人から出向者Gの派遣を社員として6年間受けていましたが、本年6月30日付で当社を退職することとなりました。

Gは有給休暇を利用して退職前の6月10日にベルギーへ帰国し、そのまま永住することとなっています。

Gには有給休暇中の6月25日に6月分給与を支払うこととなりますが、この給与は源泉徴収する必要があるのでしょうか。

A 出国後に非居住者となる者に支払われる有給休暇中の給与は、退職までの国内勤務に対する給与として国内源泉所得に該当しますので、原則としてその支払の際に所得税の源泉徴収が必要ですが、実務上は出国時に居住者としての年末調整で精算されることとなります。

解説

ご質問の場合のGさんは、国外で永住するために出国するとのことですので、所得税法では、出国した6月10日の翌日から国内に住所等を有しないこととなり、非居住者として取り扱われます。

また、使用人（社員）に支給する給与等については、国内において行う勤務に基づくものは、原則として国内源泉所得に該当することとされている一方、給与等の計算期間の中途で非居住者となった社員については、その給与等の全額が国内勤務に対応するものであったり、又はその計算期間中における勤務が、内国法人の役員として行う国外勤務などで国内における勤務とみなされる（不適用要件に該当する）ものでないことを条件として、その給与等の計算期間が1か月以下のものは国内源泉所得に該当しない、という課税の特例もあります（第3章問107参照）。

この場合において、6月に支払う給与が国内源泉所得に該当するかどうかは、その給与が国内勤務に基づくものであるかどうかによることとなります。

ご質問の場合、Gさんは6月30日付で退職されるということですので、Gさんとの雇用契約は、実際には同日まで継続していて、6月に支払われる給与はこの雇用契約に基づいて支払われるものと認められます。

よって、たとえ有給休暇をとり、ベルギーに帰国後の国内勤務の実態のない期間における給与として支給されるものであったとしても、その給与は、Fさんが本来勤務すべき国内において行う勤務に基づくものにほかならないものと考えられます。

そうしますと、Gさんに支給する給与の全額が国内源泉所得に該当することとなりますので、上記で述べた国内勤務期間が短い場合の不適用要件にあてはまり、課税の特例は適用できないこととなります。

また、ベルギーとの租税条約においても、給与所得については国内法と同様に役務提供（勤務）地国での課税を認めています。

したがって、Gさんに支給する6月分の給与については、そこだけを対象とすると、非居住者としての国内源泉所得に該当して、税率20.42%の所得税の源泉徴収が必要となります。

ただし、Gさんは出国時までは居住者に該当しますので、その時までに支給期の到来した給与等について年末調整を行い、その結果、実務上は非居住者分の税額を含めて、国内給与のすべてが居住者所得として精算されることとなります（年末調整は第3章問129参照）。

参考　所法161①十二《国内源泉所得》、同190《年末調整》、同212《源泉徴収義務》、所令285①《国内に源泉がある給与、報酬又は年金の範囲》、所基通212－5《給与等の計算期間の中途で非居住者となった者の給与等》、日白租税条約14《給与所得》

125 海外勤務から帰国後に支払う賞与

Q 海外支店に1年以上の予定で勤務し、非居住者となっている日本人社員が国内勤務となって帰国した後に支払う賞与については、その賞与の額から海外支店勤務期間に対応する部分を除いて、国内勤務に対応する部分だけを源泉徴収の対象としてよいのでしょうか。

A 海外勤務から帰国後の社員は居住者となることから、その後に支給することとなる賞与の全額について、所得税の源泉徴収が必要となります。

解説

所得税法では、海外支店に1年以上の予定で勤務するため出国した社員、すなわち居住者から非居住者になった後の社員に支払う賞与については、原則として国内における勤務期間に対応する部分についてのみ所得税が課され、源泉徴収の対象とされています。

その一方、ご質問にあるように海外支店勤務から国内勤務となったため帰国した日本人社員に支払う賞与で、その社員が居住者となった日以後に支給することとなる（支給期の到来する）ものについては、その賞与の金額のうちに非居住者であった期間に対応する部分の金額が含まれているとしても、既に居住者としてその賞与の受給権が確定していることから、その賞与の全額を所得税の源泉徴収の対象とすることとなります。

これは所得税法上、居住者については、非永住者（日本の国籍を有しておらず、かつ、過去10年以内において国内に住所又は居所を有していた期間の合計が5年以下である個人）の場合を除き、その所得がどこで生じたものであるかにかかわらず、その年におけるすべての所得（全世界所得）について課税されることとなっているからです。

注　本問の社員が非永住者であったとしても、帰国後に国内で支払われる賞与については、永住者たる居住者と同様に、全額が課税対象となります（所法7①二）。

なお、この賞与のうち、海外支店勤務期間に対応する部分の金額については、さらに勤務地国（外国）においても課税されることが想定されますが、この外国における国内源泉所得として現地国で課税された所得税相当額は、我が国で外国税額控除の対象となりますので、所得税の確定申告を行うことにより一定の額を限度として税額控除を受けることができます。

注　外国税額控除については第4章問2参照。

参考　所法7《課税所得の範囲》、同95《外国税額控除》、同183①《源泉徴収義務》、所基通212－5《給与等の計算期間の中途で非居住者となった者の給与等》

126 海外勤務から帰国後に負担した社員の外国税金

Q　内国法人である当社は、海外に支店を有し社員を派遣していますが、ロンドン支店に勤務していた社員が3年間の海外勤務予定を終了して帰国し、国内勤務となりました。

その社員の帰国後に、海外勤務当時の英国における社員の所得について課税もれがあることがわかり、追加の税金を当社が負担することとしました。この当社が負担した外国税金は、源泉徴収の対象となるのでしょうか。

居住者本人が本来は負担すべき外国の税金を本人に代わって会社が負担した金額は、その負担（支払）の際に居住者に対する給与等（経済的利益の供与）として所得税の源泉徴収の対象となると考えられます。

解説

ご質問にある貴社の社員は、所得税法上、ロンドン支店勤務期間中は非居住者として取り扱われ、帰国後は居住者に該当します。

また、個人の所得に対して課される税金は本来、その課された個人が負担すべきものですので、それを貴社が本人に代わって負担した場合には、いわば個人的な債務の肩代わりをしたこととなるため、貴社からその個人への経済的な利益の供与があったものとして取り扱われることとなります。

そのことから、貴社が負担する社員の個人的な税金については、海外勤務時代のものであったとしても、その負担した時点、すなわち居住者となった後において貴社から社員に経済的な利益の供与があったと認められますので、原則として居住者に対する給与として課税されることとなるものであるといえます。

もっとも、非居住者の給与に対する課税については、役員等の場合を除き、国内において行う勤務（国内勤務）に基因する部分のみが国内源泉所得として我が国で課税対象となりますので、それ以外の国内勤務に基因しない部分については課税対象となりません。

よって、非居住者である海外勤務者の現地課税の所得税について、仮にその当時において会社負担があったとしたら、国外勤務による給与等についてのものである限り、我が国で課税対象とならないこととなります。

この場合における判断のポイントは、外国税金の負担による経済的な利益はどの時点で発生したものであるか、ということにつきると思われます。

非居住者としての期間に発生したとみるときには、外国において課税対象となる本来の給与が国外勤務に基因するものである限り、その経済的利益部分は課税されないものと解されます。

他方、居住者期間に発生したとみるときには、居住者に対する給与課税が勤務地を問わず無制限に対象となるということから、居住者に対する経済的な利益の供与（給与）として課税対象となるものと解されます。

このことを踏まえて検討しますと、その社員の納税義務は、一義的にはその所得税の納付期限が到来することにより発生するものでしょうが、その義務を履行することにより、いいかえると現実にその所得税が納付されたことにより、社員の租税債務が消滅するという法的かつ経済的効果が生じることから、ご質問のように会社による債務の肩代りがある場合は、それと同時に肩代りにより個人が享受することとなる経済的な利益が生ずることとなります。この場合のように外国の課税当局から課された個人所得税について生ずることとなる会社負担による経済的な利益は、実際にその負担が行われた時点において発生したものと認められます。

したがってご質問の場合は、その社員が帰国後、居住者となった後に経済的な利益が発生したと認められますので、会社が負担した税金については、居住者に対する給与（賞与に該当）として所得税の源泉徴収が必要となると考えられます。

参考　所法7《課税所得の範囲》、同28《給与所得》、同36《収入金額》、同183①《源泉徴収義務》、所基通212－5（注）2《給与等の計算期間の中途で非居住者となった者の給与等》

127　海外勤務者に支払う永年勤続表彰金

Q　当社では、永年勤続表彰規程に基づき、10年以上の永年勤続者に対して毎年創立記念日に勤続年数に応じた金額の表彰金を支給しています。

この表彰者の中には、2年前からフランス国内の支店に勤務している社員がいますが、国内勤務者と同じように支給する予定です。

国内勤務者については表彰金を給与所得として源泉徴収していますが、海外勤務者については、どのように取り扱えばよいのでしょうか。

A　海外勤務中の表彰者が非居住者に該当する場合に受け取る表彰金については、その支給の対象となる勤務期間のうち国内勤務期間に対応する部分の金額については、所得税の源泉徴収が必要となります。

解説

ご質問にある貴社の海外支店勤務者は所得税法上、非居住者に該当しますので、非居住者に支給する給与等については、使用人（社員）の場合、国内において行う勤務（国内勤務）に基因するものであれば、経済的な利益を含むすべての対価が課税の対象とされています。

ところで、永年勤続者に支給する表彰金は、使用者から与えられる永年の勤務に対する報奨金の一つであり、受彰者に対する経済的な利益の供与に当たるものと認められます。ご質問の場合は、非居住者に該当する社員に対して現金で支給するとのことですから、居住者の場合と同様の取扱いが適用されて、旅行・観劇等への招待や記念品等の支給による場合と異なり、課税を要しないこととされる経済的な利益には当たりませんので、その表彰金は給与等に該当して課税されることとなります。

さらに、フランスとの租税条約においては、給与等に関する定義は締結国の定めによることとされていて、給与所得の課税についても国内法と同様に役務提供（勤務）

地国での課税を認めています。

したがって、貴社が支払う表彰金の計算期間（表彰対象勤務期間）のうちに国内勤務部分が含まれているときは、その期間に対応する部分については、国内源泉所得に該当して所得税の源泉徴収を行う必要があります。

なお、勤務等が国内外にわたる場合における国内源泉所得とされる金額の具体的な計算方法については、基本的には第3章問104にある回答のとおりですが、本問においては、次のような内容の算式となります。

【計算方法】

$$\text{国内源泉所得の金額} = \text{表彰金額} \times \frac{\text{支給対象期間における国内勤務期間}}{\text{支給対象とする全勤務期間}}$$

参考　所法36《収入金額》、同161①十二《国内源泉所得》、同212《源泉徴収義務》、所基通36－21《課税しない経済的利益…永年勤続者の記念品等》、同161－41《勤務等が国内及び国外の双方にわたって行われた場合の国内源泉所得の計算》、日仏租税条約3①《一般的定義》、同15《給与所得》

128 海外派遣教員の給与

Q 当市の公立中学校のH教諭（当市在住の日本人）が、2年間の予定でインドの日本人学校に同じ身分で赴任することとなり、家族とともに出国しました。これから給与は、当市からインドの本人あてに送金することとなります。

この場合のH教諭に支給する給与は、インドにおける勤務に対するものですから、国内源泉所得に該当せず源泉徴収は要しないものとしてよいでしょうか。

日本人の公務員の場合は、通常、国内に住所を有しないときでも居住者とみなされますので、国外勤務による給与であっても所得税の源泉徴収が必要となります。

解説

所得税法上、国家公務員又は地方公務員は、

① 日本国籍を有しない者

② 国籍を有していても現に国外に居住し、かつ、その地に永住すると認められる者

を除き、国内に住所を有しない期間についても、国内に住所を有するものとみなされることとされています。

ご質問のH教諭は2年間の予定でインドに赴任されるとのことですが、教諭は日本人ですので日本国籍を有している者であって、かつ貴市の教職員の身分で勤務している地方公務員に該当する者と認められます。その場合、同教諭は、我が国の居住者とみなされますので、その年におけるすべての所得が課税対象とされていて、国外における勤務に基づく給与所得についても、我が国で課税されることとなります。

この場合の給与は、日本国内からインドの本人あてに送金して支給されるとのことで

すので、国内払として所得税の源泉徴収の対象となります。

また、インドとの租税条約においても、公認された教育機関において教育を行うため2年以内の期間一時的に滞在する教員であって、現に派遣元国の居住者又は直前に居住者であったものに対しては、その教育に係る報酬は派遣元国においてのみ課税できることとされ、よって派遣先国のインドでは免税とされています。

注　仮にインドにおける勤務予定期間が2年超となるなどの理由で現地において課税されるとしても、我が国では外国税額控除を受けることにより、二重課税が調整されます。

したがって、インドへ赴任したH教諭に送金する給与については、従来どおり、我が国の居住者として源泉徴収が必要となります。

参考　所法3《居住者及び非居住者の区分》、同7《課税所得の範囲》、同28《給与所得》、同183《源泉徴収義務》、所令13《国内に住所を有するものとみなされる公務員から除かれる者》、日印租税条約21《教授、教員等の所得》

129　海外勤務者の年末調整

Q　当社は世界各国に数か所の海外支店を有する内国法人ですが、予定している人事異動により、新たに海外支店勤務のため非居住者となる社員や、海外支店勤務から帰国して居住者となる社員がそれぞれ数名ずついます。

年の中途で非居住者となったり、帰国して居住者となったりした人については、居住者期間に支払った給与について年末調整を行わなければなりませんが、この場合に留意すべき事項があれば教えてください。

A　非居住者に支払う給与等は年末調整の対象になりませんが、年の中途で非居住者から居住者となった場合は、その居住者となった日以後に支給期（支給すべき日）の到来する給与等について、年末調整を行うこととなります。

また、居住者であった者が年の中途で非居住者となる場合は、その居住者であった期間中に支給期の到来した給与等について、出国時に年末調整を行うこととなります。

解説

1　入出国に伴う年末調整の取扱い例

年の中途において居住者又は非居住者という税務上の区分に異動があった場合に、年末調整の対象となる給与等について、課税上のその取扱い例を図示すると、次のとおりです。

① 居住者であって「扶養控除等申告書」を提出していた人が、6月に出国し、非居住者となる場合…出国時までの支給期到来分について年末調整を行う

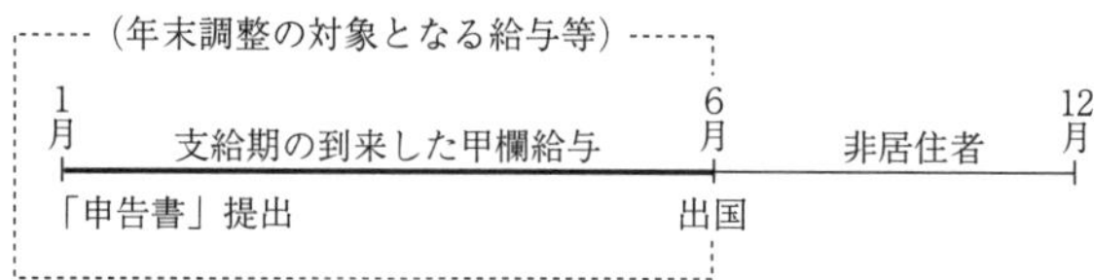

注 出国前の勤務に基づいて支給される給与や賞与でその人の出国後に支給期の到来するものは、年末調整の対象には含めず、国内勤務対応分について原則として20.42%の税率による源泉徴収を行います。

② 4月に入(帰)国し居住者となった人で「扶養控除等申告書」を提出した場合…入国時以降の支給期到来分について年末調整を行う

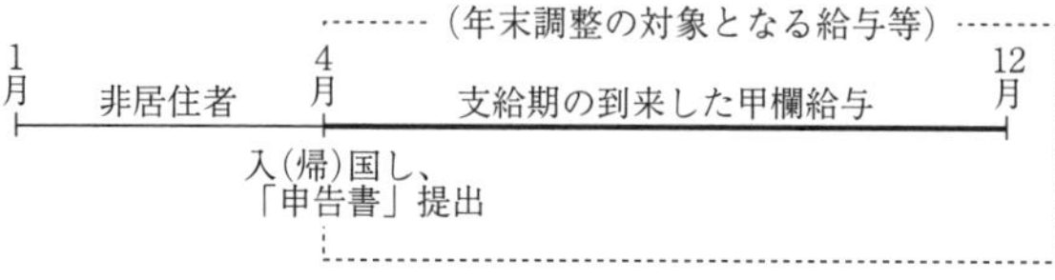

2 年末調整の留意点

この場合の年末調整にあたって、留意すべき点は次のとおりです。

① 年の中途で居住者が非居住者となる予定で出国する場合に行う年末調整の対象となる給与等は、居住者であった期間内に支給期（支給すべき日）の到来した給与等だけです。

つまり、給与所得者にとってその支給期が到来したら、雇用契約などにより給与等を収入する権利が発生することとなりますので、給与所得の収入すべき金額に該当するものとして年末調整の対象とされています。

したがって、その者が出国後に非居住者として支払を受けるべきものは、たとえそれが国内源泉所得として源泉徴収の対象となるものであったとしても、年末調整の対象には含まれません。

また、この取扱いは年の中途で非居住者が居住者となった場合も同様とされていて、居住者となってから支給期が到来した給与等だけが年末調整の対象となります。

注　居住者が国外転出する場合において、①その有している有価証券等の価額相当額、又は契約締結している未決済信用取引等や未決済デリバティブ取引の利益及び損失の合計額が1億円以上ある者であって、②国外転出前10年以内に国内に住所又は居所を有していた期間が合計5年超であるなどの要件に該当する者は、国外転出時に有価証券等を譲渡又は決済したものとみなされて、その含み益に対して譲渡所得又は雑所得等として課税されます（ただし、国外転出後5年以内に帰国し、その帰国時までに有価証券等を引き続き所有している場合には、課税された所得税の還付を受けることができます。また、担保を提供して原則5年間の納税猶予を受けることができます）ので、注意が必要です（所法60の2など）。

② 社会保険料控除及び小規模企業共済等掛金控除は、その者が居住者期間内に支払ったもの、又はその間の給与から控除されたものが控除の対象とされます。

③ 生命保険料控除及び地震保険料控除は、その者が居住者期間内に支払った生命保険料及び地震保険料を基にしてその控除額を計算します。

④ 控除対象配偶者及び扶養親族等の要件に該当するかどうかの判定は、年の中途で居住者が非居住者となる予定で出国する場合には、原則としてその出国時の現況により判定し、年の中途で非居住者が入国して居住者となった場合には、その年の12月31日の現況により判定を、それぞれ行います。これらの判定によりそれぞれ控除の対象となる場合は、法定の控除額全額が控除できます。

注　国外居住（非居住者）の親族について配偶者控除、扶養控除等の適用を受ける居住者は、親族関係書類及び送金等関係書類の提出又は提示が義務づけられていますので、注意が必要です。なお国外居住扶養親族に係る扶養控除については、2023（令和5）年分以後の適用対象者から、「30歳以上70歳未満の親族のうち、留学生や障害者、又は年間38万円以上の生活費の送金を受けている者以外の者は除かれる」こととされています（所法194）。

参考　所法28《給与所得》、同36《収入金額》、同85《扶養親族等の判定の時期等》、同102《年の中途で非居住者が居住者となった場合の税額の計算》、同190《年末調整》、所令258《年の中途で非居住者が居住者となった場合の税額の計算》、所基通190－1《中途退職者等について年末調整を行う場合》

130 源泉徴収を受けない場合の申告納税

Q 非居住者が国内で勤務したことにより支払を受ける給与は国内源泉所得に該当するそうですが、国内に事務所等を有していない外国法人の社員である非居住者が日本のホテルなどに滞在し、本国から送金を受ける給与については、税務上どのような取扱いとなっているのでしょうか。

A 源泉徴収が適用されない給与等の受給者には、所得税の確定申告義務が課されていますが、租税条約による短期滞在者免税の適用ができる場合は、手続をとることにより免税とされます。

解説

所得税法では、非居住者の国内における勤務等に対する給与等を次のように支払う場合には、その給与等の支払者はその支払の際に所得税の源泉徴収をしなければならないこととなっています。

① 国内において給与等を支払う場合

② 国外において給与等を支払う場合において、支払者が国内に事務所等を有しているため、国内における支払とみなされるとき

このようなケースに当てはまらないような場合、つまり、ご質問にあるように、国内に事務所等を有していない外国法人の社員が、非居住者として我が国のホテルなどに滞在し、その外国法人から給与等の送金を受ける（=国外払となる）ような場合など、その給与等の支払事務、及び支払そのものが国外において行われるときは、その給与等について所得税の源泉徴収は行われないこととなります。

そこでこのような場合は、その給与等を受け取る非居住者本人に対して、所得税の確定申告義務を課しています。

すなわち、源泉徴収が適用されない給与等の受給者は、その提出期限とされる給

与等を受給した年の翌年3月15日（同日前に国内に居所を有しないこととなる場合には、その有しないこととなる日）までに、その源泉徴収が適用されない給与等の金額やその金額に20.42%の税率で計算した税額などを記載した確定申告書を税務署に提出するとともに、申告書の提出期限までに、その申告により納付すべきこととなる税額を納付しなければならないこととされています。

なお、我が国が締結している租税条約の多くは、OECDモデル条約にあるように、その非居住者の本国から送金される給与等について、その非居住者の我が国における滞在期間が一定期間内（多くの条約では課税年度中又は連続する12か月中において、183日以内とされています）であり、かつ、その給与等が国外の雇用者から支払われるもので、国内にあるPEにおいて負担されないなどの要件に該当する場合には、免税とする規定（短期滞在者免税）が設けられています（第3章問110参照）。

したがって、そのような規定がある租税条約が適用される国の居住者であって、条約の定める要件に該当する場合には、租税条約に関する届出書を提出すれば我が国では課税されません。

参考　所法172《給与等につき源泉徴収を受けない場合の申告納税等》、同212《源泉徴収義務》、OECDモデル条約15《給与所得》

131　タックスイコライゼーション契約に基づいて会社に返還する国税還付金

Q　内国法人である当社は、国内に事務所等を有していない海外関連会社から外国人社員の派遣を受けていて、その社員（居住者）の給与は国外派遣元会社から直接本人に支払われます。当社はその社員と手取り給与を保証するタックスイコライゼーション契約を結んでいて、その社員は日本で確定申告を行い、その所得税などは当社が負担することとしています。本年の確定申告では、給与収入減少に伴い予定納税額が還付となり、その還付金は当社に返還してもらう予定ですが、返還を受けた場合にはどのような処理を行うべきでしょうか。

A　社員が会社に返還した国税還付金は、既に支給済みの給与等の一部の返還に当たりますので、その返還を受けた日に給与等が減額したものとして取り扱うこととなります。

解説

外国法人が社員を国外に派遣する場合には、その社員との間で給与支給に関して「タックスイコライゼーション（Tax Equalization）契約」（TEQ契約といいます）を結ぶことが広く行われています。

TEQ契約では、企業が社員を海外に派遣するにあたって、本国で勤務続行していたならば（派遣されなかったとしたならば）支給したであろう給与金額から、その金額を前提として計算した税金相当額（ハイポタックス=Hypo Tax）を控除して支給する一方、派遣先国で課される税金については、その使用者が負担することを約す仕組みが組み込まれているのが、一般的です。

TEQ契約を結ぶことにより、別途支給の各種手当がある場合を除き、通常の給与等について、本国勤務時代と同様の手取金額を国外派遣社員に保障して、安心して職務に専念してもらうという効果が期待できます。よって、この契約に基づいて派遣先国で確定申告して納付すべき税金は派遣先会社（使用者）が負担する一方、税金が還付される場合には、手取金額を一定とする契約趣旨に則り、使用者に返還することとなります。

この場合に使用者が負担する所得税等の額は、本来納付（負担）すべき社員本人の租税債務を肩代りして、その社員に対する経済的な利益を供与したこととなりますので、所得税法上、社員に対する給与等の収入金額を構成します。

ご質問の場合の外国人社員は居住者に該当するとのことですが、その場合は永住者又は非永住者であるかを問わず、国外派遣元会社から支給を受ける国外払の給与については、源泉徴収の対象となりません。ただし、貴社が負担した所得税等の額は、その社員に対する給与等として所得税が課され源泉徴収の対象となります。

よって、その税額相当額を貴社が負担する場合には、さらにその申告所得税額負担に伴う経済的利益が生じますので、その負担額を税引き手取額により支払ったものとして、その経済的利益に係る収入金額と源泉徴収税額を計算して、別途納付する必要があります（税引き手取額の計算は第1章問26参照）。

その一方、その社員が確定申告により受け取る還付税額を使用者に返還することは、経済的利益が減少することとなり、ひいては既に受給済みの給与等の一部を返還することにほかならないこととなります。

したがって、ご質問の場合は、確定申告による還付金を使用者たる貴社が社員から返還を受けた日に給与等の減額が行われたものと認められますので、その社員のその年の給与収入から減算することが相当と考えられます。

参考　所法28《給与所得》、同36《収入金額》、同120《確定所得申告》、同183《源泉徴収義務》、所基通181～223共－4《源泉徴収の対象となるものの支払額が税引手取額で定められている場合の税額の計算》

132 専修学校等に就学中の外国人アルバイトの給与

Q 内国法人である当社では、日本語学校等の専修学校などに在学中の外国人就学生をアルバイトとして雇用する予定ですが、就学生の中には、我が国と租税条約を締結している中国及びフィリピンの居住者である非居住者が含まれています。

これらの就学生に支払う給与は、租税条約上どのように取り扱われるのですか。

A 専修学校等に通う就学生については、租税条約に定める学生等の免税条項は適用されませんので、非居住者とされるこれらの者に支払う給与等には、所得税の源泉徴収を行う必要があります。

解説

非居住者が国内勤務に基づいて支給を受ける給与等については、所得税法上、原則として国内源泉所得に該当して課税されますが、各国との租税条約では、OECDモデル条約にあるように「学生」及び「事業修習者」等について免税条項を定めているのが通例です。この学生及び事業修習者等の範囲について、各条約では具体的に定義づけられていませんので、その場合は国内法の規定に従って解釈することとされています。

1 学生の範囲

実特法省令第8条において、学生等の免税条項の適用がある学生とは「学校教育法第1条に規定する学校（幼稚園から大学まで）の学生、生徒又は児童」と定義づけられていますので、いずれの条約においても、ご質問にある専修学校あるいは各種学校の就学生は、学生に該当しないものとして取り扱うこととなります。

したがって、ご質問の場合には租税条約の免税条項の適用はなく、国内法に基づき原則どおり、その給与等については、所得税の源泉徴収が必要となります。

2 事業修習者等の範囲

租税条約上は通常、「事業修習者」と「事業習得者」とに分かれて規定されています。

事業修習者とは、通常、職業上又は事業上の知識、技能又は経験などをほとんど有していないような、いわゆる企業内の見習い研修者や、我が国の職業訓練所又はこれに準ずる訓練施設において訓練、研修を受けるような者をいいます。

事業習得者とは、ある程度の技能、経験などを有する者で他企業から技術上又は職業上の経験を習得する人とされています。よって、ご質問の場合の就学生は、事業修習者等にも該当しないこととなると認められます。

なお、ご質問にある中国とフィリピンとの租税条約に定める学生・事業修習者等の免税制度の概要は、次表のとおりとなっています。

相手国	対　象　者	免税とされる所得
中　　国	①　学生 ②　事業修習者 ③　研修員（事業習得者と同じ）	生計、教育又は訓練のために受け取る給付又は所得
フィリピン	①　学生（5年以内は免税） ②　職業上等の訓練を受ける者（事業修習者）、政府若しくは教育の団体等から勉学等のための奨励金等を受領する者（3年以内は免税）	生計、教育、勉学、訓練等のための海外からの送金、交付金、奨励金等のほか、滞在地における年間1,500米ドル相当額を超えない人的役務の報酬
	③　事業習得者（滞在期間1年以内） ④　政府間の交換研修生（滞在期間1年以内）	滞在地における1年間の人的役務の報酬（海外から受領するものを含みます）が4,000米ドル相当額を超えない場合のその報酬

注1　上記の免税の特例を受けるには、租税条約に関する届出書の提出が必要です。
　2　上記の国以外の租税条約の取扱いの概要については、巻末の付録「租税条約（源泉徴収関係）一覧」を参照してください。

参考　所法161①十二《国内源泉所得》、同212《源泉徴収義務》、実特法省令7《教授等の届出》、同8《留学生、事業修習者等の届出等》、日中租税協定21《学生》、日比租税条約21《学生》

133 ベトナム人実習生に支払う技能実習に伴う手当

Q 内国法人である当社は、10か月間の予定でベトナムの取引先企業から数名の技能実習生（技能実習1号）を受け入れることとなりました。この場合に行う研修は、業務上の実習を通じて研修生の技能、経験を高めることを目的としています。

この実習生に対して研修手当を支給することとしていますが、給与として源泉徴収をすべきでしょうか。

A 非居住者とされる技能実習生に支給する研修手当は、その名目いかんにかかわらず、雇用契約に基づく労働の対価として給与等に該当すると認められますので、原則として所得税の源泉徴収を要することとなります。

解説

ご質問にあるベトナムからの実習生は、10か月間の滞在予定ということですので、非居住者に該当します。その研修手当が国内における給与等の人的役務提供の対価に該当する場合には、所得税法上、国内源泉所得として課税されることとなります。

2010（平成22）年の出入国管理及び難民認定法（入管法）改正により、従前の「研修」の在留資格で入国して行う技能習得活動は「外国人技能実習制度」に一本化されており、その後の改正により、実習実施機関である企業等において技能・技術・知識を習得させるために最長5年間の在留資格が与えられることとなっています。この技能実習制度の下では、1年目から企業等との雇用契約に基づき技能実習を受けることとされていて、そのため労働関係法令が適用されることとなっています。

注　この技能実習制度のほかに、我が国における労働力人口の低下対策に資するため労働力の確保を目的として、外国人の新たな在留資格として「特定技能」制度が2019（平成31）年4月から創設されていて、介護・農業を含む14分野の業務に従事することができることとなっています。その在留期間は、技能水準に応じて取得する資格により、4か月ないし最長3年毎の更新を求められますが、通算して5年間を上限とする特定技能1号と、更新回数に制限のない特定技能2号に在留資格が区分されています。

この場合の在留資格である技能実習1号では、当初は原則として1年以下の在留許可となることから、通常、在留1年目では非居住者に該当するものと認められます。

よって、実習生が我が国で技能実習を行うことにより受ける研修手当などの対価は、非居住者が国内で行う人的役務の提供による労働の対価として給与等に当たるものと認められ、国内源泉所得に該当して所得税の源泉徴収の対象となります。

その一方、ベトナムとの租税協定においては、OECDモデル条約と同様に、ベトナムの事業修習生で、もっぱら教育訓練を受けるために日本に滞在するものが「日本以外から支払われた生計、教育又は訓練のために受け取る給付」については免税とされていますが、日本における勤務について取得する手当などの報酬については、原則として国内法と同様の取扱いとなっています。

したがってご質問の場合は、実習生が支払を受ける研修手当については非居住者に支払う給与等として、所得税の源泉徴収が必要となります。

注　ベトナムとの租税条約と同様の内容を規定している条約締結国には、インド、ブラジル、マレーシアなど多くの国がありますが、滞在期間や年間収入に制限を設けている締結国もあります。

なお、実習生がその後、技能実習2号又は同じく3号の在留資格を取得したり、あるいは技能検定試験に合格するなどして特定技能など新たな在留資格が許可されれば、その許可を受けた日以後は、国内に1年以上滞在することを通常必要とする職業等を有するものとして、居住者（非永住者など）に該当することとなり、実習生が支給を受ける対価は、居住者に対する給与等として所得税の源泉徴収の対象となります。

参考　所法2①《定義》、同28《給与所得》、同161①十二《国内源泉所得》、同183《源泉徴収義務》、同212《源泉徴収義務》、日越租税協定20《学生》、入管法2の2《在留資格及び在留期間》、同19の3《中長期在留者》、同別表第一の二《技能実習》

134 中国人実習生に支払う技能実習に伴う賃金

Q 内国法人である当社では、中国人技能実習生を「技能実習1号」の在留資格により、まずは実質1年以内の予定で受け入れていて、この実習生に対して当社規定に基づく賃金を支給しています。

この実習では、日本語研修などを経て現場における生産ラインを経験させることとしていますが、実習期間中に大量の受注を受け、生産ラインの稼動時間を延長して正規の時間を超えて従事させることとなりました。その延長部分に相当する分の割増賃金を支給することとしていますが、この割増賃金を含む賃金支払額については源泉徴収が必要となるのでしょうか。

A 非居住者とされる中国の技能実習生に支払う賃金は、割増賃金も含め日中租税協定に定める免税規定が適用されますので、所得税の源泉徴収は要しません。

解説

ご質問の技能実習生は1年以内の期間の予定で我が国に滞在して技能実習を受けるとのことですし、また、在留資格があくまでも1年間に限られていることから、当初、技能実習生は1年以上我が国に居住することを必要とする職業等を有していないと認められ、よって、原則として非居住者に該当するものと考えられます。

所得税法上は、非居住者に支払う賃金などが国内における人的役務提供の対価に該当する場合には、国内源泉所得として課税されますが、日中租税協定では、中国の居住者たる事業修習者又は研修員が、我が国においてその生計、教育や訓練などのために受け取る給付又は所得については、特に金額の制限なく免税とされています。

ご質問の場合は、技能実習に伴う賃金のほかに、いわば超過勤務手当的な意味合いの手当を加算して支給しているとのことですが、その加算部分も含め、実習生が生計や訓練などのために受け取る給付であることに変わりはありませんので、協定の免税規定はそのまま適用されるものと認められます。

したがって、所得税の源泉徴収は要しないものと考えられます。

なおこの場合には、租税条約に関する届出書を支払者の所轄税務署に提出する必要があります。

ただし、例えば仮に、研修生といいながら協定が規定する訓練、研修としての実態がなく、通常の就労状態と変わりがないと認められるような場合には、協定の適用はないものと考えられますので、その場合に支払う対価については、給与等として所得税の源泉徴収を行う必要が生じます。

注　日中租税協定と同様の内容を規定している条約締結国には、タイ、インドネシア、フィリピンなどがありますが、滞在期間や年間収入に制限を設けている締結国もあります。

参考　所法2①《定義》、同161①十二《国内源泉所得》、同162《租税条約に異なる定めがある場合の国内源泉所得》、同212《源泉徴収義務》、日中租税協定21《学生》、入管法2の2《在留資格及び在留期間》、同別表第一の二《技能実習》

135 海外からエンジニア招へいのための支度金等

Q　内国法人である当社では、海外のエンジニアリング会社に現在勤務しているエンジニアを招へいして、その会社から派遣を受けて当社の技術スタッフの指導にあたってもらおうと考えています。期間は8か月間で、海外で本人と直接契約する際に支度金と来日のために必要な旅費（実費相当額）を本人に直に支払う予定です。これらの支払について、源泉徴収をする必要があるのでしょうか。

A　非居住者に対して、国内において役務提供を受けるために支払う支度金などは、国内源泉所得に該当しますので、所得税の源泉徴収が必要です。

解説

ご質問の場合の招へいする人は独立した立場でなく、海外企業に勤務しながら、貴社の招へいに応えてその企業から派遣されるといっても、本人と直接契約して国内において役務提供を行うとのことですので、その場合、所得税法に規定する非居住者に対して支払う給与その他人的役務の提供に対する報酬に該当し、その報酬には、既に役務提供をしたことにより支払われるものだけでなく、将来において役務提供を行うことを約し、又は他の者のために役務提供をしないことを約することにより支払われる対価も含まれるものと解されています。なぜならそのような支払も、支払の時期、名目、形態を問わず、それぞれ役務提供の対価を構成するものにほかならないと考えられるからです。

したがって、ご質問にあるエンジニアとの契約により支払う支度金は、国内での勤務を約することによる将来の役務提供の対価の前払的な性格のものですから、たとえ貴社に勤務する前に国外で支払うものであっても国内の支払とみなされて、その支払の時期いかんにかかわらず国内源泉所得に該当し、所得税の源泉徴収の対象とする必要があります。

また、旅費についても、原則として支度金と同様に給与その他人的役務の提供に対する報酬に含まれますので、本人に直接支払う場合には、実費相当額であるとしても源泉徴収する必要があります。

ただし、旅費については、そのエンジニアに対して支払わず、利用する航空会社等に貴社が直接支払い、かつ、その金額が通常必要であると認められる範囲内のものであるときは、本人の役務提供の対価を構成しないものと考えられ、所得税の源泉徴収をする必要はないこととされています。

なお、各国との租税条約においても、給与その他人的役務の提供に対する報酬の具体的な範囲等については、例外なく締結国の租税法令において定める意義に従うこととされていて、その結果、国内法と同様の取扱いとなっているのが通例です。

注　本問の場合と異なり、そのエンジニアの勤務する会社と派遣契約を結び、人的役務提供事業の対価の支払に該当するようなケースの場合は、OECOモデル条約にあるように、通常、租税条約の事業所得条項が適用されますので、国内に有するPEを通じたものでない限り、所定の手続をとれば、その対価は免税とされることとなります（OECOモデル条約7）。

参考　所法161①十二《国内源泉所得》、同212《源泉徴収義務》、所基通161－19・同161－40《旅費、滞在費等》

136 派遣された外国人社員に支給するホームリーブ費用

Q　内国法人である当社は、欧米各国の企業との技術提携に伴い実施している企業間の人的交流を支援するために、社内規程において、外国企業から派遣された外国人社員が一定期間（1年以上）勤務した場合には、本国へ帰国することができる休暇制度を設けています。

規程上では、その外国人の社員が一時帰国するために必要な往復の航空券を支給することとなっていますが、このとおり実施した場合は、源泉徴収が必要となるでしょうか。

A　派遣された外国人に対して会社が負担するホームリーブ費用は、実費程度などの一定の要件を満たせば、所得税の源泉徴収の必要はないこととされています。

解 説

給与所得者に対して旅費交通費を支給する場合において、その職務遂行上の必要性などの一定の要件を満たさない部分の金額については、所得税法上、原則として本人に経済的な利益を供与したものとされて、給与等として課税されることとなります。

しかし、外国企業などから我が国に派遣されている外国人については、その置かれた労働環境の特殊性が考慮され、次のような課税の特例があります。

出向や転勤により本国を離れて我が国で長期間引き続き勤務している外国人に対して、就業規則等に定めるところにより、概ね1年以上の期間を経過するごとに休暇のための一時帰国（ホームリーブ=Home Leave）を認め、その帰国のための旅行に必要な費用（ホームリーブ費用）を勤務先が負担する場合には、その額が実費程度のものであれば、給与等に当たらず所得税課税を要しないこととされています。

ここにいう実費程度とは、国内とその旅行先（原則として、その外国人又は配偶者の国籍又は市民権の属する国）との往復旅費などで、最も経済的かつ合理的と認められる通常の経路・方法をとった場合にかかる費用相当額をいうものとされています。

したがって、ご質問の場合のような休暇制度による本国との往復航空券の支給については、規定どおりに実施した場合には、実費程度との要件を充たしており、給与等として課税しなくて差し支えないものと認められます。

なおこの取扱いは、その外国人と生計を一にする配偶者などの家族の費用を含めて負担した場合も同様です。

注1　ホームリーブ費用の支給に関して本文の内容の取扱いとなった趣旨については、「その外国人が本国を離れ、気候、風土、社会慣習等の異なる国において勤務する者について、使用者が認めた帰国休暇は、労働環境の特殊性に対する配慮に基づくものであることから、使用者が支給する旅行費用については、課税上の特例を設けるのが相当と認められる」こととされています。

2　この取扱いは上記の趣旨からみて、海外から転勤などにより日本に派遣された者（エクスパッツ＝Expatriate（国外在住者）の略称）を対象としたものと認められますので、エクスパッツに該当しないこととなるような、日本国内で採用された外国人には適用はないものと考えられます。

参考　所法9①四《非課税所得》、同28《給与所得》、同36《収入金額》、昭50直法6−1

137 派遣された外国人技術者に支給する通勤費と社宅の無償貸与

Q 内国法人である当社は、アメリカ法人I社と技術提携をして電子部品の製造を行っていますが、本年から技術指導を受けるために、I社のアメリカ人技術者J氏が6か月の予定で派遣されることとなりました。

J氏の給与は、I社がJ氏の留守宅に支払いますが、当社はJ氏の滞在中、マンションを借り上げて社宅として無償で貸与するほか、マンションから当社までの通勤費の実費を支払う予定です。

この場合、社宅の無償貸与や通勤費は、源泉徴収の対象となるのでしょうか。

A 非居住者とされる派遣を受けた技術者に供与する経済的な利益について、居住者の場合と同様の計算を行い、国内源泉所得に該当する金額が生ずる場合は、所得税の源泉徴収を要することとなります。

解説

ご質問の場合、貴社からJ氏に対する給与そのものの直接的な支給はありませんが、貴社が支給する通勤費及び社宅の無償貸与による経済的な利益は、所得税法では原則として、J氏の国内における人的役務提供の対価に係る国内源泉所得に該当することとなりますので、それについては所得税の源泉徴収を要します。

この場合において、J氏が無償で社宅の貸与を受けることによる経済的な利益の額の計算は、居住者の場合と同じ方法で行います。また、通勤手当の一定限度額について非課税扱いを受ける対象者は、給与所得を有する居住者についての規定ですが、非居住者の国内源泉所得とされる所得税法第161条第1項12号にいう「俸給、給料、賃金、歳費、賞与又はこれらの性質を有する給与」と、居住者の各種所得とされる所得税法第28条にいう「給与等」は、その規定する内容は同じであると認められることから、居住者である給与所得者に対する通勤手当の非課税の取扱いを同様に適用して差し支えないものと思われます。

なお、日米租税条約においては、滞在期間が連続する12か月中における183日以内の短期滞在者に関する免税の規定がありますが、その規定は、その人が、我が国の居住者（法人を含みます）以外の雇用者など（非居住者等）から支給を受けるものについて、一定の要件を満たした場合には所得源泉地国では課税できないとするものですから、ご質問のケースのように、内国法人又は居住者から支給を受けるものまでも課税できないとする定めではありません。

したがって、内国法人である貴社から支給を受けるご質問の内容の経済的な利益について居住者の場合と同様の計算をした結果、給与等として課税対象となる金額がある場合には、短期滞在者免税の規定は適用されず、源泉徴収の対象となります。

参考　所法9①五《非課税所得》、同28①《給与所得》、同161①十二《国内源泉所得》、同212《源泉徴収義務》、所令20の2《非課税とされる通勤手当》、同84の2《法人等の資産の専属的利用による経済的利益の額》、所基通36－41《小規模宅地等に係る通常の賃貸料の額の計算》、同36－45《使用人に貸与した住宅等に係る通常の賃貸料の額の計算》、日米租税条約14《給与所得》

138　タイからの短期滞在者の免税

Q　内国法人である当社のタイ子会社の社員が、当社の技術スタッフと技術の共同開発をするために、急遽10月1日から翌年の5月末までの予定で、当社の工場へ来日することとなりました。この間の給与はタイ子会社から支給されますが、この給与について日本で課税されるのでしょうか。

タイ子会社が支給する給与は、タイとの租税条約に定める短期滞在者免税に該当しますので、我が国での課税は免除されます。

解説

非居住者が支払を受ける給与等について、所得税法では、国内勤務に基因するものについては国内源泉所得として課税されることとなっていますが、ご質問にあるように、短期間だけの人的役務の提供に対する報酬で一定のものについては、我が国が締結している租税条約の多くには、短期滞在者免税の規定が設けられています。

ご質問にあるタイとの租税条約では、

①　その年を通じて滞在期間が180日以下であること

②　その給与がタイの居住者等から支払われるものであること

③　その給与が我が国で課税される企業によって負担されるものでないこと

とされていて、この要件を満たせば、我が国での課税は免除されることとなっています。

ご質問の内容では、上記②と③は、それぞれ免税要件ををクリアしているものと認められ、上記①でいう180日は暦年単位（条約英文=「in the calender year concerned」）により計算しますので、ご質問にあるようにたとえ滞在期間が通算すると180日を超えていたとしても、暦年単位でみる場合、その年の滞在期間が、来日時の年は92日で、翌年は151日（又は152日）となることから、それぞれ180日以下となる場合に該当し、タイとの租税条約による短期滞在者免税の適用を受けることができます。

したがって、ご質問の場合は、その勤務期間が予定どおりとなるような場合で、暦年単位ではそれぞれの年の滞在期間が180日以下となる限り、タイとの租税条約による短期滞在者免税の要件を満たしているものと認められますので、必要な手続をとることにより、我が国における課税は免除されます。

暦年ベースで判定する場合の短期滞在者免税の適用に関する滞在期間ごとの取扱いを図示すると、次のとおりです。

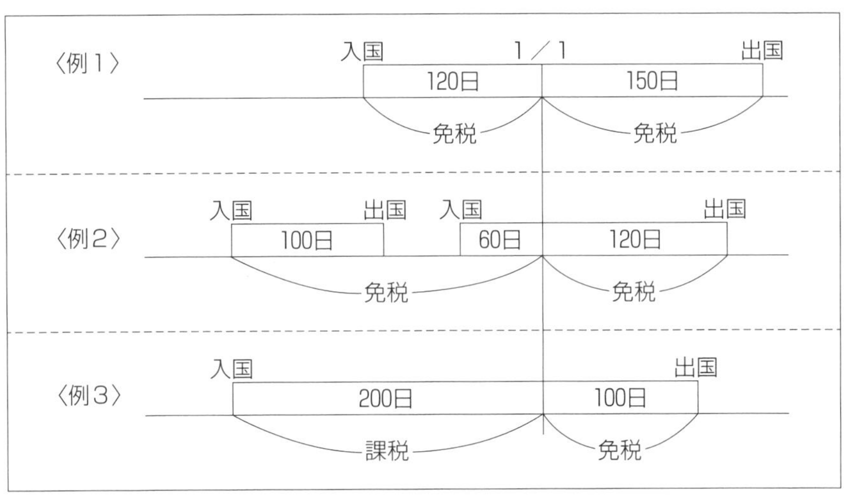

なお、タイとの租税条約と同様の暦年ベースで滞在期間を計算する規定を置いている条約締結国は、イタリア、カナダ、韓国、中国、フィリピン、ブラジル、ベトナムなど多くの国にのぼっていますが、それらの国とは、OECDモデル条約と同様に、滞在期間の日数が183日以内と規定されているほか、短期滞在者免税のその他の要件について、勤務地国以外の居住者（非居住者等）が報酬を支払い、勤務地国にあるPEなどにより負担されないことを要件としているものが多くあります。

ただし、近年の条約改正などにより、アメリカ、イギリス、フランス、オーストラリア、ドイツなどとの条約においては、滞在期間について、暦年（課税年度）単位ではなくて、「当該課税年度において開始又は終了するいずれの12か月の期間」（連続する12か月の期間）において判定することとされています。よって、そのような条約締結国の居住者で、上記に図示されている例のうち、例1と例3にあてはまる場合は、いずれもその連続する期間における給与について、課税されることとなります。

参考　所法161①十二《国内源泉所得》、同162《租税条約に異なる定めがある場合の国内源泉所得》、日泰租税条約14《人的役務の提供に対する報酬》

139　滞在期間を延長した場合の交換教授等免税

Q　当大学では、当初2年間の予定でアメリカの大学教授K氏を招へいしましたが、その後、当方の要請により、K教授は契約期間をさらに1年間延長することとなりました。

また、K教授に加えて新たにイギリスの居住者で同国内の大学教授L氏を2年間の予定で招へいすることも決定しました。

この場合に、K、L両氏が受け取る報酬について、日本では免税とされるのでしょうか。

なお、K氏については来日当初に、租税条約による交換教授免税を受けるために租税条約に関する届出書を提出しています。

国内法上は交換教授等に関する免税規定はありませんので、原則どおりに課税されることとされていますが、租税条約に定める免税規定の要件を満たした場合は、我が国では免税となります。

解説

ご質問の場合、所得税法上は、その滞在予定期間からすると両氏とも居住者に該当しますので、原則として国内外を問わず取得する所得については課税されることとなりますが、租税条約の適用によってその取扱いが変更される場合があります。

両氏に関する租税条約の適用は次のとおりとなります。

1　K氏の場合の租税条約の適用

日米租税条約では、現行条約の改正（2019（令和元）年8月30日発効）前において「米国居住者に引き続き該当する個人が、日本国内にある大学等の教育機関において、教育又は研究目的で一時的に滞在して行う教育又は研究につき受ける報酬は、国内に到着した日から2年を超えない期間は免税とする」こととする規定（第20条）がありましたが、同規定は現在は削除されていてその規定はありません。

ただし、旧条約を改正する議定書には、「この議定書の効力発生の時（2019年8月30日）において、旧条約第20条の規定により認められる特典を受ける権利を有する個人は、新条約発効後においてもその特典を受ける権利を引き続き有する」（改定議定書第15条第5項）と経過措置がされています。

これにより、改正前の旧租税条約の規定からは、教育又は研究目的で一時的に滞在する人である限り、途中で契約の改定があって滞在期間が2年を超えることとなった場合でも、当初の2年間は免税の適用があるものと解されます。

したがって、ご質問の場合は改正議定書の効力発生日である2019（令和元）年8月30日以前に入国して契約がスタートしていることが条件となりますが、租税条約に関する届出書の提出がされているとのことですので、K氏の到着日（入国日）から2年間は免税となります。ただし、その2年経過後は居住者に支給する給与として、原則どおり所得税の源泉徴収を要することとなります。

また、上記の効力発生日後に入国して契約がスタートした場合は、租税条約の免税規定は適用されませんので、居住者に支給する給与として源泉徴収を要します。

なお、米国人の場合は双方居住者となる可能性があり、租税条約の適用による判定次第では、我が国では非居住者とみなされる場合があります。その場合には、2年経過後にK氏が受ける報酬は、非居住者として受け取る国内勤務に基づくものですから、20.42%の税率により源泉徴収されることとなります。

注　双方居住者の取扱いについては、第3章問108の注参照。

2　L氏の場合

旧日英租税条約第22条第1項では、教育目的で2年を超えない期間滞在する教授等について、その受ける報酬を免税としていましたが、2006（平成18）年改正の新日英租税条約では、その規定は削除されていて、その後の改正においても同様です。

したがって、英国居住者であるL氏については、来日後は国内法が適用されることとなりますので、L氏に支払う報酬については、当初から、居住者に支給する給与として所得税の源泉徴収を要することとなります。

注　本問の条約締結国以外の締結国との租税条約のうち、中国とは、滞在期間の要件が3年となっています。また、イスラエル、韓国、フランスなどとの間では、滞在期間の要件（2年以内）は同じとしても、派遣元の国で課税される場合には、所得源泉地国（日本）では免税とする規定を置いています。

参考　所法2《定義》、同3《居住者及び非居住者の区分》、同7《課税所得の範囲》、同28《給与所得》、同161①十二《国内源泉所得》、同162《租税条約に異なる定めがある場合の国内源泉所得》、同183《源泉徴収義務》、同212《源泉徴収義務》、実特法6《双方居住者の取扱い》、日米租税条約4《居住者》

140 専修学校における交換教授等免税

Q 当学校は外国語専門の専修学校で、世界各国から教授を招へいしています。当学校が招へいした教授について、交換教授等免税の規定を適用することができるのでしょうか。

A 専修学校の教授については、租税条約に定める交換教授等免税規定は適用されないこととなります。

解説

我が国が締結している租税条約の多くには、「大学その他の教育機関で教育又は研究を行うために来日し、2年以内の期間滞在する教授又は教員（個人）が、その教育又は研究について受ける報酬については、我が国では課税しない」とする規定、つまり交換教授等免税の規定が設けられています。

これらの租税条約の中には、対象となる教育機関の範囲について、例えば日伊租税条約のように「大学、学校その他の教育機関」としているものと、日仏租税条約のように「大学、学校その他の公認された教育機関」としているものとがありますが、貴校のような専修学校がその範囲に含まれるかどうか、各条約とも明確な規定は置いていません。

これについては、各租税条約ともその定義については各締結国の租税に関する法令上の意義によることを通例としていて、実特法省令の規定によれば、交換教授免税規定の対象とされるのは、「学校教育法第1条に規定する学校」とされていて、その定めから、幼稚園から大学までの学校における教育又は研究に関してのみ適用されるものと解されます。

したがって、ご質問の専修学校や各種学校の教授又は教員については、租税条約で規定している免税条項の適用はなく、国内法に基づく原則どおりの課税取扱いとなります。

参考　日伊租税条約3《一般的定義》、同20《教授》、日仏租税条約3《一般的定義》、同21《教授》、実特法省令7《教授等の届出》

141　イタリア人研究員に対する交換教授等免税

Q　当大学では、学内の研究センターの研究員として1年間の滞在予定で来日しているイタリアの大学教授に、研究の傍ら、大学院生に対して講義してもらうこととなり、研究の報酬と併せてその報酬も支払うこととなりました。この場合、交換教授等免税の適用はあるのでしょうか。

A　来日した大学教授に支払う報酬は、教育及び研究活動に係る報酬と認められ、日伊租税条約に定める交換教授等免税の適用対象となりますので、所得税は免除されることとなります。

解説

ご質問の大学教授は1年間の滞在予定とのことですので、所得税法上は非居住者に該当し、非居住者が支払を受けるその国内における役務提供の対価については、国内源泉所得として課税されることとなっています。

一方、日伊租税条約では、「大学、学校その他の教育機関において教育又は研究を行うため一方の締約国を訪れ、2年をこえない期間一時的に滞在する教授又は教員で、現に他方の締結国の居住者であるか、又は訪れる直前に他方の締結国の居住者であったものは、その教育又は研究に関して取得する報酬について、その一方の締約国の租税を免除される」と規定されており、同条約に定める交換教授等免税の対象となる範囲は「教育又は研究」活動に係る報酬とされています。

したがって、ご質問の研究員に対する報酬は、研究の報酬と大学院生に対する講義（=教育）の報酬から成ることから、租税条約による免税の適用対象となりますので、所定の手続を行うことにより我が国では課税されません。

なお、租税条約の締結国によっては、教育のみが免税の対象となっている場合もありますので、その規定内容に留意してください。

注　交換教授等免税について、「教育のみ」の報酬を免税対象とする条約締結国には、アイルランドがあります。

参考　所法161①十二《国内源泉所得》、同212《源泉徴収義務》、日伊租税条約20《教授》

142　休職後に帰国した非居住者に支払う退職金

Q　内国法人である当社の外国人社員は、日本における10年間の雇用契約期間の終了日1か月前から病気を理由に休職し、母国のフィリピンに帰国しました。

社員の休職前の勤務期間に応じた規定どおりの退職金を支給する予定ですが、退職金はどのような課税取扱いとなるのでしょうか。

A　退職金の収入すべき日である雇用契約終了日（退職した日）においては非居住者に該当することから、居住者期間の勤務に基因する退職金は、国内源泉所得として所得税の源泉徴収が必要です。

解説

所得税法における退職所得とは、居住者又は非居住者を問わず、退職したことに基因して一時に支払われることとなった給与をいい、その収入すべき時期は、原則としてその退職の日によるものとされています。ご質問にあるように、社員がたとえ休職期間中であったとしても、その社員との間の雇用契約そのものは継続しており、社員の退職した日は、あくまでも雇用契約が終了した日となります。

また、退職所得を計算する際の要素となる勤務年数をカウントするときの勤務した期間には、原則として休職期間中も含まれることとされています。

ご質問の場合は、その社員の雇用契約期間終了日、すなわち退職日においては、母国に帰国していたとのことですので、非居住者に該当することとなります。その場合、非居住者に支払う退職金で居住者期間における勤務に基因するものは、国内源泉所得に該当して所得税の源泉徴収を要することとなります。

その一方、フィリピンとの租税条約では、給与所得条項で「勤務について取得する給料、賃金その他これらに類する報酬」についてはその勤務地国において課税できることとされていて、その条項に定める報酬に含まれることとなる退職金についても、国内法と同様の課税取扱いとなっています。

したがって、ご質問の退職金については、その支払の際に20.42%の税率による源泉徴収が必要となります。

注　非居住者の退職所得については、本人の選択による所得税の確定申告を行うことにより、居住者と同様の計算内容による課税を受けることができ、還付申告が可能となる場合があります（次々問（問144）参照）。

参考　所法30《退職所得》、同36《収入金額》、同161①十二《国内源泉所得》、同212《源泉徴収義務》、所令69《退職所得控除額に係る勤続年数の計算》、所基通30－1《退職手当等の範囲》、同30－7《長期欠勤又は休職中の期間》、同36－10《退職所得の収入金額の収入すべき時期》、日比租税条約15《給与所得》

143 米国駐在役員に支払う退職金と退職年金

内国法人である当社のニューヨーク支店に駐在するアメリカ本土担当の役員M（米国居住者）が退職することとなり、日本の本社からMに退職金及び退職年金を支払うこととなりました。

なお、Mは本社に25年間勤務した後、役員に就任するとともにアメリカ担当としてニューヨークに移住し、そのまま10年間勤務し、その間に使用人としての勤務はありませんでした。

非居住者のMに支払う退職金及び退職年金は、源泉徴収の対象となるのでしょうか。

米国居住者の役員に支払う退職金は、所得税法上、そのすべての金額（国内勤務部分と役員勤務部分）が国内源泉所得に該当して所得税の源泉徴収の対象となりますが、退職年金については、日米租税条約を適用することにより、免税となります。

解説

1 退職金の取扱い

所得税法上、退職の日において非居住者となっている人に支払う退職金のうち、使用人（社員）としての勤務に対するものは、居住者であった期間に行った勤務などに基因するものが国内源泉所得に当たるものとされていますが、内国法人の役員については、原則として、その役員としての勤務で国外において行う者が非居住者であった期間内に行ったものも、居住者期間の勤務に含まれることとされていて、非居住者期間における国外勤務によるものも国内源泉所得に該当します。

その一方、日米租税条約では、退職金に関する規定そのものは置かれていませんので、米国居住者に対して支払う退職金については、使用人としての勤務に対応するものは同条約における給与所得に関する規定を適用し、又は内国法人の役員としての在任期間に対応するものがある場合には、役員報酬に関する規定を適用することとなります。

ご質問の場合は、同条約における給与所得及び役員報酬の双方の規定が適用されますが、その給与所得条項では国内法と同様に、国内勤務から生ずる報酬に対しては、我が国において課税できることとされています。また、役員報酬条項では、法人の役員の資格で取得する役員報酬その他これに類する支払金に対しては、法人所在地国（日本）において課税できることとされています。

したがって、貴社がMさんに支払う退職金のうち、使用人としての国内勤務部分と役員としての勤務部分の双方について、すなわち退職金の全額について20.42%の税率による所得税の源泉徴収が必要となります。

注　本人の選択により所得税の確定申告を行うことにより、退職所得については居住者並み課税を受けて源泉所得税が還付される場合があります（次問（問144）参照）。

2　退職年金の取扱い

退職年金については、所得税法上、公的年金等に該当するものは、居住者又は非居住者期間の有無にかかわらず、すべて国内源泉所得に該当します。

その一方、日米租税条約では、米国居住者に退職年金その他これに類する報酬を支払う場合は、居住地国のみで課税され、所得源泉地国の我が国では免税とされています。なお、免税の特典を受けるには居住者証明書などの必要な書類を添付して、租税条約に関する届出書を貴社の所在地の所轄税務署に提出する必要があります。

参考　所法161①十二《国内源泉所得》、同162《租税条約に異なる定めがある場合の国内源泉所得》、同212《源泉徴収義務》、所令285③《国内に源泉がある給与、報酬又は年金の範囲》、日米租税条約14《給与所得》、同15《役員報酬》、同17《年金》

144 海外勤務者に支払う退職金の源泉徴収と選択課税

Q　内国法人である当社の日本人社員でパリ支店勤務のNが、本年9月に現地で退職することとなり、退職金3,500万円を支払う予定です。Nは国内で25年間勤務してパリ支店に転勤し、同支店での勤務は10年間です。

Nは退職金受給の際は非居住者に該当しますから、国内勤務分の支給額については税率20.42％で所得税が源泉徴収されるそうですが、仕事の都合で退職時に海外にいた者については、国内にいる者のように退職金の税負担の軽減はないのでしょうか。

A　非居住者に退職金を支払う場合には、その支払の際に、国内勤務に対応する収入金額について、20.42％の税率による所得税の源泉徴収が必要です。

しかしながら、本人の選択による所得税の確定申告を行うことにより、その年中に受け取った退職金の総額が居住者として受けたものとみなされて、居住者と同様の計算内容による課税を受けることができます。

解説

1 原則的な取扱い

ご質問の日本人社員Nさんは、現地滞在のまま退職するとのことですので、所得税法では非居住者に該当してその退職金の課税を受けることとなりますが、日仏租税条約では退職金に関して別段の定めがなく、給与所得条項が適用され、国内法と同様に、使用人（社員）については原則として役務提供（勤務）地国課税とされています。

所得税法では、非居住者である社員の退職金については、原則として居住者期間内の勤務に基づくものに対して、20.42%の税率による所得税の源泉徴収が必要とされていて、源泉分離課税となります。

ただし、退職金については、居住者とみなして課税する制度、すなわち「退職所得についての選択課税」といわれる制度があります。これは、長年にわたり国内で勤務した人が、たまたま勤務先の職務命令により海外支店などに勤務することとなり、非居住者となったままで退職することとなったような場合に、国内勤務のまま退職する者との課税上の均衡を考慮して、税負担が過重とならないように調整を図るために設けられた制度といわれています。

1　計算内容

(1)　通常の場合

非居住者が退職金の支払を受ける場合には、居住者であった期間に行った勤務に対応する部分の金額が国内源泉所得とされますので、その国内源泉所得金額は、退職金の総額に、退職者の全勤務期間に占める国内勤務期間の割合を乗じて計算することとなります。

ご質問の場合の国内源泉所得の金額及び源泉徴収税額の計算は、次のとおりです。

国内源泉所得の金額	(退職金)3,500万円×$\frac{25年(国内勤務期間)}{35年(全勤務期間)}$＝2,500万円
源泉徴収税額	(国内源泉所得)2,500万円×20.42%(税率)＝5,105,000円

(2)　選択課税の場合

本人の選択により、居住者と同様の課税を受けるときのご質問の場合の課税される退職所得の金額は、居住者の場合と同様に、退職金の総額から、貴社における勤続年数（35年）に応じた退職所得控除額を控除した残額=「1,650万円の2分の1相当額の825万円」となります。

ご質問の場合の退職所得の金額及びその税額の計算は、次のとおりです。

退職所得の金額	〔(退職金)3,500万円－(退職所得控除額)(40万円×20年＋70万円×(35年－20年))〕× $\frac{1}{2}$ ＝825万円
その税額（分離課税）	(8,250,000円×23.483%)－636,000円＝1,301,347円

この方法を選択するとの申立てが本人からあった場合でも、貴社は退職金の支払の際、原則どおり20.42%の税率により所得税を源泉徴収し、これを納付しておく必要があります。その税額の精算は、退職金の支給を受けた翌年1月1日（その日までに、その年中の退職所得の総額が確定したときは、その確定した日）以後に、税務署長に対し本人、又は予め選任した納税管理人が所得税の確定申告書を提出して、既に納付した税額の還付を受けることによって行われます。

注　退職所得についての選択課税は、国内（又は国外）勤務期間の長短、支給される退職金額によっては、必ずしも有利とならない場合があります。

参考　所法30《退職所得》、同161①十二《国内源泉所得》、同171《退職所得についての選択課税》、同173①《退職所得の選択課税による還付》、同212《源泉徴収義務》、所基通161－41《勤務等が国内及び国外の双方にわたって行われた場合の国内源泉所得の計算》、日仏租税条約15《給与所得》

145 帰国後に支払を受ける退職給与の改訂差額

Q　当社の日本人社員Oは、6年前から海外支店で勤務していましたが、昨年現地居住のまま退職したため退職金を支給し、非居住者に対する支払として源泉徴収を行いました。

その後Oは現地から帰国しましたが、Oの帰国後、当社で退職給与規程の改訂が行われ、Oに支給した退職金の差額を遡及して支給することとなりました。

Oに支給するこの退職金の差額は、居住者又は非居住者のどちらに対する支払として課税すればよいのでしょうか。

居住者になる前に退職した人に支給する退職金の改訂差額については、最初に支払を受けたときに非居住者であったことから、非居住者に対する支払として所得税を課税することとなります。

解説

所得税法では、退職所得の収入金額の収入すべき時期は、原則として、その支給の基因となった退職の日によるものとされています。

したがって、退職の日に国外に住所を有している人は、その支給を受ける退職金について非居住者として所得税の課税を受けることとなります。

居住者が、ご質問の場合のように、退職したことにより退職金の支払を受けた後に、退職給与規程の改訂などにより支払を受けることとなる退職金の差額については、最初に退職金の支払を受けるべき日の属する年分の収入金額とすることとされています。

居住者になる前（非居住者時代）に退職した人が支払を受ける退職金の改訂差額についても、その収入の時期については、居住者の場合と同様に取り扱うことが相当であると考えられます。よって、貴社がOさんに支給する退職金の改訂差額については、退職金支給当初の取扱いと同様に、非居住者に対する退職金の支払に当たるものとして、国内勤務に対応する部分について、所得税の源泉徴収を行うこととなります。

なお、今回の改訂差額について、国内外にわたって勤務している場合の国内勤務に対応する部分の具体的な計算方法は、第3章問104又は前問（問144）を参照してください。

参考　所法30《退職所得》、同161①十二《国内源泉所得》、同212《源泉徴収義務》、所令77《退職所得の収入の時期》、所基通36－10（注）《退職所得の収入金額の収入すべき時期》、同36－11《一の退職により2以上の退職手当等の支払を受ける権利を有することとなる場合》、同161－41《勤務等が国内及び国外の双方にわたって行われた場合の国内源泉所得の計算》

146 元交換教授のインド人非居住者に支払う退職金

Q インドから当大学に来ていた交換教授が2年間の任期満了により帰国した後に、退職金を送金することとなりました。

日本滞在中に受けた報酬（給与）については、交換教授等免税の適用を受けたために源泉徴収をしていませんでしたが、この退職金についても、同じように免税の対象としてよいのでしょうか。

A 退職金の支給について単に送金だけが遅延したというような理由であれば、その退職金は我が国滞在中に支払われるべき報酬として、日印租税条約に定める交換教授等免税の適用があると考えられます。

解説

所得税法における国内源泉所得の条文上、退職金については、給与や報酬とは別建てで規定されていますが、国内源泉所得の取扱い上、退職金も給与や報酬と同じ性質を有する人的役務の提供による報酬であることに変わりはなく、退職金は給与や報酬の後払い的な性格を有するものと一般的には解されているところです。

また、退職金の収入すべき時期は、原則としてその支給の基因となった退職の日によるものとされています。

そこで、ご質問の場合は退職金の支払確定（退職の日）がいつであるかが、課否判定のポイントとなりますが、通常は、インドへの帰国前、つまり、交換教授としての身分を有している間にその教授は貴校における任期を終了しているでしょうから、任期終了とともに退職したこととなり退職金が支払われるか、又は少なくとも任期中に退職金を支給することは確定しているけれども、送金は後から時間をおいて支払われるケースが多いと認められます。

ご質問の場合についても、上記のいずれかに当たるものであれば、その退職金は我が国滞在中に支払われるべき報酬として、日印租税条約に定める交換教授等免税条項の適用があると考えられます。

したがって、退職金の支払時にはその教授は帰国されているとのことですが、所定の手続をとれば所得税は課税されないものと思われます。

なお日印租税条約においては、特に退職所得に関する規定はありませんが、交換教授免税の要件として、

①　大学等における教育又は研究目的で一時的に滞在する教授又は教員であって、

②　現に派遣国（インド）の居住者であるもの又は居住者であったものが、

③　入国後2年以内の滞在期間に行う教育又は研究の報酬について、

所得源泉地国（日本）における課税を免除されることとなっています。

参考　所法161①十二《国内源泉所得》、同162《租税条約に異なる定めがある場合の国内源泉所得》、日印租税条約21《教授》

147 カナダ人コンサルタントに支払う内外にわたる役務提供報酬

Q 内国法人である当社は、国内に事務所等を有していないカナダ居住の経営コンサルタントと1年間の役務提供契約を締結し、主に本国からメール等を介してサポートしてもらうほか、延べ60日間は国内に滞在して必要な調査・分析などを行ってもらう予定です。このコンサルタントに支払う報酬については、源泉徴収を要するのでしょうか。

A 国内にPE又はFBを有しない自由職業者たる非居住者が国内において行う役務提供の対価は国内源泉所得に該当しますが、日加租税条約の自由職業所得条項の適用により、一定の手続をとれば免税となります。

解説

ご質問にあるカナダ居住のコンサルタントは、所得税法上、日本における滞在日数等からみて非居住者に該当します。その場合は、国内におけるコンサルタント業務に係る報酬額、すなわち総報酬金額にその計算期間（365日）に占める国内滞在日数（60日）割合を乗じて算定した金額が、国内において行う役務提供に基因するものとして国内源泉所得に該当して、所得税の源泉徴収を要することとなります。

その一方、カナダとの租税条約では、自由職業その他の独立の性格を有する活動について取得する所得に対しては、自己の活動を行うため通常使用することのできる固定的施設（FB）を有しないか、あるいは有する場合には、そのFBに帰せられない限り、所得源泉地国（日本）においては免税とされています（自由職業所得条項）。

ご質問の場合、そのコンサルタントは、日本国内に事務所等を有していないとのことですので、同条約の自由職業所得条項に定める免税要件に該当します。

したがって、租税条約に関する届出書を支払の前日までに提出すれば、我が国では免税となります。

注　コンサルタント等の独立した活動に基づく所得に関する租税条約の取扱いは、近年の改正等により事業所得条項が適用されるとする条約例（次々問（問149）参照）が増えています。

参考　所法161①十二《国内源泉所得》、同法162《租税条約に異なる定めがある場合の国内源泉所得》、日加租税条約14《自由職業所得》

148 インド人技術者に支払う現地におけるコンサルタント報酬

Q 　内国法人である当社はソフトウェアの開発に関するコンサルタント契約をインド居住者である個人の独立した技術者と締結し、その役務提供は専らインド国内で行い、メールでやりとりすることとしていて、技術者本人は日本国内に事務所などの固定的施設は有していません。当社が技術者に支払うコンサルタント報酬は所得税の源泉徴収が必要でしょうか。

A 　インド居住者で独立した技術者に支払うコンサルタント報酬は、非居住者が取得する人的役務の提供に対する報酬に当たるものと認められますが、国内に固定的施設を有せず、かつ国内における役務提供に基づく対価に当たらないことから、所得税の源泉徴収は要しないこととなります。

解説

ご質問のインド人技術者はインド居住者とのことですので、所得税法上は非居住者に該当し、非居住者が取得する人的役務の提供に係る報酬については、その役務提供が国内において行われたものが国内源泉所得に該当して、所得税の源泉徴収の対象とされます。

ご質問の場合は、役務提供地は専らインド国内とのことですので、国内法上、国内源泉所得に該当せず、貴社が支払うコンサルタント報酬については、源泉徴収は要しません。

また、インドとの租税条約においては、「技術上の役務に対する料金」に関する第12条の規定で、「技術者その他の人員によって提供される役務を含む…技術的性質の役務又はコンサルタントの役務の対価としてのすべての支払金」については、「これらが生じた締結国においても…租税を課することができる」こととされ、その生じた締結国とは、「その支払者が居住者である締結国内において生じたものとされる」こととなっています。

ただしこの場合において、同第14条に定める「自由職業その他の独立の性格を有する活動について居住者（個人）が取得する所得」については、12条の支払金に関する規定の対象から除かれていて、同条は適用されないこととなっています。

よって、ご質問のコンサルタント報酬は、同条約第14条に定める個人が取得する独立の人的役務に係る所得に当たるものと認められますので、同条約第12条に定める「技術上の役務に対する料金」には該当しないものと解されます。

同条約第14条で定める上記の所得については、①その者が自己の活動を行うため通常使用することのできる固定的施設（FB）を他方の締結国（日本）内に有せず、かつ②その者が当該課税年度又は「前年度」を通じて合計183日を超える期間、日本国内に滞在しない限り、一方の締結国（インド）においてのみ租税を課することができることとされていて、我が国では免税となります。

ご質問の技術者は日本国内にFBを有していませんし、その業務はインドのみで行われるとのことですので、国内法及び租税条約の双方の規定の取扱いから、その支払われる報酬は、免税とされます

参考　所法161①十二《国内源泉所得》、日印租税条約12《使用料及び技術上の役務に対する料金》、同14《自由職業所得》

149 米国弁護士に支払う海外訴訟の報酬

Q 内国法人である当社は、ニューヨーク支店発の係争中の事件処理を日本の本社が引き継ぎ、本社でアメリカ在住の弁護士に依頼しました。

弁護士との打合せや連絡はニューヨーク支店を経由して行うため、弁護士が来日することはありませんが、本社が支払う弁護士報酬について源泉徴収が必要でしょうか。

A 米国在住の弁護士に支払う報酬については、依頼したその弁護士が来日して打合せを行うなど、国内において活動したことによって支払を受けるような報酬がない限り、課税されず、源泉徴収は必要ありません。

解説

所得税法上、弁護士が居住者の場合は、国内において支払を受ける報酬について、その活動場所に関係なく所得税の源泉徴収が必要です。

しかしながら、弁護士が非居住者の場合は、国内において行う人的役務提供の対価のみが国内源泉所得に該当して、同じく源泉徴収の対象とされています。

したがって、ご質問のように非居住者である弁護士が来日して活動することがない場合には、たとえ日本にある本社所管の事案に対する役務提供であるとしても、国内における活動に基づく役務提供が発生しないと認められることから、源泉徴収は必要ありません。

なお、日米租税条約においては、弁護士のような自由職業者については事業所得条項が適用されますので、我が国にあるPEを通じて弁護士活動を行うか、又はPEがあってもそのPEに帰属する部分に対してのみ課税される（帰属主義）こととされています。

したがって、例えば、弁護士など自由職業者が国内にPEを有さない場合は、単にアメリカから出張して国内で役務提供を行うような場合であっても、その報酬については所定の手続をとれば我が国では課税されないこととなります。

注　日米租税条約と同様の内容を規定している条約締結国には、イギリス、オーストラリア、ドイツ、フランス、オランダなどがあります。

参考　所法161①十二《国内源泉所得》、同162《租税条約に異なる定めがある場合の国内源泉所得》、日米租税条約3《一般的定義》、同7《事業所得》

150 国内弁理士経由払の外国特許出願費用

Q　内国法人である当社は、海外諸国への特許出願を行うために、国内のP弁理士を通じ、復代理人として海外居住のQ弁理士を選任しました。Q弁理士がもっぱら外国において行っている業務の対価として直接支払うべき外国特許出願費用については、次のようなP弁理士の請求書に基づき、P弁理士を通じて支払いました。

（請求内容）

① その請求書には、当社がQ弁理士に支払うべき外国特許出願費用が立替金と表示。

② その請求書には、Q弁理士からの請求書が添付されていて、その金額はQ弁理士分としてP弁理士に支払う外国特許出願費用と同額。

この場合、国内のP弁理士に支払う費用のうち外国特許出願費用については、源泉徴収が必要な「弁理士業務に関する報酬・料金」に該当しないことでよいのでしょうか。

本問における国内弁理士を通じて非居住弁理士に支払うべき外国特許出願費用については、非居住弁理士の国内における役務提供による報酬には当たりませんし、また、国内弁理士に対する報酬にも該当しませんので、所得税の源泉徴収の必要はありません。

解説

貴社の国内における代理人である弁理士が貴社の一任を受けて、復代理人として外国居住の弁理士を選任している場合や、貴社が出願指示書等において直接外国弁理士を指定している場合などのように、貴社と外国弁理士の間に直接の委任関係があるものと認められ、かつ、外国弁理士が発行する請求書などから、貴社がその外国弁理士に対して直接支払うべき外国特許出願費用を国内弁理士を通じて支払っているものと認められる場合には、その外国弁理士に対する支払は、出願費用を含めた役務提供の対価に当たるものと認められます。

よって、そのような場合に所得税法上、国内源泉所得とされる役務提供の対価に該当するかどうかは、外国弁護士が国内において役務提供を行っているかどうかが課否判定のポイントとなりますが、ご質問の場合は国内において役務提供を行っている事実関係は認められません。よって、国内源泉所得に該当しないこととなります。

なお、各国との租税条約でも、弁理士等の自由職業者の所得については、例外なく、所得源泉があるとされる国で役務提供が行われない限り、課税されないこととなっています。

また、国内弁理士に支払う費用のうち、その外国弁理士に支払うべき外国特許出願費用の金額については、国内弁理士に対する報酬には該当しないこととなります。

したがって、ご質問の場合は外国弁理士が国内で役務提供を行わない限り、国内源泉所得には該当しませんし、また所得税法に規定する「弁理士業務に関する報酬・料金」にも該当しませんので、所得税の源泉徴収の必要はありません。

参考　所法161①十二《国内源泉所得》、同204①二《源泉徴収義務》

151 韓国の大学教授に支払う講演料

Q　内国法人である当社では、同業者団体が3か月間の予定で招へいした韓国の大学教授で、個人の立場で来日中のR博士に2回にわたり講演してもらい、その報酬を支払う予定です。

なお、R博士は、国内には特に活動拠点は置いていないと聞いています。

この場合、当社が支払う報酬には源泉徴収が必要でしょうか。

A　日韓租税条約により、自由職業者とされる非居住者に支払う講演の報酬については、その講演者が国内にFBを有していないことから、国内にその年を通じて183日以上の期間滞在しない限り、課税されません。

解説

所得税法においては、非居住者が国内において、科学技術など専門的知識又は特別の技能を活用して行う人的役務の提供に基因して支払を受ける報酬については、国内源泉所得に該当して、所得税の課税の対象となります。

その一方、ご質問の場合、R博士は個人の資格で来日しているとのことですから、日韓租税条約に定める「自由職業その他の独立の性格を有する活動」に関する所得規定（自由職業所得条項）が適用されることとなります。

同規定では、自由職業者のうち演劇、映画、ラジオ若しくはテレビジョンの俳優、音楽家その他の芸能人又は運動家以外の自由職業者の取得する所得については、

①　我が国に自己の活動を行うために使用しているFBを有していて、それに帰属する部分がある場合

②　我が国に年間183日以上の期間滞在して、その間に取得した部分がある場合

のいずれかについてのみ、我が国において所得税が課税されることとなっています。

したがって、ご質問の場合は、租税条約の定める課税要件に該当しないと認めら

れますので、租税条約に関する届出書の提出が条件となりますが、その支払う報酬について、所得税の源泉徴収の必要はないと考えられます。

注　日韓租税条約と同じような内容を規定している条約締結国のうち、ベトナム、マレーシアなどは同要件となっていますが、インド、シンガポール、メキシコなどについては、その課税要件の基準となる期間がまちまちで、しかも滞在日数183日超としていますので留意してください。そのほか、タイ、旧ソ連（アルメニア等の継承国）などとの条約では、給与所得と同じ条項に規定があり、原則として役務提供地国課税とされています。なお多くの国との条約では、単にFBに帰属する部分のみの報酬を役務提供地国で課税できることとされています。

参考　所法161①十二《国内源泉所得》、同162《租税条約に異なる定めがある場合の国内源泉所得》、日韓租税条約14《自由職業所得》

152 外国人優勝者に贈るゴルフトーナメントの賞品

Q　内国法人である当社では、国内のゴルフトーナメントに協賛して、その優勝者に当社の商品である乗用車を副賞として贈ることとしています。

このトーナメントには、外国からもプロゴルファーが参加していますが、これらの外国人プロが優勝した場合には、どのように課税したらよいのでしょうか。

ゴルフトーナメントの協賛者である場合には、その提供する賞品は事業の広告宣伝のための賞金に該当し、原則としてその支払額から50万円控除後の金額が源泉徴収の対象となりますが、その賞品受領者の居住地国との租税条約の定めにより、免税とされることがあります。

解説

ゴルフトーナメントに提供する賞金で非居住者に対する課税の取扱いは、貴社がそのトーナメントの主催者であるかどうかにより、次のとおり異なっています。

1 そのトーナメントの主催者である場合

貴社は主催者として、非居住者たるプロゴルファーをトーナメントに参加させ、その競技の成績に応じて賞金（賞として支払う金品その他の経済的利益）を支払うこととしていますので、その賞品の贈呈は、所得税法では国内源泉所得とされる「運動家等に対する人的役務の提供に対する報酬」の支払に当たります。なぜなら、主催者は、プロゴルファーにトーナメントへの参加という人的役務を依頼し、出場選手に役務提供（ゴルフ競技）をさせて、その対価として報酬（賞金）を支払うという立場にあるからです。

なお、各国と締結しているほとんどの租税条約では、芸能人及び運動家に対しては、滞在期間の長短、FBの有無、又はその活動状況に関係なく、役務提供地国で課税できることとされています。

したがって、優勝者に支払うその賞品の評価額全額について、20.42%の税率による所得税の源泉徴収が必要となります。

注　租税条約の中には、芸能人及び運動家の少額報酬などについては、所定の手続をとれば免税とするアメリカなどとの条約例もあります。

2　そのトーナメントの協賛者である場合

貴社はそのトーナメントの協賛者にすぎませんから、貴社が特定の者に依頼し、特定の行為をさせることに対して支払う賞金ではなく、協賛するトーナメントは、会社名や商品名などを世の中に広く認知してもらうためのいわば広告宣伝効果を主目的としたツールの一つであり、その賞品は、所得税法上、事業の広告宣伝のための賞金に該当します。

賞金については、その支払額から50万円を控除した後の金額が所得税の源泉徴収の対象とされています。

その一方、多くの租税条約では、事業の広告宣伝のための賞金について個別規定を置いていませんので、明示なき所得に関する規定（その他所得条項）が適用されます。その条文の多くは、受益者の居住地国課税とされていますが、源泉地国課税ができるとする条約例などもあり、まちまちとなっています（租税条約による取扱いについては第3章問155参照）。

上記**1**を含めこの場合の支払額は、商品を提供する場合にはその商品の評価額を指しますが、商品の評価額については、税務上、居住者が受ける金銭以外のもので支払われる賞金の価額の取扱いに準じて、「通常の小売販売価額（いわゆる現金正価）の60%相当額」で評価するのが相当と認められます。

また、商品の提供のみの場合、源泉徴収することが困難なことから、本人には税引手取額で賞金を支払い、支払者が所得税相当額を負担する、いわゆる「グロスアップ計算」により税額を計算して納付する例が一般的ですが、その場合の計算例は第1章問26を参照してください。

ご質問の場合は上記❷に該当しますので、その優勝者が源泉地国課税とされている条約締結国の居住者の場合は、事業の広告宣伝のための賞金としてその支払額（商品評価額）から50万円を控除した後の金額について、場合によってはグロスアップ計算を行い、20.42%の税率による所得税の源泉徴収が必要となります。

なお、賞品受領者が居住地国課税とされている条約締結国の居住者の場合は、租税条約に関する届出書の提出手続をとれば、免税とされます。

参考　所法161①十二、十三《国内源泉所得》、同162《租税条約に異なる定めがある場合の国内源泉所得》、同212《源泉徴収義務》、同213①一《徴収税額》、所令286《事業の広告宣伝のための賞金》、同321《金銭以外のもので支払われる賞金の価額》、所基通205－9《賞品の評価》

153　スイス人タレントに支払うコマーシャルフィルム作成のモデル料

Q　内国法人である当社では、自社製品のコマーシャルフィルム作成のため、撮影地は未定ですがスイス居住の外国人タレントを起用して、モデル料を支払う予定ですが、源泉徴収はどのように行えばよいのでしょうか。

なお、フィルム作成は当社で行い、その著作権は当社の所有となります。

A　モデル料のうち、外国人タレントの役務提供が国内で行われた部分についてのみ、非居住者に支払われる人的役務提供の対価として所得税の源泉徴収が必要となります。

解説

ご質問の場合において、貴社がモデルとして起用する海外居住の外国人タレントは、所得税法上及び租税条約上、非居住者とされる芸能人等に該当するものと認められ、そのタレントに支払うモデル料には、主として、次の2つの対価が含まれているものと思われます。

①　そのタレントがコマーシャルフィルムに出演して行う役務提供の対価

②　撮影したコマーシャルフィルムやポスターなどの広告媒体物を契約期間中において、放送などに使用することに対する許諾の対価

この場合における②のコマーシャルフィルムの放送、すなわち、芸能人等の実演を放送することなどに関する権利は、著作権法上、著作隣接権とされています。この著作隣接権は譲渡することができることから、芸能人等が役務提供を行い、自己の実演を放送することなどを許諾することに伴って許諾料の支払を受ける場合には、許諾料がその役務の提供の対価に当たるのか、あるいは著作隣接権の使用料の対価に当たるのか、それらのうちいずれの対価に当たるのかを判断する必要があります。

このため、所得税法上、著作隣接権の使用料として取り扱うものは、役務提供について既に支払が完了しているとみられる状態の下で、その対価とは別途に使用料の対価として支払われるような場合における対価に限定しています。

よって、そのような対価には当たらないこととなる本問のモデル料の支払には、当然芸能人等の役務提供の対価相当額が含まれているものと認められますので、その支払は、すべて人的役務提供の対価に該当することとなります。

なお、芸能人等が役務提供により受ける対価については、所得税法及びスイスとの租税条約とも、原則として国内で行われた部分についてのみ、課税の対象としています。

したがって、ご質問の場合には、そのタレントが国内で行った役務提供がある場合に限り、そのモデル料は税率20.42%による所得税の源泉徴収が必要となります。

注　租税条約では、芸能人等所得のうち、政府間で合意された特別の文化交流計画に基づくものなどについては、免税とする規定を置いている締結国があります。

参考　所法161①十二《国内源泉所得》、同212《源泉徴収義務》、所基通161－22《芸能人等の役務の提供に係る対価の範囲》、著法89《著作隣接権》、日瑞租税条約17《芸能人及び運動家の所得》

154 米国の芸能人に支払う少額報酬

Q 内国法人である当社は、創立記念行事の一環として来日中のアメリカ人音楽家にその記念パーティー会場において演奏してもらうことを予定しています。出演料2,000ドルは直接本人に支払い、本人は国内には1週間程度の滞在と聞いています。

このような場合、アメリカの芸能人に対する少額報酬の支払として免税扱いとなるのでしょうか。

A 米国居住者たる音楽家が国内において受ける報酬の額が日米租税条約に定める要件を満たす場合には、同条約に基づく届出書の提出を条件に免税の取扱いとなると考えられます。

解説

ご質問の場合、非居住者とされる音楽家などの芸能人や運動家が我が国において行う役務提供により受ける対価（個人的活動によって取得する所得）については、所得税法及び日米租税条約とも、原則として役務提供地国（日本）で課税されることとなっています。

しかしながら、同条約では、その芸能人等がそのような個人的活動により取得した総収入の額（芸能人等に弁償される経費や芸能人等に代わって負担される経費の額を含みます）が、その課税年度において1万ドルに相当する金額以下の場合は、課税を免除することとしています。

このように国内において行う役務提供の対価について、国内法では国内源泉所得に該当して課税対象とされている一方で、その所得者の居住地国との租税条約では一定の要件に該当するものは免税（国内法で定める国内源泉所得の一部否定）とすることと定めている場合には、その租税条約の定めによることとされています。

したがって、ご質問の場合、報酬の支払を受ける芸能人等が行う役務提供により、今回は2,000ドルの収入となりますが、その課税年度中の我が国における総収入金額が1万ドル相当額を超えないものと確実に見込まれるものと、その芸能人等自身が判断して、その芸能人等から同条約に基づき必要書類を添付した租税条約に関する届出書を提出してもらえば、その限りにおいて、課税（源泉徴収）されることはないものと思われます。

注　日米租税条約のほかに、韓国との間でも同様の定め（日韓租税条約議定書2）が設けられています。

参考　所法161①十二《国内源泉所得》、同162《租税条約に異なる定めがある場合の国内源泉所得》、日米租税条約16《芸能人》

第11節　事業の広告宣伝のための賞金

155　事業の広告宣伝のための賞金品の取扱い

Q　非居住者等に事業の広告宣伝のための賞金を支払う場合には、源泉徴収の対象となるそうですが、この取扱いを教えてください。

また、賞品を支給する場合は、どのように評価するのでしょうか。

A　非居住者等に対して、国内において行われる事業の広告宣伝のために賞として支払う場合の金品その他の経済的な利益で一定のものを除いたものは、国内源泉所得として所得税の源泉徴収の対象となります。

賞品については、原則として、支払を受ける日における譲渡対価相当額で評価することとされています。

解説

1　国内法の取扱い

所得税法では、非居住者等が支払を受ける国内事業の広告宣伝のための賞として支払を受ける金品（経済的な利益を含みます）は、一定のものを除いて国内源泉所得に該当して所得税の源泉徴収の対象とされています。そのうち国内源泉所得から除かれる一定のものとは、旅行その他の役務の提供を内容とするもので、金品との選択をすることができないこととされているものが、それに当たります。

源泉徴収の対象となる金額は、居住者に対するものと同様の計算、すなわち、支払を受けるべき金額から50万円を控除した残額です。その残額に対して20.42%の税率により源泉徴収されることとなります。

この場合、賞金品が物品で支払われる場合の評価は、居住者が賞品を受領する場合と同様ですが、その価額は、原則として、支払を受ける日においてその物品を譲渡するものとした場合に、その対価として通常受けるべき価額に相当する金額をいいます。なお、その物品と金銭とのいずれかを選択することができる場合には、その金銭の額をいうものとされています。

評価に関する具体的な取扱いは、主として次のとおりです。

物品の種類	その評価（通常受けるべき価額）
①　公社債券、株式（株券）、又は投資信託や特定受益証券発行信託の受益権	その支払を受けることとなった日の価額
②　商品券	券面額
③　貴石、貴金属、真珠、さんごなどやこれらの製品、又は書画、骨とう、美術工芸品	その支払を受けることとなった日の価額
④　土地又は建物	その支払を受けることとなった日の価額
⑤　その他製商品などの物	通常の小売価額（いわゆる現金正価）の60%相当額

注　上記の賞金については、法人税法における外国法人の国内源泉所得から除かれていますが、所得税法上は、PEを有する非居住者も含めてPE帰属所得に該当するもの以外について、所得税の源泉徴収のみで課税関係が終了する源泉分離課税の対象となります。

2　租税条約による取扱い

事業の広告宣伝のための賞金品については、現下の租税条約上では、個別規定を置いていません。よって、明示なき所得に関する規定（その他所得条項）が適用されますが、その条文の多くは、OECDモデル条約の規定と同様に、受益者の居住地国のみが課税権を有し（居住地国課税）、所得源泉地国では課税しないこととされています。したがって、この規定のある条約締結国に居住する非居住者等に支払われるものは、我が国では課税されないこととなります。

ただし、租税条約の中には、その他所得条項において、源泉地国課税ができることと規定していたり、又は居住地国課税を原則としながら、源泉地国においても課税できることとしているものもあります。

なお、その他所得条項のない条約締結国の居住者又は法人に対して支払われるものは、我が国の国内法に従って課税されることとなります。

上記の課税規定ごとの取扱いをまとめますと、その主な条約締結国は次表のとおりです。

居住地国課税（源泉地国免税）とするもの	アメリカ、イギリス、イタリア、インドネシア、オランダ、韓国、スイス、ドイツ、フィリピン、フランス、香港、アルメニア（旧ソ連）　など
源泉地国課税ができるとしているもの	中国
居住地国課税を原則としながら源泉地国課税もできるとしているもの（両締結国課税）	インド、オーストラリア、カナダ、シンガポール、スウェーデン、タイ、ニュージーランド、ノルウェー、ブラジル、マレーシア、メキシコ　など
規定がなく国内法により課税するもの	エジプト、スリランカなど

注　台湾居住者等が支払を受ける本問の賞金のほか、生命保険契約等に基づく年金等、定期積金の給付補填金等、匿名組合契約等に基づく利益の分配、割引債の償還差益（問156～159）までの国内源泉所得については、所得相互免除法でも原則として国内法と同様に国内源泉所得として課税されることとなりますが、その居住者等の国内事業から生ずる所得については免税とされていて、その他の場合は税率が10%に軽減されています（所得相互免除法7①、15①）。

参考　所法161①十三《国内源泉所得》、同212①《源泉徴収義務》、同213①一《徴収税額》、所令286《事業の広告宣伝のための賞金》、同321《金銭以外のもので支払われる賞金の価額》、同329《金銭以外のもので支払われる賞金の価額等》、所基通205－9《賞品の評価》、OECD モデル条約21《その他の所得》

第12節　生命保険契約等に基づく年金等

156　生命保険契約等に基づく年金等の範囲とその取扱い

Q　非居住者等の国内源泉所得として源泉徴収の対象となる生命保険契約等に基づく年金等の範囲と、その課税の取扱いを教えてください。

A　非居住者等の国内源泉所得とされる生命保険契約等に基づき受ける年金等とは、国内にある営業所又は国内において契約の締結の代理をする者を通じて締結した契約又は規約に基づいて支給を受ける年金等をいいますが、公的年金等は除かれます。

解説

1　国内法の取扱い

所得税法上、非居住者等が支払を受ける生命保険契約等に基づく年金等のうち、国内源泉所得に該当して所得税の源泉徴収の対象とされるものとは、次に掲げる契約又は規約に基づくものです。

①　生命保険契約、旧簡易生命保険契約及び生命共済契約
②　退職金共済契約
③　退職年金に関する信託、生命保険又は生命共済の契約
④　確定給付企業年金に係る規約
⑤　小規模企業共済法に基づく共済契約
⑥　確定拠出年金法に係る企業型年金規約及び個人型年金規約
⑦　損害保険契約及び損害共済契約

注　上記の年金で、年金の支払を受ける者と保険契約者とが異なる契約のうち、その契約に基づく保険金等（給付金）の支払事由が生じた日以後において、その給付金を年金として支給する契約以外の年金を除きます。

なお、この年金等には、年金の支払の開始の日以後にその年金に係る契約等に基づき分配を受ける剰余金、又は割戻しを受ける割戻金、及びその契約等に基づき年金に代えて支給される一時金が含まれます。

年金等について所得税の源泉徴収の対象となる金額は、契約等に基づき支払われる年金等の額から、その契約等に基づいて払い込まれた保険料又は掛金の額のうち、その支払われる年金の額に対応するものの額を控除した残額となります。その残額に20.42%の税率を乗じた金額が所得税の源泉徴収税額となります。

注　上記の年金等については、法人税法における外国法人の国内源泉所得から除かれていますが、所得税法上は、PEを有する非居住者も含めてPE帰属所得に該当するもの以外について、所得税の源泉徴収のみで課税関係が終了する源泉分離課税の対象となります。

2　租税条約による取扱い

生命保険契約等に基づく年金等については、多くの租税条約では、個別規定を置いていません。よって、その他所得条項が適用されますが、本問の場合は、その他所得条項のない条約例も含め、年金条項（保険年金・退職年金）が適用される場合を除き、その他所得条項が適用されて前問（問155）と同じ取扱いとなりますので、同問を参照してください。

なお、年金条項を定めている租税条約では、保険年金や過去の勤務につき支払われる退職年金などに対しては、OECDモデル条約の規定と同様に、原則として居住地国のみにおいて課税されることとされています。その締結国としては、アメリカ、イギリス、オーストラリア、オランダ、シンガポール、フィリピン、ブラジル、フランスなどがあり、オーストラリア、オランダでは、一部の例外規定（一定の退職年金に対する源泉地国課税）も置いています。

注　台湾居住者等に対する特例は前問（問155）参照。

参考　所法161①十四《国内源泉所得》、同209《源泉徴収を要しない年金》、同212①《源泉徴収義務》、同213①一ハ《徴収税額》、所令183①《生命保険契約等に基づく年金に係る雑所得の金額の計算上控除する保険料等》、同184①《損害保険契約等に基づく年金に係る雑所得の金額の計算上控除する保険料等》、同287《年金に係る契約の範囲》、OECDモデル条約18《退職年金》

第13節　定期積金の給付補塡金等

157　定期積金の給付補塡金等の取扱い

Q　非居住者等が受け取る定期積金の給付補塡金などは源泉徴収の対象となるそうですが、この取扱いを教えてください。

A　非居住者等が国内の営業所に預け入れ又は国内の営業所等を通じて締結した定期積金契約などに基づいて支給を受ける給付補塡金等は、国内源泉所得に該当して源泉徴収の対象となります。

解説

1　国内法の取扱い

所得税法上、非居住者等の国内源泉所得として所得税の源泉徴収の対象とされる定期積金の給付補塡金等とは、国内にある営業所が受け入れ又は国内にある営業所等を通じて締結した次に掲げる契約などに基づいて支給を受けるものをいいます。

①　定期積金契約に基づく給付補塡金

②　銀行法第2条第4項の契約（一定の期間を定めて、その中途又は満了時に一定金額の給付を行うことを約して、その期間内において受け入れる掛金契約）に基づく給付補塡金

③　抵当証券の利息

④　金その他の貴金属（これに類する物品を含みます）の売戻条件付売買の利益（いわゆる金投資口座の差益など）

⑤　外貨建預貯金で、その元本と利子をあらかじめ契約した利率により円又は他の外貨に換算して支払うこととされているものの差益（いわゆる外貨投資口座の為替差益など）

⑥　一時払養老保険、一時払損害保険等の差益で、保険期間等が5年以下のもの及び保険期間等が5年を超えるもので保険期間等の初日から5年以内に解約されたものに基づく差益

なお、定期積金等の給付補塡金について所得税の源泉徴収の対象となる金額は、契約に基づき支払われる給付金の額から、その契約に基づいて払い込んだ、又は払い込むべき一定の掛金の額の合計額を控除した残額となります。

これらの給付補塡金等については、その支払を受ける際に、その残額に対して15.315%の税率で所得税が源泉徴収されます。

注　上記の給付補塡金等については、法人税法における外国法人の国内源泉所得から除かれていますが、所得税法上は、PEを有する非居住者も含めてPE帰属所得に該当するもの以外について、所得税の源泉徴収のみで課税関係が終了する源泉分離課税となります。

2　租税条約による取扱い

定期積金の給付補てん金等については、現下の租税条約上では、個別規定を置いていません。よって、その他所得条項が適用されますが、本問の場合は、その他所得条項のない条約例も含め、第3章問155と同じ取扱いとなりますので、同問を参照してください。

参考　所法161①十五《国内源泉所得》、同174三～八《内国法人に係る所得税の課税標準》、同212①《源泉徴収義務》、同213①三《徴収税額》、所令298《内国法人に係る所得税の課税標準》

第14節 匿名組合契約等に基づく利益の分配

158 匿名組合契約等に基づく利益の分配

Q 非居住者等の国内源泉所得には、匿名組合契約等に基づく利益の分配が含まれていますが、この課税の取扱いを教えてください。

A 非居住者等が国内において事業を行う者に対する出資につき、匿名組合契約に基づいて受ける利益の分配は、国内源泉所得として源泉徴収の対象となります。

解説

1 国内法の取扱い

所得税法上、非居住者等の国内源泉所得とされて、所得税の源泉徴収の対象となる匿名組合契約等に基づく利益の分配とは、次に掲げる契約に基づくものをいいます。

① 匿名組合契約

② 当事者の一方が相手方の事業のために出資をし、相手方がその事業から生ずる利益を分配することを約する契約（匿名組合契約に準ずる契約）

ここでいう匿名組合契約とは、商法にその定義規定があり、その内容は上記②にそのまま反映されています。つまり匿名組合員が、営業者の行う営業のために隠れた（匿名の）事業者として金銭の出資を行い（有限責任）、営業者がその営業から生じた損益を匿名組合員に分配することを約する契約をいいます。

組合という名称にもかかわらず、匿名組合そのものは団体ではなく、法的には営業者と匿名組合員の両当事者間における双務契約にすぎないことから、法人格は有していません。

したがって、営業者の単独事業の形態をとることから、組合自体には課税されず、営業者及び組合員の分配損益について課税されます。

その分配金については、営業者（支払者）はその支払の際、20.42%の税率による所得税の源泉徴収を行うことが必要となります。

注1　上記に該当しない契約に基づいて受ける利益の分配は、事業及び資産の所得等に該当します。
　2　上記の利益分配については、法人税法における外国法人の国内源泉所得から除かれていますが、所得税法上は、PEを有する非居住者も含めてPE帰属所得に該当するもの以外について、所得税の源泉徴収のみで課税関係が終了する源泉分離課税の対象となります。

2　租税条約による取扱い

我が国が締結した租税条約には、匿名組合契約その他これに類する契約に関して匿名組合員が取得する所得等については、その所得源泉地国においてその国の国内法に従って課税できることとしているもの（アメリカ、イギリス、オーストラリア、オランダ、スイス、フランスなど）があります。

なお、その他の多くの租税条約では、個別規定を置いていないことから、その他所得条項が適用されますが、その場合は、その他所得条項のない条約例も含め、第3章問155と同じ取扱いとなりますので、同問を参照してください。

参考　所法161①十六《国内源泉所得》、同212①《源泉徴収義務》、同213①一《徴収税額》、所令288《匿名組合契約に準ずる契約の範囲》、商法535《匿名組合契約》、日米租税条約2003年議定書13(b)、日英租税条約20《匿名組合》など

第15節　割引債の償還差益

159　割引債の償還差益の取扱い

Q　非居住者等が受ける割引債の償還差益の課税の取扱いについて、租税条約における取扱いも含めて教えてください。

A　2015（平成27）年12月31日以前に発行された割引債については、非居住者等が特定の割引債をその発行時に取得する際、措置法の規定に基づき、次の算式により計算した額が源泉徴収されて、源泉分離課税とされていました。

（算式）

「（券面金額－発行価額）×18.378％（一部の割引債については16.336％）＝源泉所得税の額」

その後、2016（平成28）年１月１日以後に発行される割引債については、発行時の源泉徴収制度は原則として廃止されました。同日以後に特定の割引債以外の割引債の償還金が支払われる場合には、その差額金額について15.315％の税率による源泉徴収が行われることとなりますが、その上で公社債の譲渡所得等に係る収入金額とみなして、税率15.315％の申告分離課税（他に地方税5％）の対象とされています。

解説

1　国内法の取扱い（2016（平成28）年1月1日前発行のもの）

割引債とは、割引の方法により発行される公社債（国債、地方債、内国法人の発行する社債及び外国法人が発行する一定の債券）で、外貨債や特定の独立行政法人等の発行する債券を除きます。

割引債の償還差益（券面金額－発行価額）については、非居住者等の有する「国内にある資産の運用又は保有による所得」として国内源泉所得に該当し、所得税が課されることとされて、割引債の発行時において、原則として18.378%の税率による源泉徴収によって納税が完了することとなる源泉分離課税制度がとられています。

ただし、外国法人により国外において発行されたものについては、その償還差益のうち、その外国法人が国内において行う事業に帰せられる部分の金額のみが課税の対象とされます。

なお、国債や特定の短期社債（割引債のうち、社債、株式等の振替に関する法律に規定する一定の短期社債や振替外債又は短期投資法人債）などの公社債のうち、その発行の日から償還期限までの期間が1年以下であるもの（短期公社債）で、その発行の際にその銘柄が同一である他の短期公社債のすべてとともに特定振替記載等がされるものの償還差益については、所得税の源泉徴収を要しません。

割引債の償還差益について源泉徴収された所得税は、その割引債の取得者（取得者と償還を受ける者が異なる場合には、償還を受ける者）の償還差益に対する所得税として、その償還時において徴収されたものとみなされます。

また、非居住者が償還時に受ける償還差益については、PEの有無にかかわらず源泉分離課税とされています。

注　源泉徴収税率は原則として18.378%ですが、東京湾横断道路株式会社及び民間都市開発推進機構の発行する割引債の償還差益については、税率16.336%とされています（措法41の12①②）。

2　2016（平成28）年1月1日以後に発行される割引債の国内法の取扱い

(1) 償還差益に対する発行時の源泉徴収等の廃止

2016（平成28）年1月1日以後に発行される割引債については、原則としてその発行時における源泉徴収及び源泉分離課税制度が、廃止されて、償還時に源泉徴収をされた上で、公社債の譲渡所得の収入金額とみなされて申告分離課税の対象とされています。

ただし、同族会社が発行した社債の償還金で、その同族会社の判定の基礎となった株主が支払を受けるものは、申告分離課税の対象とはならないで、雑所得に該当して総合課税の対象となります。

⑵ 割引債の差益金額に係る源泉徴収等の特例制度の導入

割引債を含む公社債の譲渡による所得が課税対象とされたことに伴い、2016（平成28）年1月1日以後に非居住者等に対して国内において割引債（上場株式等に該当する特定割引債等以外のもの）の償還金の支払をする者、又は特定割引債の支払取扱者（特定割引債の償還金の受領の媒介、取次ぎ、又は代理をする一定の口座管理機関）は、その支払の際、次の計算式によって算定された差益金額に15.315％（このほかに個人住民税5％）の税率による源泉徴収を要することとされています。

なお、特定割引債とは、割引債のうち上場株式等に係る譲渡所得等の課税の特例の対象となる上場株式等に該当するものをいいます。

（差益金額の計算式）

①　償還期間が1年以下のもの…償還金額×0.2％

②　償還期間が1年超のもの…償還金額×25％

③　割引債管理契約に基づき、その取得金額が管理されているもの…償還金額－その取得金額

注　上記の償還金額については、外国法人により発行された割引債の償還金の支払を受ける者が非居住者等である場合には、その償還金額のうち、その割引債発行外国法人の国内事業に帰せられる部分のみとなります（措令26の17⑤）。

この特例の対象となる割引債は、譲渡益課税の対象となる公社債のうち、次のものが該当します。

イ　割引の方法により発行されるもの

ロ　ストリップス債のうち、その元本に係る部分であった分離元本公社債

ハ　ストリップス債のうち、その利子に係る部分であった分離利子公社債

ニ　利子が支払われる公社債で、その発行価額として額面金額に対する割合が90％以下であるもの

上記ニの発行価額とは、

ⓐ　価額入札公社債（国債の発行方式のように、価額競争入札のうちコンベンション方式により発行されるもの）又はその同一発行条件の公社債については、その公社債発行者が、一定の計算方法により計算した価額で公表しているもの

ⓑ　非価額入札公社債（上記ⓐ以外のもの）又はその同一発行条件の公社債については、その公社債の発行価額

をいいます。

ただし、特定口座に保管の委託がされているもの等については、特定口座管理制度に基づき源泉徴収がされることから、本制度の対象外とされていて、外貨債も除かれています。

3　租税条約による取扱い

割引債の償還差益に対する租税条約における取扱いは、国内にある資産の運用又は保有による所得の課税方法と同様に、

①　利子に含め、租税条約に定める軽減税率が適用できるもの

②　その他所得条項の適用により、居住地国でのみ課税（我が国では免税）とするもの

③　源泉地国課税（国内法を適用）とするもの

に分かれています。

注　租税条約における国別の割引債の償還差益の取扱いは、第3章問9を参照してください。

なお、租税条約に定める軽減税率や免税の適用を受ける場合には、割引債の償還時に割引債の発行者（源泉徴収義務者）を通じて、「租税条約に関する割引債の償還差益に係る源泉徴収税額の還付請求書（割引国債用）」又は「同還付請求書（割引国債以外の割引債用）」にその割引債の取得年月日等を証する一定の書類を添付して、その発行者の源泉所得税の納付先税務署に提出することにより、源泉所得税の還付を受けることができます。

ところで、国内法に基づき所得税の源泉徴収がされる割引債については、租税条約における上記の課税区分ごとに、我が国では次のように取り扱われることとなります。

①　利子に含めて取り扱っているもの（アメリカ、イギリス、ドイツ、フランスなど多くの国）

2016（平成28）年1月1日前（従前）に発行の割引債については、その発行時に18.378%（特定のものは16.336%）の税率でいったん源泉徴収されますが、償還時に上記の還付手続を経て、租税条約上の限度税率との差額について還付されることとなります。

なお、2016（平成28）年1月1日以後に源泉徴収の対象とされる償還金に係る差益金額については、租税条約に関する届出書の提出を行うことにより、条約に定める軽減税率の適用を受けることができます。

②　その他所得に該当し、居住地国課税（我が国で免税）となるもの（フィンランド）

従前に発行の割引債については、その発行時に18.378%（特定のものは16.336%）の税率でいったん源泉徴収されますが、償還時に上記①と同様の還付手続により、この場合は源泉徴収した所得税の全額が還付され、最終的に免税となります。

なお、2016（平成28）年1月1日以後は、上記①と同様の手続により、この場合は免税となります。

③　我が国の国内法を適用するもの（エジプト、ブラジルなど）

従前に発行のものについては、資産の運用又は保有による所得として、割引債の発行時に18.378%（特定のものは16.336%）の税率で源泉徴収されています。

なお、2016（平成28）年1月1日以後は、原則として、償還金の支払の際に差益金額に対して税率15.315%による源泉徴収がされます。

参考　措法37の10②七《一般株式等に係る譲渡所得等の課税の特例》、同37の11《上場株式等に係る譲渡所得等の課税の特例》、同41の12《償還差益等に係る分離課税等》、同法41の12の2《割引債の差益金額に係る源泉徴収等の特例》、措令26の17《割引債の差益金額に係る源泉徴収等の特例》、措規19の5《割引債の差益金額に係る源泉徴収等の特例》

第4章

外国税額控除

001 居住者に対し課される外国所得税

Q 内国法人である当社の社員Aは、インドネシアにある子会社に技術指導のため本年中に10か月間出張したところ、インドネシアの税務当局より、現地で支払を受けた給与に加えて、日本でその間に支払を受けた給与も課税対象として所得税を納税するように指示されました。

Aは日本では居住者ですので、当社が支払う給与には所得税の源泉徴収を行っているのに、外国の税金もかかることになるのでしょうか。

A インドネシアとの租税協定に定める「短期滞在者免税」の要件を満たさないため、インドネシアで課税されることになったものと思われますが、インドネシアで納付した所得税相当額は、その国外所得に係る部分について我が国で所得税の申告手続をとることにより外国税額控除の対象となり、二重課税が調整されます。

解説

ご質問の場合、Aさんはインドネシアに本年中10か月間滞在したとのことですので、所得税法では居住者に該当し、居住者については、国内外を問わず稼得したすべての所得に対して課税されることとなります。

その一方、インドネシアとの租税協定では、我が国の居住者の勤務がインドネシア国内で行われる場合には、その人が支給を受ける給与について、次のすべての要件を満たしているとき（短期滞在者免税）を除き、インドネシアで課税できることとされています。

① その人の滞在期間がその年を通じて合計183日以下であること

② その給与を支払う雇用者等は、インドネシアの居住者でないこと

③ その給与が雇用者のインドネシア国内にあるPE又はFBにより負担（インドネシアでの課税計算上、損金に算入）されないこと

したがって、ご質問の場合、Aさんの滞在期間は本年中に10か月とのことですので、上記①の要件を満たさないこととなるため、インドネシアの国内法に基づき、日本で支払われた給与を含めて、インドネシアにおける勤務の対価に当たるものとして課税されることになったものと思われます。

そうしますとこのままでは、Aさんは日本とインドネシア両国から二重に課税されることとなりますので、所得税法では国外所得について生じた二重課税を排除する規定（外国税額控除）が設けられていて、ここでいう国外所得金額とは、国外源泉所得に係る所得のみについて、所得税を課されるものとした場合に課税標準となるべき一定の金額をいいます。

この場合に、日本の居住者が外国において勤務することにより稼得する収入については、その所得源泉が外国にあることから、国外源泉所得に該当します。

したがって、Aさんがインドネシアで納付することとなる所得税相当額については、外国所得税に該当して、我が国で納付すべき所得税から控除することができる外国税額控除の対象となっていると認められ、国外勤務に基因する給与等（国外源泉所得）に対応する部分をその年の所得税額から控除する内容を盛り込んだ所得税の確定申告を行うことにより、二重課税は調整されることとなります。

注1　租税条約によっては短期滞在者免税に該当するかどうかの要件が異なりますが、近年の改正条約では、滞在期間の判定の基となる期間について、連続する12か月の期間とする規定を置く例が多くなっています。

2　平成26年度税制改正により、居住者の外国税額控除制度の計算要素である「国外源泉所得」について、従来からとられていた「国内源泉所得に係る所得以外の所得」としての定め方、すなわち国内源泉所得概念借用によるその反対概念としての規定ぶりから改めて、2017（平成29）年分以後適用の所得税法では新たに「国外源泉所得」を定義する規定を置いて、その範囲が明確化されています（所法95④）。以下、第4章各問において同じです。

参考　所法2①《定義》、同7《課税所得の範囲》、同95《外国税額控除》、所令221《外国所得税の範囲》、同221の2《国外所得金額》、日尼租税協定15《給与所得》

002 居住者の外国税額控除

Q 前問にあるように、日本の居住者が外国で所得税に相当する税金を納付したときは、日本においてその納付した外国税額を控除できるそうですが、この取扱いについて教えてください。

A 所得税法では、居住者が外国所得税を納付することとなる場合には、その年分の所得税の額から、その源泉が国外にある所得に対応する税額を限度として、控除することとされています。

解説

所得税法では、居住者が以下に定める外国所得税を納付することとなる場合には、その年分の所得税の額から、その源泉が国外にある所得に対応する税額とされる以下に定める計算方法により算出した税額を限度として、控除することとされています。

1 外国所得税の範囲

控除対象となる外国所得税とは、原則として、外国の法令に基づいて外国又はその地方公共団体により、個人の所得を課税標準として課される税（控除対象外国所得税）のことをいいますが、同じく課される次に掲げる税も、控除対象外国所得税に含まれます。

① 超過所得税その他個人の所得の特定の部分を課税標準として課される税

② 個人の所得又はその特定の部分を課税標準として課される税の附加税

③ 個人の所得を課税標準として課される税と同一の税目に属する税で、個人の特定の所得につき、徴税上の便宜のため、所得に代えて収入金額その他これに準ずるものを課税標準として課されるもの

④　個人の特定の所得につき、所得を課税標準とする税に代え、個人の収入金額その他これに準ずるものを課税標準として課される税

なお、上記の税とは反対に、次に掲げる税については、控除対象外国所得税には含まれません。

イ　税を納付する者がその納付後に任意に還付請求することができる税

ロ　その者が税の納付の猶予期間を任意に定めることができる税

ハ　その者と外国などとの合意により、複数の税率の中から最も低いとされる一定の税率を上回って決定された場合のその上回る部分の税、又はその最も低い税率がその合意がないものとした場合に適用されるべき税率を上回る場合のその適用すべき税率を上回る部分の税

ニ　外国所得税に附帯して課される附帯税に相当する税その他これに類する税

また、通常行われる取引と認められないもの（特殊関係者に対する特に有利な条件による貸付取引など）に基因して課税された場合や、その年以前において非居住者であった期間内に生じた所得に対して課税された場合、又は租税条約の規定において外国税額控除計算の対象外とされる場合などにおける税も、外国税額控除の対象から除かれます。

2　控除限度額

所得税における外国所得税額の控除限度額は、次の算式によって計算します。

$$\text{控除限度額} = \text{その年分の所得税の額} \times \frac{\text{その年分の国外所得総額}}{\text{その年分の所得総額}}$$

この場合における国外所得総額は、次の所得から構成されます。

①　国外事業所得等帰属所得

②　上記①以外の所得で、その源泉が国外にある所得の総額を指し、「調整国外所得金額」とされています。

調整国外所得金額とは、原則として、純損失又は雑損失の金額の繰越控除前の国外源泉所得金額をいいますが、平成26年度税制改正により、2017（平成29）年分以後に適用されている改正後における「国外事業所等帰属所得」を除き、改正前に規定されていた「国内源泉所得に係る所得以外の所得」とほぼ同様の内容です。その規定内容は、例えば給与等については、原則として「国外において行う勤務その他の人的役務の提供に基因するもの」とされていて、その他の国外源泉所得については、第4章問4❶「国外源泉所得の内容」と表題の表を参照してください。

なお、所得総額が国外所得総額に満たない場合の所得総額は、その国外所得総額に相当する金額（上記算式では100%超はないこと）とされています。

注　国外所得総額の計算にあたって、給与所得又は退職所得がある場合のその所得金額は、次の算式により計算します。

$$給与所得又は退職所得の金額 = \frac{その源泉が国外にある収入金額}{給与等又は退職手当等の総額}$$

3　外国所得税額の繰越控除と控除余裕額の繰越

その年に納付した外国所得税と、その年の国外所得金額とは、必ずしも対応しない場合があることから、その年の控除限度額の範囲内でしか控除できないこととなると、国際的二重課税の排除は十分に行われないこととなります。よって、控除限度超過額と控除余裕額との繰越を3年間可能として、その対応の時期的不一致を調整しています。

❶ 控除限度額を超える場合の外国税額控除（繰越余裕額の繰越控除）

居住者が各年において納付することとなる控除対象外国所得税の額が、その年の控除限度額と地方税控除限度額の合計額を超える場合（控除限度超過額が生ずる場合）において、その年の前年以前3年内の各年の繰越余裕額（控除対象外国所得税の額が控除限度額に満たない場合において、その控除限度額からその控除対象所得税額を控除した金額に相当する金額）のうち、その年に繰り越される部分とされる一定金額（繰越控除限度額）があるときは、その繰越控除限度額を限度として、その超える部分の金額をその年分の所得税額から控除できます。

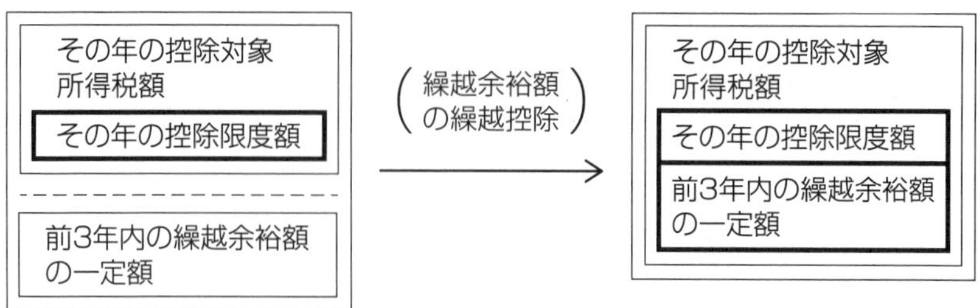

❷ 控除限度額に満たない場合の外国税額控除（限度超過額の繰越控除）

居住者が各年において納付することとなる控除対象外国所得税の額が、その年の控除限度額に満たない（控除余裕額が生ずる）場合において、その年の前年以前3年内の各年の控除限度超過額（控除対象外国所得税の額がその年の国税と地方税との控除限度額の合計額を超える場合におけるその超える部分に相当する金額）のうち、その年に繰り越される部分とされる一定の金額（繰越控除対象外国所得税額）があるときは、その年の控除余裕額を限度として、その繰越控除対象外国所得税額をその年分の所得税の額から控除できます。

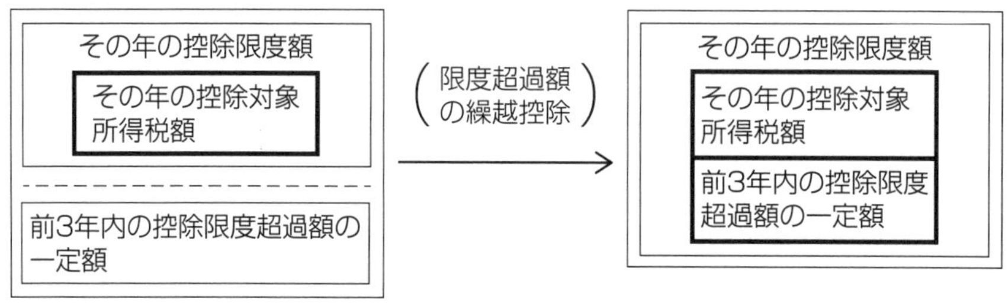

参考　所法95《外国税額控除》、所令221《外国所得税の範囲》、同221の2《国外所得金額》、同222《控除限度額の計算》、同222の2《外国税額控除の対象とならない外国所得税の額》

003 日米両国から課税を受ける役員退職金の調整

Q 内国法人である当社の日本人役員Bは、その就任直後に北米担当役員としてニューヨーク支店に駐在していましたが、その後本社に戻り、この度退任することとなりましたので、退職金を支給する予定です。ニューヨーク駐在中はアメリカの市民権もグリーンカードも保有していなかったとのことで、この退職金についてはアメリカでも課税されると聞いていますが、日米両国で納税する税金はどのように調整されるのでしょうか。

A 居住者として支給を受ける退職金は、その全額が退職所得として課税される一方、米国においても非居住者として給与課税を受けるものと認められ、その場合は我が国における確定申告により、外国税額控除を受けて二重課税を調整することとなります。

解説

ご質問の退職者は、所得税法上、その退職の日において我が国の居住者に該当することから、非居住者時代を含む全勤務期間の退職金、すなわち支給される退職金全額が所得税の課税の対象となります。

一方その退職者は、米国駐在時において市民権又はグリーンカードは取得していないとのことですから、ご質問にあるとおり、米国以外に所在する法人の役員としての職務遂行により受け取る報酬であっても、米国税法上、米国内における勤務期間に対応する部分については、役務提供地に所得源泉があるものとされて、非居住者として所得税課税を受けることとなると認められます。

また、その退職者は我が国法人の役員であって我が国居住者に該当することから、日米租税条約でも、役員報酬条項でなく給与所得条項が適用されて課税されることとなりますので、米国と我が国との間で所得税の二重課税が生じることとなります。

この場合の課税の調整は、所得税法上、外国税額控除により行うこととなりますが、役員の職務に関して受け取る報酬は、退職金を含め、そのすべてが原則として国内源泉所得とされていて、外国税額控除の対象となる国外源泉所得に該当しません。よってこの限りにおいては、外国税額控除を受けられない可能性が生じます。

しかしながら日米租税条約では、「日本国居住者が受益者である所得で同条約により米国で租税を課されるものは、米国に源泉があるものとみなす」規定（所得源泉地置換え規定）を置いています。

また所得税法でも、租税条約の規定により他方の締結国において所得税を課されるものは、国内源泉所得以外の所得、すなわち国外源泉所得に該当することとされて、外国税額控除限度額計算の対象となります。

したがって、ご質問のBさんは、我が国で所得税の確定申告を行うことにより外国税額控除を受けて、その所定の計算による控除限度額の範囲内で二重課税の調整ができることとなります。

注　この取扱いは平成26年度税制改正において、国外源泉所得について、その規定を明確化された後も、同様の取扱いとなっています。

また、この取扱いは租税条約において条約相手国で租税を課することができることとされている所得が対象ですので、それ以外の場合で課税された所得については対象外となります。

なお、外国税額控除の計算方法等については前問（問2）参照。

参考　所法2①《定義》、同7《課税所得の範囲》、同30《退職所得》、同95⑦《外国税額控除》、同161①十二《国内源泉所得》、所令221の2《国外所得金額》、同222《控除限度額の計算》、日米租税条約14《給与所得》、同15《役員報酬》、同23①《二重課税の排除》

004 内国法人の外国税額控除

Q 外国法人が日本で租税を課された場合、国際課税のルールとしては、その租税について本国で外国税額控除の適用を受けられるのが一般的であると思いますが、その逆に、内国法人が外国で租税を課されたとした場合の日本における外国税額控除制度の概要を教えてください。

A 内国法人が国外源泉所得について納付した外国法人税等については、所定の計算による控除限度額の範囲内で、一定の外国法人税額を法人税額から控除できることとなっています。

解説

内国法人に対する外国税額控除制度も、居住者の場合と同様に国際的な二重課税を調整するために設けられたもので、その概要は次のとおりとされています。

1 外国税額控除の適用関係

内国法人が、所得の源泉が国外にあるもの（国内源泉所得以外の所得=国外源泉所得）について外国法人税を納付した場合、その外国法人税の額については、法人税の確定申告の際に、所定の計算方法により求めた控除限度額の範囲内で、その外国法人税のうち税負担率が高率とされる部分を除いたもの（控除対象外国法人税）の額につき、税額控除の適用を受けるか、又は損金の額に算入するかのいずれか有利な方を選択することができること（=税額控除を受ける控除対象外国法人税額は損金不算入）となっています。

なお、この取扱いは、公益法人等又は人格のない社団等が収益事業以外の事業、若しくはこれに属する資産から生ずる所得について納付する控除対象外国法人税の額については、適用されません。

平成26年度税制改正により、国外源泉所得について、従来の国内源泉所得概念借用によるその反対概念として規定する方法から改めて、2016（平成28）年4月1日以後開始事業年度から適用の法人税法では、新たに国外源泉所得を国外事業所等帰属所得をはじめとする16種類に区分して定められ、帰属主義への改正の下における所得概念の明確化が図られました。

外国税額控除の計算の基礎とされる国外源泉所得は、16の種類に分かれていますが、その計算においては、

①　国外事業所等帰属所得（1号国外源泉所得）

②　上記①以外のその他の国外源泉所得（2～16号国外源泉所得）

に区分して計算を行い、その合計額を国外所得金額とすることとされています。この合計額が零を下回るときには、マイナスの控除限度額が算出されないよう、国外所得金額は「0」とされます。また、例えば、内国法人の外国支店が外国債の利子を得た場合には、優先して1号国外源泉所得に該当することとされますが、例外的に国際運輸業所得（14号国外源泉所得）については、1号国外源泉所得に優先して該当することとされています。

なお、国外源泉所得とされる国外事業所等帰属所得に該当するものを除き、

①　国外事業所等があっても非帰属の場合、

②　国外事業所等を有していない場合（いずれも本店等が稼得する所得）

で、国外源泉所得に該当するものの範囲について、次ページの表**【国外源泉所得の内容】**にあるように区分されています。以下この章において同じです。

2　外国法人税の範囲

外国法人税についての基本的な考え方は、居住者の場合に課される外国所得税と同じように規定されていて、その範囲は次のとおりです。

控除対象となる外国法人税とは、原則として外国の法令に基づき外国又はその地方公共団体により法人の所得を課税標準として課される税をいいますが、同じく課される次に掲げる税も外国法人税に含まれます。

【国外源泉所得の内容】

国外にある資産の運用・保有所得(2号)	外国国債・地方債、外国法人発行の債券等
	非居住者に対する貸付金債権で、当該非居住者の行う業務に係るもの以外のもの
	国外にある営業所等を通じて契約した保険契約などに基づく保険金等を受ける権利
国外にある資産の譲渡所得(右のものに限る)(3号)	国外にある不動産の譲渡
	国外にある不動産の上に存する権利・鉱業権等
	国外にある山林の伐採又は譲渡による所得
	外国法人発行の株式等で事業譲渡類似株式に相当する株式の譲渡
	国外にある土地等を一定割合有する株式等で不動産関連法人株式に相当する株式の譲渡
	国外にあるゴルフ場の所有・経営に係る法人の株式の譲渡
	国外にあるゴルフ場等の利用権の譲渡
国外において行う人的役務提供事業の対価(4号)	
国外にある不動産等の貸付による対価(5号)	
外国法人の発行する債券の利子等(6号)	
外国法人から受ける配当等(7号)	
国外業務に係る貸付金利子(8号)	
国外業務に係る使用料等(9号)	
国外事業の広告宣伝のための賞金(10号)	
国外にある営業所等を通じて締結した年金契約に基づいて受ける年金(11号)	
国外営業所等が受け入れた定期積金に係る給付補塡金等(12号)	
国外において事業を行う者に対する出資につき、匿名組合契約に類する契約に基づいて受ける利益の分配(13号)	
国際運輸業に係る所得のうち国外業務につき生ずべき所得(14号)	
租税条約の規定によりその租税条約の相手国等において租税を課することができることとされる所得のうち、その相手国等において外国法人税を課されるもの(15号)	
その他の国外源泉所得(16号)	国外業務・国外資産に関し受ける保険金等
	国外にある資産の贈与
	国外で発見された埋蔵物等
	国外で行う懸賞に係る懸賞金等
	国外業務・国外資産に関し供与を受ける経済的利益

注 国外にある資産の運用・保有所得(2号)には、内国法人が得る金融商品取引法第2条に規定する「市場デリバティブ取引」又は「店頭デリバティブ取引」の決済により生じる所得は含まれません(法令145の3②)。

①　超過利潤税その他法人の所得の特定の部分を課税標準として課される税

②　法人の所得又はその特定の部分を課税標準として課される税の附加税

③　法人の所得を課税標準として課される税と同一の税目に属する税で、法人の特定の所得につき、徴税上の便宜のため、所得に代えて収入金額その他これに準ずるものを課税標準として課されるもの

④　法人の特定の所得につき、所得を課税標準とする税に代え、法人の収入金額その他これに準ずるものを課税標準として課される税

注　外国税額控除の対象となる外国法人税には、直接納付税額とみなし納付税額の2類型があります（問5、問6参照）。

なお、上記の税とは反対に、次に掲げるような税は外国法人税には含まれません。

イ　税を納付する者がその納付後に任意に還付請求することができる税

ロ　その者が税の納付の猶予期間を任意に定めることができる税

ハ　その者と外国などとの合意により、複数の税率の中から最も低いとされる一定の税率を上回って決定された場合のその上回る部分の税

ニ　外国法人税に附帯して課される附帯税に相当する税その他これに類する税など

さらに、次の外国法人税も控除対象とならない外国法人税とされています。

ホ　国外事業所等と本店等との間の内部取引等につき課される外国法人税

へ　租税条約の軽減免除規定による相手先国における限度税率超過部分又は免除部分

ト　みなし配当の基因とされる事由により交付を受ける金銭の額、又はその他の資産の価額に対して課される外国法人税で、その金銭等の交付の基因となった株式の取得価額を超える部分に対するものを除いたもの

チ　移転価格課税の第二次調整として課されるみなし配当に対する外国法人税

リ　外国子会社配当益金不算入制度の対象となる配当に係る外国源泉所得税等

ヌ　他の者の所得に相当する金額に対して、その者との株式又は出資保有関係などの一定の関係に基づき内国法人の所得とみなして課される外国法人税

ル　内国法人の国外事業所得において、その事業所等から本店等又は他の者に対する支払金額がないものとした場合に得られる所得について課される外国法人税

3　控除対象外国法人税額の範囲

外国税額控除の対象となるのは、内国法人が納付した上記2の対象とされる範囲に含まれる外国法人税の額のうち、税負担率が我が国の税負担率に比し高率な部分を除いたものです。この場合、原則として税負担率が35%を超える部分を高率な部分として、控除の対象から除いています。

これは、我が国の実効税率を超える部分については、国際的二重課税が生じていないものと認められ、高率とされる法人税を外国税額控除を通じて実質的に我が国が負担することとならないように、その部分の税額を控除対象から排除する趣旨によるものと思われます。

このほか、

① 通常行われる取引と認められない、いわゆる仕組取引と称される取引等に基因して生じた所得

② 我が国で法人税の課税対象とならないもの

を課税標準として課されることとなる法人税の額も、控除対象となりません。

注　外国法人税の詳細については次問（問5）参照。

4　控除限度額の計算

法人税額から控除できる外国税額は、上記3の控除対象外国法人税額のうち、次に掲げる「控除限度額」までとなっています。

控除限度額の計算は、内国法人が税額控除できる限度額を内国法人の国外源泉所得に対応する法人税額とする計算ですが、外国税額控除における法人税の控除限度額は、次により算出されます。

$$\text{控除限度額}=\text{その事業年度の所得に対する法人税の額}\times\frac{\text{その事業年度の調整国外所得金額}\left(\text{外国法人税が課されない国外源泉所得金額の全額を除きます}\right)}{\text{その事業年度の所得総額}}$$

（計算の説明）

① 法人税額は、試験研究を行った場合の法人税額の特別控除額などを控除した後の「差引法人税額」となります。

② 所得金額は、所得金額から控除した繰越欠損金額等を所得金額に加算した金額となります。

③ 算式の分子の調整国外所得金額は、原則として、その源泉が国外にあるもの（国外源泉所得）に係る所得のみについてその事業年度の法人税の課税対象となるべき所得金額で、外国法人税が課されない国外源泉所得に係る所得金額を控除した金額をいいます。なお、その金額は、「その事業年度の所得金額×90%」相当額以内とされています。

④ 国外源泉所得の範囲については、

イ　棚卸資産（動産）の譲渡が国外事業所などを通じて行われた場合には、その資産を国外において譲渡したものとして、国内事業から生ずる所得以外のものかどうかを判定します。

ロ　上記イの場合以外で、その譲渡による所得について外国法人税が課されるときは、法人の選択により国外で譲渡したものとして、イと同様に判定します。

ハ　国外にある者に対する金銭の貸付け、投資などにより生ずる所得は、国外源泉所得とします。

⑤ 租税条約により外国において課税できることとされる所得で、外国法人税が課されるものは、国外源泉所得となります。

⑥ 2016（平成28）年4月1日以後開始事業年度前までは、上記算式の「調整国外所得金額」は、「国外所得金額」とされていて、上記③の内容と同様です。上記開始事業年度以降の調整国外所得金額とは、国外源泉所得に係る所得のみについて法人税を課するものとした場合に課税標準となるべきその事業年度の所得金額に相当するものとされています。これについては、内国法人の国外事業所等

に帰せられるべき資本に対応した負債の利子の損金不算入相当額等について、加減算の調整を行って得た金額とされています。

5 繰越控除等

控除余裕額の繰越と外国法人税額の繰越控除についても、その基本的構造は居住者の外国所得税の場合と同様です。

内国法人が各事業年度において納付することとなる控除対象外国法人税の額が、その事業年度の控除限度額と地方税控除限度額との合計額を超える金額（控除限度超過額）がある場合において、前3年以内の各事業年度に生じた控除余裕額の繰越額（繰越控除限度額）があるときには、その金額を限度として、その超える部分の控除対象外国法人税の額をその事業年度の法人税額から控除できます。

また、その事業年度の控除対象外国法人税の額が、その事業年度の控除限度額に満たない（控除余裕額が生ずる）場合において、前3年以内の各事業年度における控除対象外国法人税の額のうち、その事業年度に繰り越される部分（繰越控除対象外国法人税額）があるときは、その事業年度の控除余裕額を限度として、その繰越控除対象外国法人税額をその事業年度の法人税額から控除できます。

参考 法法22《各事業年度の所得の金額の計算》、同41《法人税額から控除する外国税額の損金不算入》、同69《外国税額の控除》、法令141《外国法人税の範囲》、同142《控除限度額の計算》、同142の2《外国税額控除の対象とならない外国法人税の額》、同144《繰越控除限度額》、同145《繰越控除対象外国法人税額》

005 税額控除の対象となる外国法人税と対象とならない直接納付のもの

Q　内国法人の法人税の計算において、外国税額控除の対象となる外国法人税については、直接外国政府等に納付したものでも対象となるものとならないものがあるそうですが、それはどのようなものなのでしょうか。

A　内国法人が外国税額控除の対象とすることができない外国法人税には、直接納付する場合の税負担割合が35%を超える部分の金額のほかに、利子・配当等に対するその収入の一定の部分も控除対象から除かれています。また、通常行われる取引と認められない取引に基因して生じた所得に対して課された外国法人税なども除かれていますので、これらの要件に抵触しない外国法人税が外国税額控除の対象とされることとなります。

解説

1 直接納付税額のうち高率な部分について

外国税額控除の対象となる外国法人税とは、外国の法令によって外国やその地方公共団体により、その法人の所得について課税される法人税相当額をいいますが、その納付する税金の態様に応じて、所得に対する税負担が高率な部分は控除の対象から除かれています。

まず一義的に対象となるものは、その法人が海外に支店等を設置して行う事業活動を通じて得た所得に対する外国の法人税や、外国債券・株式等への投資により得た利子、配当等に対して源泉徴収された外国所得税などで、その法人が直接納付した外国税額をいいます。

この場合に「税負担が高率な部分」としてその対象から除かれる金額は、次のとおりです。

❶ 一般の控除対象法人税について

その外国法人税の課税標準とされる金額の35%を超える部分の金額

❷ 利子等の控除対象法人税について

所得率	税負担が高率な部分
法人の所得率が10%以下の場合	利子収入の10%超の部分の金額
法人の所得率が10%超20%以下の場合	利子収入の15%超の部分の金額
法人の所得率が20%超の場合	高率部分の金額はないものとされます

上記の高率とされて控除の対象から除かれた部分の金額は、課税所得の計算上、損金の額に算入されることとなります。

また、上記の所得率は、「金融・証券業」、「生保業」、「損保業」、「その他の業種で特定の利子等収入割合が20%以上の法人」に4区分した業種区分ごとに、納付事業年度を含む直近3年度分の総収入合計額などに対する同年度分の調整所得金額（受取配当等の益金不算入などを適用しないで計算し、損金算入外国法人税額を加算した金額）の合計額の割合をいいます。

外国法人税額のうち、租税条約の規定などによるみなし納付外国法人税額がある場合の税負担が高率な部分の金額は、まずそのみなされる金額から成るものとしてその対象から除かれることとなります。

2 その他の要件で控除の対象とされない主なもの

次のものについても外国税額控除の対象外とされています。

(1) 内国法人の通常行われる取引と認められないとされる、次の取引に基因して生じた所得に対して課された外国法人税の額

① 内国法人が金銭の借入れ・預入れを受けている者と特殊の関係のある者（株主の親族など法人税法で定める同族関係者に当たる者や、その法人の事業の方針の全部又は一部を実質的に決定できる関係のある者など）に対して、借入利率などの条件に比

べて特に有利な条件で行う借入れ等と同額の金銭の貸付けを行う取引

② 貸付又はその類似債権を譲受けた内国法人が、その譲渡者と特殊な関係にある債務者から利子の支払を受ける取引のうち、譲渡者の債権所有期間に対応する部分を譲渡者に支払う場合の金額が、

イ 利子の額から、上記所有期間に対応する部分の利子について、債務者所在地国等に納付した外国法人税額を控除した額

ロ その利子に係る外国法人税額のうち、上記所有期間に対応する部分の全部又は一部となる額

との合計額に相当するときの取引

(2) 法人税法の規定により法人税が課されないこととなる、次の金額を課税標準として課された外国法人税の額

① 益金不算入とされるみなし配当にあたる金銭その他の資産の交付を受けた額

② 租税条約の実施に伴い相手国居住者等に支払われない金銭の額

③ 外国子会社合算課税の適用を受ける外国子会社から受ける剰余金の配当等の額

④ 国外事業所等から本店等への支払に係る金額

⑤ 出資する外国法人の租税の更正処分等により配当等とみなされた金銭の額

(3) 租税条約相手国で課税された外国法人税のうち、条約が定める限度税率を超えて課税された部分の税額

参考　法法69《外国税額の控除》、法令142の2《外国税額控除の対象とならない外国法人税の額》

006 税額控除の対象となるみなし納付税額

Q 内国法人が特定の国では課税の減免を受けたものについても納付したものとみなされて、外国税額控除が受けられるとのことですが、その内容を教えてください。

A 内国法人が外国税額控除の対象とすることができる外国法人税には、租税条約の規定により納付したものとみなされるものも含まれます。

解説

租税条約の規定により、納付したものとみなされる外国法人税額も、外国法人税額控除の対象となります。

いくつかの新興国や途上国では、自国への外資導入や企業進出を促進するために、一定の要件の下に租税を免除、軽減する優遇措置を設けていますが、投資・進出企業の居住地国では、これを無視して、これらの国に投資等を行った企業に通常どおりの外国税額控除を適用して課税を行いますと、相手国で減免をみなされた部分が取り消されて居住地国の実効税率で課税される結果となり、実質的にはこの優遇措置を設けた効果がなくなってしまいます。

そのため、租税条約又はそれらの国の法令において優遇措置を設けて、その国で減額された税額についてはその納付があったものとみなすこととする、つまり、投資した企業の居住地国においては、課税権をいわば制約する形で税額計算に反映させて外国税額控除を認めることとされています。この制度を「みなし外国税額控除」（タックス・スペアリング・クレジット=Tax Sparing Credit）といいます。

この制度を供与する租税条約締結国で有効な規定があるのは、現在のところ、ザンビア、スリランカ、タイ、中国、バングラデシュ、ブラジルの6か国とされています。

その主な国における内容は、次のとおりです。

国　　名	みなし税率
中　　国	利子10%、一定の配当10%、その他の配当20%、使用料20%
タ　　イ	配当（最大）25%、使用料（最大）25%
ブラジル	利子20%、配当25%、使用料25%

注　フィリピンについては、従来は適用されていましたが、2019（平成31）年1月1日以後開始課税年度からはその適用がありません（日比租税条約改正議定書9（3））。

この場合、例えば中国の居住者から日本法人が使用料を受け取る場合は、租税条約の軽減規定を適用すると、中国では10%の限度税率で課税されますが、20%の税率で納税したものとみなして、日本において外国税額控除の適用を受けることができます。

なお、みなし税額控除の対象となる優遇措置は、租税条約の交換公文等のほか、相手国の国内法で規定されたものに限られることとなりますので、租税条約の改正などには留意する必要があります。

参考　法法22《各事業年度の所得の金額の計算の通則》、同69《外国税額の控除》、法令142の2《外国税額控除の対象とならない外国法人税の額》、実特法省令10《みなし外国税額の控除の申告手続等》、日中租税協定23《二重課税の排除》など

007 外国法人株式の譲渡益に対する外国税額控除

Q 内国法人である当社は、当社100%出資子会社のアメリカ法人C社の全株式を一括して内国法人D社に譲渡する予定です。

C社はアメリカ国内における不動産関連法人に該当することから、その譲渡益はアメリカで課税されるとのことですが、課された外国法人税は、当社の法人税申告において外国税額控除ができるのでしょうか。

なお、アメリカ以外の国で課税された場合の取扱いも教えてください。

A 米国で課税された所得については、日米租税条約に規定する二重課税排除条項により国外源泉所得とみなされることから、その外国法人税は外国税額控除の対象となります。

その他の国で課税された場合も、米国の場合と同様に外国税額控除の対象となります。

解説

1 国内法の原則的な取扱い

内国法人の株式譲渡による収益については、その所得源泉地を問わず我が国で課税されますが、我が国が締結している租税条約において、ご質問にあるように、不動産関連法人の株式などの場合は、株式発行法人の所在地国でも課税される条約例が近年多くみられるようになっています。

注　租税条約における不動産関連法人の株式などの譲渡収益課税については、第3章問4参照。

その場合に国際的な二重課税を排除する措置として、我が国では外国税額控除制度がとられています（その概要は第4章問4、問5参照）。

その事業年度の法人税から控除できる外国税額は、納付することとなる外国法人税額と控除限度額とのいずれか少ない金額とされていることから、通常は控除限度額までしか控除できません。

ここでいう控除限度額は、次の算式により計算することとされています。

$$控除限度額 = 法人税額 \times \frac{国外所得金額}{全世界所得金額}$$

国内法上、上記算式における国外所得金額の計算の基礎とされる国外源泉所得とは、国内源泉所得以外の所得でその範囲が特定されていますが、株式を含む有価証券の譲渡による所得については、2016（平成28）年3月31日以前までは、国内にある営業所等を通じて譲渡されるものや、契約に基づく引渡し義務の発生直前における証券等が国内にあるものの譲渡による所得は、国内源泉所得とされていました。そのため、これらに当てはまる場合の外国法人株式の譲渡益は、原則として国内源泉所得となり、その限りにおいて控除限度額が生ぜず、外国税額控除ができないこととなっていました。

その後、平成26年税制改正により、2016（平成28）年4月1日以後開始事業年度から適用の法人税法では、国外にある土地等の占める資産価額割合が50%以上など一定の法人（不動産関連法人）株式に相当する株式の譲渡収益については、国外源泉所得とされています。

したがって、本問のケースの外国法株式の譲渡益は外国税額控除の対象となります。

2　日米租税条約による取扱い

日米租税条約においては、二重課税排除条項に「日本国居住者が受益者である所得で、同条約により米国で課税されるものについては、米国内の源泉から生じたものとみなす」とする所得源泉地の置換え規定を設けています。

また、法人税法上、上記**1**に記載があるように、国外にある土地等の占める資産価額割合から不動産関連法人に該当することとなる株式の譲渡収益については、国外源泉所得とされています。

したがって、米国で課税された株式譲渡収益は、国外源泉所得に該当することから、控除限度額を構成し、外国税額控除の対象となります。

3 その他の国との租税条約と国外源泉所得の特例

上記と同様の定めを置く租税条約締結国は、米国以外では、イギリス、オーストラリア、オランダ、スイスなどに限られていて、それらの国以外で課税された場合には、従来、国内源泉所得に該当するものとして国外所得に当たらず、外国税額控除の対象とならないことから、二重課税が生ずる結果となっていました。

この点について、平成23年度税制改正（2011（平成23）年4月1日以後適用）において、租税条約の規定により条約相手国において課税できることとされる所得で、その租税条約で居住地国の外国税額控除の控除限度額計算にあたって考慮しないものとされているものを除き、その条約相手国において外国法人税が課されるものについては、国外源泉所得に該当することとされました。

この改正により、所得源泉地の置換え規定のない条約相手国で課税された株式譲渡収益についても、米国などと同様に外国税額控除の対象となります。

なお、租税条約の規定により条約相手国が課税できることとしていないものについては、相手国での納税が生じないこととなり、この規定の適用対象外となります。

ただし、上記**1**にあるように、2016（平成28）年4月1日以後に適用されることとなる本問のケースについては、租税条約の規定の有無にかかわらず国外源泉所得に該当して、外国税額の納付が生じる限り、外国税額控除の対象となります。

参考 法法69《外国税額の控除》、同139《租税条約に異なる定めがある場合の国内源泉所得》、法令142《控除限度額の計算》、同145の4《国外にある資産の譲渡により生ずる所得》、同178《国内にある資産の譲渡により生ずる所得》、日米租税条約13《譲渡収益》、23《二重課税の排除》

付　録

租税条約（源泉徴収関係）一覧

（2024（令和6）年5月1日現在）

1 租税条約の締結国・地域一覧

租税条約の正式な名称は、「所得に対する租税に関する二重課税の回避及び脱税の防止のための日本国（政府）と○○（国名（政府））との間の条約（協定)」となっており、二国間における所得に対する租税についての課税範囲等が定められています。このほかに、租税に関する情報の交換及び課税権の配分に関する規定を主体とする協定も締結しています。2024（令和６）年５月１日現在、発効済みで租税に適用中の租税条約（協定）は83（うち所得に関するものは72）条約で、90（うち所得に関するものは79）か国・地域に適用されていて、その対象税目は「締結国、地方政府又は地方公共団体に課される所得及び財産に対するすべての租税」とされています。

このほか、上記日現在、「アルジェリア」との条約が発効していますが、租税への適用は、2025（令和７）年１月１日からです。ただし、本条約の情報交換などに関する規定は発効日から適用されることから、条約数が増えて、合計84条約で91か国等に適用されていることとなります。

なお、租税条約とは別に「台湾」との間では実質的に租税条約に相当する民間租税取決めが締結されていて、下記の一覧表の最後尾に「その他」として租税条約に含めて掲載してあります。

発効している条約の具体的な締結状況等は、次のとおりとなっています。

注１　我が国の条約相手国･地域ごとの署名日（発効日）欄に冒頭表示してある「原」は原条約、「全」は全面改訂、①、②、③はそれぞれ第１次、第２次、第３次の補足改訂を表しています。

その対象税目のうち、日本側にある下線を付した税目のうち、所得税には復興特別所得税を含み、法人税には地方法人税を含みます。相手国･地域欄にある下線を付した税目は、地方税です。

なお、租税に関する情報交換等を主たる内容とする協定である11協定（11か国）については、その国名等の欄に※印表示をしています。

２　「旧ソ連」又は「旧チェコスロバキア」との条約については、現在まで引き継がれて効力を有しているものも掲示しています。該当国については、「署名日」欄に（旧ソ連）又は（旧チェコ）と表示してあります。

相手国・地域名＼項目		署名日	発効日	対象税目	
				日本側	相手国・地域
1	アイスランド	2018.1.15	2018.10.31	所得税　法人税 住民税	所得税（地方税を含む）特別炭化水素税
2	アイルランド	1974.1.18	1974.12.4	所得税　法人税 住民税	所得税（付加税含む） 法人利潤税
3	アゼルバイジャン	2022.12.27	2023.8.4	所得税　法人税 住民税	自然人の所得税、法人税

相手国・地域名 ＼ 項目		署名日	発効日	対象税目 日本側	対象税目 相手国・地域
4	アメリカ	原 1954.4.16 ① 1957.3.23 ② 1960.5.7 ③ 1962.8.14 全 1971.3.8 全 2003.11.6 ① 2013.1.24	1955.4.1 1957.9.9 1964.9.2 1965.5.6 1972.7.9 2004.3.30 2019.8.30	所得税　法人税	連邦所得税（社会保障税を除く）
5	アラブ首長国連邦	2013.5.2	2014.12.24	所得税　法人税 住民税	所得税　法人税
6	アルジェリア	2023.2.7	2024.1.20	所得税　法人税 住民税	全世界所得に対する租税、法人の利得税、専門的活動税、炭化水素の探査などの成果に対する使用税その他の租税
				租税への適用＝2025.1.1から	
7	アルメニア	1986.1.18 （旧ソ連）	1986.11.27	所得税　法人税 住民税	個人所得税　外国法人に対する所得税
8	イギリス	原 1962.9.4 全 1969.2.10 ① 1980.2.14 全 2006.2.2 ① 2013.12.17	1963.4.23 1970.12.25 1980.10.31 2006.10.12 2014.12.12	所得税　法人税 住民税	所得税　法人税 譲渡収益税
9	イスラエル	1993.3.8	1993.12.24	所得税　法人税 住民税	所得税法及びその附属法令による租税　土地評価税法による租税
10	イタリア	原 1969.3.20 ① 1980.2.14	1973.3.17 1982.1.28	所得税　法人税 住民税	個人所得税　法人所得税　地方所得税
11	インド	原 1960.1.5 ① 1969.4.8 全 1989.3.7 ① 2006.2.24 ② 2015.12.11	1960.6.13 1970.11.15 1989.12.29 2006.6.28 2016.10.29	所得税　法人税	所得税（加重税を含む）
12	インドネシア	1982.3.3	1982.12.31	所得税　法人税	所得税　法人税 利子・配当及び使用料に対する税
13	ウクライナ	1986.1.18 （旧ソ連）	1986.11.27	所得税　法人税 住民税	個人所得税　外国法人に対する所得税
14	ウズベキスタン	2019.12.19	2020.10.17	所得税　法人税 住民税	法人の利得に対する租税　個人の所得に対する租税

	項目 相手国・地域名	署名日	発効日	対象税目	
				日本側	相手国・地域
15	ウルグアイ	2019.9.13	2021.7.23	所得税　法人税 住民税	事業所得税　個人所得税　非居住者所得税 社会保障支援税
16	エクアドル	2019.1.15	2019.12.28	所得税　法人税 住民税	所得税
17	エジプト	1968.9.3	1969.8.6	所得税　法人税 住民税	不動産から生ずる所得に対する租税（土地税、建物税及びガフィール税を含む）動産資本所得に対する租税　商業上及び産業上の利得に対する租税　賃金･給料･手当及び退職年金に対する租税　自由職業その他すべての非商業的職業からの利得に対する租税　一般所得税 防衛税　国家安全保障税　上記の租税に対する附加税
18	エストニア	2017.8.30	2018.9.29	所得税　法人税 住民税	所得税
19	オーストラリア	原　1969.3.20 全　2008.1.31	1970.7.4 2008.12.3	所得税　法人税	所得税　石油資源使用税
20	オーストリア	原　1961.12.20 全　2017.1.30	1963.4.4 2018.10.27	所得税　法人税 住民税	所得税　法人税
21	オマーン	2014.1.9	2014.9.1	所得税　法人税 住民税	所得税
22	オランダ	原　1970.3.3 ①　1992.3.4 全　2010.8.25	1970.10.23 1992.12.16 2011.12.29	所得税　法人税 住民税	所得税　賃金税　法人税　配当税
23	カザフスタン	2008.12.19	2009.12.30	所得税　法人税 住民税	法人所得税　個人所得税
24	カタール	2015.2.20	2015.12.30	所得税　法人税 住民税	所得に対する租税
25	カナダ	原　1964.9.5 全　1986.5.7 ①　1999.2.19	1965.4.30 1987.11.14 2000.12.14	所得税　法人税	カナダ政府が課す各種の所得税
26	※ガーンジー	2011.12.6	2013.8.23	所得税　住民税	所得税 （情報交換規定においては住宅利得税も対象）

相手国・地域名＼項目		署名日	発効日	対象税目 日本側	対象税目 相手国・地域
27	韓国	原 1970.3.3 全 1998.10.8	1970.10.29 1999.11.22	所得税　法人税 住民税	所得税　法人税　地方振興特別税　住民税
28	キルギス	1986.1.18 （旧ソ連）	1986.11.27	所得税　法人税 住民税	個人所得税　外国法人に対する所得税
29	クウェート	2010.2.17	2013.6.14	所得税　法人税 住民税	法人所得税　クウェート資本の法人の純利得からクウェート科学振興財団（KFAS）に支払われる分担金　クウェート資本の法人の純利得から国家予算を支援するために支払われる分担金　ザカート　クウェート国民である使用人を支援するために課される税
30	クロアチア	2018.10.19	2019.9.5	所得税　法人税 住民税	利得税　所得税（付加税を含む）
31	※ケイマン諸島	2011.2.7	2011.11.13	所得税	—
32	コロンビア	2018.12.19	2022.9.4	所得税　法人税	所得税　所得税の補完税
33	サウジアラビア	2010.11.15	2011.9.1	所得税　法人税 住民税	ザカート　所得税（天然ガス投資税含む）
34	※サモア独立国	2013.6.4	2013.7.6	—	—
35	ザンビア	1970.2.19	1971.1.23	所得税　法人税 住民税	所得税　人頭税
36	※ジャージー	2011.12.2	2013.8.30	所得税　住民税	所得税
37	ジャマイカ	2019.12.12	2020.9.16	所得税　法人税 住民税	所得税
38	ジョージア	2021.1.29	2021.7.23	所得税　法人税 住民税	利得税　所得税
39	シンガポール	原 1961.4.11 全 1971.1.29 ① 1981.1.14 全 1994.4.9 ① 2010.2.4	1961.9.5 1971.8.3 1981.6.23 1995.4.28 2010.7.14	所得税　法人税 住民税	所得税
40	スイス	1971.1.19 ① 2010.5.21 ② 2021.7.16	1971.12.26 2011.12.30 2022.11.30	所得税　法人税 住民税	所得に対する連邦税　州税及び市町村税

相手国・地域名 ＼ 項目		署名日	発効日	対象税目	
				日本側	相手国・地域
41	スウェーデン	原 1956.12.12 ① 1964.4.15 全 1983.1.21 ① 1999.2.19 ② 2013.12.5	1957.6.1 1965.5.25 1983.9.18 1999.12.25 2014.10.12	所得税　法人税 住民税	国税の所得税　配当に対する源泉徴収税　非居住者に対する所得税　非居住者の芸能人・運動家に対する所得税　地方税の所得税
42	スペイン	原 1974.2.13 全 2018.10.16	1974.11.20 2021.5.1	所得税　法人税	個人に対する所得税　法人税　非居住者に対する所得税
43	スリランカ	1967.12.12	1968.9.22	所得税　法人税	所得税
44	スロバキア	1977.10.11 (旧チェコ)	1978.11.25	所得税　法人税 住民税	利得税　賃金税　文学上及び美術上の活動から生ずる所得に対する租税　農業税　住民所得税　家屋税
45	スロベニア	2016.9.30	2017.8.23	所得税　法人税 住民税	法人所得税　個人所得税
46	セルビア	2020.7.21	2021.12.5	所得税　法人税 住民税	法人所得税　個人所得税
47	タイ	原 1963.3.1 全 1990.4.7	1963.7.24 1990.8.31	所得税　法人税	所得税　石油所得税
48	タジキスタン	1986.1.18 (旧ソ連)	1986.11.27	所得税　法人税 住民税	個人所得税　外国法人に対する所得税
49	チェコ	1977.10.11 (旧チェコ)	1978.11.25	所得税　法人税 住民税	利得税　賃金税　文学上及び美術上の活動から生ずる所得に対する租税　農業税　住民所得税　家屋税
50	中国	1983.9.6	1984.6.26	所得税　法人税 住民税	個人所得税　合弁企業所得税　外国企業所得税　地方所得税
51	チリ	2016.1.21	2016.12.28	所得税　法人税 住民税	所得税法に基づいて課される租税
52	デンマーク	原 1959.3.10 全 1968.2.3 全 2017.10.11	1959.4.24 1968.7.26 2018.12.27	所得税　法人税 住民税	国税の法人所得税　国税・地方税の個人所得税　炭化水素税　年金投資収益税　教会税　配当に対する税　使用料に対する税

	相手国・地域名＼項目	署名日	発効日	対象税目	
				日本側	相手国・地域
53	ドイツ	原 1966.4.22 ① 1979.4.17 ② 1983.2.17 ③ 2015.12.17	1967.6.9 1980.11.10 1984.5.4 2016.10.28	所得税　法人税 住民税　事業税	所得税　法人税　営業税　連帯付加税
54	トルクメニスタン	1986.1.18 （旧ソ連）	1986.11.27	所得税　法人税 住民税	個人所得税　外国法人に対する所得税
55	トルコ	1993.3.8	1994.12.28	所得税　法人税 住民税	所得税　法人税　所得税及び法人税に対し課される税
56	ニュージーランド	原 1963.1.30 ① 1967.3.22 全 2012.12.10	1963.4.19 1967.9.30 2013.10.25	所得税　法人税	所得税
57	ノルウェー	原 1959.2.21 全 1967.5.11 全 1992.3.4	1959.9.15 1968.10.25 1992.12.16	所得税　法人税 住民税	国税の所得税　県税の所得税　市税の所得税　国税の租税平衡基金に対する分担金　海底の石油資源探査等に対する国税の所得税　国税の非居住者芸能人の報酬に対する賦課金
58	パキスタン	原 1959.2.17 ① 1960.6.28 全 2008.1.23	1959.5.14 1961.8.1 2008.11.9	所得税　法人税	所得税　附加税　事業利得税
59	※バージン諸島	2014.6.18	2014.10.11	—	—
60	※パナマ	2016.8.25	2017.3.12	国又は地方公共団体に課されるすべての租税	国又は地方政府に課されるすべての租税
61	※バハマ	2011.1.27	2011.8.25	所得税　住民税	—
62	※バミューダ	2010.2.1	2010.8.1	所得税　住民税 法人税	—
63	ハンガリー	1980.2.13	1980.10.25	所得税　法人税 住民税	所得税　利得税　特別法人税　所得税を基礎に課される地域開発分担金　営業法人による配当及び利得の分配に対する税
64	バングラデシュ	1991.2.28	1991.6.15	所得税　法人税	所得税
65	フィジー	1962.9.4 （旧日英条約）	1963.4.23	所得税　法人税	普通税及び付加税　基本税及び配当税（ただし、利子・配当は適用外）

相手国・地域名 ＼ 項目		署名日	発効日	対象税目	
				日本側	相手国・地域
66	フィリピン	原 1980.2.13 ① 2006.12.9	1980.7.20 2008.12.5	所得税　法人税	所得税
67	フィンランド	原 1972.2.29 ① 1991.3.4	1972.12.30 1991.12.28	所得税　法人税 住民税	国税の所得税　地方税の所得税　教会税　非居住者の所得に対する源泉徴収税
68	ブラジル	原 1967.1.24 ① 1976.3.23	1967.12.31 1977.12.29	所得税　法人税	連邦所得税
69	フランス	原 1964.11.27 ① 1981.3.10 全 1995.3.3 ① 2007.1.11	1965.8.22 1981.10.14 1996.3.24 2007.12.1	所得税　法人税 住民税	所得税　法人税　法人概算税　給与税　一般社会保障税及び社会保障債務返済税
70	ブルガリア	1991.3.7	1991.8.9	所得税　法人税 住民税	総所得税　利得税
71	ブルネイ	2009.1.20	2009.12.19	所得税　法人税 住民税	所得税　石油利得税
72	ベトナム	1995.10.24	1995.12.31	所得税　法人税 住民税	個人所得税　利得税　利得送金税　外国契約者税（利得に対する税とみなされるものに限る）　外国石油下請契約者税（利得に対する税とみなされるものに限る）　使用料税
73	ベラルーシ	1986.1.18 （旧ソ連）	1986.11.27	所得税　法人税 住民税	個人所得税　外国法人に対する所得税
74	ペルー	2019.11.18	2021.1.29	所得税　法人税 住民税	所得税
75	ベルギー	原 1968.3.28 ① 1988.11.9 ② 2010.1.26 全 2016.10.12	1970.4.16 1990.11.16 2013.12.27 2019.1.19	所得税　法人税 住民税	個人所得税　法人所得税　非営利団体税　非居住者税　不動産に対する源泉徴収税　前払税　上記の租税の付加税
76	ポーランド	1980.2.20	1982.12.23	所得税　法人税 住民税	所得税　賃金又は給料に対する税　上記の租税の付加税
77	ポルトガル	2011.12.19	2013.7.28	所得税　法人税 住民税	個人所得税　法人所得税　法人所得に対する付加税

相手国・地域名＼項目		署名日	発効日	対象税目	
				日本側	相手国・地域
78	香港	2010.11.9	2011.8.14	所得税　法人税 住民税	利得税　給与税　不動産税（個人申告制度に基づいて課されるか否かを問わない）
79	※マカオ	2014.3.13	2014.5.22	—	—
80	マレーシア	原 1963.6.4 全 1970.1.30 全 1999.2.19 ① 2010.2.10	1963.8.21 1970.12.23 1999.12.31 2010.12.1	所得税　法人税 住民税	所得税　石油所得税
81	※マン島	2011.6.21	2011.9.1	—	—
82	南アフリカ	1997.3.7	1997.11.5	所得税　法人税 住民税	普通税　配当税
83	メキシコ	1996.4.9	1996.11.6	所得税　法人税 住民税	所得税
84	モルドバ	1986.1.18 （旧ソ連）	1986.11.27	所得税　法人税 住民税	個人所得税　外国法人に対する所得税
85	モロッコ	2020.1.8	2022.4.23	所得税　法人税 住民税	所得税　法人税
86	ラトビア	2017.1.18	2017.7.5	所得税　法人税 住民税	企業所得税　個人所得税
87	リトアニア	2017.7.13	2018.8.31	所得税　法人税 住民税	利得税　個人所得税
88	※リヒテンシュタイン	2012.7.5	2012.12.29	—	—
89	ルクセンブルク	1992.3.5 ① 2010.1.25	1992.12.27 2011.12.30	所得税　法人税 住民税	個人所得税　法人税 法人の役員報酬に対する税　財産税　地方営業税

相手国・地域名 ＼ 項目		署名日	発効日	対象税目	
				日本側	相手国・地域
90	ルーマニア	1976.2.12	1978.4.9	所得税　法人税　住民税	賃金、給料、文学・美術・学術上の活動からの所得、出版物への寄稿等の活動からの所得に対する租税　非居住個人・法人の所得に対する租税　混合法人の所得に対する租税　商業・自由業等の生産的活動からの所得及び国営企業・混合法人以外の企業の所得に対する租税　建物・土地の賃貸からの所得に対する租税　農業所得に対する租税　消費協同組合・手工芸協同組合の所得に対する租税
91	ロシア	2017.9.7	2018.10.10	所得税　法人税　住民税	団体の利得税　個人の所得税
その他	台湾（日台民間租税取決め/所得相互免除法）	2015.11.26	2016.6.13	所得税　法人税　住民税	営利事業所得税　個人総合所得税　所得基本税　上記の租税の付加税

注１　「発効日」とは条約の効力が発生する年月日であり、適用開始日ではありません。
　よって、例えば「アゼルバイジャン」については、2023年８月４日に発効しましたが、条約の適用は「2024年１月１日以後に課される、又は同日以後に開始する課税年度に課される租税について適用されます。

２　相手国等のうち、「フィジー」には、旧日英租税条約が承継されています（内容の記載は省略）。

３　旧ソ連は1991（平成３）年12月をもって国家としては解体・消滅していますが、旧ソ連との間に締結された租税条約は「ロシア」に引き継がれ、その後、ロシアとの間で新条約が締結・発効された一方、その他の国のうち７か国についてはそのまま旧ソ連との条約が承継されて効力を有しています。そのうち、「ウクライナ」とは２国間条約を署名済み（未発効）です。

４　旧チェコスロバキア（「旧チェコ」と表示）が「チェコ」と「スロバキア」とに分離したことに伴い、日本国政府は1993（平成５）年１月１日にこれを承認しており、また、独立承認日から日本とチェコ及びスロバキアとの間で旧チェコスロバキアとの租税条約が適用されることが確認されています。

５　「台湾」との民間租税取決めに規定された内容を我が国内で実施するために「外国居住者等の所得に対する相互主義による所得税等の非課税等に関する法律」（所得相互免除法）が、外国人等の国際運輸業に係る所得に対する‥（略）‥法律の改正という形式をとって、2017（平成29）年１月１日から施行されています。

2　主な所得種類別の租税条約上の取扱い一覧

各国との租税条約による主な所得種類別の取扱いの概要をまとめますと、以下の表のとおりとなります（未発効のもの及び情報交換等を主とするものを除きます）。

なお、「旧ソ連」及び「旧チェコスロバキア」との租税条約承継国、及び条約が未適用の「アルジェリア」については、それぞれ「旧ソ連」又は「旧チェコスロバキア」あるいは「アルジェリア」の条約として、本表末尾に一括記載してあります。

●利子、使用料

項目／相手国・地域名		利子		使用料	
		限度税率	範囲等	限度税率	取扱い ①譲渡対価 ②設備賃貸料 ③源泉地　④その他
ＯＥＣＤモデル条約		10%	利子の源泉地国課税も認め、利子にはすべての種類の信用に係る債権から生じた所得で、償還差益を含む。所得源泉地は債務者主義を原則とするがＰＥ所在地国債務はその国を源泉地とされ、ＰＥと関連する債権から生じた利子は事業所得とされる	免税	①免税（譲渡条項）。ＰＥの事業用資産を構成するものの譲渡は所在地国課税。 ②事業所得 ③使用地主義(国内法)
我が国の一般的な条約例			ＯＥＣＤモデルに準拠していて、償還差益も含むが政府、日銀、国際協力銀行等の受取利子は免税		①②使用料に含む ③債務者主義
1	アイスランド	10%	同ＯＥＣＤモデル	免税	①～③同OECDモデル ④導管取引防止規定あり
2	アイルランド	10%	同ＯＥＣＤモデル	10%	①③同ＯＥＣＤモデル ②同条約例
3	アゼルバイジャン	7％	同条約例、間接融資等免税	7％	①同ＯＥＣＤモデル ②③同条約例
4	アメリカ	免税	源泉地免税、償還差益を含む。収入・利益等連動型の利子は国内法により10%限度課税	免税	①～③同OECDモデル ④導管取引防止規定あり

相手国・地域名＼項目		利子		使用料	
		限度税率	範囲等	限度税率	取扱い
5	アラブ首長国連邦	10%	同条約例、間接融資等免税	10%	①同条約例 ②同ＯＥＣＤモデル ③同条約例
6	イギリス	免税	源泉地免税、償還差益を含む。収入・利益等連動型の利子は国内法により10%限度課税	免税	①～③同OECDモデル ④導管取引防止規定あり
7	イスラエル	10%	同条約例、間接融資等免税	10%	①～③同条約例 ④裸用船料を含む
8	イタリア	10%	同ＯＥＣＤモデル	10%	①同ＯＥＣＤモデル ②③同条約例
9	インド	10%	同条約例、間接融資等免税	10%	①同ＯＥＣＤモデル ②③同条約例 ④技術的役務の料金を含む
10	インドネシア	10%	同条約例、間接融資等免税	10%	①同ＯＥＣＤモデル ②③同条約例
11	ウズベキスタン	5%	同条約例、間接融資等免税	5%	①同ＯＥＣＤモデル ②③同条約例
12	ウルグアイ	10%	同条約例、間接融資等免税	10%	①②同ＯＥＣＤモデル ③同条約例
13	エクアドル	10%	同条約例、間接融資等免税	10%	①②同ＯＥＣＤモデル ③同条約例
14	エジプト	—	—	15%	①課税（譲渡条項） ②③同条約例 ④映画フィルム軽減なし
15	エストニア	10%	同条約例、間接融資等免税	5%	①②同ＯＥＣＤモデル ③同条約例
16	オーストラリア	10%	同条約例、金融機関が受け取る一定の利子免税	5%	①②同ＯＥＣＤモデル ③同条約例 ④導管取引防止規定あり
17	オーストリア	免税	源泉地免税、償還差益を含む。収入・利益等連動型の利子は10%限度課税	免税	①～③同ＯＥＣＤモデル
18	オマーン	10%	同条約例、間接融資等免税。日本の年金基金が受け取る利子は免税	10%	①同ＯＥＣＤモデル ②③同条約例

相手国・地域名 ＼ 項目		利子		使用料	
		限度税率	範囲等	限度税率	取扱い
19	オランダ	10%	同条約例、間接融資等免税。金融機関等、一定の年金基金が受け取る利子、延払債権利子は免税	免税	①～③同OECDモデル ④導管取引防止規定あり
20	カザフスタン	10%	同条約例、間接融資等免税、償還差益を含む	5％	①同ＯＥＣＤモデル ②③同条約例 （税率は議定書による）
21	カタール	10%	同条約例、間接融資等免税。金融機関等、一定の年金基金が受け取る利子は免税	5％	①同ＯＥＣＤモデル ②③同条約例
22	カナダ	10%	同条約例、間接融資等免税	10%	①課税（譲渡条項） ②③同条約例
23	韓国	10%	同条約例	10%	①～③同条約例 ④裸用船料を含む
24	クウェート	10%	同条約例、間接融資等免税	10%	①②同ＯＥＣＤモデル ③同条約例
25	クロアチア	5％	同条約例、間接融資等免税	5％	①～②同ＯＥＣＤモデル ③同条約例
26	コロンビア	10%	同条約例、間接融資等免税	2％ （設備） 10% （その他）	①同ＯＥＣＤモデル ②③同条約例
27	サウジアラビア	10%	同条約例、間接融資等免税。一定の年金基金が受け取る利子は免税	5％ （設備の使用） 10% （その他）	①同ＯＥＣＤモデル ②③同条約例
28	ザンビア	10%	同条約例	10%	①同ＯＥＣＤモデル ②③同条約例
29	ジャマイカ	10%	同条約例、間接融資等免税	2％ （設備） 10% （その他）	①同ＯＥＣＤモデル ②③同条約例
30	ジョージア	5％	同条約例、間接融資等免税	免税	①～③同ＯＥＣＤモデル
31	シンガポール	10%	同条約例、間接融資等免税。シンガポールの産業的事業の社債・貸付金の利子免税（議定書）	10%	①～③同条約例 ④裸用船料を含む

相手国・地域名＼項目		利子		使用料	
		限度税率	範囲等	限度税率	取扱い
32	スイス	免税	源泉地免税、償還差益を含む。収入・利益等連動型の利子は国内法により10%限度課税	免税	①～③同OECDモデル ④導管取引防止規定あり
33	スウェーデン	免税	源泉地免税、償還差益を含む。収入・利益等連動型の利子は国内法により10%限度課税	免税	①～③同ＯＥＣＤモデル
34	スペイン	免税	源泉地免税、償還差益を含む。収入・利益等連動型の利子は国内法により10%限度課税	免税	①～③同ＯＥＣＤモデル
35	スリランカ	—	銀行が受け取る利子は免税	免税（著作権、映画フィルム） 半額課税（特許権等）	①③同ＯＥＣＤモデル ②同条約例
36	スロベニア	５%	同条約例、間接融資等免税	５%	①②同ＯＥＣＤモデル ③同条約例
37	セルビア	10%	同条約例、間接融資等免税	５%（著作権） 10%（その他）	①ＯＥＣＤモデル ②③同条約例
38	タイ	法人の受け取るものに限る。 10%（金融機関等受取） 25%（その他の法人受取）	同条約例	15%	①③同条約例 ②課税（国内法）
39	中国	10%	同条約例、間接融資等免税	10%	①課税（譲渡条項） ②③同条約例
40	チリ	４%（銀行等） 10%（その他）	ＯＥＣＤモデル バックトゥバック融資はその他の利子に該当	２%（設備） 10%（その他）	①同ＯＥＣＤモデル ②③同条約例
41	デンマーク	免税	源泉地免税、償還差益を含む。収入・利益等連動型の利子は国内法により10%限度課税	免税	①～③同ＯＥＣＤモデル

項目 相手国・地域名		利子		使用料	
		限度税率	範囲等	限度税率	取扱い
42	ドイツ	免税	源泉地免税、償還差益を含む。収入・利益連動型の利子は国内法により課税（議定書）	免税	①〜③同ＯＥＣＤモデル
43	トルコ	10%（金融機関が受け取る利子） 15%（一般）	同条約例	10%	①〜③同条約例 ④裸用船料を含む
44	ニュージーランド	10%	同条約例、間接融資等免税。一定の金融機関等が受け取る利子は免税	5％	①②同ＯＥＣＤモデル ③同条約例
45	ノルウェー	10%	同条約例、間接融資等免税	10%	①③同条約例 ②同ＯＥＣＤモデル
46	パキスタン	10%	同条約例、間接融資等免税	10%	①同ＯＥＣＤモデル ②③同条約例 ④使用料条項とは別個に技術的役務の料金も同税率で規定
47	ハンガリー	10%	同条約例、間接融資等及び延払利子免税	免税（文化的使用料） 10%（工業的使用料）	①同ＯＥＣＤモデル ②③同条約例
48	バングラデシュ	10%	同条約例、間接融資等免税	10%	①〜③同条約例
49	フィジー	10%	所得源泉地におけるすべての種類の利子	10%	①②同条約例 ③同ＯＥＣＤモデル
50	フィリピン	10%	同条約例、間接融資等免税	15%（映画フィルム等） 10%（一般・創始企業からの使用料）	①同ＯＥＣＤモデル ②③同条約例
51	フィンランド	10%	—	10%	①〜③同条約例

相手国・地域名 ＼ 項目	利子		使用料	
	限度税率	範囲等	限度税率	取扱い
52 ブラジル	12.5%	同条約例	12.5%（一般）25%（商標権）15%（映画フィルム等）	①同ＯＥＣＤモデル ②③同条約例
53 フランス	10%	同条約例、間接融資等免税。金融機関等、一定の年金基金が受け取る利子、延払債権利子は免税	免税	①～③同OECDモデル ④導管取引防止規定あり
54 ブルガリア	10%	同条約例、間接融資等免税	10%	①～③同条約例
55 ブルネイ	10%	同条約例、間接融資等免税	10%	①②同ＯＥＣＤモデル ③同条約例
56 ベトナム	10%	同条約例、間接融資等免税	10%	①～③同条約例
57 ペルー	10%	同条約例、間接融資等免税	15%	①同ＯＥＣＤモデル ②③同条約例
58 ベルギー	10%	同条約例、政府系機関、年金基金、企業間の支払は免税	免税	①②同ＯＥＣＤモデル ③同条約例
59 ポーランド	10%	同条約例、間接融資等免税	免税（文化的使用料）10%（工業的使用料）	①同ＯＥＣＤモデル ②③同条約例
60 ポルトガル	10%（一般）５％（銀行が受け取る利子）	同条約例	５％	①②同ＯＥＣＤモデル ③同条約例
61 香港	10%	同条約例、間接融資等免税	５％	①②同ＯＥＣＤモデル ③同条約例
62 マレーシア	10%	同条約例、償還差益を含む	10%	①～③同条約例 ④裸用船料を含む
63 南アフリカ	10%	同条約例、間接融資等免税	10%	①～③同条約例 ④裸用船料を含む

相手国・地域名 ＼ 項目		利子		使用料	
		限度税率	範囲等	限度税率	取扱い
64	メキシコ	15% （一般） 10% （銀行等が受け取る利子等）	同条約例、間接融資等免税	10%	①～③同条約例だが真正譲渡は免税 （議定書）
65	モロッコ	10%	同条約例	5% （設備の使用） 10% （その他）	①同ＯＥＣＤモデル ②③同条約例
66	ラトビア	免税 （個人以外受取） 10% （その他）	同ＯＥＣＤモデル	免税	①～③同ＯＥＣＤモデル
67	リトアニア	免税 （個人以外受取） 10% （その他）	同ＯＥＣＤモデル	免税	①～③同ＯＥＣＤモデル
68	ルクセンブルク	10%	同条約例、間接融資等免税	10%	①課税（譲渡条項） ②③同条約例 ④裸用船料を含む
69	ルーマニア	10%	同条約例、間接融資等免税	10% （文化的使用料） 15% （工業的使用料）	①同ＯＥＣＤモデル ②③同条約例
70	ロシア	免税	源泉地免税、償還差益を含む。収入・利益等連動型の利子は国内法により10%限度課税	免税	①②同ＯＥＣＤモデル ③同条約例
71	旧ソ連（アルメニア・ウクライナ・キルギス・タジキスタン・トルクメニスタン・ベラルーシ・モルドバ）	10%	同条約例、間接融資等免税	免税 （文化的使用料） 10% （工業的使用料）	①同ＯＥＣＤモデル ②③同条約例

相手国・地域名＼項目		利子		使用料	
		限度税率	範囲等	限度税率	取扱い
72	旧チェコスロバキア（スロバキア・チェコ）	10%	同条約例、間接融資等免税	免税（文化的使用料）10%（工業的使用料）	①同ＯＥＣＤモデル ②③同条約例
73	アルジェリア	７%	同条約例、間接融資等免税	10%	①②同OECDモデル ③同条約例
その他	台湾（日台民間租税取決め/所得相互免除法）	免税（権限のある機関等）10%（その他）	同条約例、設備・物品の販売・役務提供対価に係る債権に係るものは対象外	10%	①②同ＯＥＣＤモデル ③同条約例

注１　利子の範囲等の欄にある「間接融資等」とは、条約例にある機関による保証又は間接融資に係る債権に関して支払われる場合の利子をいいます。

　また、同欄に「一」として記載がない場合は、国内法が適用されることとなります。

２　利子及び使用料について、源泉徴収税率の軽減等の特例が定められている租税条約においては、同時に、相手国の企業が、日本にPE又はFBを有して事業等を行い、その支払の基因となった債権・権利等がこれらの施設と実質的に関連する場合には、租税条約の特例は適用しない（事業所得等の条項が適用される）ことと規定されています。

３　租税条約で使用料の源泉地を規定していない国等、及び租税条約を締結していない国等については、国内法の規定により、使用地主義が適用される（表ではOECDモデル条約欄にあるように（国内法）と付記）こととなります。

●配　当

相手国・地域名 ＼ 項目		配当				
		限度税率		親子間要件		備考
		一般	親子間	出資比率	所有期間	
OECDモデル条約		15%	5％	25%以上	―	
1	アイスランド	15%	5％	10%以上（間接含）	年度前6か月	一定の年金基金が受け取る配当は免税
			免税	25%以上（間接含）		
2	アイルランド	（日本払）15%	（日本払）10%	25%以上	支払前6か月	（アイルランド払）付加税免除
3	アゼルバイジャン	7％	―	―	―	配当支払法人が課税上控除される配当は10%
4	アメリカ	10%	5％	10%以上（間接含）	年度末日	
			免税	50%以上（間接含）	年度前6か月	・配当受領者が上場会社等一定の要件を満たしていることが追加的要件 ・一定の年金基金受取は免税
5	アラブ首長国連邦	10%	5％	10%以上（間接含）	年度前6か月	
6	イギリス	10%	免税	10%以上（間接含）	年度前6か月	一定の年金基金受取は免税
7	イスラエル	15%	5％	25%以上	年度前6か月	
8	イタリア	15%	10%	25%以上	年度前6か月	
9	インド	10%	―	―		
10	インドネシア	15%	10%	25%以上	年度前12か月	
11	ウズベキスタン	10%	5％	25%以上	年度前365日	
12	ウルグアイ	10%	5％	10%以上	年度前183日	
13	エクアドル	5％	―	―		

<table>
<tr><td colspan="2" rowspan="3">項目
相手国・地域名</td><td colspan="5">配当</td></tr>
<tr><td colspan="2">限度税率</td><td colspan="2">親子間要件</td><td rowspan="2">備考</td></tr>
<tr><td>一般</td><td>親子間</td><td>出資比率</td><td>所有期間</td></tr>
<tr><td>14</td><td>エジプト</td><td>（日本払）
15%</td><td>—</td><td colspan="2">—</td><td>（エジプト払）
個人に係る一般所得税に限り、20%</td></tr>
<tr><td>15</td><td>エストニア</td><td>10%</td><td>免税</td><td>10%以上
（間接含）</td><td>年度前
6か月</td><td></td></tr>
<tr><td rowspan="2">16</td><td rowspan="2">オーストラリア</td><td rowspan="2">（日本払）
10%
不動産関連株式の配当は15%</td><td>5%</td><td>10%以上</td><td></td><td rowspan="2">（オーストラリア払）
不動産投資信託からの配当の限度税率は15%</td></tr>
<tr><td>免税</td><td>80%以上</td><td>年度前
12か月</td></tr>
<tr><td>17</td><td>オーストリア</td><td>10%</td><td>免税</td><td>10%以上</td><td>年度前
6か月</td><td>年金基金受取は免税</td></tr>
<tr><td>18</td><td>オマーン</td><td>10%</td><td>5%</td><td>10%以上
（間接含）</td><td>年度前
6か月</td><td></td></tr>
<tr><td rowspan="2">19</td><td rowspan="2">オランダ</td><td rowspan="2">10%</td><td>5%</td><td>10%以上
（間接含）</td><td rowspan="2">年度前
6か月</td><td rowspan="2">一定の年金基金受取は免税</td></tr>
<tr><td>免税</td><td>50%以上
（間接含）</td></tr>
<tr><td>20</td><td>カザフスタン</td><td>15%</td><td>5%</td><td>10%以上
（間接含）</td><td>年度前
6か月</td><td></td></tr>
<tr><td>21</td><td>カタール</td><td>10%</td><td>5%</td><td>10%以上
（間接含）</td><td>年度前
6か月</td><td>カタール国政府全面所有機関が中間法人を通じて間接所有する日本国法人の様式の配当は5%（議定書）</td></tr>
<tr><td>22</td><td>カナダ</td><td>15%</td><td>5%※</td><td>25%以上</td><td>年度前
6か月</td><td>※（カナダ払）
カナダの居住者である非居住者所有投資法人からの配当は10%（議定書）</td></tr>
<tr><td>23</td><td>韓国</td><td>15%</td><td>5%</td><td>25%以上</td><td>年度前
6か月</td><td></td></tr>
<tr><td>24</td><td>クウェート</td><td>10%</td><td>5%</td><td>10%以上
（間接含）</td><td>年度前
6か月</td><td></td></tr>
</table>

	項目 相手国・地域名	配当				
		限度税率		親子間要件		備考
		一般	親子間	出資比率	所有期間	
25	クロアチア	5％	免税	25％以上（間接含）	年度前365日	上場株式要件、特定の所有者の所有割合・期間の要件あり
26	コロンビア	10％	5％	20％以上（間接含）	年度前6か月	一定の年金基金受取は免税
27	サウジアラビア	10％	5％	10％以上（間接含）	年度前183日	
28	ザンビア	免税	免税	—		
29	ジャマイカ	10％	5％	20％以上（間接含）	年度前365日	
30	ジョージア	5％	—	—		
31	シンガポール	（日本払）15％	（日本払）5％	25％以上	年度前6か月	（シンガポール払）免税
32	スイス	10％	免税	10％以上（間接含）	年度前365日以上	一定の年金基金受取は免税
33	スウェーデン	10％	免税	10％以上（間接含）	年度前6か月	
34	スペイン	5％	免税	10％以上（間接含）	年度前12月	一定の年金基金受取は免税
35	スリランカ	（日本払）20％	—	—		（スリランカ払）法人のみ附加税6％、それ以外は免税
36	スロベニア	5％	—	—		
37	セルビア	10％	5％	25％以上	年度前365日以上	
38	タイ	—	15％※ 20％	25％以上	年度前6か月	※産業的事業を営む法人からの配当の場合
39	中国	10％	—	—		
40	チリ	（日本払）15％	5％	25％以上	年度前6か月	一定の年金基金受取は免税
41	デンマーク	15％	免税	（日本払）10％	年度前6か月	一定の年金基金受取は免税

相手国・地域名 ＼ 項目		配当				
		限度税率		親子間要件		備考
		一般	親子間	出資比率	所有期間	
42	ドイツ	15%	5％	10%以上	年度前6か月	
			免税	25%以上	年度前18か月	
43	トルコ	15%※	10%※	25%以上	年度前6か月	※トルコ払は、トルコの法人税率が40%未満の場合、一般20%、親子間15%となる(議定書)
44	ニュージーランド	15%	免税※	10%以上	年度前6か月	※配当受益者が上場会社等一定の要件を満たしていることが追加的要件
45	ノルウェー	15%	5％	25%以上	年度前6か月	
46	パキスタン	10%	7.5%	25%以上	年度前6か月	
			5％	50%以上		
47	ハンガリー	10%	—	—		
48	バングラデシュ	15%	10%	25%以上	年度前6か月	
49	フィジー	(日本払)15%	10%	実質所有50%超	課税全期間	
50	フィリピン	15%	10%	10%以上	支払前6か月	(フィリピン払)創始企業からの配当は10%
51	フィンランド	15%	10%	25%以上	年度前6か月	
52	ブラジル	12.5%	—	—		
53	フランス	10%	5％	10%以上(間接含)	年度前6か月	
			免税	(仏)15%以上(間接含)		
				(日)15%以上(直接)25%以上(間接含)		

	項目 相手国・地域名	配当				
		限度税率		親子間要件		備考
		一般	親子間	出資比率	所有期間	
54	ブルガリア	15%	10%	25%以上	年度前6か月	
55	ブルネイ	10%	5%	10%以上（間接含）	年度前6か月	
56	ベトナム	10%	—	—		
57	ペルー	10%	—	—		
58	ベルギー	10%	免税	10%以上	支払前6か月	一定の年金基金受取は免税
59	ポーランド	10%	—	—		
60	ポルトガル	10%	5%	10%以上	年度前12か月	
61	香港	10%	5%	10%以上（間接含）	年度前6か月	
62	マレーシア	（日本払）15%	（日本払）5%	25%以上	年度前6か月	（マレーシア払）規定不変なら免税
63	南アフリカ	15%	5%	25%以上	年度前6か月	
64	メキシコ	15%	5% （一定のもの）免税 ※	25%以上	年度前6か月	※配当受領者が上場法人であり、その株式の50%超を政府、個人居住者等が保有していることが追加的要件
65	モロッコ	10%	5%	10%以上	—	
66	ラトビア	（個人以外受取）免税 （その他）10%	—	—		
67	リトアニア	（個人以外受取）免税 （その他）10%	—	—		
68	ルクセンブルク	15%	5%	25%以上	年度前6か月	
69	ルーマニア	10%	—	—		

相手国・地域名＼項目		配当				
		限度税率		親子間要件		備考
		一般	親子間	出資比率	所有期間	
70	ロシア	(年金基金受取) 免税 (不動産化体株式) 15% (その他) 10%	5%	15%以上	年度前 365日	
71	旧ソ連 (アルメニア・ウクライナ・キルギス・タジキスタン・トルクメニスタン・ベラルーシ・モルドバ)	15%	—	—		
72	旧チェコスロバキア (スロバキア・チェコ)	15%	10%	25%以上	支払前 6か月	
73	アルジェリア	10%	5%	25%以上	年度前 365日	
その他	台湾 (日台民間租税取決め/所得相互免除法)	10%	—	—		

注　親子間要件にある所有期間の判定基準について、それぞれ次のように表示しています。
① 配当の受取人が特定される日（事業年度終了の日）を末日とする月数、又は事業年度終了の日に先立つ月数で期間計算するものは、「年度前○○か月」などと表示
② 配当支払日に先立つ月数で期間計算するものは、「支払前○○か月」と表示

●給与等（短期滞在者の免税）、芸能人等所得

項目 / 相手国・地域名		給与所得（短期滞在者の免税）				芸能人等所得（企業の役務提供事業の異なる取扱い）
		免税要件			備考	
OECDモデル条約		連続する12か月中183日以内の滞在	非居住者から報酬が支払われること	PEは報酬を負担しないこと		本人、企業とも役務提供地国課税
我が国の一般的な条約例		課税年度中183日以内の滞在	同OECDモデル	同OECDモデル		同OECDモデル 本人、企業とも特別の文化交流計画によるものは免税
1	アイスランド	同OECDモデル	同上	同上		同OECDモデル
2	アイルランド	同条約例	同上	同上	暦年基準	同OECDモデル （みなしPE）
3	アゼルバイジャン	同OECDモデル	同上	同上		同OECDモデル
4	アメリカ	同上	同上	同上		同OECDモデル 本人の報酬が年間10,000ドルまでは免税
5	アラブ首長国連邦	同上	同上	同上		同ＯＥＣＤモデル
6	イギリス	同上	同上	同上		同上
7	イスラエル	同条約例	同上	同上	暦年基準	同条約例
8	イタリア	同上	同上	同上	同上	同OECDモデル （ワンマンカンパニー課税、PEなし免税）
9	インド	*	同上	同上		同条約例
10	インドネシア	同条約例	同上	同上	暦年基準	同上
11	ウズベキスタン	同OECDモデル	同上	同上		同OECDモデル
12	ウルグアイ	同上	同上	同上		同上
13	エクアドル	同上	同上	同上		同上
14	エジプト	同上	同上	同上		同OECDモデル （PEなし免税）
15	エストニア	同上	同上	同上		同OECDモデル
16	オーストラリア	同上	同上	同上		同上
17	オーストリア	同上	同上	同上		同上
18	オマーン	同上	同上	同上		同上

相手国・地域名 ＼ 項目		給与所得（短期滞在者の免税）				芸能人等所得（企業の役務提供事業の異なる取扱い）
		免税要件			備考	
19	オランダ	同OECDモデル	同OECDモデル	同OECDモデル		同ＯＥＣＤモデル
20	カザフスタン	同上	同上	同上		同上
21	カタール	同上	同上	同上		同上
22	カナダ	同条約例	同上	同上	暦年基準	同条約例
23	韓国	同上	同上	同上	同上	同条約例 本人の報酬が年間10,000ドルまでは免税（議定書）
24	クウェート	同OECDモデル	同上	同上		同ＯＥＣＤモデル
25	クロアチア	同上	同上	同上		同上
26	コロンビア	同上	同上	同上		同上
27	サウジアラビア	同上	同上	同上		同上
28	ザンビア	同条約例	同上	同上	暦年基準	同ＯＥＣＤモデル（PEなし免税）
29	ジャマイカ	同OECDモデル	同上	同上		同ＯＥＣＤモデル
30	ジョージア	同上	同上	同上		同上
31	シンガポール	同上	同上	同上		同条約例
32	スイス	同条約例	同上	同上	暦年基準	同ＯＥＣＤモデル
33	スウェーデン	同OECDモデル	同上	同上		同条約例
34	スペイン	同上	同上	同上		同OECDモデル
35	スリランカ	同条約例	居住地国の居住者のための役務提供であること	報酬が居住地国で課税されること	自由職業を含む。	同OECDモデル（PEなし免税）
36	スロベニア	同OECDモデル	同OECDモデル	同OECDモデル		同ＯＥＣＤモデル
37	セルビア	同上	同上	同上		同上
38	タイ	課税年度中180日以内の滞在	同上	報酬が滞在地国にある企業により負担されないこと	暦年基準	同条約例

項目 相手国・地域名		給与所得（短期滞在者の免税）				芸能人等所得（企業の役務提供事業の異なる取扱い）
		免税要件			備考	
39	中国	同条約例	同OECDモデル	同OECDモデル	暦年基準	同条約例
40	チリ	同OECDモデル	同上	同上		同ＯＥＣＤモデル
41	デンマーク	同上	同上	同上		同上
42	ドイツ	同上	同上	同上		同上
43	トルコ	同条約例	同上	同上	暦年基準	同条約例
44	ニュージーランド	同OECDモデル	同上	同上		同ＯＥＣＤモデル
45	ノルウェー	同上	同上	同上		同ＯＥＣＤモデル 本人、企業とも特別の文化交流計画により、かつ公的資金等の実質的援助によるものは免税
46	パキスタン	同上	同上	同上		同ＯＥＣＤモデル
47	ハンガリー	同条約例	同上	同上	暦年基準	同条約例
48	バングラデシュ	同上	同上	同上	同上	同上
49	フィジー	同上	同上	同上	同上	本人について役務提供地国課税
50	フィリピン	同上	同上	同上	同上	同ＯＥＣＤモデル 本人、企業とも特別の文化交流計画により、かつ公的資金等の実質的援助によるものは免税
51	フィンランド	同上	同上	同上	同上	同ＯＥＣＤモデル
52	ブラジル	同上	同上	同上	同上	同ＯＥＣＤモデル（みなしＰＥ）
53	フランス	同OECDモデル	同上	同上		同ＯＥＣＤモデル 本人、企業とも政府・非営利団体援助のものは免税
54	ブルガリア	同条約例	同上	同上	暦年基準	同条約例
55	ブルネイ	同OECDモデル	同上	同上		同ＯＥＣＤモデル
56	ベトナム	同条約例	同上	同上	暦年基準	同条約例
57	ペルー	同OECDモデル	同上	同上		同ＯＥＣＤモデル

相手国・地域名		給与所得（短期滞在者の免税）免税要件			備考	芸能人等所得（企業の役務提供事業の異なる取扱い）
58	ベルギー	同OECDモデル	同OECDモデル	同OECDモデル		同ＯＥＣＤモデル
59	ポーランド	同条約例	同上	同上	暦年基準	同条約例
60	ポルトガル	同OECDモデル	同上	同上		同ＯＥＣＤモデル
61	香港	同上	同上	同上		同上
62	マレーシア	同条約例	同上	同上	暦年基準	同条約例
63	南アフリカ	同上	同上	同上	同上	同上
64	メキシコ	同OECDモデル	同上	同上		同上
65	モロッコ	同上	同上	同上		同ＯＥＣＤモデル
66	ラトビア	同上	同上	同上		同上
67	リトアニア	同上	同上	同上		同上
68	ルクセンブルク	同条約例	同上	同上	暦年基準	同条約例
69	ルーマニア	同上	同上	同上	同上	同上
70	ロシア	同OECDモデル	同上	同上		同ＯＥＣＤモデル
71	旧ソ連（アルメニア・ウクライナ・キルギス・タジキスタン・トルクメニスタン・ベラルーシ・モルドバ）	同条約例	同上	同上	自由職業を含む。暦年基準	同条約例
72	旧チェコスロバキア（スロバキア・チェコ）	同上	同上	同上	暦年基準	同上
73	アルジェリア	同上	同上	同上		同ＯＥＣＤモデル
その他	台湾（日台民間租税取決め/所得相互免除法）	同OECDモデル	同上	同上		同上

注１　免税要件欄の「連続する12か月」とは、課税年度において開始し、又は終了するいずれかの12か月の期間を含みます。

　また、同じ欄の一般的な条約例にある「課税年度」には、年又は暦年とするものを含み、その場合は備考欄に「暦年基準」と表示してあります。

２　この表の中で、「非居住者」とは非居住者及び外国法人をいい、「居住者」とは居住者及び内国法人をいいます。

３　免税要件欄に「＊」の表示をしている国（インド）との租税条約では、短期滞在者の給与、報酬の免税要件については、当年又は前年を通じ合計183日以内の滞在であることが一つの要件となっています。

４　芸能人等所得欄にカッコ書で記載があるものは、芸能人等の役務提供事業について、OECDモデル条約と異なる取扱いとなっている場合の内容を簡記しています。このうち、（みなしPE）とあるのは、役務提供事業を行う企業について、みなし恒久的施設の規定があることを表しています。

●給与等（学生・事業修習者等）、その他所得（明示なき所得）（情報交換等を主とするもののうち、規定のあるものは相手国名に※印表示のうえ掲載）

相手国・地域名 ＼ 項目		学生・事業修習者等の免税					その他所得（明示なき所得）
		①学　生	②事　業修習者	①、②の役務対価の要件	事　業習得者	政府取決め参加者	
ＯＥＣＤモデル条約		生計・教育又は訓練のための国外からの給付		—	—	—	居住地国課税（免税）
1	アイスランド	同ＯＥＣＤモデル	同ＯＥＣＤモデル（訓練開始後1年以内）	—	—	—	同ＯＥＣＤモデル
2	アイルランド	同　上	同ＯＥＣＤモデル	年間60万円まで	—	—	同　上
3	アゼルバイジャン	同　上	同ＯＥＣＤモデル（訓練2年以内）	—	—	—	同　上
4	アメリカ	同　上	同ＯＥＣＤモデル（訓練開始後1年以内）	—	—	—	同　上
5	アラブ首長国連邦	同　上	同ＯＥＣＤモデル 政府主催計画参加者に限定（訓練開始後2年以内）	—	—	—	同　上
6	イギリス	同　上	同　上（訓練開始後1年以内）	—	—	—	同　上
7	イスラエル	同　上	同ＯＥＣＤモデル	—	—	—	源泉地国課税
8	イタリア	同　上	同　上	—	—	—	同ＯＥＣＤモデル
9	インド	同　上	同　上	—	—	—	源泉地国課税
10	インドネシア	同　上	同　上	年間60万円（先方90万ルピア）まで	滞在期間１年以内、180万円（先方270万ルピア）まで	滞在期間１年以内で勉学、研究又は訓練に直接関係する役務報酬	同ＯＥＣＤモデル
		滞在期間５年以内					

項目 相手国・地域名		学生・事業修習者等の免税					その他所得（明示なき所得）
		①学生	②事業修習者	①、②の役務対価の要件	事業習得者	政府取決め参加者	
11	ウズベキスタン	同ＯＥＣＤモデル	同ＯＥＣＤモデル（訓練開始後1年以内）	—	—	—	同ＯＥＣＤモデル
12	ウルグアイ	同上	同上	—	—	—	同上
13	エクアドル	同上	同上	—	—	—	同上
14	エジプト	同上	同ＯＥＣＤモデル	教育、訓練に関連又は生計のためのもの	—	—	—
15	エストニア	同上	同ＯＥＣＤモデル（訓練開始後1年以内）	—	研修員を含む	—	同ＯＥＣＤモデル
16	オーストラリア	同上	同上	—	—	—	源泉地国課税
17	オーストリア	同上	同ＯＥＣＤモデル	—	—	—	同ＯＥＣＤモデル
18	オマーン	同上	同上	—	—	—	同上
19	オランダ	同上	同ＯＥＣＤモデル（訓練開始後1年以内）	—	—	—	同上
20	カザフスタン	同上	同ＯＥＣＤモデル	—	—	—	同上
21	カタール	同上	同上	—	—	—	同上
22	カナダ	同上	同上	—	—	—	源泉地国課税
23	※ガーンジー	同上	同ＯＥＣＤモデル（訓練開始後1年以内）	—	—	—	—
24	韓国	同ＯＥＣＤモデル（滞在期間5年以内、年間2万ドルまで）	同ＯＥＣＤモデル（滞在期間1年以内、年間1万ドルまで）	①、②に記載のとおり	—	—	同ＯＥＣＤモデル

相手国・地域名 ＼ 項目		学生・事業修習者等の免税					その他所得(明示なき所得)
		①学　生	②事業修習者	①、②の役務対価の要件	事業習得者	政府取決め参加者	
25	クウェート	同ＯＥＣＤモデル	同ＯＥＣＤモデル（訓練開始後1年以内）	—	—	—	源泉地国課税
26	クロアチア	同　上	同　上	—	—	—	同ＯＥＣＤモデル
27	※ケイマン諸島	同　上	同　上	—	—	—	—
28	コロンビア	同　上	同　上	—	—	—	源泉地国課税
29	サウジアラビア	同　上	同ＯＥＣＤモデル	—	—	—	同　上
30	ザンビア	同　上	同　上	滞在期間３年以内、年間1,000ドルまで	—	—	同ＯＥＣＤモデル
31	※ジャージー	同　上	同ＯＥＣＤモデル（訓練開始後1年以内）	—	—	—	—
32	ジャマイカ	同　上	同ＯＥＣＤモデル（訓練開始後3年以内）	—	—	—	源泉地国課税
33	ジョージア	同　上	同ＯＥＣＤモデル（訓練開始後2年以内）	—	—	—	同ＯＥＣＤモデル
34	シンガポール	同　上	同ＯＥＣＤモデル	—	—	—	源泉地国課税
35	スイス	同　上	同ＯＥＣＤモデル（訓練開始後4年以内）	—	—	—	同ＯＥＣＤモデル
36	スウェーデン	同　上	同ＯＥＣＤモデル	—	—	—	源泉地国課税
37	スペイン	同　上	同ＯＥＣＤモデル（訓練開始後1年以内）	—	—	—	同ＯＥＣＤモデル

項目 相手国・地域名		学生・事業修習者等の免税					その他所得（明示なき所得）
		①学　生	②事業修習者	①、②の役務対価の要件	事業習得者	政府取決め参加者	
38	スリランカ	同ＯＥＣＤモデル	同ＯＥＣＤモデル	年間36万円まで	滞在期間１年以内、100万円まで	訓練、研究又は勉学について受け取る報酬	—
39	スロベニア	同　　上	同ＯＥＣＤモデル（訓練開始後1年以内）	—	—	—	同ＯＥＣＤモデル
40	セルビア	同　　上	同　　上	—	—	—	同　　上
41	タイ	生計、教育、訓練のために受ける海外送金、奨励金等 ５年以内の生計、教育に必要な役務所得			—	—	源泉地国課税
42	中国	生計、教育又は訓練のために受け取る給付又は所得				—	同　　上
43	チリ	同ＯＥＣＤモデル	同ＯＥＣＤモデル（訓練開始後1年以内）	—	—	—	源泉地国課税
44	デンマーク	同　　上	同　　上	—	—	—	同ＯＥＣＤモデル
45	ドイツ	同　　上	同　　上	—	—	—	同　　上
46	トルコ	同　　上	同ＯＥＣＤモデル	年間183日以内の勤務による報酬	—	—	源泉地国課税
47	ニュージーランド	同　　上	同ＯＥＣＤモデル（訓練開始後1年以内）	—	—	—	同　　上
48	ノルウェー	同　　上	同ＯＥＣＤモデル	—	—	—	同　　上
49	パキスタン	同　　上	同ＯＥＣＤモデル（訓練開始後1年以内）	滞在期間 ①３年 ②1年以内、年間150万円まで	—	—	同　　上
50	※バハマ	同　　上	同　　上	—	—	—	—

相手国・地域名 ＼ 項目		学生・事業修習者等の免税					その他所得(明示なき所得)
		①学　生	②事　業修習者	①、②の役務対価の要件	事　業習得者	政府取決め参加者	
51	※バミューダ	同ＯＥＣＤモデル	同ＯＥＣＤモデル（訓練開始後2年以内）	—	—	—	—
52	ハンガリー	同　　上	同ＯＥＣＤモデル	年間60万円まで	—	—	同ＯＥＣＤモデル
53	バングラデシュ	同　　上	同　　上	—	—	—	源泉地国課税
54	フィジー	同　　上	同　　上	同　　上	滞在期間１年以内	滞在期間２年以内	—
55	フィリピン	同　　上	同　　上	滞在期間①５年②3年以内、年間1,500ドルまで	滞在期間１年以内、4,000ドルまで	滞在期間１年以内、4,000ドルまで	同ＯＥＣＤモデル
56	フィンランド	同　　上	同　　上	年間2,000ドルまで	—	—	同　　上
57	ブラジル	同　　上	同　　上	滞在期間３年以内、年間1,000ドルまで	—	—	源泉地国課税
58	フランス	同　　上	同　　上	—	滞在期間１年以内、本国送金分	奨励金等につき滞在期間２年以内	同ＯＥＣＤモデル
59	ブルガリア	同　　上	同　　上	滞在期間５年以内、教育、訓練又は生計のための報酬	—	—	源泉地国課税
60	ブルネイ	同　　上	同ＯＥＣＤモデル（訓練開始後3年以内）	—	—	—	同ＯＥＣＤモデル
61	ベトナム	同　　上	同ＯＥＣＤモデル	—	—	—	同　　上
62	ペルー	同　　上	同ＯＥＣＤモデル（訓練開始後3年以内）	—	—	—	源泉地国課税

相手国・地域名＼項目		学生・事業修習者等の免税					その他所得（明示なき所得）
		①学　生	②事業修習者	①、②の役務対価の要件	事業習得者	政府取決め参加者	
63	ベルギー	同ＯＥＣＤモデル	同ＯＥＣＤモデル（訓練開始後1年以内）	—	—	—	同ＯＥＣＤモデル
64	ポーランド	同　上	同ＯＥＣＤモデル	滞在期間５年以内、年間60万円まで	—	—	同　上
65	ポルトガル	同　上	同ＯＥＣＤモデル（訓練開始後1年以内）	—	—	—	同　上
66	香　港	同　上	—	—	—	—	同　上
67	マレーシア	同　上	同ＯＥＣＤモデル	—	—	—	源泉地国課税
68	南アフリカ	同　上	同　上	—	—	—	同　上
69	メキシコ	同　上	同　上	—	—	—	同　上
70	モロッコ	同　上	同ＯＥＣＤモデル（訓練開始後3年以内）	—	—	—	同　上
71	ラトビア	同　上	同ＯＥＣＤモデル（訓練開始後1年以内）	—	—	—	同　上
72	リトアニア	同　上	同　上	—	—	—	同　上
73	ルクセンブルク	同　上	同ＯＥＣＤモデル	—	—	—	同　上
74	ルーマニア	同　上	同　上	年間60万円まで	—	—	—
75	ロシア	同　上	同ＯＥＣＤモデル（訓練開始後1年以内）	—	—	—	同ＯＥＣＤモデル

項目 相手国・地域名		学生・事業修習者等の免税					その他所得（明示なき所得）
		①学生	②事業修習者	①、②の役務対価の要件	事業習得者	政府取決め参加者	
76	旧ソ連（アルメニア・ウクライナ・キルギス・タジキスタン・トルクメニスタン・ベラルーシ・モルドバ）	同ＯＥＣＤモデル	同ＯＥＣＤモデル	—	—	—	同ＯＥＣＤモデル
77	旧チェコスロバキア（スロバキア・チェコ）	同上	同上	年間60万円まで	—	—	同上
78	アルジェリア	同上	同上	—	研修員を含む	—	同上
その他	台湾（日台民間租税取決め/所得相互免除法）	同上	同ＯＥＣＤモデル（訓練開始後2年以内）	—	—	—	源泉地国課税

●交換教授免税

	相手国・地域名＼項目	教　授　免　税（条約例と異なる取扱い）
	ＯＥＣＤモデル条約	—
	我が国の一般的な条約例	（目的）教育又は研究 （期間）予定２年以内 （対象所得） 教育・研究の報酬
1	アイルランド	同条約例 （教育目的に限定）
2	イスラエル	同条約例 （派遣国で課税される場合に源泉地国免税）
3	イタリア	同条約例
4	インド	同　上
5	インドネシア	同　上
6	エジプト	同　上
7	韓国	同条約例 （派遣国で課税される場合に源泉地国免税）
8	サウジアラビア	同条約例 （期間制限なし）
9	ザンビア	同条約例
10	スペイン	同　上
11	スリランカ	同　上
12	タイ	同　上
13	中国	同条約例 （期間は入国後３年間）
14	ハンガリー	同条約例
15	バングラデシュ	同　上
16	フィジー	同　上
17	フィリピン	同　上
18	フィンランド	同　上
19	ブラジル	同　上
20	フランス	同条約例 （派遣国で課税される場合に源泉地国免税）
21	ブルガリア	同　上
22	ポーランド	同条約例
23	ルクセンブルク	同条約例 （派遣国で課税される場合に源泉地国免税）
24	ルーマニア	同条約例
25	旧ソ連	同条約例 （期間は入国後２年間）
26	旧チェコスロバキア	同条約例

3　主要国別の租税条約上の主な特例（源泉徴収関係）一覧（我が国に所得源泉があるものに対する特例）

アメリカとの租税条約

（平成16年条約第２号）
（改正 令和元年条約第８号）

◉人的役務の提供を主たる内容とする事業の所得

§７　日本にＰＥを有し、これに帰属するものを除き ……………………………… 免税

§16　ただし、演劇、映画、ラジオ若しくはテレビジョンの俳優、音楽家その他の芸能人又は運動家の役務提供事業による所得については、適用されない（その所得者が契約において個人的活動を行う芸能人等を指名できる場合を除く）。

◉利子等

§11　①　次の②～④以外の利子で米国の居住者に支払うもの …………………… 免税

②　債務者・その関係者の収入、所得、その他の資金の流出入、若しくはそれらの者を有する資産価値の変動やそれらの者が支払う配当等に類する支払金を基礎として算定されるもの …………………………………………………… 10％

③　不動産により担保された債権や、その他の資産の流動化を行うための団体の持分に関して支払われる利子の額のうち、法令で規定されている比較可能な債券の利子の額を超える部分 …………………… 源泉地国の法令により課税

④　利子の支払者と受益者との間、又はその双方と第三者との間の特別の関係により、その利子の額が、その関係がないとしたならば支払者と受益者の合意したとみられる額を超えるときのその超過分 ………………………… ５％

ただし、日本にＰＥを有して事業を行い、その利子支払の基因となった債権がそのＰＥと実質的に関連を有する場合には、適用されない。

注　利子等には、割引債の償還差益を含む。

◉配当等

§10　①　配当の受取人が特定される日以前６か月の期間を通じ、日本法人の議決権株式の50％以上を直接又は間接に所有する一定の米国の法人又は一定の年金基金、当局の認定を受けた米国居住者に支払うもの …………………… 免税

②　配当の受取人特定日に議決権株式の10％以上を直接又は間接に所有している米国の法人に支払うもの …………………………………………………… ５％

ただし、①、②とも日本において課税所得から配当を控除できる法人から支払われる配当には、一定の年金基金に支払われるものを除き、原則として適用されないが、その法人の有する資産のうち日本国内に存在する不動産の構成割合（間接を含む）が50％以下の場合や、又は50％超の場合でもその法人の10％以下の持分保有の個人若しくは年金基金である場合など特定のもの

には、税率10％の規定又は一定の年金基金に対する免税規定が適用される。

注　配当を損失算入できる法人には、特定目的会社（SPC）や投資法人（REIT）があります。
また、①の特典を受ける要件として、その法人が一定の要件を満たす証券市場に上場されて通常取引されていること等が課されています。

③　その他の米国の居住者（法人を含む）に支払うもの ……………………… 10％

ただし、①～③の特例は日本にＰＥを有して事業を行い、その配当支払の基因となった株式等がそのＰＥと実質的に関連を有する場合には、適用されない。

◉貸付金の利子

§11　上記利子等に同じ。

◉工業所有権、著作権の使用料

§13　米国の居住者（法人を含む）に支払うもの ………………………………………… 免税

ただし、日本にＰＥを有して事業を行い、その使用料支払の基因となった権利又は財産がそのＰＥと実質的に関連を有する場合には、適用されない。

なお、工業所有権等の譲渡対価については、免税（§13）。

◉機械、装置等の使用料

規定なし（§７の事業所得条項が適用される）

◉交換教授等の給与、報酬

規定なし（削除）

◉短期滞在者の給与、報酬

§14　米国の居住者の日本国内における勤務で、その課税年度に開始又は終了するいずれの12か月間における滞在期間が183日以下であって、しかも日本の居住者（法人を含む）でない雇用者又はこれに代わる者から支払われるもの（日本にあるその雇用者のＰＥにより負担されるものを除く） ………………………………………… 免税

§16　ただし、演劇、映画、ラジオ若しくはテレビジョンの俳優、音楽家その他の芸能人又は運動家の個人的活動の所得については適用されない。

◉自由職業者の所得

規定なし（§７の事業所得条項が適用される）

◉芸能人等の所得

§16　米国居住者の芸能人又は運動家の日本国内における個人的活動により取得した総収入の額（その芸能人等に対して弁償される経費又は芸能人等に代わって負担される経費を含む）がその課税年度において１万米ドル相当額を超えない場合 … 免税

◉民間の退職年金

§17　米国の居住者に対し支払う退職年金その他これに類する報酬（社会保障制度に基づく給付を含む） ………………………………………………………………………… 免税

◉保険年金（利殖年金）

§17　米国の居住者に支払うもの ……………………………………………………… 免税

注　保険年金とは、適正かつ十分な対価に応ずる給付（役務の提供に係るものを除く）を行う義務に従い、終身又は特定の期間中、所定の時期において定期的に支払われる所定の金額をいう。

イギリス(グレート・ブリテン及び北部アイルランド連合王国)との租税条約

（平成18年条約第11号）
（改正 平成26年条約第17号）

◉人的役務の提供を主たる内容とする事業の所得

§７　日本にＰＥを有し、これに帰属するものを除き ……………………………… 免税

§16　ただし、演劇、映画、ラジオ若しくはテレビジョンの俳優、音楽家その他の芸能人又は運動家の役務提供事業による所得については、適用されない。

◉利子等

§11　①　英国の居住者が受益者であるもの ……………………………………… 免税

②　英国の居住者が受益者で、債務者等の収入、所得その他の資金の流出入、債務者等の有する資産価値の変動若しくは債務者等が支払う配当等に類する支払金を基礎として算定されるもの ……………………………………… 10%

ただし、日本にＰＥを有して事業を行い、その利子支払の基因となった債権がそのＰＥと実質的な関連を有する場合は、適用されない。

注　利子等には、割引債の償還差益を含む。

◉配当等

§10　①　配当の受取人が特定される日以前６か月の期間を通じ、日本法人の議決権株式の10%以上を直接又は間接に所有する英国の法人又は一定の年金基金等に支払うもの ……………………………………………………………… 免税

ただし、日本において課税所得から配当を控除できる法人から支払われる配当には、一定の年金基金に支払われるものを除き適用されない。

注　配当を損金算入できる法人には、特定目的会社（SPC）や投資法人（REIT）があります。

②　その他の英国の居住者（法人を含む）に支払うもの …………………… 10%

ただし、①、②の特例は、日本にＰＥを有して事業等を行い、その配当支払の基因となった株式等がそのＰＥと実質的な関連を有する場合は、適用されない。

◉貸付金の利子

§11　上記利子等に同じ。

◉工業所有権、著作権の使用料

§12　英国の居住者（法人を含む）に支払うもの ……………………………… 免税

ただし、日本にＰＥを有して事業を行い、その使用料支払の基因となった権利又は財産がそのＰＥと実質的に関連を有するものについては、適用されない。

なお、工業所有権等の譲渡対価については、免税（§13）。

◉機械、装置等の使用料

規定なし（§７の事業所得条項が適用される）

◉交換教授等の給与、報酬

規定なし

◉短期滞在者の給与、報酬

§14　英国の居住者の日本国内における勤務でその課税年度に開始又は終了するいずれの12か月間における滞在期間が183日以下のものの報酬であって、しかも日本の居住者（法人を含む）でない雇用者又はこれに代わる者から支払われるもの（日本にあるその雇用者のＰＥにより負担されるものを除く）……………………… 免税

§16　ただし、演劇、映画、ラジオ若しくはテレビジョンの俳優、音楽家その他の芸能人又は運動家の個人的活動の所得については、適用されない。

◉自由職業者の所得

規定なし（§７の事業所得条項が適用される）

◉民間の退職年金

§17　英国の居住者に対し支払う退職年金その他これに類する報酬 ………………… 免税

◉保険年金（利殖年金）

§21　英国の居住者に支払うもの ………………………………………………………… 免税

イタリアとの租税条約

（昭和48年条約第２号）
（改正 昭和57年条約第２号）

◉人的役務の提供を主たる内容とする事業の所得

§７　日本にＰＥを有し、これに帰属するものを除き ……………………………… 免税

§17　ただし、その役務を行う演劇、映画、ラジオ若しくはテレビジョンの俳優、音楽家その他の芸能人又は運動家が直接又は間接に支配する企業に支払うものについては、適用されない。

◉利子等

§11　イタリアの居住者（法人を含む）に支払うもの ……………………………… 10%

ただし、日本にその利子を生じた債権と実質的に関連するＰＥを有する場合には、適用されない。

注　利子等には、割引債の償還差益を含む。

◉配当等

§10　①　配当に係る事業年度終了の日前６か月の期間を通じて、議決権株式の25%以上を所有するイタリアの法人に支払うもの …………………………… 10%

②　その他のイタリアの居住者（法人を含む）に支払うもの ……………… 15%

ただし、日本にその配当支払の基因となった株式等と実質的に関連するＰＥを有する場合には、適用されない。

◉貸付金の利子

§11　上記利子等に同じ。

◉工業所有権、著作権の使用料

§12　イタリアの居住者（法人を含む）に支払うもの ……………………………… 10%

ただし、日本にその使用料を生じた権利又は財産と実質的に関連するＰＥを有する場合には、適用されない。

なお、工業所有権等の譲渡対価については、免税（§13）。

◉機械、装置等の使用料

§12　産業上、商業上又は学術上の設備の使用料でイタリアの居住者（法人を含む）に支払うもの ……………………………………………………………………… 10%

ただし、日本にその使用料を生じた財産と実質的に関連するＰＥを有する場合には、適用されない。

◉交換教授等の給与、報酬

§20　大学、学校その他の教育機関において教育又は研究を行うため日本を訪れ、２年を超えない期間一時的に滞在する教授又は教員で、現にイタリアの居住者であり、又は日本を訪れる直前にイタリアの居住者であった者のその教育又は研究に対する報酬 ……………………………………………………………………… 免税

◉短期滞在者の給与、報酬

§15　イタリアの居住者の日本国内における勤務でその年の滞在期間が183日以下のものの報酬であって、しかも日本の居住者（法人を含む）でない雇用者又はこれに代わる者から支払われるもの（日本にあるその雇用者のＰＥ又はＦＢにより負担されるものを除く）……………………………………………………………………免税

§17　ただし、演劇、映画、ラジオ又はテレビジョンの俳優、音楽家その他の芸能人及び運動家の個人的活動の所得については、適用されない。

◉自由職業者の所得

§14　日本に通常使用することができるＦＢを有する者のそれに帰属する所得を除き……………………………………………………………………………………………免税

§17　ただし、演劇、映画、ラジオ若しくはテレビジョンの俳優、音楽家その他の芸能人又は運動家の個人的活動の所得については、適用されない。

◉民間の退職年金

§18　イタリアの居住者に対し過去の勤務について支払う退職年金その他これに類する報酬 ………………………………………………………………………………………免税

◉保険年金（利殖年金）

§22　明示なき所得としてイタリアの居住者に支払うもの …………………………免税

インドとの租税条約

（平成元年条約第８号）
（改正 平成28年条約第14号）

◉人的役務の提供を主たる内容とする事業の所得

§７　日本にＰＥを有し、これに帰属するものを除き ……………………………… 免税

§17　ただし、演劇、映画、ラジオ若しくはテレビジョンの俳優、音楽家その他の芸能人又は運動家の役務提供事業による所得（両国政府間で合意された文化交流のための特別の計画に基づく役務提供に係るものを除く）については、適用されない。

◉利子等

§11　①　インドの政府、地方政府、地方公共団体若しくは中央銀行又はその政府の所有する金融機関に支払うもの及びこれらによって保証された債権又はこれらによる間接融資に係る債権に関してインドの居住者（法人を含む）に支払うもの ……………………………………………………………………………… 免税

②　その他のインドの居住者（法人を含む）に支払うもの ………………… 10%

ただし、日本にＰＥ又はＦＢを有して事業等を行い、その利子支払の基因となった債権がこれらの施設と実質的に関連を有する場合は、適用されない。

注　利子等には、割引債の償還差益を含む。

◉配当等

§10　インドの居住者（法人を含む）に支払うもの …………………………………… 10%

ただし、日本にＰＥ又はＦＢを有して事業等を行い、その配当支払の基因となった株式等がこれらの施設と実質的に関連を有するものについては、適用されない。

◉貸付金の利子

§11　上記利子等に同じ。

◉工業所有権、著作権の使用料

§12　インドの居住者（法人を含む）に支払うもの（技術上の役務（個人に対する雇用の支払金や人的役務の対価を除く）に対する料金を含む）……………………… 10%

ただし、日本にＰＥ又はＦＢを有して事業等を行い、その使用料等支払の基因となった権利、財産又は契約がこれらの施設と実質的に関連を有する場合は、適用されない。

なお、工業所有権等の譲渡対価については、免税（§13）。

◉機械、装置等の使用料

§12　産業上、商業上又は学術上の設備の使用料でインドの居住者（法人を含む）に支払うもの ……………………………………………………………………………… 10%

ただし、日本にＰＥ又はＦＢを有して事業等を行い、その使用料支払の基因となった財産がこれらの施設と実質的に関連する場合には、適用されない。

◉交換教授等の給与、報酬

§21　大学、学校その他の公認された教育機関において教育又は研究を行うため日本を訪れ、２年を超えない期間一時的に滞在する教授又は教員で、現にインドの居住者であり、又は日本を訪れる直前にインドの居住者であった者のその教育又は研究に対する報酬 ……………………………………………………………………… 免税

ただし、公的な利益のためではなく、主として特定の者の私的利益のために行われる研究から生ずる所得については、適用されない。

◉短期滞在者の給与、報酬

§15　インドの居住者の日本国内における勤務で、その課税年度又は前年度を通じて滞在期間が183日以下のものの報酬であって、しかも、日本の居住者（法人を含む）でない雇用者又はこれに代わる者から支払われるもの（日本にあるその雇用者のＰＥ又はＦＢによって負担されるものを除く）…………………………………… 免税

§17　ただし、演劇、映画、ラジオ若しくはテレビジョンの俳優、音楽家その他の芸能人又は運動家の個人的活動の所得（両国政府間で合意された文化交流のための特別の計画に基づく役務提供に係るものを除く）については、適用されない。

◉自由職業者の所得

§14　日本に通常使用することができるＦＢを有し、これに帰属するもの又はその課税年度又はその前年度を通じて滞在期間が183日を超える場合の所得を除き … 免税

§17　ただし、演劇、映画、ラジオ若しくはテレビジョンの俳優、音楽家その他の芸能人又は運動家の個人的活動の所得（両国政府間で合意された文化交流のための特別の計画に基づく役務提供に係るものを除く）については、適用されない。

◉民間の退職年金

§18　インドの居住者に対し、過去の勤務につき支払う退職年金その他これに類する報酬 ………………………………………………………………………………… 免税

◉保険年金（利殖年金）

§22　明示なき所得としてインドの居住者に支払うもの …………………………… 課税

インドネシアとの租税協定

（昭和57年条約第19号）

◉人的役務の提供を主たる内容とする事業の所得

§７　日本にＰＥを有し、これに帰属するものを除き ……………………………… 免税

§17　ただし、演劇、映画、ラジオ若しくはテレビジョンの俳優、音楽家その他の芸能人又は運動家の役務提供事業による所得（両国政府間で合意された文化交流のための特別の計画に基づく役務提供に係るものを除く）については、適用されない。

◉利子等

§11　①　インドネシアの政府、地方政府、地方公共団体若しくは中央銀行又はその政府が所有する金融機関に支払う利子及びこれらによって保証された債権又はこれらによる間接融資に係る債権に関してインドネシアの居住者（法人を含む）に支払うもの ……………………………………………………………… 免税

②　その他のインドネシアの居住者（法人を含む）に支払うもの ………… 10%

ただし、日本にＰＥ又はＦＢを有して事業等を行い、その利子支払の基因となった債権がこれらの施設と実質的に関連する場合は、適用されない。

注　利子等には、割引債の償還差益を含む。

◉配当等

§10　①　配当に係る事業年度終了の日前12か月の期間を通じて、議決権株式の25%以上を所有するインドネシアの法人に支払うもの ………………………… 10%

②　その他のインドネシアの居住者（法人を含む）に支払うもの ………… 15%

ただし、日本にＰＥ又はＦＢを有して事業等を行い、その配当支払の基因となった株式等がこれらの施設と実質的に関連する場合は、適用されない。

◉貸付金の利子

§11　上記利子等に同じ。

◉工業所有権、著作権の使用料

§12　インドネシアの居住者（法人を含む）に支払うもの ………………………… 10%

ただし、日本にＰＥ又はＦＢを有して事業等を行い、その使用料の支払の基因となった権利がこれらの施設と実質的に関連する場合は、適用されない。

なお、工業所有権等の譲渡対価については、免税（§13）。

◉機械、装置等の使用料

§12　産業上、商業上又は学術上の設備の使用料でインドネシアの居住者（法人を含む）に支払うもの ……………………………………………………………… 10%

ただし、日本にＰＥ又はＦＢを有して事業等を行い、その使用料の支払の基因となった財産がこれらの施設と実質的に関連する場合は、適用されない。

◉交換教授等の給与、報酬

§20　大学、学校その他の公認された教育機関において教育又は研究を行うため日本を訪れ、２年を超えない期間一時的に滞在する教授又は教員で、現にインドネシアの居住者であり、又は日本を訪れる直前にインドネシアの居住者であった者のその教育又は研究に対する報酬 ……………………………………………………… 免税

◉短期滞在者の給与、報酬

§15　インドネシアの居住者の日本国内における勤務でその年の滞在期間が183日以下のものの報酬であって、しかも日本の居住者（法人を含む）でない雇用者又はこれに代わる者から支払われるもの（日本にあるその雇用者のＰＥ又はＦＢによって負担されるものを除く）……………………………………………………… 免税

§17　ただし、演劇、映画、ラジオ若しくはテレビジョンの俳優、音楽家その他の芸能人又は運動家の個人的活動の所得（両国政府間で合意された文化交流のための特別の計画に基づく役務提供に係るものを除く）については、適用されない。

◉自由職業者の所得

§14　日本に通常使用することができるＦＢを有し、これに帰属するもの又はその年の滞在期間が183日を超える場合の所得を除き ……………………………… 免税

§17　ただし、演劇、映画、ラジオ若しくはテレビジョンの俳優、音楽家その他の芸能人又は運動家の個人的活動の所得（両国政府間で合意された文化交流のための特別の計画に基づく役務提供に係るものを除く）については、適用されない。

◉民間の退職年金

§18　インドネシアの居住者に対し過去の勤務につき支払う退職年金その他これに類する報酬 ……………………………………………………………………………… 免税

◉保険年金（利殖年金）

§22　明示なき所得としてインドネシアの居住者に支払うもの ……………………… 免税

オーストラリアとの租税条約

（平成20年条約第13号）

◉人的役務の提供を主たる内容とする事業の所得

§４　日本にＰＥを有し、これに帰属するものを除き ……………………………… 免税

§16　ただし、演劇、映画、ラジオ若しくはテレビジョンの俳優、音楽家その他の芸能人又は運動家の役務提供事業による所得については、適用されない。

◉利子等

§11　①　次のものに支払うもの ………………………………………………………… 免税

(i)　オーストラリアの政府、地方政府、地方公共団体若しくは政府機能を遂行するその他の機関又はオーストラリア準備銀行

(ii)　利子の支払者と関連しないオーストラリアの一定の金融機関

(iii)　輸出金融保険公社などのほか、両国政府が随時合意するもの

ただし、上記(ii)については、バックトゥバック融資に関する取決め等により支払われる場合は適用されない（限度税率は10％）。

②　その他のオーストラリアの居住者（法人を含む）に支払うもの ……… 10％

ただし、日本にＰＥを有して事業を行い、その利子支払の基因となった債権がそのＰＥと実質的に関連を有する場合は、適用されない。

注　利子等には、割引債の償還差益を含む。

◉配当等

§10　①　配当の受取人が特定される日以前12か月の期間を通じ、日本法人の議決権株式の80％以上を直接所有する一定のオーストラリアの法人に支払うもの　免税

②　日本法人の議決権株式の10％以上を直接所有するオーストラリアの法人に支払うもの …………………………………………………………………… ５％

③　その他のオーストラリアの居住者（法人を含む）に支払うもの ……… 10％

ただし、日本において課税所得から配当を控除できる法人から支払われる配当には適用されない（その法人の有する資産のうち日本国内に存在する不動産の構成割合（間接を含む）が50％超の場合は、税率15％。その他の場合は税率10％）

また、日本にＰＥを有して事業を行い、その配当支払の基因となった株式等がそのＰＥと実質的な関連を有する場合は、適用されない。

注　配当を損金算入できる法人には、特定目的会社（SPC）や投資法人（REIT）があります。

◉貸付金の利子

§11　上記利子等に同じ。

◉工業所有権、著作権の使用料

§12　オーストラリアの居住者（法人を含む）に支払うもの（前渡金を含む）…… ５％

ただし、日本にＰＥを有して事業を行い、その使用料又は前渡金支払の基因となった財産又は権利がそのＰＥと実質的な関連を有する場合は、適用されない。

なお、工業所有権等の譲渡対価については、免税（§13)。

◉機械、装置等の使用料

規定なし（§７の事業所得条項が適用される）

◉交換教授等の給与、報酬

規定なし

◉短期滞在者の給与、報酬

§14　オーストラリアの居住者の日本国内における勤務でその課税年度に開始又は終了するいずれの12か月間における滞在期間が183日以下のものの報酬であって、しかも日本の居住者（法人を含む）でない雇用者又はこれに代わる者から支払われるもの（日本にあるその雇用者のＰＥにより負担されるものを除く）……… 免税

§16　ただし、演劇、映画、ラジオ若しくはテレビジョンの俳優、音楽家その他の芸能人又は運動家の個人的活動の所得については、適用されない。

◉自由職業者の所得

規定なし（§７の事業所得条項が適用される）

◉民間の退職年金

§17　オーストラリアの居住者に定期的に支払われる退職年金その他これに類する報酬 ……………………………………………………………………………………………… 免税

◉保険年金（利殖年金）

§17　オーストラリアの居住者に支払うもの …………………………………………… 免税

注　保険年金とは、金銭又はその等価物による適正かつ十分な対価として給付を行う義務に基づき、終身又は特定の若しくは確定することができる期間中、所定の時期において定期的に支払われる所定の金額をいう。

オランダとの租税条約

（平成23年条約第15号）

◉人的役務の提供を主たる内容とする事業の所得

§７　日本にＰＥを有し、これに帰属するものを除き ……………………………… 免税

§16　ただし、演劇、映画、ラジオ若しくはテレビジョンの俳優、音楽家その他の芸能人又は運動家の役務提供事業による所得については、適用されない。

◉利子等

§11　①次のものに支払うもの ………………………………………………………… 免税

(i)　オランダの政府、地方政府、地方公共団体若しくは中央銀行又はその政府が所有する機関

(ii)　これらの機関によって保証若しくは保険を付された債権又はこれらによる間接融資に係る債権に関してオランダの居住者（法人を含む）

(iii)　オランダの居住者である銀行、保険会社、証券会社等

(iv)　一定の年金基金

(v)　信用供与による設備又は物品の販売上生ずる債権（延払債権）に関して支払先となるオランダの居住者（法人を含む）

②　その他のオランダの居住者（法人を含む）に支払うもの ……………… 10%

ただし、日本にＰＥを有して事業を行い、その利子支払の基因となった債権がそのＰＥと実質的な関連を有する場合は、適用されない。

注　利子等には、割引債の償還差益を含む。

◉配当等

§10　①　配当の受取人が特定される日以前６か月の期間を通じ、日本法人の議決権株式の50%以上を直接又は間接に所有するオランダの法人又は一定の年金基金に支払うもの ……………………………………………………………… 免税

②　上記①の期間を通じて、日本法人の議決権株式の10%以上を直接又は間接に所有するオランダの法人に支払うもの ……………………………………… ５%

ただし、①、②とも日本において課税所得から配当を控除できる法人から支払われる配当には、一定の年金基金に支払われるものを除き、適用されない。

注　配当を損金算入できる法人には、特定目的会社（SPC）や投資法人（REIT）があります。

③　その他のオランダの居住者（法人を含む）に支払うもの ……………… 10%

ただし、日本にＰＥを有して事業を行い、その配当支払の基因となった株式等がそのＰＥと実質的な関連を有する場合は、適用されない。

◉貸付金の利子

§11　上記利子等に同じ。

◉工業所有権、著作権の使用料

§12　オランダの居住者（法人を含む）に支払うもの ……………………………… 免税

ただし、日本にＰＥを有して事業を行い、その使用料支払の基因となった権利又は財産がそのＰＥと実質的な関連を有する場合は、適用されない。

なお、工業所有権等の譲渡対価については、免税（§13)。

◉機械、装置等の使用料

規定なし（§７の事業所得条項が適用される）

◉交換教授等の給与、報酬

規定なし

◉短期滞在者の給与、報酬

§14　オランダの居住者の日本国内における勤務でその課税年度に開始又は終了するいずれの12か月間における滞在期間が183日以下のものの報酬であって、しかも日本の居住者（法人を含む）でない雇用者又はこれに代わる者から支払われるもの（日本にあるその雇用者のＰＥにより負担されるものを除く）……………… 免税

§16　ただし、演劇、映画、ラジオ若しくはテレビジョンの俳優、音楽家その他の芸能人又は運動家の個人的活動所得については、適用されない。

◉自由職業者の所得

規定なし（§７の事業所得条項が適用される）

◉民間の退職年金

§17　オランダの居住者に対し退職年金その他これに類する報酬（社会保障制度に基づく給付を含む）……………………………………………………………… 免税

ただし、これらの報酬がオランダにおいて適正に課税されないときは、適用されない。

また、これらの報酬に代わる一時金も、原則として免税とされるが、日本国内において生ずる場合 ……………………………………………………… 課税

◉保険年金（利殖年金）

§17　オランダの居住者に支払うもの ………………………………………… 免税

ただし、その年金がオランダにおいて適正に課税されないときは、適用されない。

また、その年金に代わる一時金も原則として免税とされるが、日本国内において生ずる場合 ……………………………………………………………… 課税

注　保険年金とは、金銭又はその等価物による適正かつ十分な対価として給付を行う義務に基づき、終身又は特定の若しくは確定することができる期間中、所定の時期において定期的に支払われる所定の金額をいう。

カナダとの租税条約

（昭和62年条約第12号）
（改正 平成12年条約第11号）

◉人的役務の提供を主たる内容とする事業の所得

§７　日本にＰＥを有し、これに帰属するものを除き ……………………………… 免税

§17　ただし、演劇、映画、ラジオ若しくはテレビジョンの俳優、音楽家その他の芸能人又は運動家の役務提供事業による所得（両国政府間で合意された文化交流のための特別の計画に基づく役務提供に係るものを除く）については、適用されない。

◉利子等

§11　①　カナダの政府、地方政府、地方公共団体若しくは中央銀行又はその政府の所有する金融機関に支払うもの及びこれらによって保証された債権又はこれらによる間接融資に係る債権に関してカナダの居住者（法人を含む）に支払うもの …………………………………………………………………… 免税

②　その他のカナダの居住者（法人を含む）に支払うもの ………………… 10%

ただし、日本にＰＥ又はＦＢを有して事業等を行い、その利子支払の基因となった債権がこれらの施設と実質的に関連を有する場合は、適用されない。

注　利子等には、割引債の償還差益を含む。

◉配当等

§10　①　配当に係る事業年度終了の日前６か月の期間を通じて、議決権株式の25%以上を所有するカナダの法人に支払うもの ……………………………… ５%

②　その他のカナダの居住者（法人を含む）に支払うもの ………………… 15%

ただし、日本にＰＥ又はＦＢを有して事業等を行い、その配当支払の基因となった株式等がこれらの施設と実質的に関連する場合には、適用されない。

◉貸付金の利子

§11　上記利子等に同じ。

◉工業所有権、著作権の使用料

§12　カナダの居住者（法人を含む）に支払うもの ……………………………… 10%

ただし、日本にＰＥ又はＦＢを有して事業等を行い、その使用料支払の基因となった権利又は財産がこれらの施設と実質的に関連する場合には、適用されない。

なお、工業所有権等の譲渡対価については、課税（§13）。

◉機械、装置等の使用料

§12　産業上、商業上又は学術上の設備の使用料でカナダの居住者（法人を含む）に支払うもの …………………………………………………………………… 10%

ただし、日本にＰＥ又はＦＢを有して事業等を行い、その使用料支払の基因となった財産がこれらの施設と実質的に関連する場合は、適用されない。

◉交換教授等の給与、報酬

規定なし

◉短期滞在者の給与、報酬

§15　カナダの居住者の日本国内における勤務でその年の滞在期間が183日以下のものの報酬であって、しかも日本の居住者（法人を含む）でない雇用者又はこれに代わる者から支払われるもの（日本にあるその雇用者のＰＥ又はＦＢによって負担されるものを除く）……………………………………………………………………免税

§17　ただし、演劇、映画、ラジオ若しくはテレビジョンの俳優、音楽家その他の芸能人又は運動家の個人的活動の所得（両国政府間で合意された文化交流のための特別の計画に基づく役務提供に係るものを除く）については、適用されない。

◉自由職業者の所得

§14　日本に通常使用することができるＦＢを有する者のそれに帰属する所得を除き…………………………………………………………………………………………免税

§17　ただし、演劇、映画、ラジオ若しくはテレビジョンの俳優、音楽家その他の芸能人又は運動家の個人的活動の所得（両国政府間で合意された文化交流のための特別の計画に基づく役務提供に係るものを除く）については、適用されない。

◉民間の退職年金

§20　明示なき所得としてカナダの居住者に支払うもの　……………………………課税

◉保険年金（利殖年金）

§20　明示なき所得としてカナダの居住者に支払うもの　……………………………課税

韓国との租税条約

（平成11年条約第14号）

◉人的役務の提供を主たる内容とする事業の所得

§７　日本にＰＥを有し、これに帰属するものを除き ……………………………… 免税

§17　ただし、演劇、映画、ラジオ若しくはテレビジョンの俳優、音楽家その他の芸能人又は運動家の役務提供事業による所得（両国政府間で合意された文化交流のための特別の計画に基づく役務提供に係るものを除く）については、適用されない。

◉利子等

§11　①　韓国の政府、地方公共団体若しくは中央銀行又はその政府、中央銀行若しくはその双方が全面的に所有する金融機関に支払うもの ………………… 免税

②　その他の韓国の居住者（法人を含む）に支払うもの …………………… 10％

ただし、日本にＰＥ又はＦＢを有して事業等を行い、その利子支払の基因となった債権がこれらの施設と実質的に関連する場合には、適用されない。

注　利子等には、割引債の償還差益を含む。

◉配当等

§10　①　配当に係る事業年度終了の日前６か月の期間を通じて、議決権株式の25％以上を所有する韓国の法人に支払うもの ……………………………………… ５％

②　その他の韓国の居住者（法人を含む）に支払うもの …………………… 15％

ただし、日本にＰＥ又はＦＢを有して事業等を行い、その配当支払の基因となった株式がこれらの施設と実質的に関連する場合には、適用されない。

◉貸付金の利子

§11　上記利子等に同じ。

◉工業所有権、著作権の使用料

§12　韓国の居住者（法人を含む）に支払うもの（その権利の譲渡の対価を含む）
……………………………………………………………………………………… 10％

ただし、日本にＰＥ又はＦＢを有して事業等を行い、その使用料又は収入の支払の基因となった権利又は財産がこれらの施設と実質的に関連する場合には、適用されない。

◉機械、装置等の使用料

§12　産業上、商業上若しくは学術上の設備の使用料（船舶又は航空機の裸用船契約に係るものを含む）で韓国の居住者（法人を含む）に支払うもの …………… 10％

ただし、日本にＰＥ又はＦＢを有して事業等を行い、その使用料の支払の基因となった財産がこれらの施設と実質的に関連する場合には、適用されない。

◉交換教授等の給与、報酬

§21　大学、学校その他の公認された教育機関において教育又は研究を行うため日本を訪れ、２年を超えない期間滞在する個人で、現に韓国の居住者であり、又は日本を訪れる直前に韓国の居住者であった者のその教育又は研究に対する報酬（韓国において租税を課されるものに限る）……………………………………………免税

ただし、主として特定の者の私的利益のために行われる研究から生ずる所得については、適用しない。

◉短期滞在者の給与、報酬

§15　韓国の居住者の日本国内における勤務でその年の滞在期間が183日以下のものの報酬であって、しかも日本の居住者（法人を含む）でない雇用者又はこれに代わる者から支払われるもの（日本にあるその雇用者のＰＥ又はＦＢにより負担されるものを除く）……………………………………………………………………免税

§17　ただし、演劇、映画、ラジオ又はテレビジョンの俳優、音楽家その他の芸能人又は運動家の個人的活動の所得（両国政府間で合意された文化交流のための特別の計画に基づく役務提供に係るものを除く）については、適用されない。

◉自由職業者の所得

§14　日本に通常使用することができるＦＢを有する者のそれに帰属する所得又はその年の滞在期間が183日以上の場合の所得を除き ……………………………免税

§17　ただし、演劇、映画、ラジオ又はテレビジョンの俳優、音楽家その他の芸能人又は運動家の個人的活動の所得（両国政府間で合意された文化交流のための特別の計画に基づく役務提供に係るものを除く）については、適用されない。

なお、韓国居住者の芸能人又は運動家の日本国内における個人的活動により取得する所得の額が年間１万米ドル相当額を超えない場合は免税（議定書２）。

◉民間の退職年金

§18　韓国の居住者に対し過去の勤務について支払う退職年金その他これに類する報酬 ……………………………………………………………………………………免税

◉保険年金（利殖年金）

§22　明示なき所得として韓国の居住者に支払うもの ……………………………免税

シンガポールとの租税協定

（平成７年条約第８号）
（改正 平成22年条約第２号）

◉人的役務の提供を主たる内容とする事業の所得

§７　日本にＰＥを有し、これに帰属するものを除き ……………………………… 免税

§17　ただし、演劇、映画、ラジオ若しくはテレビジョンの俳優、音楽家その他の芸能人又は運動家の役務提供事業による所得（両国政府間で合意された文化交流のための特別の計画に基づく役務提供に係るものを除く）については、適用されない。

◉利子等

§11　①　シンガポールの政府、地方公共団体若しくは中央銀行又はその政府の所有する機関に支払うもの及びこれらによって保証若しくは保険に付された債権又はこれらによる間接融資に係る債権に関してシンガポールの居住者（法人を含む）に支払うもの ……………………………………………………… 免税

②　その他のシンガポールの居住者（法人を含む）に支払うもの ………… 10%

ただし、日本にＰＥ又はＦＢを有して事業等を行い、その利子支払の基因となった債権がこれらの施設と実質的に関連する場合は、適用されない。

注　利子等には、割引債の償還差益を含む。

◉配当等

§10　①　配当に係る事業年度終了の日前６か月の期間を通じて、議決権株式の25%以上を所有するシンガポールの法人に支払うもの ………………………… ５%

②　その他のシンガポールの居住者（法人を含む）に支払うもの ………… 15%

ただし、日本にＰＥ又はＦＢを有して事業等を行い、その配当支払の基因となった株式等がこれらの施設と実質的に関連する場合には、適用されない。

◉貸付金の利子

§11　上記利子等に同じ。

◉工業所有権、著作権の使用料

§12　シンガポールの居住者（法人を含む）に支払うもの（その権利の譲渡の対価を含む）…………………………………………………………………………… 10%

ただし、日本にＰＥ又はＦＢを有して事業等を行い、その使用料又は収入の支払の基因となった権利又は財産がこれらの施設と実質的に関連する場合には、適用されない。

◉機械、装置等の使用料

§12　産業上、商業上又は学術上の設備の使用料（船舶又は航空機の裸用船契約に係るものを含む）でシンガポールの居住者（法人を含む）に支払うもの ……… 10%

ただし、日本にＰＥ又はＦＢを有して事業等を行い、その使用料又は収入の支

払の基因となった権利又は財産がこれらの施設と実質的に関連する場合には、適用されない。

◉交換教授等の給与、報酬

規定なし

◉短期滞在者の給与、報酬

§15　シンガポールの居住者が日本国内で行った人的役務で継続する12か月間における滞在期間が183日以下のものの報酬であって、しかもシンガポールの居住者（法人を含む）又はこれに代わる者から支払われるもの（日本にあるその支払者のＰＥにより負担されるものを除く）……………………………………………………免税

§17　ただし、演劇、映画、ラジオ若しくはテレビジョンの俳優、音楽家その他の芸能人又は運動家の個人的活動の所得（両国政府間で合意された文化交流のための特別の計画に基づく役務提供に係るものを除く）については、適用されない。

◉自由職業者の所得

§14　シンガポールの居住者が日本国内で行った人的役務で継続する12か月間における滞在期間が183日を超える場合又は日本に通常その用に供しているＦＢを有する場合を除き ………………………………………………………………………免税

§17　ただし、演劇、映画、ラジオ若しくはテレビジョンの俳優、音楽家その他の芸能人又は運動家の個人的活動の所得（両国政府間で合意された文化交流のための特別の計画に基づく役務提供に係るものを除く）については、適用されない。

◉民間の退職年金

§18　シンガポールの居住者に支払うもの ……………………………………………免税

◉保険年金（利殖年金）

§18　シンガポールの居住者に支払うもの ……………………………………………免税

スイスとの租税条約

（昭和46年条約第22号）
（改正 令和４年条約第３号）

◉人的役務の提供を主たる内容とする事業の所得

§７　日本にＰＥを有し、これに帰属するものを除き ……………………………… 免税

§17　ただし、その役務を行う演劇、映画、ラジオ若しくはテレビジョンの俳優、音楽家その他の芸能人又は運動家の役務提供事業による所得については、適用されない。

◉利子等

§11　①　次の②以外の利子 ………………………………………………………… 免税

②　債務者・その関係者の収入・所得その他の資金の流出入、若しくはそれらの者の有する資産価値の変動やそれらの者が支払う配当等に類する支払金を基礎として算定されるものでスイスの居住者（法人を含む）に支払うもの ………………………………………………………………………………… 10%

ただし、日本にＰＥ又はＦＢを有して事業等を行い、その利子支払の基因となった債権がそれらの施設と実質的な関連を有する場合は、適用されない。

注　利子等には、割引債の償還差益を含む。

◉配当等

§10　①　配当の受取人が特定される日以前６か月の期間を通じ、日本法人の議決権株式の50％以上を直接又は間接に所有するスイス法人又は一定の年金基金等に支払うもの ……………………………………………………………… 免税

②　上記①の期間を通じて、日本法人の議決権株式の10％以上を直接又は間接に所有するスイスの法人に支払うもの ………………………………… ５％

③　その他のスイスの居住者（法人を含む）に支払うもの ………………… 10%

ただし、日本にＰＥ又はＦＢを有して事業等を行い、その配当支払の基因となった株式等がそれらの施設と実質的な関連を有する場合は、適用されない。

◉貸付金の利子

§11　上記利子等に同じ。

◉工業所有権、著作権の使用料

§12　スイスの居住者（法人を含む）に支払うもの ……………………………… 免税

ただし、日本にＰＥ又はＦＢを有して事業等を行い、その使用料支払の基因となった権利又は財産がその施設と実質的な関連を有する場合には、適用されない。

なお、工業所有権等の譲渡対価については、免税（§13）。

◉機械、装置等の使用料

規定なし（§７の事業所得条項が適用される）

◉交換教授等の給与、報酬

規定なし

◉短期滞在者の給与、報酬

§15　スイスの居住者の日本国内における勤務でその年の滞在期間が183日以下のものの報酬であって、しかも日本の居住者（法人を含む）でない雇用者又はこれに代わる者から支払われるもの（日本にあるその雇用者のＰＥ又はＦＢにより負担されるものを除く）……………………………………………………………………免税

§17　ただし、演劇、映画、ラジオ若しくはテレビジョンの俳優、音楽家その他の芸能人又は運動家の個人的活動の所得については、適用されない。

◉自由職業者の所得

§14　日本に通常使用することができるＦＢを有する者のそれに帰属する所得を除き……………………………………………………………………………………免税

§17　ただし、演劇、映画、ラジオ若しくはテレビジョンの俳優、音楽家その他の芸能人又は運動家の個人的活動の所得については、適用されない。

◉民間の退職年金

§18　スイスの居住者に対し過去の勤務について支払う退職年金その他これに類する報酬 ……………………………………………………………………………………免税

◉保険年金（利殖年金）

§22　明示なき所得としてスイスの居住者に支払うもの ………………………………免税

タイとの租税条約

（平成２年条約第６号）

◉人的役務の提供を主たる内容とする事業の所得

§７　日本にＰＥを有し、これに帰属するものを除き ……………………………… 免税

§16　ただし、演劇、映画、ラジオ若しくはテレビジョンの俳優、音楽家その他の芸能人又は運動家の役務提供事業による所得（両国政府間で合意された文化交流のための特別の計画に基づく役務提供に係るものを除く）については、適用されない。

◉利子等

§11　①　タイの政府、地方公共団体若しくは中央銀行又はその政府の所有する金融機関に支払うもの ……………………………………………………………… 免税

②　タイの法人である金融機関（保険会社を含む）に支払うもの ………… 10％

ただし、日本にＰＥを有しその利子の支払基因となった債権がそのＰＥと実質的に関連を有するものであるときは、適用されない。

注　利子等には、割引債の償還差益を含む。

◉配当等

§10　産業的事業に従事する日本の法人が支払う配当で、配当に係る事業年度終了の日前６か月の期間を通じて、議決権株式の25％以上を所有するタイの法人に支払うもの ………………………………………………………………………… 15％

ただし、日本にＰＥを有し、その配当支払の基因となった株式等がそのＰＥと実質的に関連を有するものであるときは、適用されない。

◉貸付金の利子

§11　上記利子等に同じ。

◉工業所有権、著作権の使用料

§12　タイの居住者（法人を含む）に支払うもの（その権利の譲渡の対価を含む）
………………………………………………………………………………… 15％

ただし、日本にＰＥを有して事業を行い、その使用料又は収入の支払の基因となった権利又は財産がそのＰＥと実質的に関連を有するものであるときは、適用されない。

◉機械、装置等の使用料

規定なし

◉交換教授等の給与、報酬

§18　日本を訪れた当初にタイの居住者である個人で、日本の政府又は公認された大学、学校その他の教育機関の招請により、それらの教育機関において教育又は研究を行うため２年を超えない期間日本に滞在する者のその教育又は研究に対する報酬 ……………………………………………………………………… 免税

ただし、主として特定の者の私的利益のために行われる教育又は研究から生ずる所得については、適用されない。

◉短期滞在者の給与、報酬

§14　タイの居住者が日本国内で行った人的役務でその年の滞在期間が180日以下のものの報酬であって、しかもタイの居住者(法人を含む)又はこれに代わる者から支払われるもの(日本において租税を課される企業によって負担されるものを除く)……免税

§16　ただし、演劇、映画、ラジオ若しくはテレビジョンの俳優、音楽家その他の芸能人又は運動家の個人的活動の所得（両国政府間で合意された文化交流のための特別の計画に基づく役務提供に係るものを除く）については、適用されない。

◉自由職業者の所得

§14　タイの居住者である自由職業者が日本国内で行った人的役務でその年の滞在期間が180日以下のものの報酬であって、しかもタイの居住者（法人を含む）又はこれに代わる者から支払われるもの（日本において租税を課される企業によって負担されるものを除く）……免税

§16　ただし、演劇、映画、ラジオ若しくはテレビジョンの俳優、音楽家、その他の芸能人又は運動家の個人的活動の所得（両国政府間で合意された文化交流のための特別の計画に基づく役務提供に係るものを除く）については、適用されない。

◉民間の退職年金

§20　明示なき所得としてタイの居住者に支払うもの　……課税

◉保険年金（利殖年金）

§20　明示なき所得としてタイの居住者に支払うもの　……課税

中国との租税協定

（昭和59年条約第５号）

◉人的役務の提供を主たる内容とする事業の所得

§７　日本にＰＥを有し、これに帰属するものを除き ……………………………… 免税

§17　ただし、演劇、映画、ラジオ若しくはテレビジョンの俳優、音楽家その他の芸能人又は運動家の役務提供事業による所得（両国政府間で合意された文化交流のための特別の計画に基づく役務提供に係るものを除く）については、適用されない。

◉利子等

§11　①　中国の政府、地方公共団体若しくは中央銀行又はその政府が所有する金融機関に支払うもの及びこれらによる間接融資に係る債権に関して中華人民共和国の居住者（法人を含む）に支払うもの ………………………………… 免税

②　その他の中国の居住者（法人を含む）に支払うもの …………………… 10%

ただし、日本にＰＥ又はＦＢを有して事業等を行い、その利子支払の基因となった債権がこれらの施設と実質的に関連する場合は、適用されない。

注　利子等には、割引債の償還差益を含む。

◉配当等

§10　中国の居住者（法人を含む）に支払うもの ……………………………………… 10%

ただし､日本にＰＥ又はＦＢを有して事業等を行い､その配当支払の基因となった株式等がこれらの施設と実質的に関連する場合は、適用されない。

◉貸付金の利子

§11　上記利子等に同じ。

◉工業所有権、著作権の使用料

§12　中国の居住者（法人を含む）に支払うもの ……………………………………… 10%

ただし、日本にＰＥ又はＦＢを有して事業等を行い、その使用料の支払の基因となった権利がこれらの施設と実質的に関連する場合は、適用されない。

なお、工業所有権等の譲渡対価については、課税（§13)。

◉機械、装置等の使用料

§12　産業上、商業上又は学術上の設備の使用料で中国の居住者（法人を含む）に支払うもの ………………………………………………………………………………… 10%

ただし、日本にＰＥ又はＦＢを有して事業等を行い、その使用料の支払の基因となった財産がこれらの施設と実質的に関連する場合は、適用されない。

◉交換教授等の給与、報酬

§20　大学、学校その他の公認された教育機関において教育又は研究を行うことを主たる目的として日本を訪れ、最初の到着の日から３年を超えない期間一時的に滞在する個人で、現に中国の居住者であり、又は日本を訪れる直前に中国の居住者

であった者のその教育又は研究に対する報酬 ……………………………………… 免税

◉短期滞在者の給与、報酬

§15　中国の居住者の日本国内における勤務でその年の滞在期間が183日以下のものの報酬であって、しかも日本の居住者（法人を含む）でない雇用者又はこれに代わる者から支払われるもの（日本にあるその雇用者のＰＥ又はＦＢによって負担されるものを除く）……………………………………………………………………… 免税

§17　ただし、演劇、映画、ラジオ若しくはテレビジョンの俳優、音楽家その他の芸能人又は運動家の個人的活動の所得（両国政府間で合意された文化交流のための特別の計画に基づく役務提供に係るものを除く）については、適用されない。

◉自由職業者の所得

§14　日本に通常使用することができるＦＢを有する者のそれに帰属する所得又はその年の滞在期間が183日を超える場合の所得を除き ………………………………… 免税

§17　ただし、演劇、映画、ラジオ若しくはテレビジョンの俳優、音楽家その他の芸能人又は運動家の個人的活動の所得（両国政府間で合意された文化交流のための特別の計画に基づく役務提供に係るものを除く）については、適用されない。

◉民間の退職年金

§18　中国の居住者に対し過去の勤務につき支払う退職年金その他これに類する報酬 ……………………………………………………………………………………… 免税

◉保険年金（利殖年金）

§22　明示なき所得として中国の居住者に支払うもの ………………………………… 課税

ドイツとの租税協定

（昭和42年条約第４号）
（改正 平成28年条約第13号）

◉人的役務の提供を主たる内容とする事業の所得

§７　日本にＰＥを有し、これに帰属するものを除き ……………………………… 免税

§16　ただし、その役務を行う演劇、映画、ラジオ又はテレビジョンの俳優、音楽家その他の芸能人及び運動家の役務提供事業による所得 ………………………… 課税

◉利子等

§11　①　ドイツの居住者が受益者である利子（割引債の償還差益を含み、配当所得や支払遅延損害金を含まない）………………………………………………… 免税

ただし、日本にその利子を生じた債権を実質的に保有するＰＥを有する場合は、適用されない。

◉配当等

§10　①　配当の支払日前18か月の期間を通じて、議決権株式の25%以上を直接又は間接に所有するドイツの法人（組合を除く）に支払うもの ……………… 免税

②　配当の受取人特定日以前６か月の期間を通じ、日本法人の議決権株式の10%以上を直接に所有する組合を除くドイツの法人に支払うもの ……… ５%

③　上記①、②以外の場合 ………………………………………………………… 15%

ただし、日本にその配当支払の基因となった株式等を実質的に保有するＰＥを有する場合は、適用されない。

◉貸付金の利子

§11　上記利子等に同じ。

◉工業所有権、著作権の使用料

§12　ドイツの居住者（法人を含む）に支払うもの ……………………………… 免税

ただし、日本にＰＥを有して事業を行い、その使用料支払の基因となった権利又は財産がそのＰＥと実質的に関連を有する場合には、適用されない。

◉機械、装置等の使用料

規定なし（§７の事業所得条項が適用される。）

◉交換教授等の給与、報酬

規定なし（削除）

◉短期滞在者の給与、報酬

§14　ドイツの居住者の日本国内における勤務でその課税年度に開始又は終了するいずれの12か月の滞在期間が183日以下のものの報酬であって、しかも日本の居住者（法人を含む）でない雇用者又はこれに代わる者から支払われるもの（日本にあるその雇用者のＰＥによって負担されるものを除く）………………………… 免税

§16　ただし、演劇、映画、ラジオ又はテレビジョンの俳優、音楽家等の芸能人及び

運動家の個人的活動の所得については、適用されない。

◉自由職業者の所得

規定なし（§７の事業所得条項が適用される）

◉芸能人等の所得

§16　演劇、映画、ラジオ又はテレビジョンの俳優、音楽家等の芸能人及び運動家の個人的活動の所得 ……………………………………………………………………… 課税

◉民間の退職年金

§17　ドイツの居住者に対し過去の勤務について支払う退職年金その他これに類する報酬 ……………………………………………………………………………………… 課税

◉保険年金（利殖年金）

§17　退職年金その他これに類する報酬に該当するもの ……………………………… 課税

§21　その他の所得（明示なき所得）に該当するもの ………………………………… 免税

フィリピンとの租税条約

（昭和55年条約第24号）
（改正 平成20年条約第14号）

◉人的役務の提供を主たる内容とする事業の所得

§７　日本にＰＥを有し、これに帰属するものを除き ……………………………… 免税

§17　ただし、演劇、映画、ラジオ若しくはテレビジョンの俳優、音楽家その他の芸能人又は運動家の役務提供事業による所得（文化交流を目的とする両国政府間の特別の計画に基づく役務提供で、かつ、いずれかの国（地方政府及び地方公共団体を含む）の公的資金又はいずれかの国の特別の法人（非営利団体を含む）の資金により実質的に賄われる場合を除く）については、適用されない。

◉利子等

§11　①　フィリピンの政府、地方政府、地方公共団体若しくは中央銀行又はその政府の所有する金融機関に支払うもの及びこれらによって保証若しくは保険に付された債権又はこれらによる間接融資に係る債権に関してフィリピンの居住者（法人を含む）に支払うもの …………………………………………… 免税

②　その他のフィリピンの居住者（法人を含む）に支払う次のもの ……… 10%

ただし、日本にＰＥ又はＦＢを有して事業等を行い、その利子支払の基因となった債権がこれらの施設と実質的に関連する場合は、適用されない。

注　利子等には、割引債の償還差益を含む。

◉配当等

§10　①　配当の支払日前６か月の期間を通じて、議決権株式又は発行済株式の10%以上を所有するフィリピンの法人に支払うもの ……………………………… 10%

②　①以外のフィリピンの居住者（法人を含む）に支払うもの …………… 15%

ただし、日本にＰＥ又はＦＢを有して事業等を行い、その配当支払の基因となった株式等がこれらの施設と実質的に関連する場合は、適用されない。

◉貸付金の利子

§11　上記利子等に同じ。

◉工業所有権、著作権の使用料

§12　①　フィリピンの居住者（法人を含む）に支払う映画フィルム又はラジオ放送用若しくはテレビジョン放送用のフィルム（テープを含む）の使用料 … 15%

②　その他のすべての場合にフィリピンの居住者（法人を含む）に支払うもの ……………………………………………………………………………… 10%

ただし、日本にＰＥ又はＦＢを有して事業等を行い、その使用料の支払の基因となった権利がこれらの施設と実質的に関連する場合は、適用されない。

なお、工業所有権等の譲渡対価については、免税（§13）。

◉機械、装置等の使用料

§12　産業上、商業上又は学術上の設備の使用料でフィリピンの居住者（法人を含む）に支払うもの ……………………………………………………………………… 10%

ただし、日本にＰＥ又はＦＢを有して事業等を行い、その使用料の支払の基因となった財産がこれらの施設と実質的に関連する場合は、適用されない。

◉交換教授等の給与、報酬

§20　大学、学校その他の公認された教育機関において専ら教育又は研究を行うため日本を訪れ、２年を超えない期間一時的に滞在する教授、教員又は研究者で、現にフィリピンの居住者であり、又は日本を訪れる直前にフィリピンの居住者であった者のその教育又は研究に対する報酬 ……………………………………………… 免税

ただし、主として特定の者の私的利益のために行われる研究から生ずる所得については、適用されない。

◉短期滞在者の給与、報酬

§15　フィリピンの居住者の日本国内における勤務でその年の滞在期間が183日以下のものの報酬であって、しかも日本の居住者（法人を含む）でない雇用者又はこれに代わる者から支払われるもの（日本にあるその雇用者のＰＥ又はＦＢによって負担されるものを除く）……………………………………………………………… 免税

§17　ただし、演劇、映画、ラジオ若しくはテレビジョンの俳優、音楽家その他の芸能人又は運動家の個人的活動の所得（文化交流を目的とする両国政府間の特別の計画に基づく役務提供で、かつ、いずれかの国（地方政府及び地方公共団体を含む）の公的資金又はいずれかの国の特別の法人（非営利団体を含む）の資金により実質的に賄われる場合を除く）については、適用されない。

◉自由職業者の所得

§14　日本に通常使用可能なＦＢを有する者のそれに帰属する所得、又はその年の滞在期間が120日を超える者の所得を除き ……………………………………………… 免税

§17　ただし、演劇、映画、ラジオ若しくはテレビジョンの俳優、音楽家その他の芸能人又は運動家の個人的活動の所得（文化交流を目的とする両国政府間の特別の計画に基づく役務提供で、かつ、いずれかの国（地方政府及び地方公共団体を含む）の公的資金又はいずれかの国の特別の法人（非営利団体を含む）の資金により実質的に賄われる場合を除く）については、適用されない。

◉民間の退職年金

§18　フィリピンの居住者に対し過去の勤務につき支払う退職年金その他これに類する報酬 ……………………………………………………………………………… 免税

◉保険年金（利殖年金）

§18　フィリピンの居住者に支払うもの ……………………………………………… 免税

ブラジルとの租税条約

（昭和42年条約第21号）
（改正 昭和52年条約第16号）

◉人的役務の提供を主たる内容とする事業の所得

§５　日本にＰＥを有し、これに帰属するものを除き ……………………………… 免税

§４　ただし、演劇、映画、ラジオ又はテレビジョンの俳優、音楽家その他の芸能人の役務を提供する事業を行う場合には、日本にＰＥを有するものとされる。

◉利子等

§10　①　ブラジルの政府、地方政府、地方公共団体又はこれらのものが所有する機関（金融機関を含む）に支払うもの ……………………………………………… 免税

②　その他のブラジルの居住者（法人を含む）に支払うもの …………… 12.5%

ただし、日本にその利子を生じた債権を実質的に保有するＰＥを有する場合は、適用されない。

◉配当等

§９　ブラジルの居住者（法人を含む）に支払うもの …………………………… 12.5%

ただし、日本にその配当支払の基因となった株式等を実質的に保有するＰＥを有する場合は、適用されない。

◉貸付金の利子

§10　上記利子等に同じ。

◉工業所有権、著作権の使用料

§11　ブラジルの居住者（法人を含む）に支払う次のもの

①　映画フィルムの著作権及びラジオ放送用又はテレビジョン放送用のフィルム又はテープの著作権の使用料 ……………………………………………………… 15%

②　その他のもの（商標権の使用料を除く）…………………………………… 12.5%

ただし、日本にその使用料を生じた権利を実質的に保有するＰＥを有する場合は、適用されない。

なお、工業所有権等の譲渡対価については、免税（§12）。

◉機械、装置等の使用料

§11　産業上、商業上又は学術上の設備の使用料でブラジルの居住者（法人を含む）に支払うもの ……………………………………………………………………… 12.5%

ただし、日本にその使用料を生じた財産を実質的に保有するＰＥを有する場合は、適用されない。

◉交換教授等の給与、報酬

§16　大学、学校その他の教育機関において教育又は研究を行うため日本を訪れ、２年を超えない期間一時的に滞在する教授又は教員で、現にブラジルの居住者であり、又は日本を訪れる直前にブラジルの居住者であった者のその教育又は研究に

対する報酬 ……………………………………………………………………………… 免税

◉短期滞在者の給与、報酬

§14　ブラジルの居住者の日本国内における勤務でその年の滞在期間が183日以下のものの報酬であって、しかも日本の居住者（法人を含む）でない雇用者又はこれに代わる者から支払われるもの（日本にあるその雇用者のＰＥ又はＦＢによって負担されるものを除く）……………………………………………………………… 免税

§15　ただし、演劇、映画、ラジオ又はテレビジョンの俳優、音楽家その他の芸能人及び運動家の個人的活動の所得については、適用されない。

◉自由職業者の所得

§13　日本に通常使用することができるＦＢを有する者のそれに帰属する所得を除き ……………………………………………………………………………………… 免税

§15　ただし、演劇、映画、ラジオ又はテレビジョンの俳優、音楽家その他の芸能人及び運動家の個人的活動の所得については、適用されない。

◉民間の退職年金

§20　ブラジルの居住者に支払うもの ……………………………………………… 免税

注　退職年金には、過去の勤務の対価として又は過去の勤務に関連して受けた傷害に対する補償としての定期的な給付を含む。

◉保険年金（利殖年金）

§20　ブラジルの居住者に支払うもの ……………………………………………… 免税

注　保険年金には、適正かつ十分な対価として給付を行う義務に基づき、終身又は特定の年数の間の一定時期に定期的に支払われる一定の金額を含む。

フランスとの租税条約

（平成８年条約第１号）
（改正 平成19年条約第18号）

◉人的役務の提供を主たる内容とする事業の所得

§７　日本にＰＥを有し、これに帰属するものを除き ……………………………… 免税

§17　ただし、演劇、映画、ラジオ若しくはテレビジョンの俳優、音楽家その他の芸能人又は運動家の役務提供事業による所得（その役務提供がフランス若しくは日本の国（地方公共団体を含む）の公的資金又はフランス若しくは日本の特別の法人（非営利団体を含む）の資金により賄われる場合のその所得を除く）については、適用されない。

◉利子等

§11　①　次のものに支払うもの ……………………………………………………… 免税

(i)　フランスの政府、地方公共団体若しくは中央銀行又は政府が全面的に所有する機関

(ii)　これらの機関によって保証された債権、保険に付された債権又はこれらによる間接融資に係る債権に関してフランスの居住者（法人を含む）

(iii)　フランスの居住者たる銀行、保険会社、証券会社等

(iv)　信用供与による設備又は物品の販売上生ずる債権（延払債権）に関して支払先となるフランスの居住者（法人を含む）

②　その他のフランスの居住者（法人を含む）に支払うもの ……………… 10%

ただし、日本にＰＥを有して事業を行い、その利子支払の基因となった債権がそのＰＥと実質的な関連を有する場合は、適用されない。

注　利子等には、割引債の償還差益を含む。

◉配当等

§10　①　配当の受取人が特定される日以前６か月の期間を通じ、日本法人の議決権株式の15%以上又は間接所有を含め25%以上を所有するフランスの法人に支払うもの …………………………………………………………………………… 免税

②　上記①の期間を通じて、日本法人の議決権株式の10%以上を直接又は間接に所有するフランスの法人に支払うもの …………………………………… ５%

ただし、①、②とも日本において課税所得から配当を控除できる法人から支払われる配当には適用されない。

③　その他のフランスの居住者（法人を含む）に支払うもの ……………… 10%

ただし、①～③の特例は、日本にＰＥを有して事業を行い、その配当支払の基因となった株式等がそのＰＥと実質的な関連を有する場合は、適用されない。

◉貸付金の利子

§11　上記利子等に同じ。

◉工業所有権、著作権の使用料

§12　フランスの居住者（法人を含む）に支払うもの ……………………………… 免税

ただし、日本にＰＥを有して事業を行い、その使用料支払の基因となった権利又は財産と実質的な関連を有するものである場合は、適用されない。

なお、工業所有権等の譲渡対価については、免税（§13）。

◉機械、装置等の使用料

規定なし（§７の事業所得条項が適用される）

◉交換教授等の給与、報酬

§21　大学、学校その他の公認された教育機関において教育又は研究を行うため日本を訪れ、２年を超えない期間滞在する個人で、現にフランスの居住者である者又は日本を訪れる直前にフランスの居住者であった者のその教育又は研究に係る報酬で、その者がフランスにおいて租税を課されるもの ………………………… 免税

ただし、主として特定の者の私的利益のために行われる研究から生ずる所得については、適用されない。

◉短期滞在者の給与、報酬

§15　フランスの居住者の日本国内における勤務でその課税年度に開始又は終了するいずれの12か月間における滞在期間が183日以下のものの報酬であって、しかも日本の居住者（法人を含む）でない雇用者又はこれに代わる者から支払われるもの（日本にあるその雇用者のＰＥによって負担されるものを除く）…………… 免税

§17　ただし、演劇、映画、ラジオ若しくはテレビジョンの俳優、音楽家その他の芸能人又は運動家の個人的活動の所得（これらの者の活動がフランス若しくは日本の国（地方公共団体を含む）の公的資金又はフランス若しくは日本の特別の法人（非営利団体を含む）の資金により実質的に賄われる場合のその所得を除く）については、適用されない。

◉自由職業者の所得

規定なし（§７の事業所得条項が適用される）

◉民間の退職年金

§18　フランスの居住者に対し過去の勤務につき支払う退職年金その他これに類する報酬 ……………………………………………………………………………… 免税

◉保険年金（利殖年金）

§22　明示なき所得としてフランスの居住者に支払うもの ………………………… 免税

ベトナムとの租税協定

（平成７年条約第22号）

◉人的役務の提供を主たる内容とする事業の所得

§７　日本にＰＥを有し、これに帰属するものを除き ………………………………… 免税

§17　ただし、演劇、映画、ラジオ若しくはテレビジョンの俳優、音楽家その他の芸能人又は運動家の役務提供事業による所得（両国政府間で合意された文化交流のための特別の計画に基づく役務提供に係るものを除く）については、適用されない。

◉利子等

§11　①　ベトナムの政府、地方公共団体若しくは、中央銀行又はその政府が全面的に所有する金融機関に支払う利子及びこれらによって保証された債権、保険の引受けが行われた債権又はこれらによる間接融資に係る債権に関してベトナムの居住者（法人を含む）に支払うもの ……………………………………… 免税

②　その他のベトナムの居住者（法人を含む）に支払うもの ………………… 10%

ただし、日本にＰＥ又はＦＢを有して事業等を行い、その利子支払の基因となった債権がこれらの施設と実質的に関連する場合は、適用されない。

注　利子等には、割引債の償還差益を含む。

◉配当等

§10　ベトナムの居住者（法人を含む）に支払うもの ………………………………… 10%

ただし、日本にＰＥ又はＦＢを有して事業等を行い、その配当支払の基因となった株式等がこれらの施設と実質的に関連する場合は、適用されない。

◉貸付金の利子

§11　上記利子等に同じ。

◉工業所有権、著作権の使用料

§12　ベトナムの居住者（法人を含む）に支払うもの（その権利の譲渡の対価を含む） …………………………………………………………………………………………… 10%

ただし、日本にＰＥ又はＦＢを有して事業等を行い、その使用料の支払の基因となった権利がこれらの施設と実質的に関連する場合は、適用されない。

◉機械、装置等の使用料

§12　産業上、商業上又は学術上の設備の使用料でベトナムの居住者（法人を含む）に支払うもの ……………………………………………………………………… 10%

ただし、日本にＰＥ又はＦＢを有して事業等を行い、その使用料の支払の基因となった財産がこれらの施設と実質的に関連する場合は、適用されない。

◉交換教授等の給与、報酬

規定なし

◉短期滞在者の給与、報酬

§15　ベトナムの居住者の日本国内における勤務でその年の滞在期間が183日以下のものの報酬であって、しかも日本の居住者（法人を含む）でない雇用者又はこれに代わる者から支払われるもの（日本にあるその雇用者のＰＥ又はＦＢによって負担されるものを除く）……………………………………………………………………免税

§17　ただし、演劇、映画、ラジオ若しくはテレビジョンの俳優、音楽家その他の芸能人又は運動家の個人的活動の所得（両国政府間で合意された文化交流のための特別の計画に基づく役務提供に係るものを除く）については、適用されない。

◉自由職業者の所得

§14　日本に通常使用することができるＦＢを有し、これに帰属するもの及びその年の滞在期間が183日以上の場合を除き ……………………………………………免税

§17　ただし、演劇、映画、ラジオ若しくはテレビジョンの俳優、音楽家その他の芸能人又は運動家の個人的活動の所得（両国政府間で合意された文化交流のための特別の計画に基づく役務提供に係るものを除く）については、適用されない。

◉民間の退職年金

§18　ベトナムの居住者に対し過去の勤務につき支払う退職年金その他これに類する報酬 ………………………………………………………………………………………免税

◉保険年金（利殖年金）

§21　明示なき所得としてベトナムの居住者に支払うもの ……………………………免税

ベルギーとの租税条約

（昭和45年条約第１号）
（改正 平成30年条約第17号）

◉人的役務の提供を主たる内容とする事業の所得

§７　日本にＰＥを有し、これに帰属するものを除き ……………………………… 免税
§16　ただし、演劇、映画、ラジオ又はテレビジョンの俳優、音楽家その他の芸能人及び運動家の役務提供事業によるベルギー企業の所得 ……………………… 課税

◉利子等

§11　①　次の②、③以外の利子で、日本企業からベルギー企業に支払われるもの、同国年金基金の一定の活動に関して支払われるもの、同国政府・地方政府・中央銀行等に支払われるもの、同国居住者に支払われる政府保証等のついた債権に関して支払われるもの ……………………………………………… 免税
②　債務者・その関係者の収入、所得、その他の資産の流出入、若しくはそれらの者の有する資産価値の変動やそれらの者が支払う配当等に類する支払金を基礎として算定されるもの
③　上記①、②以外のもの ………………………………… （②、③とも）10%
ただし、日本にＰＥを有して事業を行い、その利子支払の基因となった債権がそのＰＥと実質的に関連を有する場合は、適用されない。

◉配当等

§10　①　配当の受取人が特定される日以前６か月の期間を通じて、議決権株式の10%以上を直接又は間接に所有するベルギーの法人、及び年金基金で一定の場合に支払うもの ……………………………………………………………… 免税
②　その他のベルギーの居住者（法人を含む）に支払うもの ……………… 10%
ただし、日本にその配当支払の基因となった株式等を実質的に保有するＰＥを有する場合は、適用されない。

◉貸付金の利子

§11　上記利子等に同じ。

◉工業所有権、著作権の使用料

§12　ベルギーの居住者（法人を含む）に支払うもの ……………………………… 免税
ただし、日本にＰＥを有して事業を行い、その使用料支払の基因となった権利又は財産がそのＰＥと実質的に関連を有する場合は、適用されない。

◉機械、装置等の使用料

規定なし（§７の事業所得条項が適用される。）

◉交換教授等の給与、報酬

規定なし（削除）

◉短期滞在者の給与、報酬

§14　ベルギーの居住者の日本国内における勤務でその課税年度に開始又は終了するいずれの12か月の滞在期間が183日以下のものの報酬であって、しかも日本の居住者（法人を含む）でない雇用者又はこれに代わる者から支払われるもの（日本にあるその雇用者のＰＥによって負担されるものを除く）……………………… 免税

§16　ただし、演劇、映画、ラジオ又はテレビジョンの俳優、音楽家その他の芸能人及び運動家の個人的活動の所得については、適用されない。

◉自由職業者の所得

規定なし（§７の事業所得条項が適用される）

◉芸能人等の所得

§16　演劇、映画、ラジオ又はテレビジョンの俳優、音楽家その他の芸能人及び運動家の個人的活動の所得 …………………………………………………………… 課税

◉民間の退職年金

§17　ベルギーの居住者に対し過去の勤務につき支払う退職年金その他これに類する報酬 ………………………………………………………………………………… 課税

◉保険年金（利殖年金）

§17　退職年金その他これに類する報酬に該当するもの …………………………… 課税

§21　その他の所得（明示なき所得）に該当するもの ……………………………… 免税

香港との租税協定

（平成23年条約第８号）

◉人的役務の提供を主たる内容とする事業の所得

§７　日本にＰＥを有し、これに帰属するものを除き ……………………………… 免税

§16　ただし、演劇、映画、ラジオ若しくはテレビジョンの俳優、音楽家その他の芸能人又は運動家の役務提供事業による所得については、適用されない。

◉利子等

§11　①　次のものに支払うもの ……………………………………………………… 免税

(i)　香港の政府、香港金融管理局、又はその他の類似の機関で政府が合意するもの

(ii)　これらの機関によって保証又は保険を付された債権又はこれらによる間接融資に係る債権に関して支払先となる香港の居住者（法人を含む）

②　その他の香港の居住者（法人を含む）に支払うもの …………………… 10%

ただし、日本にＰＥを有して事業を行い、その利子支払の基因となった債権がそのＰＥと実質的な関連を有する場合は適用されない。

注　利子等には、割引債の償還差益を含む。

◉配当等

§10　①　配当の受取人が特定される日以前６か月間を通じ、日本株式の議決権株式の10%以上を直接又は間接に所有する香港の法人に支払うもの …………… ５%

②　その他の香港の居住者（法人を含む）に支払うもの …………………… 10%

ただし、日本において課税所得から配当を控除できる法人から支払われる配当には適用されない。

また、日本にＰＥを有して事業を行い、その配当支払の基因となった株式等がそのＰＥと実質的な関連を有する場合は、適用されない。

注　配当を損金算入できる法人には、特定目的会社（ＳＰＣ）や投資法人（ＲＥＩＴ）があります。

◉貸付金の利子

§11　上記利子等に同じ。

◉工業所有権、著作権の使用料

§12　香港の居住者（法人を含む）に支払うもの ……………………………………… ５%

ただし、日本にＰＥを有して事業を行い、その使用料支払の基因となった権利又は財産がそのＰＥと実質的な関連を有する場合は、適用されない。

なお、工業所有権等の譲渡対価については、免税（§13）。

◉機械、装置等の使用料

規定なし（§７の事業所得条項が適用される）

◉交換教授等の給与、報酬

規定なし

◉短期滞在者の給与、報酬

§14　香港の居住者の日本国内における勤務でその課税年度に開始又は終了するいずれの12か月間における滞在期間が183日以下のものの報酬であって、しかも日本の居住者（法人を含む）でない雇用者又はこれに代わる者から支払われるもの（日本にあるその雇用者のＰＥにより負担されるものを除く）……………………………免税

§16　ただし、演劇、映画、ラジオ若しくはテレビジョンの俳優、音楽家その他の芸能人又は運動家の個人的活動の所得については、適用されない。

◉自由職業者の所得

規定なし（§７の事業所得条項が適用される）

◉民間の退職年金

§17　香港の居住者が受取る退職年金その他これに類する報酬 ……………………免税

◉保険年金（利殖年金）

§21　明示なき所得として香港の居住者に支払うもの ………………………………免税

マレーシアとの租税協定

（平成11年条約第16号）
（改正 平成22年条約第11号）

◉人的役務の提供を主たる内容とする事業の所得

§７　日本にＰＥを有し、これに帰属するものを除き ………………………………… 免税

§17　ただし、演劇、映画、ラジオ若しくはテレビジョンの俳優、音楽家その他の芸能人又は運動家の役務提供事業による所得（両国政府間で合意された文化交流のための特別の計画に基づく役務提供に係るものを除く）については、適用されない。

◉利子等

§11　①　マレーシアの政府、地方政府、地方公共団体若しくは中央銀行又はその政府が全面的に所有する金融機関に支払うもの ………………………………… 免税

②　その他のマレーシアの居住者（法人を含む）に支払うもの …………… 10%

ただし、日本にＰＥ又はＦＢを有して事業等を行い、その利子支払の基因となった債権がこれらの施設と実質的に関連する場合には、適用されない。

注　利子等には、割引債の償還差益を含む。

◉配当等

§10　①　配当に係る事業年度終了の日前６か月の期間を通じて、議決権株式の25%以上を所有するマレーシアの法人に支払うもの ……………………………… ５%

②　その他のマレーシアの居住者（法人を含む）に支払うもの …………… 15%

ただし、日本にＰＥ又はＦＢを有して事業等を行い、その配当支払の基因となった株式がこれらの施設と実質的に関連する場合には、適用されない。

◉貸付金の利子

§11　上記利子等に同じ。

◉工業所有権、著作権の使用料

§12　マレーシアの居住者（法人を含む）に支払うもの（その権利の譲渡の対価を含む）……………………………………………………………………………… 10%

ただし、日本にＰＥ又はＦＢを有して事業等を行い、その使用料又は収入の支払の基因となった権利又は財産がこれらの施設と実質的に関連する場合には、適用されない。

◉機械、装置等の使用料

§12　産業上、商業上若しくは学術上の設備の使用料（船舶又は航空機の裸用船契約に係るものを含む）でマレーシアの居住者（法人を含む）に支払うもの …… 10%

ただし、日本にＰＥ又はＦＢを有して事業等を行い、その使用料の支払の基因となった財産がこれらの施設と実質的に関連する場合には、適用されない。

◉交換教授等の給与、報酬

規定なし

◉短期滞在者の給与、報酬

§15　マレーシアの居住者の日本国内における勤務でその年の滞在期間が183日以下のものの報酬であって、しかも日本の居住者（法人を含む）でない雇用者又はこれに代わる者から支払われるもの（日本にあるその雇用者のＰＥ又はＦＢにより負担されるものを除く）……………………………………………………………免税

§17　ただし、演劇、映画、ラジオ若しくはテレビジョンの俳優、音楽家その他の芸能人又は運動家の個人的活動の所得（両国政府間で合意された文化交流のための特別の計画に基づく役務提供に係るものを除く）については、適用されない。

◉自由職業者の所得

§14　日本に通常使用することができるＦＢを有する者のそれに帰属する所得又はその年の滞在期間が183日以上の場合の所得を除き ……………………………………免税

§17　ただし、演劇、映画、ラジオ若しくはテレビジョンの俳優、音楽家その他の芸能人又は運動家の個人的活動の所得（両国政府間で合意された文化交流のための特別の計画に基づく役務提供に係るものを除く）については、適用されない。

◉民間の退職年金

§18　マレーシアの居住者に対し過去の勤務について支払う退職年金その他これに類する報酬 ……………………………………………………………………………免税

◉保険年金（利殖年金）

§21　明示なき所得としてマレーシアの居住者に支払うもの ………………………課税

メキシコとの租税条約

（平成８年条約第10号）

◉人的役務の提供を主たる内容とする事業の所得

§７　日本にＰＥを有し、これに帰属するものを除き ……………………………… 免税

§17　ただし、演劇、映画、ラジオ若しくはテレビジョンの俳優、音楽家その他の芸能人又は運動家の役務提供事業による所得（両国政府間で合意された文化交流のための特別の計画に基づく役務提供に係るものを除く）については、適用されない。

◉利子等

§11　①　メキシコの政府、地方政府、地方公共団体若しくは中央銀行又はメキシコ政府が全面的に所有する金融機関で両国政府が合意したものに支払う利子及びこれらによって保証された債権又はこれらによって保険の引受けが行われた債権に関してメキシコの居住者（法人を含む）に支払うもの ………… 免税

②　①以外のメキシコの居住者（法人を含む）に支払うもので次のいずれかに該当するもの ……………………………………………………………………… 10%

(i)　その受益者が銀行又は保険会社である場合

(ii)　その利子が公認の証券取引所において通常かつ実質的に取引されている債券及び証券から取得されるものである場合

(iii)　その利子が銀行により支払われる場合

(iv)　その利子が信用供与による設備又は機械の販売に関し支払われるもので、その利子の受領者が当該設備又は機械の販売者である場合

③　その他のメキシコの居住者（法人を含む）に支払うもの ……………… 15%

ただし、日本にＰＥ又はＦＢを有して事業等を行い、その利子支払の基因となった債権がこれらの施設と実質的な関連を有する場合は、適用されない。

注　利子等には、割引債の償還差益を含む。

◉配当等

§10　①　配当に係る事業年度終了の日前６か月の期間を通じ、議決権株式の25%以上を所有するメキシコの法人であって、配当支払日にその法人の株式がメキシコの公認の証券取引所に上場されていて、その株式の50%超がその政府、その居住者（一定の法人を含む）等により所有されているものに支払うもの … 免税

②　上記①の期間を通じ、議決権株式の25%以上を所有するメキシコの法人に支払うもの ………………………………………………………………… ５％

③　その他のメキシコの居住者（法人を含む）に支払うもの ……………… 15%

ただし、日本にＰＥ又はＦＢを有して事業等を行い、その配当支払の基因となった株式等がこれらの施設と実質的な関連を有する場合は、適用されない。

◉貸付金の利子

§11　上記利子等に同じ。

◉工業所有権、著作権の使用料

§12　メキシコの居住者（法人を含む）に支払うもの（その権利の譲渡で真正譲渡以外のものの対価を含む）……………………………………………………………………10%

ただし、日本にＰＥ又はＦＢを有して事業等を行い、その使用料支払の基因となった権利又は財産がこれらの施設と実質的な関連を有する場合は、適用されない。

なお、その権利の真正譲渡の対価については、免税（§13、議定書14）。

◉機械、装置等の使用料

§12　産業上、商業上又は学術上の設備の使用料でメキシコの居住者（法人を含む）に支払うもの ……………………………………………………………………10%

ただし、日本にＰＥ又はＦＢを有して事業等を行い、その使用料支払の基因となった設備がこれらの施設と実質的な関連を有する場合は、適用されない。

◉交換教授等の給与、報酬

規定なし

◉短期滞在者の給与、報酬

§15　メキシコの居住者の日本国内における勤務で継続する12か月間における滞在期間が183日以下のものの報酬であって、しかも日本の居住者（法人を含む）でない雇用者又はこれに代わる者から支払われるもの（日本にあるその雇用者のＰＥ又はＦＢによって負担されるものを除く）……………………………………免税

§17　ただし、演劇、映画、ラジオ若しくはテレビジョンの俳優、音楽家等の芸能人又は運動家の個人的活動の所得（両国政府間で合意された文化交流のための特別の計画に基づく役務提供に係るものを除く）については、適用されない。

◉自由職業者の所得

§14　日本に通常その用に供しているＦＢを有し、これに帰属するもの及び継続する12か月間における滞在期間が183日を超える場合を除き …………………………免税

§17　ただし、演劇、映画、ラジオ若しくはテレビジョンの俳優、音楽家その他の芸能人又は運動家の個人的活動の所得(両国政府間で合意された文化交流のための特別の計画に基づく役務提供に係るものを除く）については、適用されない。

◉民間の退職年金

§18　メキシコの居住者に対し過去の勤務につき支払われる退職年金その他これに類する報酬 ……………………………………………………………………………免税

◉保険年金（利殖年金）

§21　明示なき所得としてメキシコの居住者に支払うもの …………………………課税

旧ソ連との租税条約

（昭和61年条約第８号）

◉人的役務の提供を主たる内容とする事業の所得

§５　日本にＰＥを有し、これに帰属するものを除き ……………………………… 免税

§14　ただし、演劇、映画、ラジオ若しくはテレビジョンの俳優、音楽家その他の芸能人又は運動家の役務提供事業による所得（両国政府間で随時合意される文化交流のための特別の計画に基づく役務提供に係るものを除く）については、適用されない。

◉利子等

§８　①　ロシアの政府、地方公共団体、中央銀行及び政府の所有する金融機関が取得する利子及びこれらによって保証された債権、保険に付された債権又はこれらによる間接融資による債権に関し、ロシアの居住者（法人を含む）に支払うもの ……………………………………………………………………… 免税

②　その他のロシアの居住者（法人を含む）に支払うもの …………………… 10%

ただし、日本に有するＰＥを通じて事業を行う場合に、その利子支払の基因となった債権がそのＰＥと実質的な関連を有するものであるときは、適用されない。

注　利子等には、割引債の償還差益を含む。

◉配当等

§７　ロシアの居住者（法人を含む）に支払うもの ……………………………… 15%

ただし、日本に有するＰＥを通じて事業を行う場合に、その配当支払の基因となった株式がそのＰＥと実質的な関連を有するものであるときは、適用されない。

◉貸付金の利子

§８　上記利子等に同じ。

◉工業所有権、著作権の使用料

§９　ロシアの居住者（法人を含む）に支払う次のもの

①　文化的使用料（著作権の使用料）…………………………………………… 免税

②　工業的使用料（工業所有権等の使用料）…………………………………… 10%

ただし、日本に有するＰＥを通じて事業を行う場合に、その使用料の支払の基因となった権利がそのＰＥと実質的な関連を有するものであるときは、適用されない。

なお、工業所有権等の譲渡対価については、免税（§11）。

◉機械、装置等の使用料

§９　産業上、商業上又は学術上の設備の使用料でロシアの居住者（法人を含む）に支払うもの ……………………………………………………………………… 10%

ただし、日本に有するＰＥを通じて事業を行う場合に、その使用料の支払の基

因となった財産がそのＰＥと実質的な関連を有するものであるときは、適用されない。

◉交換教授等の給与、報酬

§17　大学、学校その他の公認された教育機関において教育又は研究を行うことを主たる目的として日本に一時的に滞在する個人であって、現にロシアの居住者である者又はその滞在の直前にロシアの居住者であった者の日本に最初に到着した日から２年を超えない期間のその教育又は研究に係る報酬 ……………………… 免税

ただし、主として特定の者の私的利益のために行われる教育又は研究から生ずる所得については、適用されない。

◉短期滞在者の給与、報酬

§12　ロシアの居住者の日本国内における勤務でその年における滞在期間が183日以下のものの報酬であって、しかも日本の居住者（法人を含む）でない雇用者又はこれに代わる者から支払われるもの（日本にある雇用者のＰＥにより負担されるものを除く）…………………………………………………………………………………… 免税

§14　ただし、芸能人又は運動家の役務に係る報酬については、適用されない。（両国政府間で随時合意される文化交流のための特別の計画に基づく役務提供に係るものを除く）

◉自由職業者の所得

§12　ロシアの居住者である自由職業者の日本国内における人的役務でその年における滞在期間が183日以下のものの報酬であって、しかも日本の居住者（法人を含む）でない雇用者又はその者に代わる者から支払われるもの（日本にあるその雇用者のＰＥにより負担されるものを除く）…………………………………………………… 免税

§14　ただし、芸能人又は運動家の役務に係る報酬については、適用されない。（両国政府間で随時合意される文化交流のための特別の計画に基づく役務提供に係るものを除く）

◉民間の退職年金

§15　ロシアの居住者に対し過去の勤務について支払う退職年金その他これに類する報酬 ………………………………………………………………………………………… 免税

◉保険年金（利殖年金）

§19　明示なき所得としてロシアの居住者に支払うもの ……………………………… 免税

台湾との民間租税取決め

（平成28年６月発効）

◉人的役務の提供を主たる内容とする事業の所得

§７　日本にＰＥを有し、これに帰属するものを除き ……………………………… 免税

§17　ただし、その役務を行う演劇、映画、ラジオ又はテレビジョンの俳優、音楽家その他の芸能人及び運動家の役務提供事業による所得 ………………………… 課税

◉利子等

§11　①　台湾の行政当局や地方公共団体若しくは中央銀行や一定の金融機関又は一定の居住者に支払うもの ……………………………………………………… 免税

②　その他の台湾の居住者に支払うもの ………………………………… 10%

◉配当等

§10　台湾の居住者に支払うもの ……………………………………………………… 10%

ただし、日本にＰＥ又はＦＢを有して事業等を行い、その配当支払の基因となった株式がこれらの施設と実質的に関連する場合には、適用されない。

◉貸付金の利子

§11　上記利子等に同じ。

◉工業所有権、著作権の使用料

§12　台湾の居住者に支払うもの ……………………………………………………… 10%

ただし、日本にＰＥ又はＦＢを有して事業等を行い、その使用料支払の基因となった財産がこれらの施設と実質的に関連する場合には、適用されない。

◉機械、装置等の使用料

規定なし（§７の事業所得条項が適用される。）

◉交換教授等の給与、報酬

規定なし

◉短期滞在者の給与、報酬

§15　台湾の居住者の日本国内における勤務でその年の滞在期間が183日以下のものの報酬であって、しかも日本の居住者でない雇用者又はこれに代わる者から支払われるもの（日本にあるその雇用者のＰＥ又はＦＢにより負担されるものを除く）……………………………………………………………………………… 免税

§17　ただし、演劇、映画、ラジオ若しくはテレビジョンの俳優、音楽家又は運動家の個人的活動の所得については適用されない。

◉自由職業者の所得

§14　日本に通常使用されることができるＦＢを有する者のそれに帰属する所得又はその年の滞在期間が183日以上の場合の所得を除き ……………………………… 免税

§17　ただし、演劇、映画、ラジオ若しくはテレビジョンの俳優、音楽家又は運動家の個人的活動の所得については適用されない。

◉民間の退職年金

§18　台湾の居住者に対し支払われる退職年金その他これに類する報酬 …………免税

◉保険年金（利殖年金）

§21　明示なき所得として日本において生ずるもので台湾の居住者に支払うもの ……………………………………………………………………………………課税

索引

さ

た

な

は

ま

や

ら

わ

アルファベット

執筆者紹介

門野 久雄（かどの・ひさお）

税理士

1967年熊本国税局に採用され、税務職員となる。
2009年に門野久雄税理士事務所（千葉県税理士会千葉西支部所属）を開設し、現在に至る。
主な著書に『厳選事例を要点解説 消費税○×△課否判定』（清文社）がある。

[第３版] 非居住者・外国法人 源泉徴収の実務 Q&A

2024 年 8 月 2 日　発行

著　者　門野 久雄 ©

発行者　小泉 定裕

発行所　株式会社 清文社

東京都文京区小石川 1 丁目 3－25（小石川大国ビル）
〒 112-0002　電話 03(4332)1375　FAX03(4332)1376
大阪市北区天神橋 2 丁目北 2－6（大和南森町ビル）
〒530-0041　電話 06(6135)4050　FAX06(6135)4059
URL https://www.skattsei.co.jp/

印刷：日本ハイコム㈱

■著作権法により無断複写複製は禁止されています。落丁本・乱丁本はお取替えします。

■本書の内容に関するお問い合わせは編集部まで FAX（03-4332-1378）又はメール（edit-e@skattsei.co.jp）でお願いします。
■本書の追録情報等は、当社ホームページ（https://www.skattsei.co.jp/）をご覧ください。

ISBN978-4-433-71404-8